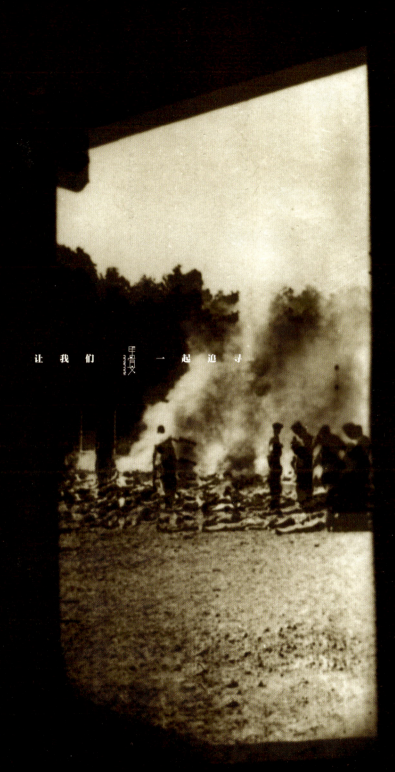

让 我 们 一 起 追 寻

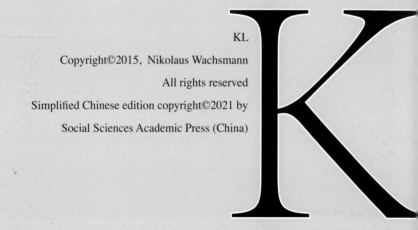

〔德〕尼古劳斯·瓦克斯曼 — 著

柴 茁 — 译

纳 粹

A History of the Nazi Concentration Camps

集中营

史

社会科学文献出版社

SOCIAL SCIENCES ACADEMIC PRESS (CHINA)

本书获誉

这是所有语言中对纳粹集中营历史最充分、最全面的记载：杰出的研究、引人注目的细节和令人信服的分析，易读且权威。这本书是非凡的成就，很快就会成为该领域的必读之作。

——"第三帝国三部曲"作者理查德·埃文斯爵士

这本书是一项非凡的成就。尼古劳斯·瓦克斯曼是完整写出纳粹集中营历史的第一人，他用单一的叙事视角写出了推动集中营系统萌芽和发展的政策与措施、这一恐怖之地发展的环境，以及受害者是如何在不同阶段和不同层面来记录和纪念的。本书是进一步深入了解第三帝国的必读之物。

——普利策奖得主、《灭绝的年代：纳粹德国和犹太人，1939~1945》作者索尔·弗里德兰德尔

难以想象尼古劳斯·瓦克斯曼写出了这样一部宏伟之作，它必然会成为描写纳粹集中营的典范，永远不会被超越。瓦克斯曼针对纳粹集中营这一冷酷却极为重要的主题，展开了海量的文献检索并四处搜集资料，最终为我们呈现了扣人心弦且综合权威的研究。

——伊恩·克肖

尼古劳斯·瓦克斯曼撰写的纳粹集中营历史概览令人赞叹，他把数十年的学术研究与自己的调研有力地结合起来。他不仅捕捉到了集中营体系动态演变的轨迹，还囊括了囚犯群体在不同阶段的经历和组织（虽然有限）。这本书是一部令人印象深刻的极具价值之作。

——克里斯托弗·R. 布朗宁

伟大的学者精神铸就的不朽研究……痛苦的人性本质和海量的丰富细节……瓦克斯曼赋予了读者难以想象的真实感。这是他伟大的成就。

——罗杰·科恩，《纽约时报书评》

《纳粹集中营史》是一部权威的历史著作……瓦克斯曼先生在这部杰作中令人印象最深刻的是他对个体的描述。要收集如此多囚犯或党卫队队员的信息，在这样长的篇幅中塑造鲜活的形象，实属不易。囚犯引用了大量的经典来描述他们的苦难，从《出埃及记》到但丁的《地狱》。自那之后数代，他们的经历变成了我们对道德探讨的参考之一，但更令人欣慰的是，这本书中描绘了集中营囚犯们未经修饰的人性。瓦克斯曼先生实际上是集德国与英国学派对第二次世界大战最佳研究之大成：海量但质朴的详尽研究，并注重对个体和细节的叙述。

——蒂莫西·斯奈德，《华尔街日报》

《纳粹集中营史》是以最高水准撰写的历史书籍，无愧为过去十年中描写第三帝国最杰出的著作之一。作者尼古劳斯·瓦克斯曼是伦敦大学伯贝克学院的一名历史学教授，他将第三帝国那些似乎最常见，却鲜为后世所知的现象成功地传递给了读者……我们一直以来欠缺的是对整个纳粹集中营系统发展和特性的综观分析。如今我们看到了，而且再无须重复研究。事实上，任何真正对第三帝国感兴趣的人都应该读一读这本书。

——马克·马佐尔，《金融时报》

恢宏之作……必不可少，极度冷静……很难有比这更有力、更具教育性的书籍来讲述这段痛苦的历史，必然要再过很长一段时间才能有后来者居上。

——简·卡普兰，《泰晤士报文学增刊》

瓦克斯曼不仅是遵循最高标准的学者，还是一位有天赋的作家，时常关注令人惊讶或具有说服力的细节，这使《纳粹集中营史》不仅成了重要的历史著作，更是一部内容丰富、可读性高的读物，充满了插曲与反讽。

——乔纳森·基尔希，《犹太人日报》

如果要讲述集中营的故事，就意味着必须面对艰巨的挑战：如何把这样一个曾有人真实生活、劳动、死亡的地方生动地呈现给读者，而不只是展示一个超脱世俗的邪恶象征？瓦克斯曼完美地接下了这项挑战。多亏了他高超的写作技巧，在大量死亡和恐怖的基调上，这本书远不只是悲哀的长篇大论，还传递了更多有价值的信息。

——《独立报》

力透纸背……绝对会成为描写纳粹集中营历史的权威书

籍……他的学识给常见的主题注入了新的生命。

——多米尼克·桑德布鲁克，《星期日泰晤士报》

极其重要……特殊……将当之无愧地成为这个主题的扛鼎之作。

——劳伦斯·里斯，《爱尔兰星期日邮报》

瓦克斯曼一丝不苟的研究以及对细节的执着追求，使宏大历史背景下的个人悲剧没有被磨损……比其他对大屠杀的学术记录更加栩栩如生。

——《好书指南》

令人极为钦佩……瓦克斯曼创造了对纳粹集中营的标准历史著作……《纳粹集中营史》是历史学者能够到达的顶峰。

——《BBC 历史杂志》

如果书架上的空间只够放一本有关大屠杀的历史书，那这一本当位列第一。

——斯蒂芬妮·夏皮罗，《水牛城新闻报》

全新的综合研究，令人痛心的叙事作品。这本著作展现了那段令人毛骨悚然的历史，令你全程沉浸在大师的笔触当中。

——史蒂夫·多诺霍

尼古劳斯·瓦克斯曼全面展现了这一悲惨主题的历史……他吸收了近几年关于纳粹集中营的海量研究成果，从如山的参考资料中刻画了一段流畅且扣人心弦的历史。

——大卫·米凯西

瓦克斯曼所著的详尽历史实为不可或缺的研究，原因有很多，其中最重要的是他对纳粹德国从疯狂演变为更加疯狂的细致记录。对于"这是怎么发生的"这个贯穿始终的问题，瓦克斯曼给出了长篇的回答。

——厄尔·派克

对纳粹集中营的痛心且透彻的研究……这部综合全面、百科全书一般的著作应该进入图书馆、学校和其他机构的馆藏。

——《科克斯书评》（星级评论）

宏大的学术著作……每一页的权威叙述都道出人性。

——戴维·切萨拉尼，《文学评论》（英国）

瓦克斯曼面面俱到的详尽研究将会成为该主题的权威著作。

——《出版人周刊》（星级评论）

愿这个世界至少能看到一点点我们所处的悲惨世界，哪怕只是冰山一角。

——1944 年 9 月 6 日，扎尔门·格拉多夫斯基所写
（这封信被装在一只酒瓶里，埋在奥斯维辛－比克瑙火葬场的地下，集中营解放后被发现）

目　录

上　册

下　册

示意图列表

　　来源：von Götz, "Terror in Berlin"（示意图 1）；*OdT*, vol.
3（示意图 6）；Długoborski, Piper（eds.），*Auschwitz*, vols. 1&5
（示意图 5 和示意图 7）。

　　关于地名的备注：示意图和文中大多使用的是当时历史背
景下集中营和城市的官方名称，偶尔会用到现在使用或者对读
者来说更熟悉的名称（或者同时备注出来）。

序　幕

　　达豪（Dachau），1945 年 4 月 29 日。这天午后，隶属盟军
的美国陆军部队正在德国巡查，清除第三帝国的残余势力。他
们接近了一列废弃的火车，车厢静静地趴在铁轨上，临近慕尼
黑一座纳粹党卫队的营地。士兵们走近火车，眼前恐怖的一幕
令他们毛骨悚然：车厢中塞满了 2000 多具尸体，有男有女，甚
至还有一些儿童。在沾满了污垢、血渍和粪便的布条与稻草中，
枯瘦扭曲的肢体若隐若现。几名面色惨白的美国兵转过身去，
或哭泣或呕吐。一名官员在第二天写道："我们反胃恶心，怒火
中烧，除了死死攥紧拳头，我们什么都做不了。"随后，心惊胆
战的士兵们深入党卫队营地，在监狱发现了 32000 名幸存者，
这些人来自约 30 个欧洲国家，有着不同的种族、信仰和政治背
景。一些囚徒蹒跚地迎向他们的救星，形状之凄惨已跟死人无
异。而更多的人则挨肩叠背地躺在营房里，被灰尘掩埋，与疾
病为伍。士兵们无论走到哪里都能发现尸体——躺在营房之间
的，丢弃在下水道里的，像木柴一样堆在焚化炉里的。至于这
场大屠杀的刽子手——正规的党卫队则早已逃得无影无踪，只
留下 200 名流氓无赖充当看守。[1] 这些噩梦般的影像很快传遍全
球，成了那个时代人们无法磨灭的共同记忆。直到今天，像达
豪一样的集中营在盟军的镜头下仍有着惊人的相似点：装满尸
体的大坑、堆积如山的尸体、盯着镜头骨瘦如柴的幸存者。这
些照片虽然如此有力，但无法揭示达豪集中营的全部。这个集

中营其实有着一段更漫长的历史，直到二战的最后阶段才演变为一座人间地狱。[2]

达豪，1939 年 8 月 31 日。囚犯们像往常一样在黎明前起床。没有人知道第二天将爆发战争，囚犯们仍然遵循日常作息——在盥洗室中推搡，狼吞虎咽几片面包，打扫居住的营房。一阵忙碌后，他们整队前往操场点名。近 4000 名短发或光头的男人穿着条纹服立正站好，担心着又一天繁重的劳动。除了一小群捷克人，大部分的囚犯都是德国人和奥地利人。不过，他们之间的共同点也只有语言而已。囚服上不同颜色的三角形代表着不同的身份——政治犯、反社会分子、犯罪分子、同性恋、耶和华见证会（美国的一个教派）信徒以及犹太人。点名场后面是一排排一层的囚犯营房。这 34 间特别建造的营房每间都有 110 码长。地板泛着微光，床铺排得一丝不苟。逃脱几乎没有可能。监狱是长方形的，长 637 码，宽 304 码。四周是水泥围墙和壕沟，还有瞭望台、机枪、铁丝网和电网。外围还有巨大的党卫队营区，有超过 220 栋的建筑，其中包括仓库、车间、生活区，甚至还有一个游泳池。这里驻扎了超过 3000 名党卫队队员，是一个有着自己行事标准的志愿军团。他们给囚犯们制定了一份周密的日程表，以进行系统性的虐待和迫害。不过还是很少会出现囚犯死亡的情况，1939 年 8 月，这里死亡的犯人不超过 4 人，因此没有必要单独建造火葬场。[3] 这是党卫队恐怖行径最为克制的时期，与 1945 年春季达豪最后那段充满死亡和混沌的岁月以及 1933 年春天那段动荡的早期时光截然不同。

达豪，1933 年 3 月 22 日。集中营的第一天即将宣告结束。这是一个寒冷的傍晚，阿道夫·希特勒就任总理还不到两个月，德国正在纳粹独裁统治的路上越走越远。新来的囚犯们（他们还穿着自己的衣服）在一处废弃的军工厂办公室里享用面包、香肠和茶。这栋建筑最近几天才被改成临时看守所，而厂区其他地方依旧是残垣断壁，道路毁败。这里总共有100~120名政治犯，大多是来自慕尼黑本地的共产党员。当这些人早些时候乘坐敞篷卡车抵达这里时，迎接他们的是54个强壮的男看守，后者宣布这些囚犯将受到"保护性拘禁"——这个词对德国人来说非常陌生。不管这个词是什么意思，听起来还不赖：看守不是纳粹军人，而是友善的警官。他们会跟囚犯聊天，一起抽烟，甚至睡在同一栋房子里。第二天，一位名叫埃尔温·卡恩（Erwin Kahn）的囚犯给妻子写了一封长信，说自己在达豪一切都好，食物很好，待遇也不错，不过他仍然焦急地等待被释放的那一天。"我很好奇这样的日子还将持续多久。"几周之后，党卫队接管了监狱，卡恩被射杀。1933年春至1945年春有近4万名囚犯消失在达豪集中营里，而埃尔温·卡恩属于最先死去的一批。[4]

达豪集中营的三个阶段是三个截然不同的世界。仅仅12年里，集中营经历了一次又一次的改变。囚犯、守卫、居住条件——几乎一切都在改变。连这个地点本身也在变化：老工厂被拆除，取而代之的是20世纪30年代末期专门建造起来的营房。1933年春天在这里的老囚犯可能根本认不出眼前的这座集中营就是之前的监狱。[5]那么，达豪是怎样从1933年3月初期的温和状态变成党卫队管控下的恐怖地狱，以至于最终酿成二战惨剧的？这对里面的囚犯意味着什么？是什么激发了凶手？而外面的世界又对集中营所知几何？这些问题涉及纳粹独裁统治的核心，而达豪并不是个例，我们需要了解的是整个集中营体系。[6]

达豪集中营属于党卫队最早兴建的一批集中营，在希特勒统治初期建立于德国本土。随着纳粹在 20 世纪 30 年代后期征服欧洲，集中营很快散布到欧洲各地——奥地利、波兰、法国、捷克斯洛伐克、荷兰、比利时、立陶宛、爱沙尼亚、拉脱维亚，甚至英吉利海峡的奥尔德尼岛。党卫队在第三帝国时期总共建立了 27 个大集中营，以及超过 1100 个卫星集中营。不过这个数字波动很大，总有老的集中营关闭，新的集中营开张。只有达豪集中营贯穿了整个纳粹统治时期。[7]

在第三帝国中，没有比集中营更能体现纳粹意志的机构了。[8] 纳粹建立了一种截然不同的统治体系，这里有自己的组织、规则与员工，甚至代号：在官方的文件与说法中，集中营的代号为 KL（由德语 Konzentrationslager 一词演变而来）。[9] 集中营由希特勒的亲信、党卫队领袖海因里希·希姆莱（Heinrich Himmler）领导。集中营反映了纳粹领导人最偏执的追求——通过清洗政治、社会和种族上的外来者建立一个团结一心的国家；牺牲生命来实现种族优生和进行残忍的科学研究；为了祖国的光荣施行强制劳动；征服欧洲，奴役别国，占领生存空间；通过大规模的灭绝来消灭最糟糕的敌人，拯救德国；最终宁愿玉石俱焚也不愿投降。时光流转，这些执念塑造了集中营体系，最终导致了集中营内大规模的拘禁、剥削和死亡。

我们可以估算出 230 万人（包括儿童）在 1933 年至 1945 年间被拖入党卫队的集中营。他们中大多数（约 170 万人）失去了生命。其中几乎有 100 万是在奥斯维辛集中营（Auschwitz）中被杀害的犹太人，那里是唯一一个实施纳粹所说的最终解决方案（Final Solution）的集中营。最终解决方案指的是在二战中系统性地消灭欧洲的犹太人，现在被称为犹太人大屠杀（Holocaust）。从 1942 年起，党卫队从欧洲大陆的各个角落将犹太人用火车遣送到奥斯维辛集中营，这里既是劳动营也是灭绝营，是个罕见的混合体。大约有 20 万犹太人在到达时被选为苦役，和其他普通犯人一起劳作。剩下大约 87 万犹太男女和儿童被直接送往毒气室，甚至没有在监狱登记身份。[10] 除此之外，奥斯维辛和其他集中营有许多共同点。如埃尔里希（Ellrich）、考弗灵（Kaufering）、科隆卡（Klooga）和雷德勒 - 齐普夫（Redl-Zipf）等地的许多集中营都已经被我们遗忘。它们一同在第三帝国占据了一片独立的天地。这里是无法无天的修罗地狱，纳粹统治最极端的特质在这里产生、定型。

先例与观点

1941 年 4 月，德国观众蜂拥前往电影院去欣赏一部众星云集的剧情片。这部电影据说是根据真实事件改编的，纳粹也大张旗鼓地进行了宣传。电影的高潮在于反对一个与众不同的背景——集中营。这些饥肠辘辘、疾病缠身的囚徒并没有一个大团圆的结局，所有人都是一个残暴政权的无辜受害者：一个勇敢的囚犯被处以绞刑，他的妻子被枪毙，其他人则被那些恶毒的狱卒屠杀，只留下一座座坟茔。这些令人毛骨悚然的场景与当时党卫队治下的集中营惊人地相似（这部电影甚至特地为奥斯维辛集中营的看守放映了一场）。不过这部电影讲述的并不是党卫队集中营。电影设定的背景是几十年前的南非战争，而恶棍是英帝国主义者。电影的名字叫《克鲁格总统》（*Ohm Krüger*），它是德国与英国开战期间的一项重要的政治宣传，同

7　时与希特勒在几个月前的一次公开演讲遥相呼应。"集中营并非德国人创造出来的，"他宣称，"是英国人创造的，他们用这机构逐渐敲碎了其他国家的脊梁。"[11]

　　纳粹曾多次提出这个观点。希特勒自己就在之前提起过，他告诉德国人，自己的政权仅仅是复制了英国人的集中营（不过并没有效仿英国集中营里的虐待）。[12]纳粹的宣传总爱提及别国的集中营。在掌权早期，纳粹的演讲与文章经常提到英国在南非战争时期所设的为欧洲人所不齿的集中营，还有奥地利等国当下所建的集中营，它们都被纳粹党内的激进分子描述成人间炼狱。这些政治宣传背后的含义昭然若揭——让人们觉得德国的集中营并非个例。党卫队领袖海因里希·希姆莱唯恐有的人还不理解，还于1939年在德国广播电台发表演讲时重申，集中营在国外是"一种历史悠久的机构"，德国的集中营比国外那些要温和许多。[13]

　　这种将党卫队集中营区别化的尝试收效甚微，至少在国际上没什么作用。不过，在纳粹粗糙的宣传里还能找到些许真相。"集中营"作为大规模拘禁的手段当时在国际上被广泛使用。在纳粹掌权前的几十年里，集中营作为一种游离于常规监狱和刑法之外、拘禁政治犯和其他嫌疑人的场所，在欧洲及其他地方非常盛行，尤其在政治动荡以及战争时期。而在第三帝国灭亡之后，这样的集中营依然兴盛，因此一些学者将这个时期称为"集中营时代"。[14]

　　最早期的集中营出现在19世纪末20世纪初的殖民战争时期，作为应对游击战的一种残酷粗暴的军事手段。殖民者想通过大范围拘禁乡镇或城市中的非战斗平民来击败当地的叛乱分子，当初在古巴的西班牙人，在菲律宾的美国人，在南非的英国人（"集中营"一词正是从此开始流传）都建立过类似的机构。由于殖民当局的漠不关心和玩忽职守，这些拘禁机构里面出现了大规模的饥荒、疾病和死亡。不过，这些机构并不是党卫队集中营的原型，它们在功能、设计以及运行上都有很大区别。[15]同样，德国殖民者于1904年至1908年间在非洲西南部（现纳米比亚）和当地起义军作战时建立的集中营也不是党卫队集中营的原型。当时，数千名赫雷罗人和那马人被囚禁在那里，几乎半数的人由于德国殖民者的忽视与侮辱而丧生。这些营地与其他殖民者所建立的营地有所不同，因为它们更侧重于发泄惩罚和强制劳动的欲望，而不是出于军事上的考虑。不过，正如之前所说，这类早期的集中营并非后来党卫队集中营的"粗略模板"，任何将此类集中营与达豪或者奥斯维辛强行联系起来的说法都是无法令人信服的。[16]

　　集中营的时代实际开启于第一次世界大战初期，战争将集中营从遥远的殖民地带入了欧洲腹地。除了囚禁数百万士兵的战俘营，出于全民动员、激进爱国主义以及公共卫生的考虑，许多参战国都建立了劳动营、难民营与拘留营。"多亏"机关枪、廉价铁丝网和大规模生产的可移动工棚等新发明的出现，政府很容易就可以建立和把守此类集中营。当时，中东欧地区集中营的状况最为糟糕，囚犯们经常需要忍受有计划的强制劳动、暴力以及怠慢，数十万人因此丧生。截至一战结束，欧洲到处都是集中营，关于集中营的记忆即使在它们解散多年之后仍未消失。例如，1927年，德国的国会调查委员会仍然愤怒谴责英国与法国在"集中营"中粗暴虐待德国战俘。[17]

　　20世纪20年代至30年代，随着许多欧洲国家摒弃民主制度，更多的集中营纷纷出现。极权主义体制以摩尼教的眼光将世界简单区分为朋友与敌人，成为集中营最坚定的拥护者，将集中营当作可以长期孤立、恐吓所谓敌人的武器。党卫队集中营从最初诞生起就属于这一类，具备这类集中营的一般特征，甚至有一些直接联系。比如，西班牙佛朗哥（Franco）政权建立的集中营曾在内战期间和内战结束后关押过数十万人，它的集中营体系明显受到了纳粹集中营的启发。[18]

也许，苏联的古拉格和党卫队集中营颇为相似。[19]基于一战时大规模拘禁的经验，布尔什维克从大革命时期就开始建立营地（有时标记为集中营）。截至20世纪30年代，他们掌管着一个大规模的拘禁体系——古拉格——包括劳改营、侨民聚居区以及监狱等场所。内务人民委员部（NKVD）的劳改营在1941年1月初就关押了约150万囚犯。苏联的古拉格由一种消极的乌托邦主义驱使，目的是通过清除所有敌人来创造一个完美的社会。两者有着相似的轨迹：从杂乱无序的恐怖统治发展为一个由中央管理的巨大集中营网络；拘禁对象从政治犯扩展为其他民族和社会外来群体；重心从早期的改造变成致命的强制劳动。[20]

基于这些相似点，以及苏联体系早于德国出现这个现实，一些学者认为纳粹集中营只是照搬苏联劳改营——虽然有了集中营后就有了这个观点，但其非常具有误导性。[21]有两个具体的问题。第一，两套体系之间有巨大的差别。比如，虽然苏联的劳改营起初更危险，但德国的集中营后来发生了极端的转变，开始在杀戮的道路上越走越远，终于在奥斯维辛灭绝营达到了顶峰，而在苏联和其他任何地方都没有类似的组织。内务人民委员部的囚犯更多是被释放而不是被处决，但是在战时的党卫队集中营里，情况则恰恰相反。总体来说，古拉格中90%的囚犯都活了下来，而在集中营登记过的犯人里，这个数字可能还不到一半。正如哲学家汉娜·阿伦特在她对极权主义的先锋研究中指出的那样，苏联的集中营是炼狱，而纳粹集中营则纯粹是地狱。[22]第二，并没有证据显示纳粹是在复制苏联的模式。确实，纳粹密切关注苏联古拉格的情况，特别是在 1941 年夏天德国入侵苏联之后：纳粹领导人曾考虑占领"俄罗斯人的集中营"，并且将那里的组织和情况汇总成一份报告，送到德国人自己的集中营指挥官手里。[23]更广泛地说，布尔什维克在苏联实施的专政，不管是真实的还是想象的，都在第三帝国时期成了标准。在达豪，党卫队官员曾经在 1933 年对第一批党卫队守卫说，要做得像苏联的契卡（安全组织）一样粗暴。几年后，在奥斯维辛，党卫队将他们最残酷的一种刑具称为"斯大林秋千"。[24]

不过，对于苏联统治的普遍兴趣不应该被错放在关于其影响力的研究上。纳粹政权并没有受到古拉格的重大启发，而我们也很难想象如果古拉格不曾存在，党卫队集中营的历史是否会有实质上的不同。集中营基本上都是在德国创造的，就像古拉格是苏联政权创造的一样。两者之间有相似之处，但更多的是不同。它们有各自的形式与功能，由具体的国情、目的和先例塑造而成。国际对比和关系研究依然可以提供有用的观点，但这种分析并不属于本书的范畴；本书主要讲述的是党卫队集中营的历史，偶尔会提及纳粹统治领域之外的事情。

历史与记忆

10

"我相信，在未来如果提到集中营一词，人们想到的会是希特勒的德国，而且只会想到希特勒的德国。"[25]维克托·克伦佩雷尔（Victor Klemperer）1933 年秋天在自己的日记中如是写道。当时达豪刚刚在几个月前迎来第一批囚犯，而距离党卫队实施大规模屠杀还有很长一段时间。克伦佩雷尔是一名德累斯顿的语言学教授，日耳曼人和犹太人混血，是一名自由主义者。他被认为是对纳粹独裁统治观察最敏锐的人士，事实证明，他的预言确实有远见卓识。现在，KL 这个代号已被认为是集中营的同义词。而且，所有的集中营作为一个整体的概念已经成为第三帝国的标志，在世界历史的耻辱殿堂里占据了显眼的位置。最近几年，它们出现在各种地方，如卖座的电影和纪录片、畅销小说和漫画、回忆录和学术著作、话剧和艺术品中。如果你用谷歌搜索"奥斯维辛"，你将获得超过 700 万个结果。[26]

很早就有人希望了解集中营。几乎在战争结束之后，从 1945 年 4 月至 5 月盟军的媒体开始指责此事起，集中营就立刻成了焦点。苏联几个月前就解放了奥斯维辛集中营，但他们的媒体对此事并未做太多文章，这也是集中营问题在一开始并没有成为舆论焦点的原因。直到西方盟军解放了达豪集中营、布痕瓦尔德集中营（Buchenwald）、贝尔根-贝尔森集中营（Bergen-Belsen），KL 一词才出现在英国、美国以及其他国家报纸的头条。1945 年 4 月，一家澳大利亚媒体将德国描述为"集中营的国度"。当时有各种关于集中营的广播、新闻影片、杂志拉页、小册子、展览和演讲。尽管它们缺乏历史角度的研究，但这些记录确实揭露了隐藏在集中营内的恐怖。在 1945 年 5 月的一份调查中，美国民众猜测大约有 100 万囚犯在集中营内被杀害。

当然，媒体的这些披露并不应该是惊天动地的新闻。关于集中营内暴行的记录早在纳粹政权初期就流往国外了——有的是以前被驱逐的囚犯或者囚犯的亲戚写的。盟军在战争期间也得到了许多重要的情报。但实际情况远比所有人想象的更可怕。就像是为了弥补此前对集中营的低估，盟军领袖们鼓励记者、士兵和政客前往已经被解放的集中营参观。对他们来说，集中营的存在证明了战争的绝对正义。美军的新闻简报在 1945 年 5 月写道："达豪集中营就是我们战斗的原因。"这一论调与艾森豪威尔将军的感受遥相呼应。除此之外，盟军用集中营来回应德国民众，在接下来的几个月中对他们展开再教育运动，而针对党卫队战犯的初审又对运动发挥了进一步的促进作用。[27]

　　与此同时，幸存者们也协力曝光集中营的情况。与通常的 11 说法不同，他们并没有集体保持沉默。[28]相反，他们被解救后发出了多种多样的响亮呼声。在受难的过程中，囚犯们做梦都想着要活下来作证。有些人甚至写了秘密日记，其中就有德国的政治犯埃德加·库普费尔（Edgar Kupfer），他也许是达豪最勤奋的记录者。他利用自己在集中营从事文书工作以及在囚犯中独来独往的名声，从 1942 年末起偷偷写日记，最终达到 1800 页之多。库普费尔在 1940 年因批评纳粹统治而获罪，在此之前曾是一名导游，不屈服的他将日记想象成一份关于达豪的豪华旅游指南。库普费尔明白，如果党卫队发现他的秘密很可能就会将他处死，不过他和手稿最终幸存了下来。1945 年的夏天，库普费尔还未完全恢复健康就已经把手稿打印出来，准备出版了。[29]

　　其他被解放的男女老幼也都迫切地想讲述他们的故事，现在没人阻止他们说话了。有些人还没离开集中营就开始讲述；就连病人也抓着盟军医生的袖子，想要引起他们的注意。幸存者们很快开始将力量汇集起来。他们必须携起手来激发"全球的公众舆论"——这是 1945 年 5 月 7 日，一位曾在毛特豪森集中营（Mauthausen）服刑的囚犯对其他幸存者所说的。解放之后仅仅几天，各地的幸存者们就开始协作撰写联合报告。[30]随着囚犯们离开集中营，数以千计的记录涌现在世人眼前。比如，犹太幸存者在致力于纪念与调研的历史委员会前作证。1947 年于巴黎举行的第一次大屠杀幸存者国际会议是一个高潮，共有来自 13 个国家的代表参加了该会议。占领军、外国政府和非政府组织都鼓励幸存者写出证言，以便处罚战犯，保存对集中营的记忆。[31]其中一些记录文字后来出现在期刊和小册子上。[32]还有一些幸存者则直接开始写书。年轻的意大利犹太人普里莫·莱维（Primo Levi）就是其中之一，他在奥斯维辛里待了近一年。"我们每一位幸存者，"他后来回忆说，"回到家之后，都把自己变成了一个孜孜不倦的讲述者，迫切且疯狂。"莱维夜以继日，几个月便完成了书稿《这是不是个人》（*If This Is a Man*）；这本书于 1947 年在意大利出版。[33]

在战后的几年里，一股回忆录的浪潮席卷了欧洲和世界其他地方，其中大部分是幸存者炽烈的证言。[34]一些早期的囚犯还思考了更宏观的主题——从社会学或心理学角度对集中营系统以及囚徒经历进行了早期研究。[35]还有一些人开始撰写各自集中营的简史，或通过诗歌和小说化的纪实文学来表达自己所遭受的痛苦。[36]大多数早期作品，包括普里莫·莱维的著作都石沉大海，没能激起一丝涟漪，但也有几部作品造成了一定的反响。在欧洲好几个国家都出现了幸存者所著的知名作品。而在德国的废墟中，也出现了畅销的平装本和小册子，其他的纪实文学则在各大报纸上连载。其中最具影响力的是一份关于集中营体系的综合研究（以布痕瓦尔德集中营为中心），作者是前政治犯欧根·科贡（Eugen Kogon）。这本书塑造了一些此后广为流传的概念。1946年，该书首次付梓。一年之后，德文版的印刷数量达到了13.5万册，随后这本书和幸存者们所著的其他早期书籍一样，很快被译成了多种文字。[37]

不过到了20世纪40年代末，该书在美国发行时，科贡的出版商罗杰·斯特劳斯（Roger Straus）虽然对书很有信心，但担心"公众没什么兴趣阅读这样的东西"。[38]公众因集中营解放、第一批回忆录新鲜出炉以及审判战犯而产生的兴趣已经开始在大西洋两岸减退。一方面是因为早期涌现的纪实作品多如牛毛，市场已经饱和。更多则是因为公众对集中营的缅怀已经被战后重建和外交边缘化。冷战的前线横穿德国将其一分为二，对立的东德和西德分别成为苏联和美国的盟友，此时谈论集中营似乎不是明智之选。"如今谈论集中营是粗俗的表现。"普里莫·莱维在1955年写道，并在后面加上了"全民沉默"四个字。解放不到10年，集中营就淡出了人们的视线——不是因为幸存者不愿意讲，而是因为听众不再愿意聆听。前因犯们试着让关于集中营的记忆活下来。"如果连我们都归于沉默，还有谁会去说？"莱维愤怒地诘问。面对公众的冷漠与麻木，另一位仍旧坚持发声的幸存者是埃德加·库普费尔。虽然被大段删节，但他在达豪的日记最终于1956年在德国出版。尽管有一些不错的评论，但这本书并没有给公众留下什么影响，也没有外国书商愿意出版。"（他们）害怕没有人会去买它。"消沉的作者总结说。[39]

公众对集中营的热情在20世纪60年代和70年代被重新点燃。原因在于对纳粹战犯的审判，比如1961年以色列对阿道夫·艾希曼（Adolf Eichmann）的审判——这名党卫队官员负责将犹太人遣送到奥斯维辛。媒体也起到了推波助澜的作用，比如 1978 年美国制作的迷你剧《大屠杀》（*Holocaust*）在第二年面向西德的广大观众播放，将纳粹政权与集中营活生生地摆到了公众面前。而且，一些早期的集中营回忆录再次被翻了出来，其中就包括普里莫·莱维关于奥斯维辛的著作，这本书从此成了现代文学的经典之一。与此同时，一波新的幸存者证词浮出水面。埃德加·库普费尔的达豪日记全篇终于在 1997 年出版。这股浪潮不断翻涌，直到最近随着最后一批见证者去世才逐渐平息。[40]幸存者们不断探索每个集中营的发展史，为后世研究提供了原始资料和标准的历史考察。[41]就像战后早期那样，之前的囚犯不仅撰写历史，还展开了丰富的医学、社会学、心理学和哲学研究，并进行文学和艺术创作。[42]

与此同时，学术界对集中营的研究进展十分缓慢，和幸存者们形成了鲜明的对比。20 世纪 40 年代末期和 50 年代，一些专家才发表了研究，主要集中在医学领域。[43]直到 60 年代和 70 年代，历史学界才根据记录调查，发表了对个别纳粹集中营和集中营体系的初步研究。其中最有影响力的是两位年轻的德国学者的研究——马丁·布罗萨特（Martin Broszat）对于集中营体系发展的先驱调研，以及法尔克·平格（Falk Pingel）对营内生活的重要研究。[44]这类历史分析往往要靠其他领域学者的研究来推动，比如犯罪心理分析以及生存体验。[45]

虽然有不可避免的缺陷，但这些早期研究对人们了解党卫队集中营做出了重要的贡献。只不过它们仍寥寥无几，并且研究浅尝辄止。马丁·布罗萨特自己在 1970 年总结说，因为缺乏细致的研究，要想撰写一部完整的集中营历史是不可能的。[46]讽刺的是，调研的匮乏很大程度上是由一种理念误导所致——就连很多目光尖锐的观察者也抱有这样的看法，认为集中营已经没有什么需要研究的了。[47]事实上，学者们对集中营的发现才刚刚开始。

对集中营的历史研究在 20 世纪 80 年代和 90 年代突飞猛进，特别是在德国。随着草根历史研究的增多，当地的积极分子详细审查了附近集中营的记录。同时，对集中营的纪念也从记忆本身发展为学术研究。随着冷战的结束，东欧地区的大量档案被解密，也算是为进一步研究增添了动力。与此同时，没有经历过战争的新一代学者将第三帝国作为对象，将集中营作为独特的历史学领域展开了研究，并取得了重要的成果，如卡林·奥尔特（Karin Orth）对集中营组织和结构的研究。[48]被忽视了这么多年，如今，有关党卫队集中营的研究像雨后春笋一般蓬勃发展，至少在德国是如此（很少有研究被翻译成其他语言）。[49]

随着历史研究的快速拓展，这种繁荣的景象没有丝毫衰退的迹象。随着我们对施暴者、囚犯群体、集中营、党卫队系统的开始和终结、集中营所处的具体环境、强制劳动以及灭绝政策等各方面的不断了解，新的视角和观点也不断涌现。20 世纪 70 年代末之前，人们只需要一层书架就能轻松囊括所有关于集中营的重要学术著作，但如今，人们需要一座小型图书馆才能装下之后出版的研究著作。[50]

最近学术研究的高潮是两部厚重的百科全书——分别有 1600 页与 4100 页。其中总结了每个主集中营与卫星集中营的发展；这两部鸿篇巨制由全球各地超过 150 名历史学家写就。[51]这两部不可或缺的著作充分展示了当代研究的范畴之广，但也显露了其中的局限性。最重要的一点是，丰富的学术研究使党

14

卫队集中营的形象越来越碎片化。原先因为缺少太多细节，我们无法提炼出集中营系统的全貌。现在的困难则在于我们无法把这么多不同的特点拼凑在一起。最近的学术研究成果就如同一张巨大的支离破碎的拼图，不断有新的碎片出现。因此，新的集中营史基本上无法与更广泛的读者形成共鸣也就不足为奇了。

结果就是公众对纳粹集中营的印象仍然是单一的。我们看到的不是错综复杂的细节和微妙的历史光影，而是多样的笔法以及生动的色彩。毕竟，奥斯维辛和大屠杀的恐怖画面已经在公众的脑海里根深蒂固，奥斯维辛集中营也因此成了历史学家彼得·赖歇尔（Peter Reichel）所说的"世界纪念遗址"。[52]但事实并非一直如此。在战争结束后的前几十年里，反犹恐怖主义被归为纳粹主义大规模破坏的一部分，奥斯维辛只是许许多多人间地狱之中的一个。随着时间的推移，人们越来越了解纳粹针对犹太人罕见且极度残忍的迫害，所以人们现在往往通过大屠杀的视角审视第三帝国。[53]同样，党卫队集中营也从此和奥斯维辛以及犹太遇难者紧密联系在一起，其他营地和其他囚犯则被忽视了。一个德国的调查显示，奥斯维辛是最著名的集中营，绝大多数受访者将集中营与迫害犹太人联系在一起。与此相对，只有不到10%的人能说出遇难者还包括共产党员、罪犯和同性恋者。[54]在公众的记忆中，集中营、奥斯维辛、大屠杀已经成了一个整体。

但奥斯维辛从来都不是纳粹集中营的同义词。的确，它是迄今为止规模最大、致死率最高的集中营，在集中营体系中占有独特的位置。但这个体系并不仅限于此。奥斯维辛集中营紧密融合在更大的集中营网络中，其他集中营影响、塑造了它。

举例来说，达豪集中营在奥斯维辛集中营建立之前已经存在七年多了，并且对后者产生了明显的影响。虽然奥斯维辛的规模史无前例，但大部分登记过的囚犯，即那些被强行关进营房、强制劳动的囚犯都被关押在其他地方；即使在鼎盛时期，奥斯维辛关押的囚犯也没有超过整个集中营系统内囚犯总数的三分之一。绝大多数囚犯死在其他地方，大约有四分之三登记在册的囚犯是在奥斯维辛以外的集中营中死去的。因此，在强调奥斯维辛集中营恐怖的特殊性时，打破其等同于纳粹集中营的刻板印象很重要。[55]

　　集中营也不是大屠杀的同义词，尽管二者在历史上紧密交织。第一，反犹的恐怖活动主要在集中营之外展开，直到第二次世界大战的最后一年，大部分幸存的犹太人才被投入集中营。600万犹太遇难者大多数是纳粹政权在集中营外处死的，比如东欧战区的战壕和田野里，或者特雷布林卡（Treblinka）等地死亡营的毒气室里，那些地方完全独立于纳粹的集中营。第二，集中营收押的囚犯并不仅仅是犹太人，直到1938年末的几个星期，犹太人才在登记的囚犯中成为主体。实际上，在第三帝国的大部分地方，犹太囚犯只占一小部分。即使在二战后半段，犹太囚犯的数量急剧增加之后，他们仍然只占登记囚犯的30%左右。第三，集中营除了大规模屠杀外还有许多不同的武器。它们的用途不同，不断更新、重叠。在战前，党卫队将这些营地作为新兵营、威慑场所、管教所、强制劳动营、拷问室，到了战时这些地方又增添了新功能，成了武器制造、行刑、人体实验的中心。集中营应该由其多层面的特性定义，而大众并没有认识到这个关键点。[56]

　　更多针对集中营的哲学思考都被简化了。自从纳粹政权倒台，声名卓著的思想家们已经开始寻找隐藏的真相，带着各自的目的去调查集中营，或是为了证明他们各自的道德、政治或宗教信仰，抑或是为了探寻对人类境况具有重要性的事物。[57]当然，这种探寻是可以理解的，因为集中营对人类进步和文明信仰的摧毁，象征着人类残暴的能力。"每种基于人性本善的哲学都将永远因此被动摇。"法国小说家弗朗索瓦·莫里亚克（François Mauriac）在20世纪50年代末警告说。一些作家赋予集中营一种近乎神秘的特质，其他人则得出了一个更具体的结论，他们将集中营描述为德式思维的特殊产物，或是现代社会的黑暗面。[58]其中一个最有影响力的贡献来自社会学家沃尔夫冈·索夫斯基（Wolfgang Sofsky），他将集中营描述为"绝对力量"的一种表现，超越了理性与意识形态。[59]然而，他那激动人心的研究和一些针对集中营的反思有着同样的短板。为了寻求一个放之四海而皆准的答案，他将集中营定义为一个永恒、抽象的实体；索夫斯基叙述的集中营的原型是一个脱离历史的建构，忽视了集中营系统最本质的特点——不断运动发展的本质。[60]

　　所有这些引出了一个惊人的结论。在达豪集中营建立80多年后，我们甚至没有一本专门针对集中营的全面记录。虽然有大量文学作品——由幸存者、历史学家和其他学者所著——却没有一部全方位记录集中营发展史及其内部变迁的著作。正因如此，我们需要一部能捕捉集中营的复杂性，同时不将其碎片化，并能把它完整置于当时政治和文化环境中的研究成果。但如何撰写这样一部纳粹集中营史呢？

方法

　　为了忘却现实，集中营的囚犯们经常谈论未来。1944年的几天，一小群从匈牙利流放到奥斯维辛的犹太女人讨论过这样一个基本问题：如果能活下来，如何将她们的命运展现给世人？是否有媒介能够让她们表述清楚奥斯维辛的含义？音乐？还是演讲、图书、艺术作品？或者是一部讲述囚犯最终前往火葬场的电影？影片放映前强迫观众在影院门口立正站好，不得穿暖和的衣物，不得饮食，就像囚犯们等待点名时一样。这群女人担心，即便如此也无法表现出囚犯真实的生活。[61]其他集中营中的犯人们也有相同的结论。比如，那些秘密写日记的囚犯经常抱怨言语的局限性。"词穷墨尽，"挪威人奥德·南森（Odd Nansen）在1945年2月12日写道，"言语无法形容我亲眼见到的恐怖。"不过，南森还是继续写了下去，每日笔耕不辍。[62]集中营解放后，随着越来越多的幸存者努力去描述那些令语言和理性变得苍白无力的罪行，想要书写那些无法用语言形容的事实，这种窘况越发凸显出来。[63]

　　同样，如何描述过去对历史学家来说也是一个核心问题。撰史总是充满着各种困难，撰写纳粹恐怖的历史更是难上加难。首先来讲，没有任何历史学方法能够完全展示集中营的恐怖。同时也很难找到合适的语言表达，这不仅困扰着学者和编年史学家，也困扰着幸存者自己。1945年4月15日，哥伦比亚广播公司的主持人爱德华·R.默罗（Edward R. Murrow）在布痕瓦尔德集中营发表了这段著名的新闻广播："我报道的是我看到的和听到的，但这仅仅是一部分而已。多数时候，我哑口无言。"[64]但我们还是要去尝试，如果连历史学家都陷入沉默，那集中营的大部分历史将很快被民间研究者、业余写手和歪曲者肆意改写。[65]

　　表现集中营真实面貌最好的方式就是写一部全史，索尔·

弗里德兰德尔（Saul Friedländer）就是一位先行者。他将"行凶者的政策、社会的态度与受害者的世界"联系在了一起。而就党卫队集中营史而言，这意味着要同时关注营中之人与营外的普罗大众；既要有对党卫队暴行的宏观分析，也要有对个体行为与反应的微观研究；还要通过对比纳粹统治时期欧洲各个集中营的发展，展现事件之间的关联性以及党卫队系统的错综复杂。[66]将这些不同的线索编织在一起就会产生一部细腻而宏大的历史。当然，历史永远无法做到完全详尽与精确。无论涉猎多广，这部书都将是"集中营的一段历史"，而不是"集中营的历史"。

为了撰写这样一部完整的历史，本书将从两个主要方面分析党卫队集中营，最终拼凑成一幅完整的图景。第一个方面着重于展示集中营之内的生与死，审视集中营内微观情况——生活条件、强制劳动、惩罚等诸多方面——的基础，以及随时间推移所产生的变化。为避免抽象，本书将通过参与者的第一视角讲述历史，这些参与者既包括集中营的管理者也包括受难者。[67]

大约有数万（应为六万或更多）名男女曾在集中营中工作。[68]在大众的想象中，这些看守都是精神变态的施虐狂，因为犯人们的回忆录里是这样描绘他们的。因犯们会根据他们的行为起一些恐怖的外号，比如"野兽""拆骨者""嗜血猎犬"等。[69]有些看守的确名副其实，但是基于最近有关集中营看守的研究，本书尝试描绘出更丰满复杂的看守形象。[70]党卫队队员的背景和行为千差万别，也在随着第三帝国的改变而改变。并不是每名看守都劣迹斑斑，只有极少的人是心理变态。正如普里莫·莱维很早之前就意识到的那样，行凶者也是人类："恶魔是存在的，但他们是极少数，难以构成真正的威胁。最危险的往往是普通人。"[71]但这些看守究竟有多"普通"呢？他们的暴行出于何种目的？是什么驱使他们做出极度凶残的行为？是什么阻止了其他人？女性看守和男性看守有什么不同吗？　18

正如没有典型的行凶者一样，这里也没有典型的囚犯。当然，党卫队试图消灭囚犯们的个性。但在毫无二致的囚服之下，每个囚犯对集中营的体验仍然各有不同：苦难普遍存在，但并非均等。[72]囚犯的生活是由很多变量决定的，不仅仅是他们被关押的时间和地点（即使是在同一时间、同一地点被关押的囚犯，生活条件也各有不同）。[73]还有一个重要的因素，那就是囚犯各自的地位。所谓的审头（Kapo）协助党卫队行管理之职，因此在犯人中具有一定的权威，并且享有一定特权——不过，这种特权的代价是他们成了集中营运营的帮凶，这模糊了受害者和行凶者之间的传统界限。[74]囚犯的背景——他们的种族、性别、信仰、政党、职业和年龄——也深刻影响着他们的行为和选择，以及他们在集中营里的待遇和别的囚犯对他们的态度。囚犯们分成了不同的群体，这些群体的历史、囚犯与囚犯之间的关系、囚犯与党卫队的关系都有待发掘。

研究过程中，囚犯不应该只被视为党卫队实施恐怖行为的对象，还应该被当作其中的参与者。一些学者将囚犯描述为麻木不仁的机器人，完全丧失了自由的意志。就像汉娜·阿伦特所写的，党卫队的极权统治已经将生命的火花完全掐灭，将囚犯们变成"画着苍白人脸的牵线木偶"。但即使在集中营这样的极端环境里，囚犯们仍然保留着一丝能动性，不管这种主观能动性在极权束缚之下多么微弱。在深入研究了囚犯们的行为后，我们能够察觉到貌似坚不可摧的党卫队极权统治中的裂缝。

同时，在研究集中营的过程中，我们也不能为了在心理上更易于接受而将囚犯们神化，将他们想象成出淤泥而不染、毫无奴颜媚骨。大多数囚犯的故事不是赞颂人类精神的胜利，而是堕落与绝望的叙述纪实。"被关在集中营中，饱受摧残与折磨，在毒气室中死去——这并不是英雄主义。"三名奥斯维辛集中营的波兰幸存者 1946 年时在一本书中如是写道，这本书是用囚犯们的条纹囚服包起来的。[75]

从铁丝网向外看时，人们才能真正了解集中营里的恐怖。毕竟，集中营是纳粹政权的产物。犯人的组成、状况、待遇都是由外部力量决定的，因此我们应该仔细研究这些外力。这就构成了本书的第二个方面，即透过更广阔的视角观察第三帝国的兴衰，以及集中营在其中的地位。集中营的历史与更宏观的政治、经济和军事发展息息相关。集中营在社会这张大网中不仅是压迫剥削的标志，它们也是真实存在的地点；它们并不像有些研究所说的，是一个形而上的乌有之邦，而是实实在在矗立在乡镇、城市之中。

最重要的是，集中营属于纳粹那张更大的恐怖活动网。那张网还包括其他压迫组织，比如警察和法院，以及其他监禁场所，如监狱、犹太人聚居区（ghetto，即隔都）和劳动营。这些拘禁场所与集中营有着或多或少的联系，并有许多相似的地方。[76]虽然这些关联十分重要，但我们必须明确集中营的独特之处，以及它们身上那种强大的引力。对许多受害者来说，集中营是苦难旅程的最后一站。数不尽的囚犯从其他拘留地被运送至此，可很少有人能够从这里被送出去。逃犯阿道夫·艾希曼 1957 年在布宜诺斯艾利斯追忆集中营时，对同情纳粹的人们说，党卫队集中营"进去容易，出去难"。[77]

资料来源

　　每一个描写集中营的人都会遇到这样的矛盾：尽管现有的资料浩如烟海，但仍然不够。自第三帝国灭亡以后，对第三帝国的研究比对其他的独裁政权都多。而且，其中也很少有题材能比得上集中营，有如此大量的出版研究。现在已有数以万计的证言、研究，甚至原始资料散落在世界各地，没有人能全部掌握。[78]与此同时，不同的历史记录之间存在着明显的差异，学术性文学亦是如此 。虽然卷帙浩繁，但近期的历史学研究具有倾向性，忽视了一些重要的方面。[79]至于第一手资料，党卫队在第二次世界大战结束前销毁了大量文件，而希姆莱等首脑人物在被审讯之前就死了，许多秘密永远地被他们带进了坟墓。[80]

　　幸存者的记录也不完整。从一方面讲，普通犯人很难从宏观上了解集中营系统。比如居住在德国的辛提人（吉卜赛人）瓦尔特·温特（Walter Winter），他于1943年春天被遣送到奥斯维辛集中营。当时，他一直住在狭小的所谓吉卜赛营。直到40多年后，他以自由公民的身份重回奥斯维辛参观时才意识到集中营的规模是如此之大。[81]另一方面，现有的证据也不具备完全的代表性，因为许多囚犯都没能幸存下来。比如，没有犹太囚犯谈起过1940年到1943年间的毛特豪森－古森二级集中营，因为没有人活下来。正如普里莫·莱维所言，他们是被"淹没"的人群，不会再有人听到他们的声音了。[82]而那些活下来的人，有的丧失了声音，有的丧失了记忆。[83]比如，有些囚犯的罪名为社会所不齿，因此他们在被解救后很少愿意公开谈论此事。第一份来自囚犯的回忆录直到2014年作者去世后才出版，即便如此，作者也没公开自己的背景，而是装作出于政治原因才

20

被拘禁的。[84]大部分苏联囚徒也被迫保持沉默，他们被当作纳粹潜在的帮凶，长期遭到苏联政府的怀疑。[85]

但一部完整的集中营历史需要更宏观的撰写方式。因此本书借鉴了海量的研究成果，将主要发现汇聚在了一起。只有在今天，在大量学术研究取得了丰硕成果的基础上，我们才可能开展这样的计划。但仅靠总结现有的研究还远远不够。为了加深对集中营的认识，弥合我们现有认知的鸿沟，更真实地体现囚犯和施暴者的形象，本研究使用了大量第一手资料。我们引用了党卫队和警方的大量记录，包括通告、当地法令以及囚犯档案。[86]其中一些文档数十年来一直被封锁在俄罗斯、德国和英国的档案馆里，直到最近才解密，而且本书中许多文献都是首次被引用。[87]

同时期囚犯们所写的材料是另一部分无价的一手资料。囚犯们总是想方设法获取信息。首先也最重要的是，这是生存需要，因为能够了解党卫队的意图或许就可以活命。但也有一些囚犯想到要给后世留下信息，比如用绘画和涂鸦来记录自己的生活以及精神状态。[88]也有囚犯秘密地照相，或是私藏党卫队的照片。[89]而更重要的则是文字记录。一些享有特权的囚犯偷窃或转录党卫队的文件。1939 年末至 1943 年春天这段时间里，萨克森豪森集中营（Sachsenhausen）囚犯埃米尔·比格（Emil Büge）将党卫队的机密文件复制到极薄的纸上，然后将纸糊在自己的眼镜盒中（大约有 1500 份文件被这样留存了下来）。[90]还有跟埃德加·库普费尔一样的囚犯，他们偷偷写日记，然后保存了下来。战后有许多这样的记录浮出水面。也有人撰写秘密报告和信件，将它们藏在集中营的地板下或偷偷运出去。[91]除此之外，还有那些记录于 1945 年之前，逃出集中营或被释放的囚犯们所做的证言。[92]这些当时的资料非常珍贵，因为它们直观地向我们展现了被困营中之人的状态。在集中营阴影下记录的这些文字展现了他们那一时刻的恐惧、希望，以及对未来的不确定。他们不知道自己未来的命运如何，不知道人们在战后会如何解读、祭奠集中营。[93]

不过，大多数因犯只能在被解放之后作证。每个人的记录都是独一无二的，我们无法全部借鉴。因此，本研究采用了上百份已出版或未出版的回忆录，以及对不同背景的幸存者的采访。这些记录大部分是在解放之后几个月或几年内完成的。当时幸存者的记忆仍然鲜活，他们的个体记忆还未被关于集中营的集体记忆取代。[94]记忆是可以被改变的，举一个例子：奥斯维辛的医生约瑟夫·门格勒（Joseph Mengele）在战后臭名远扬，他的身影出现在许多从未遇见过他的因犯的回忆录里。[95]不过，我们也不应该因此全盘否定后来出现的回忆录，毕竟有些事情的重要性只会随着时间的推移呈现出来。虽然许多幸存者在早年间就可以敞开心扉，但也有人直到多年后才愿意吐露他们最痛苦的回忆。[96]

为战后审判收集的材料是本书另外一个重要的资料来源。数以百计的党卫队战犯战后立刻被带上了盟军的法庭，此后针对他们展开了进一步的审判。公诉人为了提起诉讼搜集了大量原始资料，并且询问了之前的因犯们，其中还包括一些被遗忘的团体。[97]虽然这些证言的取证方法具有争议，但也对我们拼凑集中营的全景有很大帮助。[98]进一步讲，庭审记录对研究犯罪者来说必不可少。党卫队队员在战后普遍不会写回忆录或接受采访，他们更愿意保持低调或者被遗忘。[99]只有法庭才能迫使他们打破沉默。当然，必须仔细阅读他们的陈词，这样才能从托词

21

和谎言中筛出真相。[100]不过，这些证词也呈现了普通集中营士兵的想法。他们是日常暴力真正的实施者，但并没有在历史上留下什么痕迹。

结构

集中营中唯一不变的就是改变。的确，从一个时期到下一个时期有连续性。但集中营走的是一条蜿蜒曲折的路，在十多年的时间里有许多转折和变化。只有通过大致以时间顺序为线索的方式才能捕捉到这些变化。因此，本书第一部分记述了1933 年至 1939 年间的集中营系统，从战前起源（第 1 章）、形成（第 2 章）到扩张（第 3 章）。在这个时期，集中营中大部分囚犯在遭受一段时间折磨之后都被释放了。然而，集中营初期的图景往往被后来战时人间地狱的景象掩盖。[101]但是，正如历史学家简·卡普兰（Jane Caplan）所说，我们有必要去审视那些"史无前例的事件之前"所发生的一切。[102]战前阶段集中营的运行不仅为战时无法无天的恐怖统治打下了基础，其历史也非常重要，因为能够反映出纳粹压迫的发展进程，以及后来没有被选择的道路。[103]

第二次世界大战对集中营体系有着巨大的影响，并最终成为本书余下章节的背景。在战争的第一阶段，从德国 1939 年秋天攻击波兰到 1941 年末对苏联闪电战的失败，集中营开始出现大规模死亡（第 4 章）和处决（第 5 章）。随后，本文视角转回大屠杀，阐释奥斯维辛如何变成一个主要的灭绝营（第 6章），以及在东欧沦陷区的囚犯和党卫队人员的日常生活（第 7章）。接下来的一章依旧着眼于这个时期，但是将从另一个不同的角度分析这段历史，更宏观地展现 1942～1943 年集中营体系的发展，尤其是越来越多的奴隶劳工（第8章）。这也是下一章的主题，除此之外，还包括1943～1944年卫星营的快速发展以及德国在二战期间对数十万囚犯的剥削（第9章）。接下来将会分析战时的囚犯社区，以及他们所面对的艰难抉择（第10章）。最后本书将以1944～1945年第三帝国以及集中营在腥风血雨中崩溃收尾（第11章）。

这种宏观编年史的方法可以充分展现纳粹政权的基本特点。虽然正如汉斯·莫姆森（Hans Mommsen）所说，第三帝国依靠"累积式激进"推动，其恐怖统治随着时间的推移而升级，但这个过程并不是纯线性的。[104]集中营系统并不是像雪崩一样，不断累积毁灭性的力量冲向深渊。它的发展轨迹有时十分缓慢，甚至有所反复。状况并不总是单纯恶化，有时也会有所改善，无论在战前还是战时都是如此，只不过之后再次变糟而已。对该过程的深度剖析将使我们对集中营以及整个纳粹政权的历史产生全新的思考。恐怖行动是第三帝国的核心，没有任何机构像集中营那样充分体现了纳粹的恐怖。

注　释

1. Dann, *Dachau*, quote on 22；Zarusky, "Erschieβungen"；Abzug, *Inside*, 89 - 92；DaA, DA 20202, F. Sparks, "Dachau and Its Liberation," March 20, 1984；Greiser, *Todesmärsche*, 70, 502 - 503；KZ-Gedenkstätte Dachau, *Gedenkbuch*, 10；Marcuse, *Legacies*, 51；Weiβ, "Dachau," 26 - 27, 31 - 32；"Dachau Captured by Americans Who Kill Guards, Liberate 32,000," *New York Times*, May 1, 1945. 图片参见 USHMM photograph collection。这趟死亡列车在1945年4月7日从布痕瓦尔德出发，车上有4500～5000名囚犯。

2. 汉娜·阿伦特（Hannah Arendt）在二战后也持类似的观点；Brink, *Ikonen*, 78。详情参见 Weiβ, "Dachau"; *NCC*, ix。

3. DaA, ITS, Vorläufige Ermittlung der Lagerstärke（1971）；BArchB, R 2/28350, Chronik der SS-Lageranlage Dachau, March 1, 1938；Zámečník, *Dachau*, 86 – 90, 99 – 105；Neurath, *Gesellschaft*, 23, 38 – 41, 44 – 48；Burkhard, *Tanz*, 83, 86 – 89；Steinbacher, *Dachau*, 90；*OdT*, vol. 1, 102 – 104；ibid., vol. 2, 248；Pressac, *Krematorien*, 8。达豪集中营的 34 间营房中有 30 间供常规俘虏房住宿。1937 年，党卫队计划在达豪集中营建一座火葬场，但并没有落实；Comité, *Dachau*（1978）, 166（感谢 Dirk Riedel 提供参考资料）。

4. Seubert, "'Vierteljahr,'" 63 – 68, 89 – 90, quote on 90；Richardi, *Schule*, 40 – 55；Dillon, "Dachau," 27, 153；Tuchel, *Konzentrationslager*, 123 – 25；Zámečník, *Dachau*, 22 – 25；KZ-Gedenkstätte Dachau, *Gedenkbuch*, 9, 13；DaA, 550, M. Grünwiedl, "Dachauer Gefangene erzählen," summer 1934, 2 – 3；ibid., 3. 286；C. Bastian, "22. März 1933," in *Mitteilungsblatt der Lagergemeinschaft Dachau*, April 1965（感谢 Chris Dillon 提供参考资料）；BArchB, R 2/28350, Chronik der SS-Lageranlage Dachau, March 1, 1938。达豪集中营的死亡人数中不包括 2500 名在解放后三个月内死亡的幸存者。

5. DaA, 9438, A. Hübsch, "Insel des Standrechts"（1961）, 95.

6. 关于"管控下的恐怖"一词，见 Sofsky, *Ordnung*。Sofsky 的研究从对比 1933 年和 1945 年的达豪集中营入手，不过是以一种相当不同的方式。

7. 数据来源于 *OdT*, vols. 2 – 8，统计集中营督察组和党卫队经济与管理部下属的集中营。这些主要的集中营并不包括党卫队的辛泽特（Hinzert）特别集中营和莫林根（Moringen）女子集中营。

8. 早期有关集中营纳粹主义中心性的讨论请见 Arendt, *Origins*, 438。

9. "KL"一词在第三帝国期间一直是党卫队对集中营的主要缩写。有关"KL"的常见文献参见 *The Times*, January 24, 1935, *NCC*, doc. 277。囚犯们也会用这个词，不过他们更常用比较刺耳的"KZ"一词，该词后来在战后德国成了集中营的标准缩写（Kamiński, *Konzentrationslager*, 51；Kautsky, *Teufel*, 259；Kogon, *SS - Staat*, 1946, 4）。不过，一些幸存者（Internationales Lagerkommitee Buchenwald, *KL BU*）和学者（Herbert et al., *Konzentrationslager*）仍继续用"KL"。本书中，"KL"或"集中营"一般

指的是在集中营督察组（从 1934 年起）和党卫队经济与管理部（从 1942 年起）管理下的党卫队集中营；有时，我也用宽泛的"营地"一词来指代这些地点。

10. 据估计，1945 年集中营有 45 万幸存者（第 11 章），除此以外，1933 年到 1944 年之间，可能有 10 万俘虏从集中营被释放。更多死亡数据参见附录的表 1；Piper, *Zahl*, 143, 167。少部分犹太人在抵达奥斯维辛时被杀害，死于毒气室外面（第 9 章）。

有关术语的简短备注：党卫队根据囚犯们（假定）的背景将他们分为几类。党卫队的分类塑造了囚犯社交和本书的一些必然的特点。不过值得注意的是，许多囚犯在描述自己的时候也不尽相同。比如，一些犹太囚犯并不把自己看作犹太人（起码在他们被逮捕之前）。而且，"俄罗斯囚犯"这个通用的党卫队词语通常被党卫队随意使用在乌克兰人、俄罗斯人、白俄罗斯人和一些波兰人身上（所以我用更宽泛的"苏联囚犯"一词代替）。

11. 引用希特勒 1941 年 1 月 30 日的演讲，in Domarus, *Reden*, vol. 4, 1658。参见 Welch, *Propaganda*, 229 – 35；Fox, *Film*, 171 – 84；Langbein, *Menschen*, 324；Evans, *Third Reich at War*, 145。

12. 希特勒 1940 年 1 月 30 日的演讲，in Domarus, *Reden*, vol. 3, 1459。

13. 引用自 1939 年 1 月 29 日希姆莱在德国警察日这天的讲话，*NCC*, doc. 274。详情参见 Moore, "'What Concentration Camps'"。

14. Bauman, "Century." 参见 Kotek, Rigoulot, *Jahrhundert*；Wormser-Migot, *L'ère*。

15. Smith and Stucki, "Colonial." See also Sutton, "Reconcentration."

16. 关于德国的殖民营，参见 Hull, *Destruction*, 70 – 90（他估计有超过 33000 名非洲战俘）；Kreienbaum, "'Vernichtungslager'"。假定的与集中营的联系，可以着重参考 Madley, "Africa," 引用自第 446 页。更概括的内容参见 Zimmerer, "War," 58 – 60；Kotek and Rigoulot, *Jahrhundert*, 32。关于这个论点的批评意见，参见 Wachsmann and Goeschel, "Before Auschwitz," 526 – 28。更多关于德国殖民暴力和纳粹灭绝政策之间连续性的评论，可参见 Gerwarth and Malinowski, "Hannah Arendt's Ghosts"。

17. Quote in Bell, *Völkerrecht*, 723. 德国的观点参见 Hinz, *Gefangen*；Stibbe, *Civilian Prisoners*；Jones, *Violence*。更概括的内容参见 Kramer,

"Einleitung," 17 - 20, 29 - 30；Buggeln and Wildt, "Lager," 168 - 69。

18. Overy, "Konzentrationslager." 关于西班牙，参见 Rodrigo, "Exploitation," 特别是 557 页。1940 年西班牙警官参观萨克森豪森集中营，参见 Ley and Morsch, *Medizin*, 390 - 91。1940 年希姆莱造访佛朗哥的集中营，参见 Preston, *Holocaust*, 494 - 95。法西斯意大利的集中营，参见 Guerrazzi, di Sante, "Geschichte"。

19. 有关两种集中营系统，参见 Todorov, *Facing*；Kamiński, *Konzentrationslager*；Armanski, *Maschinen*。

20. Khlevniuk, *History*, figures on 328；Applebaum, *Gulag*；Overy, "Konzentrationslager," 44 - 50；Kramer, "Einleitung," 22, 30；Wachsmann, "Comparisons." 所谓的特殊聚居区之一，参见 Werth, *Cannibal*。

21. 同时期的主张可参见 "Life in a Nazi Concentration Camp," *New York Times Magazine*, February 14, 1937。在 20 世纪 80 年代的德国，历史学家恩斯特·诺尔特（Ernst Nolte）认为古拉格集中营是奥斯维辛集中营前身的观点引发了所谓的"历史学家的争论"；Nolte, "Vergangenheit"；Evans, *Hitler's Shadow*。

22. Arendt, *Origins*, 445. 关于在 NKVD 集中营的死亡人数和释放人数，参见 Khlevniuk, *History*, 308；Snyder, *Bloodlands*, xiii；Arch Getty et al., "Victims," 1041；Kramer, "Einleitung," 24。关于党卫队和苏联集中营的其他区别，参见 Wachsmann, "Comparisons"。

23. Quotes in Aly, "*Endlösung*," 274；Ereignismeldung UdSSR Nr. 59, August 21, 1941, Anlage I, "Das Verschickungs-und Verbannungswesen in der UdSSR," in Boberach, *Regimekritik*, doc. rk1204. See also the recollections of Rudolf Höss in Broszat, *Kommandant*, 209.

24. StAMü, Staatsanwaltschaften Nr. 34479/1, Bl. 93 - 97：Lebenslauf H. Steinbrenner, n. d. (c. late 1940s), Bl. 95；StANü, EE by G. Wiebeck, February 28, 1947, ND：NO - 2331, quote on page 5.

25. Klemperer, *LTI*, 42.

26. 2014 年 7 月的数据。

27. 这一段和上一段参见 Zelizer, *Remembering*, 特别是 63 ~ 154 页；Reilly, *Belsen*, 29 - 33, 55 - 66；Abzug, *Inside*, 30（感谢 Dan Stone 提供的这条参考文献），129 - 40；Frei, "'Wir waren blind'"；Gallup, *Gallup Poll*, 472, 504（100 万的死亡人数是所有回答的中值平均数）；Chamberlin,

"Todesmühlen"。对解放奥斯维辛集中营的温和报道，参见 Weckel, *Bilder*, 47; Brink, *Ikonen*, 25。Quotes in O. White, "Invaders rip veil from Nazi horrors," *Courier-Mail* (Brisbane), April 18, 1945, in idem, *Conqueror's Road*, 188 – 91; "Dachau Gives Answer to Why We Fought," *45th Division News*, May 11, 1945。因犯所写的早期重要的书籍包括 Beimler, *Mörderlager*; Seger, *Oranienburg*; Langhoff, *Moorsoldaten*。家属们的著作包括 Mühsam, *Leidensweg*; Litten, *Mutter*。有关集中营历史的部分我参考了 Wachsmann and Caplan, "Introduction," 2 – 6。

28. 针对这些观点的评论参见 Cesarani and Sundquist, *After the Holocaust*。

29. 库普费尔的笔名是 Kupfer-Koberwitz。关于他的生活，参见 B. Distel, "Vorwort," in Kupfer-Koberwitz, *Tagebücher*, 7 – 15; ibid., 19 – 30。关于他被捕的原因，参见 StAL, EL 350 I/Bü 8033, Fragebogen Wiedergutmachung, October 16, 1949; ibid., Erklärung A. Karg, May 23, 1950。

30. Quote in Perz, *KZ-Gedenkstätte*, 37. 参见 Niethammer, *Antifaschismus*, 198 – 206; Shephard, *Daybreak*, 92。

31. Jockusch, *Collect*, 3 – 10, 165 – 85. 参见 Cesarani, "Challenging," 16 – 18。

32. 例子可参见 KPD Leipzig, *Buchenwald!*; Grossmann, *Jews*, 197。

33. P. Levi, "Note to the Theatre Version of *If This Is a Man*," 1966, in Belpoliti, *Levi*, 24。参见 idem, *If*, 381; idem, *Drowned*, 138; Sodi, "Memory"。早在 1945 年春季，莱维和另一名幸存者同伴就简单写下了奥斯维辛集中营里医疗条件的情况; Levi and de Benedetti, *Auschwitz*。

34. 部分数据参见 Taft, *Victim*, 130 – 32。早期幸存者的小选集包括 Nyiszli, *Auschwitz*（1946 年在罗马尼亚首次出版）; Nansen, *Day*（1947 年于挪威首次出版）; Szmaglewska, *Smoke*（1945 年在波兰首次出版）; Burney, *Dungeon*; Millok, *A kínok*。德国人早期的描述参见 Peitsch, "*Deutschlands*"。

35. Kautsky, *Teufel*; Frankl, *Psycholog*.

36. 或许第一次记述单独一座集中营历史的是 Kraus, Kulka, *Továrna*; 捷克关于奥斯维辛的先驱研究，参见 Van Pelt, *Case*, 219 – 23。诗歌和小说，参见 Borowski, *This Way*（包括在 1946 ~ 1948 年首次刊登的故事）; KaTzetnik, *Sunrise*（首次刊登于 1946 年）; Wiechert, *Totenwald*。

37. Kogon, *SS-Staat* （1946）; Wachsmann, "Introduction," in Kogon, *Theory*, xvii. 在这些小册子中有一个前布痕瓦尔德集中营囚犯的证词合集，在 1945 年发行了 20 万册; KPD Leipzig, *Buchenwald!*。更概括的内容，参见 Peitsch, "*Deutschlands*," 101 – 102, 139, 204。来自欧洲其他地方幸存者的证词，参见 Cesarani, "Challenging," 20 – 22。

38. NYPL, Collection Farrar, Straus & Giroux Inc. Records, Box 191, R. Straus, Jr. , to R. Gutman, June 21, 1948.

39. Quotes in P. Levi, "Deportees. Anniversary," *Torino XXXI* （April 1955）, in Belpoliti, *Levi*, 3 – 5; DaA, Nr. 27376, E. Kupfer to K. Halle, September 1, 1960. 20 世纪 50 年代发表的幸存者的叙述包括 Cohen, *Human*; Michelet, *Rue*; Kupfer-Koberwitz, *Als Häftling*; Antelme, *L'espèce*。See also the contributions to the *Auschwitz Journal* （*Przegląd Lekarski-Oświęcim*）. 关于公众的冷漠，可参考 DaA, Nr. 9438, A. Hübsch, "Insel des Standrechts" （1961）, 207。更概括的背景介绍，参见 Cesarani, "Introduction," 1, 5; idem, "Challenging," 28 – 30; Diner, *Remember*, 365 – 90。

40. Kupfer-Koberwitz, *Tagebücher*. 第二批回忆录，参见 Waxman, *Writing*, 116; Cesarani, "Introduction," 10; Hartewig, "Wolf," 941。德国对种族大屠杀的反应，参见 Hickethier, "Histotainment," 307 – 308。

41. Schnabel, *Macht*; NMGB, *Buchenwald* （首次发行于 1959 年）; Maršálek, *Mauthausen* （首次发行于 1974 年）; Zámečník, *Dachau*。另见 Langbein, *Menschen* （首次发行于 1972 年）; Naujoks, *Leben*。

42. 相关调查，参见 Reiter, "*Dunkelheit*"。

43. 例子可参见 Mitscherlich and Mielke, *Diktat*; Helweg-Larsen et al. , *Famine*。早期参考文献参见 *The Lancet* and the *British Medical Journal*, see Cesarani, "Challenging," 24。See also the study of the New School for Social Research, abandoned in 1951; Goldstein et al. , *Individuelles*, 10 – 11.

44. Broszat, "Konzentrationslager"; Pingel, *Häftlinge*. 其他先驱作品包括（按时间排序）Kühnrich, *KZ-Staat* （首次发行于 1960 年）; Kolb, *Bergen-Belsen*; Billig, *L'Hitlérisme*; Wormser-Migot, *Le système*; Broszat, *Studien*; Feig, *Death Camps*。

45. 例子参见 Dicks, *Licensed*; des Pres, *Survivor*。

46. Broszat, "Einleitung. "

47. P. Levi, "Preface to L. Poliakov's *Auschwitz*," 1968, in Belpoliti,

Levi，27 – 29；Milward，"Review."

48. Orth，*System*. 关于 20 世纪 90 年代研究状况的概述，参见 Herbert et al.，*Konzentrationslager*。

49. 德国作品的参考文献（从 1945 年到 2000 年）包括 6000 多个条目，大部分是 1980 年以后出版的；Warneke，*Konzentrationslager*（感谢 Peter Warneke 给了我一份复印件）。

50. 关于最后一点，参见 Wachsmann，"Review"。对近期学术著作的评估，参见 idem，"Looking"。

51. Megargee，*Encyclopedia*，vol. I；*OdT*，vols. 2 – 8.

52. Quote in Reichel，"Auschwitz，" 331.

53. 许多充满争议、具有促进性的研究都调查了集体回忆录增多的原因。美国的研究参见 Novick，*Holocaust*。

54. Silbermann and Stoffers，*Auschwitz*，205，211，213 – 14.

55. 关于数据，参见第 7 章和附录（表 1），以及 Piper，*Zahl*，167。关于"打破（刻板印象）"一词，参见 Mazower，"Foucault，" 30。

56. 关于数据，参见第 6、9、11 章；Friedländer，*Jahre*，692；Piper，*Zahl*，167。

57. 关于这一点，参见 Langer，*Preempting*。

58. Quote in Mauriac，"Preface，" x. 集中营内最恶劣的罪行跟德国人具体的思维模式相关，这个观点深植于 Goldhagen，*Executioners*。关于集中营和现代性，参见 Bauman，"Century"；Kotek and Rigoulot，*Jahrhundert*。

59. Sofsky，*Ordnung*.

60. 早期对索夫斯基的静态方法的批评参见 Weisbrod，"Entwicklung，" 349；Tuchel，"Dimensionen，" 373（n. 12）。当然，从马克斯·韦伯时期，社会学家就承认了"理想型"绝不可能成为现实；Weber，*Wirtschaft und Gesellschaft*，in Directmedia，*Max Weber*，1431。

61. Rózsa，"Solange，" 297 – 99. Rózsa 编辑了她的日记，并且在 1971 年于布加勒斯特出版之前对内容进行了丰富。

62. Nansen，*Day*，545. 参见 Mess，*"Sonnenschein*，" 56。

63. BoA，testimony H. Frydman，August 7，1946；Wagner，*Produktion*，453；Nyiszli，*Auschwitz*，66；Segev，*Million*，158.

64. Transcript in Chamberlin and Feldman，*Liberation*，42 – 45，p. 44. 参见 Frei and Kantsteiner，*Holocaust*，201。

65. 一些幸存者对于史学家阐述集中营的能力表达了质疑，（部分）是因为他们认为只有幸存者才知道集中营里的真实情况；Waxman, *Writing*, 176 – 79；Cargas, "Interview," 5；Debski, *Battlefield*, 62。

66. Friedländer, "Eine integrierte Geschichte"；idem, *Nazi Germany*, 1 – 2, quote on 1；Frei and Kantsteiner, *Holocaust*, 82.

67. 本书直接引用了大量囚犯和行凶者的话。许多都来自当时的文献资料。还有一些取自后来的资料，但会有方法论的问题。一方面，极少有幸存者能准确回忆起几个月或者几年前听说的消息。另一方面，对这些引用进行意译会丧失其即时性；毕竟语气和命令措辞是党卫队统治策略的一个重要组成部分。最终我决定使用一些"回顾性引用"，但只有在批判来源的时候——分析文件内部的一致性，并与其他文件进行对比——我引用的话才能够接近当时所说的内容。

68. 估值参见 Kárný, "Waffen-SS," 248（只有男性估值）。

69. Quotes in Warmbold, *Lagersprache*, 302 – 303.

70. 最近研究的一项调查，参见 Roseman, "Beyond Conviction?"

71. Cited in Todorov, *Facing*, 123. 参见 Levi, "Preface to H. Langbein's *People in Auschwitz*," 1984, in Belpoliti, *Levi*, 78 – 81。对党卫队行凶者是病态失常者这一观点的早期学术批评，参见 Steiner, "SS"；Dicks, *Licensed*, 特别是第 237 页。

72. 参见 Langbein, *Widerstand*, 8。

73. Kautsky, *Teufel*, 226.

74. 审头一词广泛用于集中营内，在第二次世界大战前就已经开始使用（Neurath, *Gesellschaft*, 210），在战争期间更加流行。在历史文献中，这个词通常代表的是狭义的定义，指的是负责管理劳动小分队的囚犯头。我引用了一些幸存者（Kupfer-Koberwitz, *Tagebücher*, 467；Kautsky, *Teufel*, 160）和历史学家（Niethammer, *Antifaschismus*, 15）的作品，在此处表达的是更宽泛的含义，即审头指的是所有在集中营内凭借官方职位获得其他囚犯所没有的直接或间接权力的囚犯。

75. Quotes in Arendt, *Origins*, 455；Siedlecki et al., *Auschwitz*, 4（首次出版于 1946 年）。参见 Armanski, *Maschinen*, 188；Langer, *Holocaust Testimonies*, ix, 162 – 63；Browning, *Remembering*, 297；Löw et al., *Alltag*。

76. 正在进行中的 USHMM 百科全书项目里，集中营和犹太人聚居区部分的研究人员已经确定有超过 4.2 万个独立的地点；"The Holocaust just

got more shocking," *New York Times*, March 1, 2013。偶尔也会把其他地点误认为集中营。例如泰雷津（Terezín）聚居区经常会被当成集中营（相关背景参见 Hájková, "Prisoner Society," 14）。

77. BArchK, All. Proz. 6/103, Bl. 16. 关于背景，参见 Stangneth, *Eichmann*。

78. 相关文件资料的散布，参见 Perz, *KZ-Gedenkstätte*, 39 – 42。

79. 一些关键的大规模谋杀行动，比如 14f13 和 14f14 行动（参见第 5 章）依旧没有学术专著。集中营历史的一些阶段也是如此，特别是战争初期（参见第 4 章）。此外，对东欧占领区内几个主要为犹太人而建的集中营，我们也缺乏相应的研究专著（参见第 6 章和第 7 章）。对战时集中营党卫队总部（参见第 8 章）及其与地方集中营互动的系统性研究也很少。同样，如罪犯和反社会人士等囚犯群体的命运也被广泛忽略了（参见第 3 章）。

80. Tuchel, *Konzentrationslager*, 27. 三个最了解情况的人——特奥多尔·艾克（Theodor Eicke）、里夏德·格吕克斯（Richard Glücks）和海因里希·希姆莱都在 1945 年 5 月前死了。

81. Winter, *Winter*, 53. 参见 Levi, *Drowned*, 6 – 7。

82. Levi, *Drowned*；Maršálek, *Gusen*, 33.

83. 关于后者，参见 Greiser, *Todesmärsche*, 141；Raim, *Dachauer*, 286；Erpel, "Trauma," 127。

84. Schrade, *Elf Jahre*, especially pages 9 – 14, 32 – 33. 引人注目的是，Schrade 在回忆录里忽略了罪犯和反社会人士所遭受的对待。

85. 苏联囚犯的回忆录极少；Zarusky, "'Russen,'" especially pages 105 – 107, 111. 最近的一部回忆录合集，参见 Timofeeva, *Nepobedimaja*。

86. 集中营党卫队提供的数据和文件，参见 Kranebitter, "Zahlen," 98 – 117；Grotum, *Archiv*, 236 – 44。

87. 我查询的资料中包括从莫斯科特别档案馆中提取的文件（USHMM 里保存的电子副本），这些文件早在 20 世纪 90 年代初就对西方学者公开了。我也用了从巴德阿罗尔森红十字会追踪服务那里获得的记录，在 20 世纪 70 年代到 2006 年 7 月间都是不对历史学家开放的。最后，我还利用了基尤国家档案馆内保存的英国在 20 世纪 90 年代后期解密的德国秘密无线电报。根据资料保护法的规定，一些囚犯和行凶者的名字需要保密。

88. *OdT*, vol. 1, 279 – 83; Blatter, Milton, *Art*, 136 – 225.

89. Didi-Huberman, *Bilder*; "Francesc Boix."

90. Büge, *KZ-Geheimnisse*.

91. 日记参见 Laqueur, *Schreiben*。在贝尔根－贝尔森集中营有 30 篇日记保存了下来，比任何一个集中营都多。Rahe, "Einleitung," 18 – 19. 在集中营内写的记录，参见 Swiebocki, *Resistance*。

92. 一些例子可参见 Swiebocki, *London*。

93. Friedländer, *Jahre*, 23 – 24. 他的评论也参见 Frei and Kantsteiner, *Holocaust*, 85 – 86, 252。

94. 许多研究集中营的历史学家都优先从早期的证词里查找资料；Shik, "Erfahrung," 104 – 105; Buggeln, *Arbeit*, 536; Hayes, "Auschwitz," 347。有关后来的口述史参见 Jureit and Orth, *Überlebensgeschichten*, especially pages 185 – 86。

95. Langbein, *Menschen*, 334 – 35; Browning, *Remembering*, 233 – 36. 其他的例子参见 ibid, 237; Mailänder Koslov, *Gewalt*, 361 – 70; Fulbrook, *Small Town*, 306。对一些回忆录里不可靠的部分的概述，参见 Cziborra, *KZ-Autobiografien*, especially pages 70 – 75。

96. 例子可参见 Semprun and Wiesel, *Schweigen*, 15, 19。

97. 后者参见 20 世纪 60 年代在法兰克福－奥斯维辛法庭的苏联囚犯和德国罪犯的证词。

98. 方法论的问题参见 Orth, "Lagergesellschaft," 117 – 18。

99. 例外可参见 Segev, *Soldiers*。

100. Orth, *SS*, 15. 应该特别注意在苏联和东欧法庭上的证词；Eschebach, "'Ich bin unschuldig'"; Pohl, "Sowjetische," 138。

101. 例如卡林·奥尔特的集中营编年史只有八分之一的内容提及战前的情况；Orth, *System*。

102. Caplan, "Detention," 26.

103. 参见 Wachsmann and Goeschel, "Before Auschwitz," 518。

104. Mommsen, "Cumulative Radicalization."

第 1 章　早期集中营

"听说你想上吊自杀？"1933 年 5 月 8 日下午，党卫队二等兵施泰因布伦纳（Steinbrenner）一边说，一边走进了汉斯·拜姆勒（Hans Beimler）在达豪集中营的牢房。身材高挑的施泰因布伦纳俯视着形容枯槁、身穿肮脏的棕色夹克和短裤的囚犯，后者已经在集中营里被称为地堡的牢房中受折磨好几天了。"好好看着，这样你就知道怎么自杀了！"施泰因布伦纳从床单上撕下长长的一条布料，在一端做了一个套索。"现在你只需要，"他的语气十分亲热，就像一位乐于助人的朋友，"将你的头伸进去，再把另一头系在窗户上就妥当了。只要两分钟就完事了。"汉斯·拜姆勒的身体上遍布着鞭痕和伤口，党卫队想迫使他自杀，但他都坚持了下来。可是他知道，时间已经不多了。仅仅一两个小时之前，党卫队二等兵施泰因布伦纳和达豪集中营的指挥官把他带到另一间牢房，弗里茨·德雷塞尔（Fritz Dressel）赤裸的尸体就倒在房间里冰冷的岩石地板上。他与拜姆勒一样，是一名共产党政客。在之前几天，德雷塞尔的尖叫声回荡在达豪的地堡中，拜姆勒猜老友是因为再也无法忍受折磨，最终割腕自尽的（事实上，德雷塞尔很可能是被党卫队谋杀的）。还没醒过神来，拜勒姆就被拖回了自己的牢房。指挥官冲着他说："好了！现在你学会了吧。"之后他发出了最后通牒：如果拜姆勒不自杀，党卫队将在第二天早晨处死他。他只有大概十二个小时好活了。[1]

24   1933 年春天，随着阿道夫·希特勒于 1 月 30 日当选总理，德国迅速从失败的民主政体转变成法西斯独裁政体，数以万计的纳粹政敌被关进像达豪这样的临时集中营，拜姆勒就是其中一员。最早被搜捕的政敌主要是批评家和突出的政客们。而对于巴伐利亚州政府，这个除普鲁士外德国最大的州来说，几乎没有比 37 岁的慕尼黑人拜姆勒更有价值的猎物了。他被认为是一个极端危险的布尔什维克。在与妻子辛塔（Centa）逃亡数周之后，拜姆勒于 1933 年 4 月 11 日被捕。当时，慕尼黑警察局总部的警察们欢呼雀跃道："我们抓住拜姆勒了！我们抓住拜姆勒了！"[2]

1918 年秋天，帝国海军的叛乱致使德意志帝国在一战末期垮台，魏玛共和国时代由此开启，那是德国第一次民主实验。身为海军老兵的汉斯·拜姆勒从那时起就开始一心一意对抗共和国政府，想要建立一个共产主义国家。1919 年春天，他在巴伐利亚以"红卫兵"（Red Guard）的身份参与了一场注定失败的苏联式起义。自从目睹软弱的德国民主政府承受来自极左翼和极右翼的首轮攻击后，这名熟练的技工就成了德国共产党的狂热追随者。形容粗犷的拜姆勒找到了自己的信仰，投身于同警察和对手（比如纳粹突击队）的战斗中，同时在党内稳步晋升。1932 年 7 月，他达到了个人事业的顶峰：被选为共产党在共和国国民议会（Reichstag）的代表。[3]1933 年 2 月 12 日，在同年 3 月 5 日全国大选（这是第一次也是最后一次希特勒治下的多党派选举）前最后一轮共产党大规模集会的一次会议上，汉斯·拜姆勒在慕尼黑科龙马戏团大楼中发表演说。为了鼓舞他的支持者，他引用了 1919 年内战时期罕有的一次胜利。那时，巴伐利亚"红卫兵"拜姆勒曾跟随队伍，在达豪附近短暂地击

溃过政府军。在演讲的结尾，他高声大喊口号："我们达豪
再见!"[4]

　　仅仅 10 周后，1933 年 4 月 25 日，拜姆勒发现自己确实在
去往达豪的路上，不过不是像他预计的那样以革命领袖的身份，
而是作为党卫队的阶下囚。他与兴高采烈的抓捕者都意识到了
这一残酷的转折。在运送拜姆勒和其他囚犯的囚车进入达豪时，
一群党卫队队员已经在此等候许久。据党卫队二等兵施泰因布
伦纳回忆，看守们不断尖叫，仿佛"通了电"一般。他们冲进
囚犯之中，很快将拜姆勒揪了出来，让他挨了第一顿打。还有
一些被指挥官斥为"贱人和叛徒"的人同样挨了揍。拜姆勒走
向地堡，脖子上被迫挂着一个写着"欢迎"二字的大牌子。那
间地堡由老工厂的旧厕所改建而成。一路上，施泰因布伦纳用
马鞭狠狠抽打拜姆勒，力度之大就连远处的囚犯也能数清楚到
底抽了几下。[5]

　　在达豪的党卫队内部，有关新战利品——拜姆勒——的谣
言在四处传播。指挥官污蔑拜姆勒是一宗谋杀人质案的幕后黑
手。1919 年春天，一支"红卫兵"分遣队在慕尼黑的一所学校
里处死了 10 名人质，其中包括一名巴伐利亚伯爵夫人。这次人
质事件点燃了右翼极端分子的怒火。之后不久，数百名左翼革
命者惨遭极右翼武装力量——自由军团（Freikorps）屠杀，命
途多舛的慕尼黑苏维埃也毁于其手。如今，达豪集中营四处传
阅着当年被处决的人质的照片。指挥官对下属们说，14 年后血
债终于可以血偿了。一开始，他想亲手处决拜姆勒，但后来又
觉得还是逼迫拜姆勒自杀更稳妥一些。不过，到 5 月 8 日，拜
姆勒硬抗了几天之后，指挥官等不及了——要是拜姆勒不上吊
自杀，就处决了他。[6]

25

不过汉斯·拜姆勒活了下来，在最后通牒到期前的几个小时从鬼门关逃了出来。他在两名党卫队卧底的帮助下挤出了牢房上方的小窗，穿过营地周围的铁丝网和电网，消失在夜幕之中。[7]第二天，1933年5月9日清晨，当党卫队二等兵施泰因布伦纳打开拜姆勒的牢房，发现其中空无一人之后，整个党卫队都疯了。警报声响彻营地，所有党卫队队员一起将集中营翻了个底朝天。施泰因布伦纳不断折磨相邻牢房的两名共产党囚犯，大喊："等着吧，你们这些肮脏的畜生，你们会告诉我（拜姆勒在哪里）的。"其中一人不久后便被处决了。[8]营外，一场规模巨大的搜捕行动正在展开。飞机在营地周围盘旋，"通缉"海报被张贴在各个火车站，警察在慕尼黑展开突袭，那些之前为拜姆勒被捕而欢呼的报纸也发布了捉拿"著名共产党领袖"的悬赏令，里面把他形容为一个短发、胡子刮得很干净、有一对招风耳的男人。[9]

虽然他们竭尽所能，但拜姆勒还是逃脱了。他在慕尼黑一处安全的居所恢复健康后，于1933年6月被共产党地下人员秘密送往柏林，并在接下来的几个月里穿越了边境，逃往捷克斯洛伐克。在那里他寄了一张明信片给达豪集中营，让党卫队队员们"亲我的屁股"。随后，拜姆勒前往苏联，在那里写了一部情节跌宕起伏的纪实文学，是有关集中营最早的目击者报告之一，后来此类报告迅速增多。该书于1933年8月中旬先是由一家苏联报社在德国出版，随后很快开始在瑞士的报纸上连载，英文译本也在伦敦出版，德国内部也在秘密传阅。同时，拜姆勒还在其他外国报纸上发表文章，在苏联广播中发表演说。与此同时，愤怒的纳粹官员谴责他为"兜售恐怖故事的恶毒小贩"。拜姆勒不仅逃脱了处罚，还通过揭露达豪的真相，公开羞

26

辱了那些折磨他的人。1933 年晚秋，纳粹政权决定剥夺拜姆勒德国公民的身份，但这不过是一个苍白无力的姿态而已，毕竟拜姆勒自己没有再次回到第三帝国的打算。[10]

汉斯·拜姆勒的故事很特别。早期纳粹集中营中很少有囚犯像他那样遭受了残酷的虐待。在 1933 年，蓄意谋杀还是极端的个例。更特别的是他的逃脱。由于党卫队在他之后立刻加强了戒备，所以在此后许多年里，他是唯一一个从达豪成功逃脱的囚犯。[11]拜姆勒的故事也体现了早期集中营的一些关键特点：对共产主义的憎恨驱动着看守们的暴行；对特定囚犯的折磨是为了杀鸡儆猴；因为有法律监管，集中营的管理者并不愿意公开实施谋杀，而是更喜欢迫使特定的囚犯自杀，或将处决伪装成自杀；行事并没有计划性，用废弃工厂作为营地就是一个例子；无论是报纸的报道还是地下的出版物，都使集中营在公众视野中占有一席之地。在 1933 年第三帝国初生时，这些元素塑造了早期的集中营。

血腥的春天和夏天

1937 年 1 月 30 日，阿道夫·希特勒就任总理的纪念日。当天午后，他在名存实亡的帝国议会上向纳粹要人们发表讲话，评估掌权四年来的得与失。在典型的漫谈式演讲中，希特勒描绘了一个复兴的辉煌德国：纳粹党将国家从政治灾难中解救出来，在经济上力挽狂澜，团结社会，整肃文化，还挣脱了耻辱的《凡尔赛条约》的桎梏，恢复了国家军事力量。希特勒称，最重要的是所有的一切都是在和平中取得的。1933 年纳粹党上台时"几乎完全没有流血冲突"。当然，一些受蒙骗的政敌和

布尔什维克罪犯被关押或消灭了。但总体来讲，希特勒激昂地
27 说，他看到的是一种全新的起义："这也许是历史上第一次连一
扇窗户都没被砸碎的革命。"[12]

此时听希特勒演讲的纳粹巨头们一定非常努力才忍住不笑
出来。他们所有人都对 1933 年的恐怖行动记忆犹新，私下里他
们仍陶醉在对政敌施加暴力的回忆中。[13] 不过，随着纳粹政权越
来越稳固，一些自鸣得意的纳粹领导人也许更愿意遗忘几年之
前他们的地位是多么地岌岌可危。20 世纪 30 年代初期，魏玛
共和国已经日薄西山，在灾难性的大萧条、政治僵局、社会动
荡的撕扯下分崩离析。但究竟由谁来取代共和国还是个未知数。
虽然纳粹党（NSDAP）自称是最受民众欢迎的政治选择，但大
部分德国人仍然不支持纳粹掌权。的确，两个主要的左翼党
派——激进的德国共产党（KPD）和相对温和的社会民主党
（SPD）尽管彼此仇恨，但仍在 1932 年 11 月的最后一次自由选
举中比纳粹党获得了更多的票数。是一小撮反对共和的政治掮
客使用阴谋诡计才让希特勒在 1933 年 1 月 30 日坐上了总理的
宝座，当时的内阁仍被保守派占据，包括希特勒在内只有三个
纳粹党党员。[14]

希特勒掌权之后几个月，纳粹运动全面展开，掀起了一轮
恐怖浪潮，吞没了工人阶级的方方面面。纳粹镇压了他们的运
动，洗劫了他们的办公室，侮辱、囚禁、折磨他们的积极分子。
最近几年，一些历史学家对纳粹战前的恐怖行动只是轻描淡写。
他们将第三帝国美化为一个"不错的独裁政府"，认为纳粹政
权深获民心，其实没必要大规模打击政敌。[15] 不过，民众的支持
对纳粹来说虽然重要，但十分有限。在使数百万抵抗纳粹诱惑
的民众顺从的过程中，恐怖行动发挥了不可替代的作用。虽然

所谓的种族主义分子和社会边缘分子也是受攻击的对象，但早期最重要的镇压针对的是政敌以及所有左翼分子。早期的政治恐怖行为让纳粹最终走上了专制统治的道路。

对左翼的恐怖行动

让一个崭新的德国从魏玛共和国的灰烬中浴火重生，这一复兴的誓言是 20 世纪 30 年代初纳粹主义赢得民心的主要魅力所在。但纳粹对黄金未来的梦想也是一个充满毁灭的梦想。远在他们掌权之前，纳粹领袖们已经设想了一个残酷无情的排外政策；通过驱逐所有外国人与危险人物，建立一个同质的民族共同体，为未来的种族战争做好准备。[16]

通过恐怖行动将国家紧密团结在一起的梦想是纳粹领袖们从德国 1918 年的伤痛中得来的。纳粹对第一次世界大战失败的认知具有极其重要的意义。跟国内其他民族主义者一样，纳粹领袖们不愿面对德国在战场上战败的屈辱现实。他们坚信国家被迫屈服是因为失败主义和国内的动乱。他们宣称德军是被革命"在背后捅了一刀"。希特勒相信，解决方法就是根除国内的所有敌人。[17]在 1926 年的一次私下演讲中，他就保证将消灭所有左翼分子，而那时纳粹运动还处于德国政坛的最边缘。直到"最后一个马克思主义者叛变或灭绝"，世间才能恢复和平与宁静。[18]

自建立之初，极端的政治暴力就侵蚀着魏玛共和国。纳粹运动从 20 世纪 30 年代初开始愈演愈烈，国内几乎每天都会爆发流血冲突，尤其是在首都柏林。纳粹的半军事化组织——规模庞大的攻击组织冲锋队（SA）以及规模相对较小的保镖组织党卫队（SS）——不断出击，扰乱政敌的会议，攻击对手，打砸他们集会的酒馆。[19]更重要的是，纳粹通过与共产党和社会民主党的冲突收获了政治资本，进一步巩固了自己在民族主义支持者心中左翼死敌的形象。[20]

1933 年 1 月 30 日，随着希特勒被任命为总理，许多纳粹分子摩拳擦掌，准备和政敌们算总账。不过领导们在头几周仍然小心翼翼，担心欲速则不达。随后，2 月 27 日的傍晚，柏林的国会大厦发生了可怕的火灾。随着纳粹官员们不断来到事发地，他们立刻将矛头指向共产党员（真正的纵火者是个荷兰人，可能得到了一组冲锋队秘密纵火分子的协助）。晚上 10 点左右，阿道夫·希特勒乘着豪华轿车来到现场，他穿着黑色西服，外面披着雨衣。他盯着熊熊燃烧的建筑看了一会儿，接着便开始了他那种特有的歇斯底里的愤怒。出于对左派根深蒂固的成见（显然他忽视了自己人也参与了这一事件的可能性），他谴责这次大火是共产党人蓄谋已久的起义信号，并下令立刻进行镇压。据一位目击者称，当时希特勒尖叫道："我们要毫不留情。任何阻挡我们前进的人都要被打倒。"[21]在普鲁士，逮捕行动主要由政治警察调控，按照所谓的左翼极端分子名单依次进行。这份名单是最近几周依据纳粹的想法，在原有基础上修改而成的。[22]

柏林警方立即行动起来，此时德国首都仍在黑夜之中。接下来的几个小时里，被逮捕的受害者包括共产党政客和其他有名的嫌疑人。其中一个就是埃里希·米萨姆（Erich Mühsam），他是一位作家、一名无政府主义者、一个波希米亚人。他因为 1919 年参与慕尼黑的起义而上了右派的黑名单，也因此被关进了监狱几年。当警车于 2 月 28 日凌晨 5 点开到米萨姆位于柏林郊外的公寓楼下时，他还在熟睡之中。前一晚早些时候，警方已经逮捕了著名的和平主义宣传家卡尔·冯·奥西茨基（Carl von Ossietzky）以及年轻聪明的左翼律师汉斯·利滕（Hans Litten），后者曾经在 1931 年的一次庭审中对希特勒紧缠不放。几小时之内，亚历山大广场的政治监狱里就装满了柏林大部分的自由主义者与左翼领袖。犯人名单就像一本名人录一样，充满了纳粹讨厌的作家、艺术家、律师和政客。"这里每个人都互相认识，"其中一个被捕的人回忆道，"每当一个新人被警察拽进来，周围的人都会跟他打招呼。"有些人很快就被释放了，而其他人——包括利滕、米萨姆和奥西茨基，则迎来了悲惨的命运。[23]

国会纵火案之后，德国警察在全国各处的突袭还持续了好几天。"到处都是大规模的逮捕行动，"纳粹日报《人民观察家报》（*Völkischer Beobachter*）在 1933 年 3 月 2 日头版这样写道，"重拳出击！"等到 3 天之后德国大选开始，已有多达 5000 名男女被逮捕。[24]虽然事件充满戏剧性，不过局面很快就明朗了——这只是纳粹对政敌开战的号角。

1933 年 3 月 5 日大选之后，纳粹完全掌权。短短几个月之内，德国就彻底成了独裁国家。纳粹接管了德国所有的州，其他政党纷纷消失。投票选出的国会迅速解散，社会也随之调整。许多德国人热情高涨地支持这些变化。但恐怖行动在政权更迭时仍然必不可少，纳粹以此恫吓对手，令他们保持沉默甚至完全屈服。警方加大了突袭的力度，虽然重点仍在共产党员身上，但逮捕行动已经扩展到有组织的工人阶级的各个部分，特别是在 1933 年 5 月摧毁工会和 6 月摧毁社会民主党之后。仅在 6 月的最后两周，就有超过 3000 名社会民主党员被逮捕，其中包括许多骨干分子。而一些保守派和民族主义者也被拘禁起来。

虽然警方的参与十分重要，但 1933 年春夏的恐怖行动大部 30

分牢牢掌控在纳粹的半军事化组织手中，主要是十多万名冲锋队队员。他们中的一些人在希特勒掌权后的前几周便展开了谋杀行动，特别是在国会纵火案时，冲锋队队员展开了自己的抓捕行动（依据冲锋队的逮捕名单）。但纳粹官员们对这些行为有所限制，因为他们想对外展示纳粹掌权的合法性。直到1933年3月大选，纳粹党初掌权，自己和其他民族保守主义的伙伴占据了微弱的优势地位，此时他们才真正放手让这些半军事化组织为所欲为。冲锋队与党卫队决心通过武力建立一个崭新的德国，由此展开了他们的毁灭之旅。他们全副武装，占领并捣毁市政厅、出版社、其他党派和组织的办公室，抓捕和纳粹党有私怨的敌人及政敌。1933年6月底，运动达到了高潮。柏林的冲锋队队员突袭了左翼在克珀尼克（Köpenick）的堡垒。在血腥的五天里，他们杀死了数十名纳粹政敌，重伤了上百人；最年轻的受害者是一名15岁的共产党员，他的脑部遭到了永久性的伤害。[25]

　　虽然在早期，大多数恐怖行动都是自下而上展开的，但当地的纳粹民兵与纳粹领袖的想法是一致的——纳粹领袖们一直在公开煽动用武力对付敌人。在1933年3月的大选前，希特勒的左膀右臂赫尔曼·戈林（Hermann Göring）说，他不在乎法律上的细枝末节，他在乎的是"摧毁和根除"共产党人。3月中旬的一次群众大会上，新任的符腾堡州州长、纳粹资深党员威廉·穆尔（Wilhelm Murr）则更激进："我们不说'以牙还牙、以眼还眼'。不！如果有人弄瞎了我们一只眼睛，我们会把他的头砍下来。如果有人打落了我们一颗牙齿，我们要将他的下巴打碎。"[26]随之而来的暴力可以被视为一种早期的征兆，预示着后来第三帝国的危险状态：纳粹领袖给予政策上的指示，他们的追随者便会拉帮结伙用更为激进的手段去实现它。[27]

纳粹早期恐怖行动的另一个遗留问题就是将国家和政党的边界模糊化。随着纳粹分子大量拥入各级警察系统，从 1933 年春天开始，我们就无法将警察的镇压与纳粹半军事化力量的暴行区分开了。比如在 1933 年 1 月 30 日，赫尔曼·戈林成为普鲁士内政部临时部长（自 1933 年 4 月起他正式成为部长），这使他能够完全掌握普鲁士的警力。戈林不仅随后唆使警方对纳粹政敌展开攻击，还在 2 月 22 日给冲锋队和党卫队队员打开方便之门，让他们"协助常规警力"与左翼分子斗争。纳粹暴徒们高兴极了。作为辅警，他们现在可以与政敌们算总账，而且不用担心警察会干涉：因为他们自己已经变成了警察。[28]

至于现有的警官们，他们大多数人明显认同纳粹主义的政治目标，视共产主义为洪水猛兽。德国警方毫不犹豫地接纳了新政权，无须大规模清洗，就成了第三帝国的镇压机器。[29] 1933 年 3 月中旬，党卫队领袖海因里希·希姆莱就任慕尼黑警察局局长——另一名纳粹高官身居执法机关的要职。借此机会，希姆莱在报纸上发表了一篇文章，称赞了警察与纳粹党绝佳的合作。他还写道，在冲锋队与党卫队队员们带领警察前往"马克思主义者的藏身之处"后，许多敌人成功被逮捕。[30]

大规模拘禁

在纳粹掌权过程中，大量政敌遭到围捕。1933 年，前前后后总计多达二十万政治犯被拘禁起来。[31] 几乎所有人都是德国公民，其中共产党员占了绝大多数，特别是在纳粹统治初期。其中一些被捕的人全国知名，比如 1933 年 3 月 3 日和助手们一起在藏身处被捕的德国共产党领袖恩斯特·台尔曼（Ernst

Thälmann）。不过，大部分政治犯都是小干部或普通的积极分子；就连与共产党有关的运动俱乐部和合唱团成员也被当作恐怖分子。那些被纳粹抓走的绝大多数是工人阶级的年轻人，他们也是共产主义运动的骨干力量。[32]

与被抓的男性相比，女性囚犯的数量非常少。她们大部分是重要的共产党积极分子，或党内高官的妻子，纳粹把她们当作人质以勒索她们的丈夫。[33]其中一名女囚犯是24岁的辛塔·拜姆勒，她自青少年时期就是共产党的支持者。1933年4月21日，在她丈夫被捕十天之后，她突然被慕尼黑警察从藏身处逮捕。就在一天前，她还给丈夫发出密信，希望能顶替他在党内的位置。但现在夫妻俩都成了阶下囚。[34]

纳粹在1933年的逮捕行动捉摸不定，令人困惑。数以千计被逮捕的人以违反法律的罪名被移交常规的法律系统，后者是第三帝国实施迫害行动的一个主要帮凶。像大多数公务员一样，大部分德国法官和检察官也支持纳粹政权。他们以新旧法律为武器攻击纳粹的敌人，很快就将国家监狱填满了。[35]但大多数被逮捕的政敌最终并没有进法院，至少在1933年没有，因为他们被抓不是因为他们有非法行为，而是因为他们的身份——新政府潜在的敌人。

纳粹统治者们追随革命分子的步伐，依赖起大规模的非法拘禁行动：他们想要在对手反击之前斩草除根。这就需要激进的举动，抛开法律原则与规章制度。多年以后，党卫队领袖海因里希·希姆莱吹嘘说，1933年纳粹直接从街上"非法"抓人，这才摧毁了"犹太－共产主义者反社会组织"。[36]事实上，大部分嫌疑人遭到了所谓的保护性拘禁（Schutzhaft），这是一种不限期的拘禁手段，是《保护人民和国家法令》规定的。希特勒内阁于 1933 年 2 月 28 日通过了这项法令，作为对国会纵火案的回应，法令中限制了基本的公民自由。用流亡国外的德国政治科学家恩斯特·弗伦克尔（Ernst Fraenkel）的话说，这就好像是"第三帝国的宪法"，将一切滥用权力的行为合法化——包括在没有司法监管或上诉时限制人身自由。确实，非法拘禁在现代德国并不是什么新鲜事，法令也都是从早期的魏玛共和国司法系统紧急状态借鉴而来的。不过，新颁布的法令远不止如此：由纳粹实施的非法拘禁无论从规模还是残酷程度上都是空前的。[37]

1933 年 3 月至 4 月的第一波恐怖行动中，估计有 4 万到 5 万政敌遭到了临时的保护性拘禁，其中大部分是被警察、冲锋队和党卫队抓捕的。夏天时，第二波行动抓捕了更多受害者，虽然其中许多人被释放，但截至 1933 年 7 月 31 日，官方统计保护性拘禁的人数仍有 27000 人之多，到 10 月底仅仅下降到22000 人。[38]纳粹媒体总是宣称这种形式的拘禁是很有条理的。可事实上，各地方的法规和实施均相当混乱。保护性拘禁其实就是披着官方外衣的绑架行为。[39]

许多纳粹激进分子甚至连堂而皇之的借口都省了，直接在没有官方许可的情况下抓捕政敌。高级公务员、地方官员、纳粹领导、各地的党内打手和其他一些人都宣称他们有权力抓捕新政府所谓的敌人。一名愤怒的冲锋队总队长在 1933 年 7 月初这样描述由底层展开的不断升级的恐怖行动，以及随之而来的混乱："每个人都在四处抓别人，绕过法律规定的程序。每个人都在用保护性拘禁威胁别人，用达豪威胁别人。"[40]结果就是一场混战，越来越多的州和纳粹党官员以此为契机，肆意展开恐怖行动。

33

可是，如何处理这些囚犯呢？虽然在魏玛共和国时期，纳粹领袖们一直说要毁灭敌人，但他们很少愿意开动脑筋考虑实际操作的问题。1933 年春纳粹展开恐怖行动之后，全国上下的政府官员们都在匆忙寻找地方，安置这些被非法囚禁起来的囚犯。在接下来的几个月里，数百个拘留场所被建立起来，我们可以把它们统称为早期集中营。[41]

纳粹在 1933 年春天和夏天建立的早期集中营各式各样。早期集中营由不同的地方、地区、州政府管理，大小形态各异。只有很少一部分一直运营了下去，大部分在建立几周或几个月后就关闭了。早期集中营内的条件也各有不同，有的还过得去，有的却危及生命；有的囚犯没有被伤害，有的则不断遭到侵犯。有些新地方被称为集中营，但这个词还未被广泛应用。当时流行的称呼很多，包括拘禁院、工作服务营、转移营等，这些名字也反映了纳粹早期恐怖行动随性而为的特点。[42]虽然各自之间差异很大，但早期集中营有一个共同的目标：打倒敌人。

许多早期集中营都建立在现有的济贫院和州立监狱中；1933 年春，所有监狱都为保护性拘禁的犯人腾出了地方。[43]官方将这视为解决迫切问题的一种有效方法。因为大部分基础设施已经到位，从房屋到守卫，所以数以万计的囚犯可以被快速、经济、安全地关起来。[44]改造济贫院十分容易，因为这些地方本来也基本上处于半闲置状态，在魏玛共和国时期已经失去大部分存在的意义。比如在格丁根（Göttingen）附近的莫林根有一所大型的济贫院，1932 年时里面只住了不到 100 名乞丐和穷人。它的负责人十分欢迎保护性拘禁犯的到来，希望他们能给这处过时的机构注入生气。他不会失望的。[45]州立监狱中的情况更为复杂，因为里面已经充满各种各样的罪犯。不过为了表示对新政权的支持，司法系统同意暂时开辟大型监狱和小型的县监狱，作为非法拘禁之用。新划区域的牢房很快就被填满了。到 1933 年 4 月初，仅巴伐利亚的监狱就拘禁了超过 4500 名保护性拘禁犯，几乎超过了普通囚犯的人数。[46]

保护性拘禁犯不得不服从监狱和教管所里的严苛规定，还要忍受骚扰和单调的生活。最糟的是，他们不知道自己和爱人未来的命运。慕尼黑斯塔德海姆（Stadelheim）监狱是为数不多同时拘禁男犯和女犯的监狱。到 1933 年 9 月，辛塔·拜姆勒已经在此处阴冷、昏暗的牢房中度过了 4 个多月，她不知道这种日子什么时候才到头。自从丈夫从达豪集中营逃走之后，她一直没有他的消息。丈夫从苏联发来的充满爱意和关心的信件直到多年之后才辗转到她手中。警察还逮捕了她的姐姐和母亲，理由是她们对共产党抱有同情。而她的幼子则被福利机构带到了少管所。辛塔·拜姆勒并不是斯塔德海姆监狱中唯一因为担忧家人而饱受煎熬的人。她的一位共产党同志玛格达莱娜·克内德勒（Magdalena Knödler）也是如此。她和丈夫被捕之后，孩子们在外面便无依无靠了。最后，她在绝望中上吊自杀了。[47]

虽然充满了艰难，但大多数保护性拘禁的囚犯感到监狱和济贫院中的生活还可以忍受。他们通常是与其他囚犯分开管理的，有时住在集体房间里。单人牢房设施简单但不简陋，通常包括一张床、一张桌子、一把椅子、一个架子、一个洗脸盆，以及一个如厕用的木桶。[48]虽然十分拥挤，但食宿条件还算不错，而且囚犯们不用工作，他们靠聊天、读书、锻炼、编织或玩象棋等游戏来打发时间。路德维希·本迪克斯（Ludwig Bendix）是一名资深的德国犹太裔律师，也是一名温和的左翼法律评论家。他 1933 年夏天在施潘道（Spandau）监狱被拘禁期间，甚至还

34

起草了一篇关于刑法的论文，并于几个月后在一份德国著名的犯罪学期刊上发表了。[49]

更重要的是，像路德维希·本迪克斯和辛塔·拜姆勒这样的囚犯很少被骚扰。很久以前德国的监狱和教管所就严格禁止了肢体暴力，而老一辈的看守们也愿意遵守这个传统。因此，施潘道监狱的氛围基本是"温和"与"平静"的，就像本迪克斯几年后所说，那里有些看守甚至对他抱有同情。[50]而在其他的监狱或者教管所，由于冲锋队和党卫队的加入，情况就比较糟糕了。不过，这些人虽然会有一些暴力行为，像警察在审讯时所做的那样，但大部分时间他们都会受到正规看守的约束。[51]同时，司法系统坚持要求要以押候审的标准对待保护性拘禁的囚犯，也阻止了警察与纳粹半军事化组织更进一步的威胁。[52]

纳粹使用的"保护性拘禁"一词极为讽刺。就像 1933 年 3 月末，一名被关在小监狱的大胆囚犯向普鲁士政府抱怨的那样，"对他个人的这种关心"让他深受"感动"，但他不需要任何
35 "保护"，因为"没有大人物威胁他"。[53]不过，监狱中的保护性拘禁确实挽救了一些囚犯，让他们免受早期集中营的暴行，至少在一段时间内如此。[54]这也使得纳粹极端分子抱怨说敌人像被保护起来一样——再次证实了右派有关监狱是疗养所的老说法。他们要求将这些囚犯立刻转移到所谓的集中营，在那里会有更严厉的措施对付这些囚犯。[55]

冲锋队与党卫队集中营

1933 年 9 月 4 日，弗里茨·佐尔米茨（Fritz Solmitz）的命运遭遇了一个可怕的转折。他是吕贝克（Lübeck）当地的议员，

也是一位社会民主党的记者。当时，佐尔米茨被关押在汉堡 - 富尔斯比特尔（Hamburg-Fuhlsbüttel）监狱，那是德国最大的监狱，可以容纳上千名囚犯。那里收押了 500 名保护性拘禁犯，他是其中之一。自 1933 年 3 月底，富尔斯比特尔监狱便划出一个区域，专门用来关押他这样的政治犯。监狱本来由守规矩的老一辈官员管理，但好景不长，1933 年 8 月初，纳粹汉堡大区长官（纳粹党的地方长官）卡尔·考夫曼（Karl Kaufmann）表达了他对囚犯们受到如此宽松对待的愤慨，发誓要改变现状。在考夫曼的监管下，仅仅一个月后，汉堡的第一座集中营开张了，它位于富尔斯比特尔监狱的另一个区域。新集中营被称为"富营"（富尔斯比特尔集中营），可以说是考夫曼的私人领地，他任命自己的一个资深纳粹党密友为指挥官。9 月 4 日早晨，考夫曼和他的手下看着佐尔米茨等保护性拘禁犯走出牢房，在操场上列队站好。一名官员发表了一篇充满恶意的演讲，宣布囚犯们将会深刻体会到没有人能够动摇阿道夫·希特勒的德国。随后第一轮暴行按计划展开，30 名刚走马上任的党卫队队员开始对囚犯们拳打脚踢。[56]

富尔斯比特尔的看守们从一开始就将犹太人弗里茨·佐尔米茨单独挑出来特别虐待。9 天之后，也就是 1933 年 9 月 13 日，看守将他从集体监狱转移到单独的号房，这里专门用来折磨那些顽固不化的囚犯。佐尔米茨刚一进牢房，9 名看守就围上来用鞭子抽打他，直到他昏倒在地仍不停止。看守们最终停手时，身上沾满了从佐尔米茨头上喷出的鲜血。当佐尔米茨恢复意识之后，他在一张香烟纸上记下了自己被折磨的经过，然后把纸藏在了手表里。9 月 18 日晚上，一群党卫队士兵来到他的房间，威胁说明天会有更多的折磨等着他，之后他又写了一张小条："一名身材高大的党卫队队员踩着我的脚趾叫道：'你会给我下跪的。快说是的，你这头猪。'另一个人说：'你干吗不上吊自杀？这样就不会挨鞭子了！'这些威胁肯定不是说着玩的。上帝啊，我该怎么办？"几个小时之后，佐尔米茨死了，很可能是被折磨他的人杀害的。1933 年在富营至少有 10 个人遇害，佐尔米茨是其中之一，其他被杀的都是共产党积极分子。[57]

弗里茨·佐尔米茨的死以一种最残酷的方式展现了早期集中营之间的差别，尤其是公务员管理的集中营与纳粹半军事化组织管理的集中营之间的差异。那时有数百个早期集中营掌控在冲锋队和党卫队手中。有一些是为了缓解州立监狱人满为患的问题而建，司法官员们呼吁将政治犯转移到其他地方。[58]这正合纳粹强硬派的心意，如此一来他们就能更好地控制囚犯了。希特勒的密友、新任巴伐利亚州内政部部长阿道夫·瓦格纳（Adolf Wagner）早在 1933 年 3 月 13 日就宣称，等州立监狱装满后，新逮捕的敌人应该被扔到"废墟"之中。[59]实际上，一些冲锋队队员已经这么做了。

1933 年的春天和夏天，由冲锋队和党卫队管理的集中营如雨后春笋，从各种意想不到的地方冒了出来。纳粹分子占据了一切能够占据的地方，包括废弃或者闲置的旅馆、城堡、运动场和青年旅社。[60]甚至连餐厅也不放过，比如一家在萨克森安娜贝格（Annaberg）的小饭店就被改成了集中营。它的房东是当地冲锋队二级突击队大队长，也是集中营的主管，而他的妻子则负责给囚犯做饭。[61]最常见的地点则是所谓的冲锋队酒吧，里面只能关几个囚犯。多年以来，本地冲锋队的生活都是围绕这些酒吧展开的。这里是他们非官方的据点，他们在这里碰面、喝酒、策划下一次袭击。在魏玛共和国时代，纳粹党针对政敌的暴力行动由这里走向街头。而到 1933 年春天，恐怖行动从街道逆流回到了酒吧中。[62]

"纳粹的酷刑窝点无以计数，"共产党人特奥多尔·巴尔克（Theodor Balk）在 1933 年春天这样描述德国，"每个乡村和城市都有这样隐秘的魔窟。"[63]虽然这样说有些夸张，但冲锋队掌控的集中营确实遍布整个德国。作为对抗工人运动的武器，早期集中营大多数建立在城市和工业区中。[64]

示意图1　1933年柏林的早期集中营（按区域划分）

集中营最集中的地方就是"红色柏林"。1933 年，冲锋队与党卫队在柏林建立了 170 多座早期集中营，主要分布在反对纳粹主义的地区。比如工人阶级聚集的韦丁区（Wedding）和克罗伊茨贝格区（Kreuzberg），在 3 月那次被"污染"的大选

37 中，两个左翼政党在这些地区仍然获得了绝大多数的选票。结果，仅 1933 年春天的时间，这里起码建立了 34 座早期集中营［相比之下，绿树成荫的策伦多夫区（Zehlendorf）只建了一座集中营］。新织就的恐怖网络如此致密，纳粹的暴徒们往往只需要几分钟就能将受害者拖进一座集中营。这些集中营大多建在冲锋队酒吧、私人公寓或所谓的冲锋队之家，最后一个是魏玛共和国后期收留无业或无家可归的冲锋队员的地方。[65]

一些囚犯在短时间内会接连辗转于多个早期集中营，著名的左翼律师詹姆斯·布若（James Broh）就是如此。他于 1933 年 3 月 11 日在位于柏林维尔默斯多夫区（Wilmersdorf）的家中被捕，然后被关押在一间由公寓改造而成的集中营里。第二天，他又被转移到一间冲锋队的酒吧里；几天后又被关进了本地党卫队官员的家中。在一周无止境的非人折磨后，布若感到"已经没法再忍受更多的折磨了"。直到他被转到施潘道监狱，残酷的折磨才结束。[66]

38 许多早期集中营都是由本地的纳粹半军事化组织管理，很少甚至根本没有上级的指令。一些历史学家称其为"野生集中营"，可这种称呼具有误导性。许多集中营从一开始就与州政府有联系——这没什么奇怪的，因为许多纳粹党领袖也兼任警察系统的官员。冲锋队与党卫队的集中营最早都是由警方启动的。警方也鼓励对囚犯施以暴力，屈打成招。就算起初没有，双方也很快会建立联系。没有一座冲锋队集中营的存在是独立于本地区警察的。[67]

以柏林北边的奥拉宁堡集中营（Oranienburg）为例，它因暴力而臭名远扬。1933 年 3 月 21 日，当地冲锋队在一个废弃的啤酒厂建起了集中营，关押了 40 名囚犯。仅仅几天后，该营就被当地政府正式接管。很快，警察与各级机关将反对新政权的人送进这间不断扩张的集中营，不过管理工作还是由冲锋队承担。到了 1933 年 8 月，奥拉宁堡集中营已经成为普鲁士州最大的集中营之一，在押囚犯超过 900 人。[68]

由纳粹半军事化组织管理的早期集中营的居住条件都极其恶劣。虽然主要原因在于可怕的冲锋队与党卫队看守，但也有许多现实原因。跟监狱或者教管所不同，这些地方原本就不是用来关押犯人的。连如厕所、盥洗室、暖气和厨房这样的基本设施都没有，囚犯们被迫住在寒冷简陋的地方，比如储藏室或者发动机室，有的屋顶和窗户都是漏的。在奥拉宁堡集中营，犯人最早不得不睡在铺着稻草的水泥地上。牢房又长又窄，原先是存放啤酒瓶的储藏室。即使是夏天也依然阴冷潮湿，囚犯们"冻得像小狗一样瑟瑟发抖"。社民党国会代表格哈特·塞格（Gerhart Seger）回忆，他是 1933 年 6 月来到奥拉宁堡集中营的。后来，囚犯们睡在狭小的三层木床上，让塞格想起了"兔子窝"。牢饭跟住宿条件一样糟糕。跟其他许多冲锋队集中营一样，食物不仅分量少还很恶心，以至于有些囚犯宁愿忍饥挨饿。[69]但最大的特色还是看守的凶残，和富营不相上下：在 1933 年 5 月到 9 月间，奥拉宁堡集中营至少有 7 名犯人死亡。[70]

冲锋队与党卫队看守

如果像奥地利哲学家、前集中营囚犯琼·埃默里（Jean Améry）所说，酷刑是国家社会主义（纳粹主义）的核心，那么冲锋队与党卫队的早期集中营则是逐渐崛起的第三帝国的核心。[71]当然，无论在 1933 年还是后来，并非所有的守卫都是施虐者。在早期，每一个冲锋队和党卫队队员都在寻找自己的角色，

39

其中一些人不愿意对手无寸铁的囚犯施暴。有一次，一名党卫队队员甚至因为一名老人被打而抗议，不过立刻被他的同伙们喝止了。对那些人而言，对囚犯施暴很快成了第二天性。[72]

自囚犯到来那一刻，暴力就开始了。给新来者下马威——剥夺他们的尊严，同时强调上级的权威——几乎是所有"极权机构"的传统仪式，但在早期的冲锋队与党卫队集中营里，这一仪式达到了极致。[73]从一开始，看守们就用暴力传达了一个简单的信息：囚犯们一文不值，生死全在看守的一念之间。[74]嘶吼的看守们围住还没清醒过来的新犯人，用暴力将他们淹没。"滚出来，你们这群猪！"一名达豪集中营的看守在1933年7月初对一群刚下卡车的囚犯喊道，"跑起来！看在上帝的分儿上，我要给你们脑袋开个洞。"[75]言语暴力往往伴随着身体上的暴力，冲锋队和党卫队队员们对受害者们拳打脚踢，有时还用鞭子抽。[76]然后通常会继续体罚，由当值的官员发表一段充满威胁的简短讲话。许多囚犯必须接受身体搜查，有时会给他们拍照并留取指纹——以此显示他们是危险的罪犯，应该被当成重犯对待。[77]这些行为最终形成了"新囚欢迎仪式"的模板，这是精心设计的暴力和侮辱流程，最终成为党卫队集中营体系不变的传统。[78]

无论男女老幼，每一个囚犯都是冲锋队和党卫队看守的玩物。[79]他们用拳头打囚犯，有时候也用警棍、鞭子、棒子之类的武器。囚犯们的皮肤被鞭笞，下颌被打碎，脏器被打裂，骨头被折断。模拟死刑也被广泛应用，还有许多其他下流的手段。虐待者将受害人浑身的毛发剃个精光，强迫他们互相殴打，强灌他们蓖麻油（这是从意大利法西斯那里学来的招数），逼他们吃屎喝尿。[80]性骚扰在早期集中营相当频繁，至少和后期集中营相比是如此。看守们击打男囚犯们赤裸的生殖器，逼迫他们为彼此手淫。1933 年夏天，达豪集中营的一名看守将水管插进一名囚犯的直肠，然后打开了高压水龙头，最终造成这名囚犯死亡。[81] 女囚犯也是目标。男性看守们多次骚扰她们，殴打受害者赤裸的大腿、臀部和胸部；强奸也时有发生。[82]

为什么会爆发如此大规模的暴力行为？当局并没有刻意选择特别凶残的人来看守冲锋队与党卫队集中营；1933 年的人事政策也还很混乱。[83] 集中营的大多数指挥官们之所以上任，通常因为他们本身就是驻扎在当地集中营的半军事化组织首领。[84] 而看守的招募就更随意了。折磨汉斯·拜姆勒的党卫队二等兵施泰因布伦纳后来招供说，1933 年 3 月底的一个晚上，他正在慕尼黑作为辅警执行日常任务，恰巧走过自己中队的办公室时，上级突然让他登上在旁边停着的一辆公交车，加入车上的其他党卫队队员。27 岁的他完全不知道这辆车会驶向达豪集中营，而自己刚刚被任命为集中营看守。[85] 像施泰因布伦纳一样，早期许多冲锋队和党卫队的队员并非自愿前往集中营。[86] 不过无论好坏，许多人都愿意接受这份工作，毕竟他们来自德国 600 万失业大军（1933 年初的官方数据），现在不仅有薪水还有免费的食宿。确实，纳粹官方有意用早期集中营的工作来奖励那些失业的纳粹活跃分子（1933 年 6 月，仅奥拉宁堡一营便雇用了300 名冲锋队队员）。[87] 同时，许多新上任的看守认为这份薪资微薄的工作只是临时的，几乎所有人都在几周或几个月之后离开了，连指挥官也一样。很少有人把集中营看守一职当成毕生的事业。[88]

尽管是随机招聘，但许多冲锋队与党卫队看守本身就有暴力倾向，毕竟他们是纳粹半军事化组织的一员。政府根本不用

40

特地去挑选凶残的人来当看守，因为冲锋队与党卫队队员本就如此。这些人大多二十多岁或者三十出头，出身工人阶级或是底层中产阶级。他们属于所谓的"多余的一代"——他们在第一次世界大战时年纪还小，没有办法参战；在魏玛时代的经济动荡中受到的冲击又最重。他们往往通过在两次世界大战期间进行激进的政治活动来寻求救赎。[89]这些冲锋队与党卫队老兵都是魏玛时代的政治极端分子，他们身上的伤疤和犯罪记录可以证明这一点。[90]在他们眼中，1933年对左翼政治犯的攻击是自1918年起纳粹对德国社民党（魏玛共和国的主要卫士）和德共（布尔什维主义在德国的主要代言人）斗争的高潮。"冲锋队已经准备好赢得革命了，"奥拉宁堡集中营指挥官、冲锋队二级突击队大队长维尔纳·舍费尔（Werner Schäfer）在第一天就职时写道，"就像我们坚韧不拔地最终赢得（啤）酒馆、街道、乡村和城市一样。"[91]简而言之，早期集中营内的恐怖直接根植于魏玛共和国时期暴力的政治文化。

　　另一方面，看守们对囚犯的残暴还源于1933年纳粹半军事化组织独特的心态，混合着胜利的喜悦与妄想，最终爆发出来。看守们欢庆纳粹主义的胜利。他们沉醉于突然降临的权力，迫不及待想要实施胜利者的一切行为，除了宽宏大量：他们用缴获的左翼团体旗帜装饰集中营，在敌人身体上留下彰显自我优越性的痕迹。[92]1933年春天，科尔迪茨集中营（Colditz）的冲锋队队员在上任前接受了这样的训话："想象一下，如果他们当看守的话会怎么对你们。"[93]通常情况下，看守们对囚犯的恨不是抽象的，而是具体的。因为早期纳粹的恐怖行动大多在本地策划展开，所以看守和犯人彼此之间非常熟悉。他们在同一条街道上长大，打小就结下过恩怨是非。现在到了算总账的时候。

一名前达豪集中营囚犯在 1934 年写道，对囚犯来说最坏的事情是被同乡的看守认出来。[94]

不过，弹冠相庆的冲锋队和党卫队内心还有隐隐的担忧。纳粹关于共产主义洪水猛兽的宣传过于深入人心，以至于轻而易举获得的成功显得不太真实。1933 年春夏，纳粹分子对即将来临的共产党反攻的恐惧四处蔓延；甚至一些共产党的囚犯也相信工人们马上要发动起义了。[95]一些纳粹官员担心早期集中营会被武装分子攻击，就像 1918 ~ 1919 年德国大革命时期各州的监狱一样。看守们被要求时刻保持警惕，应对来自外部的威胁。[96]

对共产主义的畏惧也激发了看守们进一步的攻击行为，尤其是在所谓的审讯时。在纳粹半军事化组织管辖下的早期集中营，有专门用来折磨囚犯的刑室。守卫们在里面强迫囚犯说出名字、计划和藏匿武器的地点。比如，在奥拉宁堡集中营的 16 号房中，冲锋队队员一直殴打囚犯，直到他们浑身是血和淤青。[97]不过，即便在党卫队和冲锋队的集中营中，监禁中的死亡也很少发生。包括汉娜·阿伦特在内的部分学者会把早期集中营描述成实施大规模灭绝的地点，但事实上绝大多数囚犯都活了下来。[98]不过，1933 年仍有数百人死亡，或是被看守杀害，或是被逼自杀。而死去的大多数是犹太人或重要的政治犯。[99]

瞄准"大人物"和犹太人

1933 年 4 月 6 日，一辆特殊的列车从柏林的西里西亚车站出发，驶向位于东普鲁士的松嫩堡。冲锋队刚刚在那里建立了一座集中营，由一座废弃的监狱改建而成，两年前爆发的一场痢疾使当地司法机关不得不将其舍弃。列车上有超过 50 名举国皆知的政治犯（"大人物"），包括埃里希·米萨姆、卡尔·冯·奥西茨基以及汉斯·利滕。三人于1933年2月28日在柏林被逮捕，随后在州立监狱度过了几周，称那里的条件"不舒服"但"可以忍受"。[100] 其实和他们即将要去的地方相比，过去的日子可以算是天堂了。

42

　　囚犯们在火车上便被虐待及殴打，在松嫩堡时殴打更为频繁。冲锋队将精力主要集中在米萨姆、奥西茨基和利滕身上。一方面因为他们是左翼知识分子，纳粹半军事化组织认为这类人懒惰且危险，看守们还象征性地砸碎了米萨姆的眼镜。更重要的是因为他们有名。就连当地的报纸也报道了他们的到来。无政府主义者埃里希·米萨姆被纳粹诬陷，称他参与了1919年动乱时那件臭名昭著的慕尼黑处决人质事件（就像汉斯·拜姆勒一样）。政论家卡尔·冯·奥西茨基曾经要求解散柏林33号冲锋队（被称为"谋杀风暴"），而现在的许多看守都曾隶属于该队。律师利滕则曾经在法院上与冲锋队队员针锋相对。现在局面颠倒了过来，利滕在刚到的第一天就差点被勒死。经历了一天的折磨之后，三个人一起在松嫩堡的牢房中度过了可怕的一晚。[101]

　　接下来的几天，折磨仍在持续。奥西茨基和米萨姆这两位脆弱的老人被迫在监狱的院子里挖出一个坟墓。然后，他们两个人站成一排，等待被处决，结果冲锋队队员们丢下步枪大声哄笑。奥西茨基和米萨姆还做了耻辱的动作以及令人筋疲力尽的劳作，不仅一刻不能停，还要被冲锋队队员殴打。卡尔·冯·奥西茨基最终崩溃了，他被带到医务室的时候脸色苍白、憔悴、浑身发抖。而浑身是血的埃里希·米萨姆在4月12日因"严重的心脏病"垮掉了，就像他在日记里写的那样。而汉斯·利滕则受到了"危及生命"的折磨，这是他后来偷偷告诉爱人的原话，他试图用割腕来终结自己的生命。[102] 刚到松嫩堡几天，冲锋队看守就已经将这三名囚犯推向了死亡的边缘。

纳粹半军事化组织控制的其他早期集中营里也在上演着同样的情形。而且，遭受折磨的不仅是声名显赫的激进分子，温和的社会民主党高级官员也在其中。比如1933年8月8日，柏林警方将几个政坛名人带到了奥拉宁堡集中营，其中包括社会民主党在普鲁士议会的长期代表恩斯特·海尔曼（Ernst Heilmann），他是魏玛共和国时期最有权势的几名政客之一；还有社民党在国会的代表、报纸编辑弗里德里希·埃伯特（Friedrich Ebert），他还是德国右翼仇恨的魏玛共和国第一任总统的儿子。冲锋队在路上就警告这帮犯人会有一个特殊的"欢迎仪式"，这种仪式一般都是针对重要犯人的。一到集中营，新来的囚犯们必须摆好姿势拍照，供政治宣传使用。接着他们来到点名广场，在其他囚犯面前立正站好。一名冲锋队高级官员开始怒骂："他们来了！这些诱骗犯！人民中的骗子！这些蟑螂！这些卑鄙小人！"他吼叫着，接着点出了"红猪"海尔曼、"嗜血阴谋家"埃伯特和其他一些人。看守们强迫这群受害者当众脱下衣服，换上破布，接着剃光了他们的头发。不出意外，海尔曼和埃伯特在接下来几周被关在恐怖的16号房，饱受折磨。像其他"大人物"一样，海尔曼和埃伯特不得不做特别繁重、无用和恶心的工作。每当有纳粹高官来奥拉宁堡集中营视察，这两个人就被叫出来"展示"，仿佛动物园里的猛兽。[103]

看守们对著名政治犯的暴力与憎恨还受到了激进反犹主义的影响。海尔曼、米萨姆和利滕等人身上的犹太血统被当成了证据，证明犹太人爱煽风点火，总跟政治动荡有联系，用一句话说就是"犹太－布尔什维主义"是致命的威胁。[104]纳粹世界观的核心就是极端反犹主义，将犹太人视为最危险的敌人。犹太人被当成现代德国所有不幸的罪魁祸首，从"背后捅刀"到魏玛政权的腐败。所有犹太人都是政治敌人的想法太根深蒂固，结果松嫩堡的冲锋队看守反向推导，认定卡尔·冯·奥西茨基一定是个犹太人（其实他不是），于是加倍折磨这个"犹太猪"。[105]

德国犹太人只占据早期集中营囚犯的一小部分，大约5%。[106]但这仍然意味着犹太人远比普通人更容易被抓进监狱，也是一个预兆。[107]1933年，总共有大约1万名德国犹太人被关进了早期集中营。[108]其中大部分人是以左翼活跃分子的身份被捕的（不过，和纳粹的宣传不同，犹太人并没有在德国共产党里占大多数）。[109]但是，有些急不可耐的官员已经开始针对犹太人实施逮捕，许多被捕的犹太人都是律师。在萨克森州，内政部部长不得不提醒手下的警察们"仅犹太种族的身份还不足以成为保护性拘禁的理由"。[110]而在柏林，冲锋队领袖在1933年5月提醒手下们"并不是你身边所有黑头发的人都是犹太人"。[111]绑架与逮捕是1933年春夏反犹主义浪潮的一部分。正当新任领导人们忙着筹划实施一系列歧视政策，实现他们要把犹太人驱逐出德国的诺言时，地方的暴徒开始攻击犹太企业和犹太人。一些受害者被关进了早期集中营，他们往往是被邻居或竞争对手告发的，"罪名"是非法牟取暴利或是与所谓的雅利安人发生性关系。[112]

不管有名与否，几乎所有犹太犯人都面临着纳粹半军事化组织的虐待，后者长期沉浸在各种疯狂的反犹主义幻想之中。犹太人不仅被纳粹视为政治上的死敌，还被打上了"种族威胁"、"剥削的资本家"和"懒惰的知识分子"的标签。[113]当一批新囚犯到来时，看守们往往要求他们亮明犹太人的身份。"你们之中有没有犹太人？"1933 年 4 月 25 日，当汉斯·拜姆勒来到集中营时，一名年轻的党卫队看守大声喊道。当时，用外部标识区分囚犯的方法还没实行，因此这种口头指令就成了惯例。一些囚犯选择掩盖自己的出身，但这么做很冒险。在达豪集中营，共产党员卡尔·雷尔伯格（Karl Lehrburger）于 1933 年 5 月被党卫队二等兵施泰因布伦纳处死，因为一名恰好认识他的警官前来参观，揭露了他的真实身份。[114]

在早期集中营里，反犹主义的暴行种类繁多。纳粹看守们对侮辱和猥亵驾轻就熟，在殴打时还会进行恶毒的侮辱。"我们要把你阉了，这样你就不能再调戏雅利安女孩了。"这是 1933 年 8 月在一间冲锋队酒吧的牢房中，两名被折磨的犹太囚犯所听到的话。[115]施泰因布伦纳后来回忆说，当他和一群党卫队同志在犹太囚犯头上剃出一个十字的时候，大家"笑得非常痛快"。在松嫩堡集中营，冲锋队队员们剃了埃里希·米萨姆的胡子，让他看起来像纳粹卡通画里的人物。[116]犹太囚犯们经常被迫做繁重恶心的工作。这些工作对非犹太囚犯而言属于非同一般的残酷惩罚，主要是留给有名的政治犯的，但对犹太人来说成了家常便饭。他们很快发现自己处于监狱食物链的最底层。比如恩斯特·海尔曼一进来就被奥拉宁堡的冲锋队看守任命为"屎官"，负责带着一群犹太人打扫四个厕所，近千名囚犯使用着这些厕所，有时候他们只能用手来清理。在海尔曼之前这个工作是由马克斯·亚伯拉罕（Max Abraham）来做的。他原先是柏林旁边拉特诺（Rathenow）的一位拉比（犹太人的学者、贤人，主要负责解释宗教律法。——译者注），现在被嬉皮笑脸的冲锋队队员们称为"屎官副手"。[117]

在奥拉宁堡，以及其他几个跟达豪一样的大集中营里，反犹主义的恐怖行动甚至衍生了独立的劳动项目和营房（所谓的犹太连）。不过在早期集中营里，这种隔离还不常见。大多数情况下犹太人和其他囚犯一起工作和休息，尤其是在小型集中营中。就算是像奥斯特霍芬集中营［Osthofen，位于黑森州的沃尔姆斯（Worms）附近］这样关押了超过 100 名犹太囚犯的大型营，也不存在所谓的"犹太连"。奥斯特霍芬集中营与奥拉宁堡这样的集中营还有许多不同之处。该营的指挥官，后来被派往达豪集中营的党卫队二级突击队大队长卡尔·丹杰洛（Karl D'Angelo）和奥拉宁堡的同侪相比更自制，也不提倡看守过度使用暴力。[118]

45

这反映出即便同属纳粹半军事化组织的管辖，各个集中营之间也存在着巨大的差异。而此时，究竟应该如何对待犹太囚犯也存在争议。纳粹官员之间偶尔会为此公开发生冲突。比如，有关汉斯·利滕和埃里希·米萨姆在松嫩堡集中营被虐待的流言几天后传到了柏林，考虑到松嫩堡集中营的形象问题，柏林警察总部的律师米特尔巴赫博士（Dr. Mittelbach）于 1933 年 4 月 10 日展开了一次调查。看了囚犯一眼之后——米萨姆的假牙被打碎，利滕的脸不正常地浮肿——他很快断定他们遭到了"非常严重"的伤害，并向上级做了汇报。米特尔巴赫将所有冲锋队看守召集起来，告诉他们虐待是被严格禁止的。得知自己的话被当作耳旁风之后，米特尔巴赫于 4 月 25 日乘车回松嫩堡集中营接走了利滕，一个月之后又带走了米萨姆。他将两人转移到了位于柏林的州立监狱，两人的待遇得到极大的改善。"米特尔巴赫博士救了我的命。"欢欣鼓舞的利滕在施潘道监狱对母亲这样说。[119]

米特尔巴赫博士之所以能干涉松嫩堡集中营的事务，主要是因为虽然里面的员工都是冲锋队队员，但名义上这里还是隶属于他的管辖之下。松嫩堡是普鲁士州政法警察建立的第一个大集中营，而协助建立此处的米特尔巴赫很快被派到了一个更加重要的职位：在国家秘密警察（盖世太保）内部协调整个普鲁士州的保护性拘禁事宜。盖世太保是普鲁士州内政部在1933年4月建立起来的新机构。当时柏林总部和地区秘密警察的官方任务是去搜查"普鲁士州所有颠覆性的政治活动"。米特尔巴赫并没有在新职位上待很久，也许是因为他帮过利滕。不过，中央政府开始在普鲁士州和其他州加紧控制混乱的早期集中营网络。[120]

协调

1933年3月初，第三帝国刚刚诞生之际，图林根州的政府官员在魏玛附近的诺拉（Nohra）找到一处废弃机场，匆忙改建出一座集中营来关押共产党员。几天之内在押人数就超过了200人。十周后，新建的集中营就被废弃了。有时人们提起诺拉，会说它是德国第一座投入使用的集中营，但它也是第一座被关闭的集中营。[121]其他地方也一样，到1933年夏末，大多数早期集中营都关了门。[122]这些营地仅是临时的镇压手段，它们的关闭显示出纳粹恐怖行动的转折。一旦政权稳固，领导人便开始设法约束残暴的突击队队员们，因为他们过分的行径已经引起纳粹支持者们的担心。1933年7月6日，希特勒明确告诉德国高官们，纳粹的革命已经结束。[123]士兵们暴力行动的减少意味着犯人和集中营的数目也会随之减少。

留下的几座早期集中营都是规模较大的州级集中营。对政治恐怖行动的整合自 1933 年春天开始，1933 年中期则开始加速。[124]比如，当地激进分子在 3 月份建立奥斯特霍芬集中营之后仅仅两个月，黑森州警察总长便将它设为官方的州级营。[125]其他地方的高级官员也建立起大型集中营。[126]最重大的举措来自德国最大的两个州——普鲁士州和巴伐利亚州。当地官员雄心勃勃地制订了法外刑事拘留的未来计划。为了实现他们的计划，两个州各自设立了模范营，分别在埃姆斯兰（Emsland）和达豪。1933 年下半年，这两处不仅是规模最大的集中营——9 月时分别关押了 3000 名（埃姆斯兰）和 2400 名（达豪）囚犯——还最接近党卫队后期集中营的原形。[127]

普鲁士州的"保护性拘禁"

在纳粹掌权初期，大多数政敌都被关在普鲁士州。1933 年 7 月底，超过一半的保护性拘禁犯都被关押在这里。[128]1933 年夏天，一名普鲁士州的顶级官员称，其中许多犯人都非常危险，未来很长一段时间里不能释放他们。在接下来的几年里，他估计将会有超过 1 万名保护性拘禁犯被关押在普鲁士。集中营中的非法拘禁就此遗留了下来。[129]

集中营并不是一个临时设施，它们在纳粹掌权之后还将持续很久，最终成为第三帝国的固有特色，在这种想法的刺激下，纳粹开始开发一种更有秩序的非法拘禁系统。[130]在普鲁士州，由内政部牵头，集中营系统进行了协调。赫尔曼·戈林在 1933 年秋天亲自审批通过了新的模范营：在未来将会有 4 个州级集中营，以取代散落的早期集中营。[131]

47　　普鲁士的第一座州级营就是臭名昭著的松嫩堡集中营，1933 年 11 月末卡尔·冯·奥西茨基和近千名囚犯都被关押在那里。[132]勃兰登堡（Brandenburg）哈弗尔河（Havel River）畔的第二座集中营里大概也关押了这么多人。这座集中营在 8 月完工，前身是一座废弃的监狱。这里的囚犯包括埃里希·米萨姆和汉斯·利滕，后者原本被关在柏林的监狱中，后来突然被转移至此。[133]而更多的人——9 月末大概有 1675 名囚犯被关在第三座集中营，也就是建在易北河（Elbe）畔普雷廷镇（Prettin）的利赫滕堡集中营（Lichtenburg）。那里 6 月就建好了，前身也是一座废弃的监狱。[134]但让戈林这些官员最自豪的是 1933 年夏天所建最大的、位于德国西北部埃姆斯兰的帕彭堡集中营（Papenburg），靠近德荷边境。[135]

除了这四座大营，普鲁士州官员还审批通过了几座地区营，其中包括莫林根集中营，这里后来成为普鲁士州专门关押妇女的集中营；到了 11 月中旬，大约有 150 名妇女被关押在这里。[136]至于其他的早期集中营，赫尔曼·戈林在 1933 年 10 月宣布，它们"不被我认可为州级集中营"，并将会"在近期，最晚在今年年底前解散"。[137]数座集中营按照命令在年底关闭，所有的犯人都被转移到了埃姆斯兰。[138]

这种新的普鲁士模式设想了一种由柏林协调的大型州级集中营体系。与之前各级机关都参与保护性拘禁不同，警察将向盖世太保汇报，后者负责监管全部州级集中营抓捕与释放的情况。[139]每个集中营的主管将由警察系统的公务员担任，他们向内政部汇报。反过来，党卫队看守的指挥官们则隶属于这些主管。在党卫队地区总队长、普鲁士内政部警察总长库尔特·达吕格（Kurt Daluege）的促成下，普鲁士州级集中营的看守已经被党卫队垄断。和无法无天的冲锋队相比，党卫队打造了一个更加遵纪守法的公众形象，在它的蒙蔽下，其他高级官员都支持这一行动。让党卫队主管的决定导致松嫩堡等集中营内的冲锋队看守被替换，到 8 月底，普鲁士州主要集中营内的看守都换成了党卫队队员。[140]

但普鲁士州的模式最终并没有实现。其管理结构被证明是不可行的。中央无法进行有效控制，反而滋生动荡。许多党卫队看守不屑于服从政府官员的管理。[141]类似的冲突也在高层上演，普鲁士内政部与冲锋队和党卫队的首领矛盾不断。比如在1933 年秋天，因为冲锋队领袖愤怒地抗议，称集中营是对抗国家敌人的堡垒（也许更重要的是他们想保证当地冲锋队看守未来的就业机会），内政部不得不搁置将奥拉宁堡集中营关闭的计划。最后，普鲁士内政部不得不勉强接受，将奥拉宁堡集中营作为一个由冲锋队管理的地区性州级集中营。[142]

这种妥协也反映出戈林的下属们无法将普鲁士州的非法拘禁权完全掌控在自己手中。纳粹半军事化组织不仅继续自行其是地逮捕囚犯，一些胆大妄为的冲锋队和党卫队领袖甚至开始建立自己的集中营。[143]比如 1933 年秋天，什切青（Stettin）警察总长、党卫队区队长弗里茨－卡尔·恩格尔（Fritz-Karl Engel）在布雷多区（Bredow）一个废弃的码头建起了一座集中营，集中营一直运行到了 1934 年 3 月 11 日。[144]当它最终关闭的时候，戈林发出了一份言辞激烈的命令，要求所有"具有集中营特点"的警察营地"立刻解散"。[145]几天后他在与希特勒的一次会议中进一步要求政府成立一个委员会，在全国范围内梳理冲锋队私设的集中营。[146]

普鲁士州的实验最终在混乱中收场。综合的州级集中营系统还没建立起来就崩溃了，而普鲁士州政府高层领导的缺失加速了崩溃的过程。赫尔曼·戈林自己也开始怀疑建立大型集中营的意义，开始大规模释放囚犯（见下文）。而在基层，普鲁士官员们各行其道。1933 年 11 月底，普鲁士内政部很快失去了对集中营的控制权，集中营由新成立的盖世太保接管，后者是直接隶属于戈林的特殊机构。但盖世太保在接下来的几个月里并没能建立起一个成系统的体系，普鲁士的政策也因此游移不定。[147]普鲁士州级集中营系统的混乱与自相矛盾从埃姆斯兰的几座模范营长达一年之久的恐怖统治中就能体现出来。[148]

走进埃姆斯兰地区的集中营

1933 年 7 月的一个清晨，在刺耳的哨声和尖叫声中，沃尔夫冈·朗霍夫（Wolfgang Langhoff）打了个寒战，从沉睡中惊醒。他不知道自己身在何处。他迷茫地看了看四周，发现周围的床上都是同样茫然的人们。突然，他想起了一切，恐惧随之将他牢牢攫住：他们都是埃姆斯兰伯格摩尔集中营（Börgermoor）的囚犯。朗霍夫是头一天晚上坐大型运输车来的。1933 年 2 月 28 日，他在杜塞尔多夫（Düsseldorf）被捕，已经是早期集中营的"老住户"了。他是当地有名的戏剧演员，经常扮演青年英雄，他还是共产主义事业的支持者。朗霍夫走进伯格摩尔集中营大门时是深夜，从遥远的火车站被粗鲁的党卫队队员一路驱赶而来，他一到这个大房间就瘫倒在稻草垫上。现在黯淡的晨光透过窗户慢慢爬进房间，他可以好好看看四周了。这间简陋的木制营房大约有 130 英尺长，30 英尺宽，像一个马厩。房间几乎被双层床填满了，有 100 多名囚犯住在这里，有几个狭小的储物柜放行李。此外，房里还有一小块地方摆放桌子和长椅，供囚犯们进食。在房间另一端有一个单独的洗手间。

这里还没有自来水，朗霍夫和其他人都被命令去外面洗漱。

因为当地经常起大雾，起初他什么都看不见，但是等雾散去后他发现自己站在一座座营房之间。他住的是十间显眼的黄色囚屋之中的一间。一条路将营地一分为二，两侧整齐地排列着五行低矮的木制营房。另外还有五间行政营房，包括厨房、医务室和仓库。这里有些像一战时德国的战俘营，它被两圈平行的铁丝网围了起来，铁丝网中间有一条窄窄的走道用来巡逻。在营地另一侧，靠近大门和瞭望塔（上面装备了探照灯和机枪）的地方有更多的营房，不过它们看起来要舒服得多。党卫队看守们就在这里工作、睡觉、喝酒。除了这些营房之外，这片土地上只有一根白色的旗杆，上面挂着纳粹党旗，以及几棵死树和一排延伸到远处地平线的电线杆。"放眼望去是无尽的荒野，"朗霍夫两年后写道，"棕与黑，地面龟裂布满沟壑。"很难想象在人烟稀少的埃姆斯兰腹地有比伯格摩尔更荒凉的地方。[149]

　　伯格摩尔集中营和其他三座州级集中营几乎一模一样——有一座在内森萨斯特姆，还有两座建在埃斯特尔韦根（Esterwegen）。它们都是普鲁士州内政部在 1933 年 6 月到 10 月间在埃姆斯兰北部的广袤荒野上建造的。建营的决定早在 1933 年春天就已经通过了，高官们将这视为普鲁士新行政体系的核心部分。[150]这些营地的独特之处一目了然。和其他改建而成的早期纳粹集中营不同，埃姆斯兰的集中营是新建的。官方没有利用现有的建筑，而是专门设计，然后强迫囚犯自己建设军营式的集中营，这些后来成了党卫队集中营的标准。[151]这些新的营区不仅在外观上与普鲁士州其他集中营截然不同，在规模上也独占鳌头。1933 年秋天，埃姆斯兰的四座集中营一共关押了 4000 名囚犯，占普鲁士州级集中营关押囚犯总人数的一半。[152]

　　强制劳动也是埃姆斯兰集中营的一大特色。在大多数早期集中营里，强制劳动并不属于日常行为，但在埃姆斯兰是必不可少的一项安排。对埃姆斯兰荒地的开垦之前一直是断断续续的，但它同时具有经济和精神上的双重效益。荒地的开垦能够使德国农业自给自足，也能和纳粹"血与土""生存空间"的口号相呼应。而且，这样做也不会让小企业担心来自囚犯廉价劳动力的竞争。更重要的是，这样的工作完美契合政治宣传中所描绘的图景——早期集中营是一个通过大量体力劳动实现"再教育"的地方。

实际上，埃姆斯兰集中营的劳动就是一种摧残。就像党卫队全国领袖海因里希·希姆莱在几年后用一个直白的双关语总结说："你等着，我会教你更多（规矩），我会将你送到荒野里。"[153][英语中，"更多"（more）和"荒野"（moor）同音。——译者注]夏天凌晨，囚犯们不到 6 点就得离开他们的营房，通常行进一个多小时到达目的地，行进时还必须唱歌。不过党卫队禁止他们唱《荒野士兵之歌》，这是一首由三名囚犯作曲的抗议歌曲（沃尔夫冈·朗霍夫就是其中之一）。在荒野上，囚犯们必须挖沟翻地，手脚慢了或者是完成不了当天的工作量就会受到党卫队的惩罚。在第一天工作之后，沃尔夫冈·朗霍夫写道："我的手上全是水泡。每一根骨头都在叫疼，每走一步都痛不欲生。"每一天痛苦都在累积，他补充道，几百个奴隶一般在地里劳作好几周所完成的工作其实几辆拖拉机几天内就能完成。[154]

除了明显的特征外，埃姆斯兰的集中营和其他由纳粹半军事化组织建立的早期集中营也有许多相似之处。在埃姆斯兰，大多数囚犯也都是左翼政敌，其中德国共产党员占绝大多数。这些人面临着极端的暴力虐待。虽然埃姆斯兰的集中营主管是高级警官，但实权掌握在党卫队指挥官——他们都经历过痛苦的第一次世界大战，在纳粹党 1930 年选举取得突破前就已经加入纳粹运动——以及那些凶残的看守手中。[155]

就像在其他早期集中营一样，著名政客或者犹太人的到来往往会刺激看守们达到一个暴虐的高潮。[156]1933 年 9 月 13 日，一辆载有 20 名囚犯的列车从奥拉宁堡集中营抵达伯格摩尔。党51 卫队看守们已经期待这批新人好几天，他们如猛兽一般扑过去，很快将两个最有名的囚犯揪了出来——弗里德里希·埃伯特和恩斯特·海尔曼。他们二人受到的"欢迎仪式"甚至比 5 周前在奥拉宁堡集中营的更血腥。两个人刚到便被侮辱了一番，被看守用木棍和桌腿殴打。之后，这两名社会民主党政客被扔到一个地洞里，除他们之外还有三名新来的犹太囚犯（其中包括拉比马克斯·亚伯拉罕）。看守们戏称这是让他们"进行一场议会会议"。流血不止的海尔曼不断求饶，却被看守们短暂地活埋了一段时间；而埃伯特断然拒绝了党卫队让他踢别人的命令，因此遭到处决的威胁。一些囚犯认为埃伯特的骨气感染了看守，所以后来看守们似乎对他有一点儿手下留情。

同时，恩斯特·海尔曼在伯格摩尔的苦难还在继续。有一次，他不得不从头到脚涂满粪便度过了一整天。还有一次，他四脚着地爬进囚犯的营房，一名党卫队士兵用铁链牵着他，他一边大声学狗叫一边喊道："我是社会民主党议会代表，犹太人海尔曼！"之后他被看守的狗咬成了残疾。就在刚到埃姆斯兰时，海尔曼对另一名囚犯说他无法再忍受一天像奥拉宁堡集中营时的日子了。但在伯格摩尔，每一天都像全新的"欢迎仪式"，看守们不断发明新的虐待游戏迫使他自杀。最终在 1933 年 9 月 29 日，身心俱疲的恩斯特·海尔曼想要终结自己的生命。他像个梦游者一样一瘸一拐地踏过了警戒线。有几枪打偏了，但最后有一颗子弹击中了他。可是，海尔曼的苦难还未结束，远未结束。他大腿中枪，在医院休养了一段时间后，于1934 年回到了埃姆斯兰，这一次是去埃斯特尔韦根集中营。[157]

在海尔曼被射伤前几周，埃姆斯兰的看守杀死了三个人。还有三名囚犯于 1933 年 10 月初被杀，其中包括前汉堡－阿尔托纳（Hamburg-Altona）警察总长，他是一名社会民主党官员，埃斯特尔韦根集中营指挥官以他 1932 年参与谋杀两名突击队队员为由将他处死。[158]党卫队的暴虐行为很快在当地群众中传开了，并且很快传到了普鲁士内政部，政府最终介入了。1933 年10 月 17 日，内政部命令迅速将所有重要犯人和犹太人转移出埃姆斯兰集中营。当近 80 名囚犯——包括弗里德里希·埃伯特与马克斯·亚伯拉罕——当天下午被警察押走时，党卫队看守们愤怒不已。犯人们被转移到利赫滕堡，虽然那里条件很差，偶尔也有党卫队施虐，但囚犯们还是很庆幸逃离了埃姆斯兰。"终于，"一名犹太人回忆道，"特殊对待告一段落。"[159]

但在埃姆斯兰，形势并没有好转。至少有五名囚犯在 1933 年 10 月下旬死亡。营内民怨沸腾（被国外媒体广泛报道），党卫队看守与营外的当地民众开始产生越来越多的冲突，这些最终促使戈林以雷霆之势介入。1933 年 11 月 5 日，星期天，一支全副武装的警察分遣队来到埃姆斯兰，罢免了党卫队看守。集中营被重重包围，军队也被告知可能会面对暴力冲突。对峙持续了一整晚，酩酊大醉的党卫队看守在营地毁建筑、烧东西，威胁要枪决囚犯，还曾想武装囚犯们进行联合起义。但天亮之后，宿醉未醒的党卫队温顺地交出了武器，没做抵抗便被驱散了。这群资深党卫队主管的退场相当之狼狈。[160]

但党卫队离去之后，埃姆斯兰集中营内的生活并没有平静

太久。在警察短暂而温和地接管了一段时间后，1933 年 12 月，
戈林将看守工作交给了冲锋队。很快，集中营内的暴行和杀戮
比之前有过之而无不及，许多冲锋队看守与之前的党卫队毫无
分别。[161]惨遭折磨的包括一些新来的"大人物"，其中就有 1934
年 1 月从勃兰登堡被转移到埃斯特尔韦根的汉斯·利滕；经过
数周的折磨和高强度的体力劳动，他晕了过去，随后摔下卡车，
结果车轮从他腿上轧了过去。同一时间，卡尔·冯·奥西茨基
也被送了进来，此时距他与利滕在柏林被捕差不多过去了一年。
他在荒野强制劳动时也成了重点虐待对象，很快便失去了活着
从集中营离开的希望。[162]

因为无法控制埃姆斯兰的几座集中营，戈林准备废弃它们。
1934 年 4 月，他主持了伯格摩尔集中营与内森萨斯特姆集中营
的关闭工作，几个月前他还将这两座集中营视作永久的非法拘
禁场所。现在只剩下了位于埃斯特尔韦根的两座集中营，在
1934 年 4 月 25 日时关押了不到 1162 名囚犯。[163]而在远方的巴伐
利亚，海因里希·希姆莱此时一定在兴奋地摩拳擦掌，为戈林
计划失败而暗自欢喜。当埃姆斯兰的集中营系统分崩离析时，
他自己的大型集中营仍然在蓬勃发展。[164]

希姆莱的模范营

"我成了慕尼黑的警察局局长，接管了警察总部。海德里希
则接管了政治处。"党卫队领袖海因里希·希姆莱十年后再回想
1933 年的 3 月 9 日，那天他踏上了征程，逐步成了第三帝国这
台恐怖机器无可争辩的大总管，而忠诚的副官赖因哈德·海德
里希（Reinhard Heydrich）陪伴在他身旁。"我们就是这么开始
的。"希姆莱的语气中充满了怀念。[165]当然，他的纳粹党生涯开

始于 1933 年之前。他 1900 年出生于慕尼黑，属于战时的年轻一代——因年龄太小还不能去前线服役，经历过 1918 年德国战败和革命后，他加入右翼极端组织。此后，为了弥补没有参加一战的遗憾，他与魏玛共和国展开了斗争。刚开始，他只是新兴纳粹组织的一名步兵，但等他 1929 年接管党卫队后，他的职业生涯迎来了重大的突破。最开始，这只是个小型的保镖组织，不过是强大的冲锋队的一个边缘组织。彼时，冲锋队的领导正是希姆莱的导师恩斯特·罗姆（Ernst Röhm）。不过，奸诈且野心勃勃的希姆莱很快将党卫队变成了一个独立的半军事化组织。不同于大多数纳粹分子，希姆莱来自一个有教养的中产阶级家庭。他自诩党卫队队员是纳粹运动中的军事和种族精英，沉醉于自己年少时未能实现的军事幻想中。纳粹党于 1933 年掌权之后，希姆莱的党卫队从几百人扩大到 5 万多人。随着其领袖的职位不断提升，党卫队的势力也越来越大。1933 年 4 月 1 日，希姆莱已经掌握了巴伐利亚州的政治警察和辅警力量，开始在自己家乡建立一个强有力的压迫工具。[166]

　　达豪在希姆莱的愿景中占有核心的位置。1933 年 3 月 13 日，一个委员会调研了一座旧军工厂后，批准其成为实施保护性拘禁的集中营。第二天，筹备工作就开始了，希姆莱在 1933 年 3 月 20 日向媒体宣布，要建立"排名第一的集中营"。这位政治新星介绍自己的激进计划时展现出的自信令人印象深刻。他说，达豪集中营将不仅仅针对共产党骨干分子，还将拓展到所有"威胁国家安全"的左翼敌人。警察绝不能妥协，他补充道，要将这些反对势力关得越久越好。希姆莱的主意相当宏大：达豪将会关押超过 5000 名保护性拘禁犯，比 1932 年巴伐利亚州大型监狱的平均在押人数还要多。[167]

希姆莱的模范营很快成为巴伐利亚非法拘禁的中心。囚犯们从州内各处聚集至此。自从保护性拘禁的权利掌握在巴伐利亚政治警察的手里，囚犯人数在几个月之内就从151人（3月31日）激增到2036人（6月30日）。[168]而集中营的面貌也随之改变。囚犯们从临时营区搬到了他们自己在旧工厂基础上建成的大型营区。新的达豪集中营被铁丝网和瞭望塔围绕，有10座用水泥砖石砌成的平房，这里曾是军工厂车间。如今每个营房被分作5个房间，里面摆着双层床，每间可以容纳54名囚犯（每个房间还带有一个装着水槽的小盥洗室）。囚犯区还有医务室、洗衣房和点名用的广场。囚犯区外是一个给党卫队使用的大型射击场——看守们以此来展示自己的绝对权威。此外还有一个食堂和一个新的碉堡。除了这些建筑之外还有行政楼、车间和看守的住处。整个区域被更多的铁丝网、围墙和瞭望塔围绕。一名囚犯估计，如果想围着整个营区走一圈，至少需要2个小时。[169]

不过，达豪集中营最重大的改变不是外观，而是看守，达豪彻底成了党卫队集中营。第一批看守由州警担任，但在希姆莱心中这只是临时措施。1933年3月底，一小队党卫队作为辅警被派往达豪集中营。4月2日，希姆莱命令达豪集中营由党卫队接管。被州警培训了几天之后，138名党卫队队员正式上任。1933年4月11日，一群被挑选出来的党卫队队员接管了囚犯区。同时，党卫队开始在铁丝网四周站岗，可是许多人甚至连枪都不会用，仍需要由一小队警察进行培训和监督。最终在1933年5月底，警察全部离开，整个达豪集中营落入党卫队手里。[170]巴伐利亚非法恐怖行动的基本框架已经搭建好了：政治警察实施抓捕行动，然后将保护性拘禁犯送进达豪集中营，由党卫队看守。而党卫队和警察都由同一个人统领——海因里希·希姆莱，他为后来遍布全德国的集中营系统创立了模板。

希姆莱知道，他的党卫队将用一种与州警不同的方式管理达豪。慕尼黑地区党卫队领袖巴龙·冯·马尔森－波尼考（Baron von Malsen-Ponickau）在达豪接见了第一批党卫队小分队，在毛骨悚然的动员演讲中，巴龙将囚犯们形容为妄图屠杀纳粹党人的野兽；现在党卫队要反击了。党卫队二等兵汉斯·施泰因布伦纳是听众之一，他记得巴龙在演讲的最后公开煽动大家杀人："如果一个人（囚犯）想要逃跑，你要立即开枪，最好别打偏了。这种人死得越多越好。"[171] 1933 年 4 月 11 日党卫队接管囚犯区时，这些话仍然萦绕在他们耳边。他们由一名新的指挥官领导——33 岁的党卫队一级突击中队长希尔马·瓦克勒（Hilmar Wäckerle）。他和嗜血的巴龙一样好战。瓦克勒是最早的纳粹分子之一——参与了一战与魏玛共和国的内部斗争。他凶残的性格在集中营内暴露无遗，随行总会带着鞭子和巨犬。[172]

党卫队接管达豪之后，暴力行为激增。第一天，党卫队队员们殴打了新来的囚犯，特别是犹太人。黑夜来临之后，醉醺醺的看守又到牢房中大闹一番。[173] 到了第二天，也就是 1933 年 4 月 12 日，他们已经陷入疯狂的残暴之中。在快到晚上的时候，汉斯·施泰因布伦纳点了四个囚犯的名字，其中一个就是埃尔温·卡恩。他自达豪建立之初就被关在这里，一周前还向父母保证说自己对待遇没什么可抱怨的。"我希望很快能重获自由！"他在信中如此写道，却不想这竟会成为自己的绝笔。另外三人是鲁道夫·贝纳里奥（Rudolf Benario）、恩斯特·戈尔德曼（Ernst Goldmann）和阿图尔·卡恩（Arthur Kahn），他们都

55

刚二十岁出头，几天前才来到集中营。这四个人都已经被党卫队折磨得够呛，当天早些时候，施泰因布伦纳刚刚将他们打得浑身是血。现在他又让他们和一小队党卫队队员走出营地，几个人担心会有更多的折磨等着自己，也许是一次惩罚性劳动。当众人来到附近的林子里时，一名看守故作单纯地问几名囚犯肩上的工具沉不沉。当埃尔温·卡恩说还好时，这名看守回答说："我们很快就会让你笑不出来。"随后，党卫队队员们举起步枪冲囚犯们的后背扣下了扳机。在尖叫声停止后，他们中的三人当场倒地身亡。埃尔温·卡恩头部有个巨大的伤口，但他活了下来。正当党卫队准备结果他的时候，一名还没有调走的州警赶了过来，他将重伤的卡恩火速送往慕尼黑一所医院。三天后，埃尔温·卡恩在见到妻子的时候已经完全清醒过来，他将发生的一切都告诉了她。但是，他几小时之后就死了，很可能是被病房外监视的看守在夜里勒死的。[174]

达豪集中营的第一次杀戮是早有预谋的，为的是展现新接任的党卫队对囚犯的绝对统治，同时宣告警方的管理结束了。[175]但党卫队是如何从 400 名左右的达豪囚犯中挑选出第一批受害者的呢？[176]令人惊讶的是，这四名劫数难逃的囚犯中并没有有名的政治犯。其中两人曾是底层的地方左翼积极分子，另外两人基本跟政治完全没有牵扯。"我一生中从未加入过政党。"埃尔温·卡恩在他最后一封信中写道，他很困惑为什么会被关在达豪。卡恩以及另外三人与其他大多数达豪囚犯的区别在于，他们是犹太人。这四人都被党卫队认定为犹太人，因此就成了纳粹最为危险的敌人。就像汉斯·施泰因布伦纳在杀掉四人不久后对另一名达豪囚犯说的那样："我们不会动你们，但是我们要消灭全部犹太人。"[177]

　　自从达豪的党卫队队员们开了杀戒，他们就发现很难再停下了。不过党卫队消停了几周——看他们是否能逃脱法律的制裁——发现平安无事之后，他们又处决了几名囚犯。对共产党的仇恨显然是一个重要因素，死者中包括几名共产党关键人物（汉斯·拜姆勒逃脱了这样的命运）。但极端反犹主义的阴影笼罩着一切。1933 年 4 月 12 日至 5 月 26 日，6 周之内 12 名被杀的囚犯中，至少有 8 人是犹太裔。这使达豪成为德国境内对犹太人最致命的早期集中营。其中最危险的是共产党积极分子，因为他们集党卫队所憎恨的两个因素于一身——"犹太裔和布尔什维克"。1933 年间被送往达豪集中营的犹太共产党人中，只有一个人活了下来。[178]

　　在党卫队掌权的初期，达豪指挥官瓦克勒表现得无所不能。这也反应在他于 1933 年 5 月颁布的集中营特别规定上。这些规定将集中营置于由指挥官领导的"军事管制"之下，威胁要将所有敢煽动其他人"不服从党卫队管制"的囚犯判处死刑。[179]尽管判处死刑还是司法系统的特权，但资深纳粹党员瓦克勒认为达豪是一个法外之地。

压力下的达豪

　　1933 年 4 月 13 日，慕尼黑州检察院律师约瑟夫·哈廷格（Josef Hartinger）紧急前往达豪集中营，在那里他将与指挥官瓦克勒会面。了解到前一天鲁道夫·贝纳里奥、恩斯特·戈尔德曼与阿图尔·卡恩的暴力死亡，哈廷格按照标准流程前来检查现场。他很快开始质疑党卫队的说法——三名囚犯在逃跑时被射杀，严重受伤的埃尔温·卡恩则是被流弹击中。而当埃尔温·卡恩在医院中神秘死亡，他的妻子将他的遗书交给了哈廷格之后，这位律师的怀疑更深了。但这个案件最终没有了下文。这是因为不仅很难击破党卫队的铜墙铁壁，哈廷格自己的上司也对和党卫队作对没什么兴趣，也许是考虑到警察局局长希姆莱对集中营的明确支持：就在哈廷格前往达豪集中营的当天，希姆莱在一次新闻发布会上宣称四名囚犯——他称是共产党人——在试图逃跑时被射杀。这套说辞后来成为掩盖集中营内谋杀的标准套话（在几年后面向党卫队领导人的一次秘密演讲中，希姆莱明确指出他知道"在尝试逃跑时被击毙"是处决的一种委婉说法）。[180]

1933 年 5 月，随着囚犯一个又一个可疑地死去，哈廷格律师很快回到达豪集中营。在验过路易斯·施洛斯（Louis Schloss）等人的尸体之后——这些人明显是被殴打致死的——哈廷格和同事们确定他们面对的是一系列谋杀案件。在阅读完瓦克勒杀气腾腾的集中营规定之后，他们更加担心了。瓦克勒还得意地告诉他们，这份规定是由希姆莱批准的。瓦克勒和他的手下觉得没有人能阻止他们，只要哈廷格和他的同事们出现在集中营里，他们就想尽办法进行阻挠和嘲弄；一些看守甚至已经懒得再去掩饰他们的谋杀行径了。

1933 年 6 月初，达豪集中营党卫队与法律的冲突正式展开。6 月 1 日，慕尼黑州检察院对几名达豪集中营的党卫队队员进行了初步的起诉；指挥官瓦克勒被指控为从犯。就在同一天，哈廷格的上司，慕尼黑公共检察长与海因里希·希姆莱进行了一次午餐会议，后者保证会完全配合司法调查。6 月 2 日，希姆莱在与巴伐利亚州州长冯·埃普（von Epp）以及其他几个部长的紧急会议上，被迫解雇了他的这位劣迹斑斑的指挥官。希姆莱看似一败涂地了。在当时看来，这对他来说是一次耻辱的挫败。但长期来看，塞翁失马，焉知非福。他的警官们要求查阅案件的相关文件，接着便将它们都"弄丢了"，整个司法调查因此停滞。至于被解雇的瓦克勒，他竟然敢公然挑衅整个司法权威，希姆莱非常乐意牺牲这枚棋子。希姆莱需要一个更加精明的人领导集中营，而他最终找到了一个完美的人选。那个人不在别处，就在一家精神病院里。这个病人的名字叫特奥多尔·艾克。[181]

1933 年 6 月 26 日，特奥多尔·艾克正式成为达豪集中营指挥官。他举止粗鲁，喜欢虚张声势，嘴边经常叼着一根弗吉尼亚雪茄。在之后的几年里，这个男人主宰了达豪集中营。命运是如此有趣。司法界想要阻止达豪集中营里的杀戮，却为他的上台铺好了路，正是这个人完美地策划了达豪和其他早期集中营的转型，将它们变成了永久的恐怖之地。如果说希姆莱给后期党卫队集中营指明了方向，那么艾克就是推动集中营前进的强而有力的发动机。他是个粗鲁的人，喜欢恃强凌弱，还是个疯狂的纳粹分子。这个傲慢且愤世嫉俗的男人总是渴望斗争，认为敌人无处不在。他的对手们害怕他的顽固和脾气。在多年的奋斗和挫败之后，艾克认为他的愿景最终会在纳粹统治下实现。但他在第三帝国的仕途开始得极不顺利。

1909 年时，17 岁的艾克还是一个年轻人。他没有完成学业便离开了阿尔萨斯（那时是德国的一部分），离开了中规中矩的家，想要闯出一番天地。他志愿参军并很快开始了军旅生涯。不过，在军队里做了 10 年的出纳员，他并没有实现出人头地的梦想，而当战后德军开始裁员时，他没能升到军官便退伍了。虽然此后结婚生子，但艾克从没能适应平民生活。他没能通过测验成为一名警官，于是认为自己遭到了不公的待遇，这种愤恨慢慢在他心底累积化脓。最终，艾克在路德维希港（Ludwigshafen）的化学巨头法本公司找到了一份稳定但也无聊的安保工作。艾克单调的生活在20世纪20年代末发生了巨变，他发现了纳粹运动，内心听到了新的召唤。1930年7月，他加入了党卫队，编号为2921，他很快就将自己所有的业余时间都投入其中。艾克证明了自己是个有能力的组织者和领导人。他不仅很快成了一个强大的地区指挥官，还吸引了希姆莱的目光。当警察发现他的公寓里有数十枚自制炸弹时，他亡命之徒的名声越传越远。他在1932年夏天被判处两年徒刑，于是逃到了法西斯意大利的加尔达湖（Lake Garda）。希姆莱让他管理当地一座为奥地利纳粹建立的恐怖分子训练营；有一次他还有幸带领意大利独裁者贝尼托·墨索里尼在此处参观。

1933年2月中旬，艾克回到了希特勒统治下的德国，他希望自己此前的牺牲能带来丰硕的回报，但是他最终失望了。在党内竞争中，他与普法尔茨（Palatinate）的长官约瑟夫·比克尔（Josef Bürckel）产生了冲突，后者说艾克"患了梅毒，完全疯了"。两个人的冲突不断升级，最终艾克被关了禁闭。一开始是在监狱里，然后在1933年3月底，他被转移到维尔茨堡（Würzburg）精神病院。同时，艾克还被剥夺了党卫队职位。虽然他的主治医师维尔纳·海德（Werner Heyde）——后来"安乐死"计划中的关键人物——很快做出诊断，说他并没有精神病，但希姆莱仍然让他熬着，不管他怎样恳求。到了初夏的时候，党卫队全国领袖终于决定，是时候让艾克复出了。1933年6月2日，就在这天，希姆莱同意将指挥官瓦克勒解职。随后，他通知维尔茨堡精神病院可以放出艾克，而且艾克很可能将担任要职。将艾克任命为达豪集中营指挥官是标准的希姆莱式做法——他经常通过给失败的党卫队队员改过自新的机会来获取他们的忠心。而艾克也确实在余生中竭尽全力地报答他的知遇之恩。

几周之后，当特奥多尔·艾克前往达豪集中营任职时，他已恢复了党卫队区队长的职位。已经41岁的他意识到这可能是此生最后一次有所作为的机会。不同于其他早期集中营的指挥官，艾克并不认为这次任命是一次借调或贬职，而是开创一番事业的机遇。他以一贯的热情抓住了这次机会。在几年后写给希姆莱的一封信中，他自鸣得意地称，集中营已经成为他毕生的事业。[182]

在刚到达豪集中营的几天里，艾克一直在观察党卫队的日常工作，在集中营内边走动边做记录，拟订重新组建集中营的计划。他工作废寝忘食，甚至直接睡在办公室里。"艾克现在是如鱼得水了。"一名党卫队队员后来评论道。艾克很快让达豪改头换面，成了它真正意义上的奠基人。在他的监督下，党卫队看守进行了一次大换血，组建了一支忠于他的队伍。瓦克勒的大多数心腹都被遣散，其中就包括臭名昭著的汉斯·施泰因布伦纳。艾克同时将脾气暴躁的党卫队哨兵队长打发走，派党卫队一级突击队中队长米夏埃尔·利珀特（Michael Lippert）接任，此人后来成了一个心狠手辣的角色。最后，艾克拟定了新的日常行为准则，使党卫队的暴力行为看起来不那么直接，同时引进了更加紧密的行政结构。[183]

希姆莱对于艾克的工作进展甚为满意。1933年8月4日，他与冲锋队领袖恩斯特·罗姆一起参观了达豪集中营，后者当时还是他名义上的上司。在参观集中营之后，他们还成了纪念碑揭幕仪式的嘉宾。这座纪念碑（由囚犯建造）是纪念纳粹

"烈士"霍斯特·韦塞尔（Horst Wessel）的，他是一名年轻的冲锋队煽动者，在 1930 年与柏林本地共产党员的冲突中死亡，被纳粹宣传为与布尔什维主义殊死斗争的象征。当晚，在党卫队食堂举行了一场联欢会，希姆莱和罗姆赞扬了看守们的纪律性，还特别表扬了指挥官艾克。而对罗姆来说，这是个非常讽刺的时刻，因为不到一年之后，艾克就将对他拔刀相向。[184]

在达豪模范营的表象下，折磨仍在继续。艾克并不想用比前任更宽松的方式管理囚犯。他只不过想采取更隐蔽的手段。而虐待还在继续，"大人物"和犹太人仍然是被折磨的主要对象，不得不从事最艰苦的劳动，比如推动巨大的轧辊筒来压平集中营内的道路。[185]艾克的手段集中体现在他 1933 年 10 月 1 日制定的守则中，其中对囚犯的行为约束比瓦克勒时期扩充了许多，惩罚的残酷程度也加深了许多。死亡的阴影依旧笼罩着集中营。艾克警告所有"政治煽动者和意图颠覆的知识分子"，党卫队队员将会"扼住你们的喉咙并以适当的方法使你们安静下来"。涉嫌破坏、叛变和煽动的囚犯将按照"革命法"被处决："任何在身体上攻击看守或党卫队队员的人，任何拒绝服从或拒绝工作……（或）在列队行进或工作时大喊大叫、煽动或进行演讲的人，**都将被视为叛变者，立即执行枪决或是在稍后判处绞刑**。"[186]

有了这个许可之后，达豪的党卫队看守们继续杀害囚犯。到 1933 年末，至少有十名囚犯在艾克治下死去（其中三人是犹太人）。[187]即便谋杀被更好地伪装起来，它们还是引起了更深入的调查和政治上的纷争。希姆莱一度发现自己被逼到了墙角。1933 年 12 月，他不得不靠恩斯特·罗姆才能保释出来。罗姆利用自己的政治力量，阻止了三起可疑的囚犯死亡事件的相关调查，他的理由是事件的"政治性"使其"明显不适用于"司法介入。正义再一次被击败。[188]

达豪集中营在 1933 年是一个特例，是早期集中营体系内的一个极端。从一开始，党卫队领袖海因里希·希姆莱就在寻求一种极端的非法拘禁方式；在达豪被杀的囚犯比在其他任何早期集中营都多。对比之下，其他州级集中营显得相当温和。比如在黑森州的奥斯特霍芬营，2500 多名囚犯无一人死亡。[189]其他官方集中营的规定也与激进的达豪集中营的不同。1933 年夏天，萨克森州通过了一项针对州级集中营警察的法案，其中特别禁止了体罚。[190]

即使在早期恐怖活动的中心达豪，死亡仍然是个例；1933 年被关进集中营的 4821 人中，死亡人数不超过 25 人。[191]其他囚犯虽然每天要承受高强度的劳作和羞辱，还时常会被恶意攻击，但他们最终都活了下来，甚至还有些休闲的时光。比如在午饭后，囚犯们可以正常地休息、下象棋、抽烟、读书，甚至演奏乐器。达豪像其他早期集中营一样，还未成为有去无回的地狱。[192]

纳粹集中营的起源

1932 年 8 月 11 日，纳粹日报《人民观察家报》在头版刊登了一则富有预言性的故事。希特勒就任总理前五个多月的时候，报纸就预言在未来纳粹政府将通过一项特别法令，将左翼关键人物抓起来，并且将"嫌疑人和狡猾的教唆者关在集中营里"。这并不是纳粹党人第一次预言将用集中营对付敌人。希特勒早在 1921 年的一篇文章里就保证将会"阻止犹太人败坏我们的国家，如果有必要的话就将他们这些细菌全关在集中营里"，那

61　时他在慕尼黑还仅仅是一个恶毒的煽动者。[193]显然，建立集中营的想法早在纳粹领导人掌权之前就出现了。但他们早年的威胁和此后的集中营并没有直接联系。魏玛共和国时代的这些零散言论大多是当时政治上的讨巧之言，最多也只是一些含混的声明。纳粹上台之后集中营的即兴而为充分证明了他们此前没有任何计划。当希特勒于1933年执掌德国时，集中营还没有被发明出来。[194]

但并不像有些人所说，早期集中营是凭空出世的。[195]总体来看，纳粹更多地借鉴了国家现有的纪律管理理论和实践，而不是国外的先例。其中最重要的影响来自德国的监狱系统和军队，对像达豪和埃姆斯兰的那些大型州级集中营来说尤为如此。

像特奥多尔·艾克这样的党卫队官员经常强调其集中营的独特性，否认它们和普通监狱以及教管所有任何相似之处。[196]但回到1933年，纳粹官员们完全借用了传统监狱体系。确实，包括艾克在内的许多官员有过在魏玛时代蹲监狱的亲身经历，那里的管理非常规范严格（与后来纳粹政治漫画所描绘的不同）。因为有在魏玛时代被当作政治极端分子关押的经历，这些人如今只是把学到的应用到了早期集中营上面。

早期集中营的设计大师们模仿了监狱严格的作息时间和规矩，有些条文甚至是从现有的规定中直接拿过来的。监狱里传统的纪律性处罚，比如关禁闭（在几周内剥夺囚犯的床、新鲜空气以及正常饮食），则直接被集中营采用。[197]即使是鞭刑——由艾克引进达豪集中营的纪律性处罚——最早也出自德国监狱：普鲁士监狱的囚犯可以被官方处以30～60鞭不等的刑罚。因为不人道，效果也不显著，这种刑罚在一战之后就被废弃了。[198]

另一项从监狱系统引进的内容是所谓的进步等级系统，这个系统自 20 世纪 20 年代中期起便在德国各大监狱内实行。囚犯被分为三类，对不守规矩或者不可救药的囚犯进行惩罚，同时给服从管教的囚犯更多福利。[199] 1933 年，一个类似的等级系统被几座早期集中营至少在纸面上采纳了，不过惩罚措施更加严厉。比如当汉斯·拜姆勒来到达豪时，党卫队立刻将他定为三级，属于"根据其之前的所作所为应该受到极其严厉的监视"的一类。[200]

而另一个对早期集中营的影响就是强制劳动，这也是现代监狱的核心之一，因为它适用于各种形式的监禁。传统主义者长期以来一直认为强制劳动是一种惩罚。而监狱改革派则认为这是一种让囚犯改过自新的方法；在牢房中做重复性的工作可以给囚犯灌输强烈的工作道德感，在室外劳动（耕作或是开荒）会把囚犯带到乡村，帮着清洁"堕落的"城市。[201] 而在魏玛时期，许多社会福利和管教机构也抱有相同的信念，比如济贫院和志愿劳动营。在早期集中营中都可以看到这些机构的影子。[202] 因为有了这些先例，强制劳动在早期集中营占有相当重要的位置，因为可以在镇压囚犯的同时对他们进行改造。1933 年 8 月，新的普鲁士州级集中营在勃兰登堡开张，当地一家报纸在报道开幕式时宣称，劳动将会迫使囚犯们"反思他们此前的言行"，帮助他们"改过自新"。而读者们不知道的是，对于埃里希·米萨姆这样的人来说，所谓的工作意味着在擦地板的时候被党卫队队员拳打脚踢、拉扯头发、被逼着舔脏水。[203]

早期集中营的主管们想要将自己和狱政官员区分开来，于是要与正规士兵划清界限。但是军队的影响不容置疑，军队传统被照搬或者扭曲地应用于集中营。再一次，冲锋队和党卫队

62

官员们借鉴了自己的亲身经历。许多指挥官是一战时的老兵（其中一些人甚至在战俘营待过），一些看守也是如此。[204] 而那些因为太年轻而没能应征入伍的人则在如冲锋队这样的半军事化极端组织中汲取军队精神。比如，冲锋队就是依照军队建立的，其旗帜、制服和操练让他们的成员受到了完整的军事训练。[205]

"当新来者初到集中营时，"一名前达豪囚犯回忆道，"他会发现这里像个军营。"[206] 早期集中营有很多与军队相似的地方，首先就是看守的举止。比如，达豪的党卫队鼓励自己人像军队一样：学习列队，以夸张的正步行进，趾高气扬地穿着制服，别着模仿军衔的徽章。[207] 而囚犯中的老兵们对每日的拉练（伴有军乐）和列队点名（长官们喊如"摘帽""向右看"这样的口号）非常熟悉。[208] "作为一名老兵，我知道最明智的选择就是对任何事都说'好的'，同时祈祷上帝保佑。"一名前埃斯特尔韦根集中营囚犯这样说。[209] 特奥多尔·艾克命令囚犯们在遇到看守时要敬礼，同时"以军姿站好"（德国监狱中也有类似规定）。艾克还坚持要让囚犯的一天以党卫队小号手的战斗号开始。[210] 早期集中营的军事化甚至体现在日常用语上。在达豪，每个营房组成一个"囚犯连"，由5个"排"组成（因为有5间房），由一名党卫队"连队长"管理。[211]

早期集中营的暴力虐待也是受军队传统启发的，首先就是集中营独特的"欢迎仪式"，这原本是军队中一种常见的传统，在这里变成了夸张版。[212] 同样还有各种操练。精疲力竭的训练是德意志帝国新兵的常态，有时伴有长官的巴掌和殴打。[213] 这在早期集中营变成了囚犯的"运动"——一系列折磨人的锻炼，包括慢速屈膝运动、无休止的俯卧撑，还有匍匐爬行、跳跃和跑步。在军队，这种操练的目的是让新兵们融合成一个紧密团结的集体。而在集中营，这些操练的目的是击溃囚犯的意志。[214]在囚犯生活区也依然施行着愚蠢的纪律，迂腐的条例给了看守进行更多虐待的借口。许多日常活动和军事训练十分相似，包括每天的"整理内务"，囚犯们必须将被子叠成棱角分明的"豆腐块"；囚犯们通常必须借助带子和水平仪以逃脱惩罚。老兵们再一次占据了优势。"我以前是一名战士，"一个柏林集中营的囚犯后来写道，"我熟悉这种操练。"而一些经济情况较好的囚犯则用食物和钱请更有经验的囚犯帮忙。[215]

执掌早期集中营的新手们为了方便，从其他地方——监狱、军队和其他机构——借鉴已有的管理方式。这起到了一个意想不到的良性副作用。因为具有相似的习俗和思想，早期的集中营（以及保护性拘禁）与德国传统相去不远。对于一部分公众来说，这让集中营看起来没有那么特别。正如简·卡普兰所说，借用现有的习惯帮助掩饰了"纳粹压迫的残酷本质，让官方与公众更能接受"。[216]

公开的恐怖

战后几十年来，"德国人对集中营一无所知"的说法一直主导着这个国家的记忆，但现实恰恰相反，集中营的烙印很早便深深刻在普通德国人的脑海中，有的人在 1933 年时甚至做梦也会梦见。同年 5 月，一份地方性的报纸总结说，每个人都在谈论保护性拘禁。[217]当局并没有掩盖早期集中营的存在。相反，很快就被新统治者收服的报纸发表了无数文章，有些由政府官员主笔，其他则由记者自己所写。纳粹媒体强调说大部分目标是新政权的政治敌人，主要是共产党"恐怖分子"，之后是社民党的"大人物"以及其他"危险的角色"。1933 年德国电影院播放的一部新闻影片将哈雷市（Halle）一座集中营的囚犯描述为"红色谋杀和纵火的首要煽动者"。关押著名政治人物是非常引人注目的：媒体将一张照片中到达奥拉宁堡集中营的弗里德里希·埃伯特和恩斯特·海尔曼称作"曾经的伟人们"，甚至把照片放在《人民观察家报》的头版。[218]

一些历史学家认为大多数德国人喜欢这类报道，因为他们支持集中营和国家的宏大目标。[219]这种说法有一定道理。考虑到纳粹支持者和保守派对左翼政党普遍抱有仇恨情绪，政府知道自己对左翼分子的镇压会受到这部分人的支持和欢呼。[220]但关于纳粹集中营的宣传并不仅仅是为了建立一种共识。那些反对纳粹主义的人得到的是完全不同的信息——"集中营里有的是地方"。1933 年 8 月，一家地方性报纸阴沉地写了上面这句话，总结了集中营的威慑作用。[221]一般来说，在梳理第三帝国的国内情绪时我们不应该妄下结论。一方面是因为判断一个极权独裁国家的公众意见有非常显著的困难，另一方面是因为官方口径总是与传言相互矛盾。[222]当我们审视大众对早期集中营的反应时，我们必须提出一系列更加复杂的问题：谁知道什么？是在何时？他们怎样应对？应对的是集中营的哪一面？

目击与传言

纳粹官方从来没有完全掌控集中营的形象。当局虽然控制了公众领域，但是其通过媒体渲染的早期集中营的良好形象却经常崩塌。在 1933 年，人们仍可以通过许多途径了解真相。出人意料的是，许多德国民众非常清楚集中营里正在发生什么。[223]

许多人亲眼见证了纳粹的恐怖。他们的第一印象通常来自重要犯人经过城镇、被押送到附近营地的过程。沿街总有围观的民众，囚犯们挂着羞辱性的牌子，被周围的冲锋队和党卫队队员咒骂着、推搡着，甚至被吐口水。1933 年 4 月 6 日，当埃里希·米萨姆、卡尔·冯·奥西茨基和汉斯·利滕与其他犯人一起穿过松嫩堡前往集中营时，他们"一路上经常得到看守们胶皮警棍的帮助"，当地一家报纸在次日这样写道。[224]

　　这种屈辱的游行并不是当地人与囚犯面对面的唯一机会。比如，有的犯人会被派到铁丝网外工作，他们的穿着和举止直观地说明了他们的遭遇。通常来说，他们会被指派去干一些侮辱性的工作。像在奥拉宁堡，指挥官舍费尔曾经让一群左翼政治家——包括德国社民党前代表恩斯特·海尔曼、弗里德里希·埃伯特和格哈特·塞格——进城，把墙上的旧竞选海报刮下来。[225]

　　住在早期集中营附近的德国人也会亲眼看见营内的暴行。许多早期集中营都位于镇子或者城市的中心，政府没有办法遮住所有的眼睛。在居民区，街坊四邻偶尔能见到囚犯，但更多时候是听到他们的声音；纽伦堡城堡的游客可以听见地下室里的囚犯被折磨的声音。有时候目击者会去干涉。在什切青，当地人就曾向警察投诉布雷多集中营里的惨叫声和半夜的枪响。[226]更多的新闻则是从集中营看守那里传出来的。虽然他们应该保持沉默，但有的看守会在当地酒吧里大声吹嘘自己殴打甚至谋杀囚犯的事。[227]

　　没过多久，德国各地都在对集中营内的暴行议论纷纷。在德国西部的伍珀塔尔（Wuppertal），纳粹官员承认关于科姆纳集中营（Kemna）囚犯被虐待的传言流传甚广。[228]而在东部，一名当地女性告诉一个被关押在利赫滕堡的囚犯，普雷廷镇上所

65

有人都"知道集中营里发生了什么"！[229] 在德国北部，当地官员警告说，发生在布雷多集中营的"严重不公正的对待"已经"在什切青和波美拉尼亚（Pomerania）广为人知"。[230] 在南部的慕尼黑，也有关于暴行的传闻。像"闭嘴！不然把你送到达豪"或是"哦上帝啊，让我变成傻子吧，这样我就不会去达豪"这种话在 1933 年夏天四处流传。[231] 而传闻的中心则是柏林，因为那里有为数众多的集中营。1933 年春天，汉斯·利滕的母亲伊姆加德（Irmgard）回忆称，每走进一个咖啡馆或者地铁站都会听到有人谈论集中营内的那些暴行。[232]

伊姆加德·利滕对早期集中营的了解可不止谣言。像其他囚犯的家属一样，她经常能收到儿子的信——间隔时间不定，从一周到一个月不等。汉斯·利滕则像其他囚犯一样，偷偷在信中写下了他的状况。1933 年春天，利滕律师从松嫩堡来信，信中虚构了一个"客户"，他"与其他住户关系很差，以至于当他夜里回家时，其他人经常会去殴打他"。他还建议另一位"客户"立下遗嘱，因为"他"快要死了。之后，汉斯·利滕开始在信中用一种特殊的密码传递消息，以躲过审查。在他的第一封密信中，他表示想要用足量的鸦片来自杀。[233]

许多家属可以亲眼见到自己的亲人遭受了怎样的虐待。1933 年时的集中营与后期的集中营截然不同，大多允许家属探访，就像监狱一样。有的集中营允许每两个月在严格监视下会见几分钟，也有的允许每周探访，每次可以见好几个小时，而囚犯大部分时间都不会被监视。[234] 探访者亲眼看见了亲人身上明显的殴打痕迹，这验证了他们最坏的猜想。1933 年春天，当伊姆加德·利滕在施潘道监狱探望刚从松嫩堡转移过来的儿子时，她几乎认不出他了。儿子的脸全肿了，头部也变形了，奇怪地歪向一边。他的外表像鬼一样，他的母亲这样写道。[235]

正常情况下，探访需要经过集中营官员批准。但有时亲属也可以说服看守，直接进入集中营，这在后期的党卫队集中营系统中是不可想象的。当格特鲁德·许布纳（Gertrud Hübner）得知丈夫被关在柏林帕佩将军街（General-Pape-Strasse）的冲锋队集中营里时，她立刻前往营地，软磨硬泡直到看守放她进去。"我的丈夫看起来饱受折磨，非常脆弱，"她回忆说，"我将他搂在怀里，他开始放声大哭。"[236]

从集中营回来的路上，亲人们会将这些印象告诉朋友和家人，形成一波又一波的传言。妻子们在给丈夫送换洗衣物时会把脏衣服带出来，于是有的人就会展示自己丈夫满是血渍的上衣和裤子。1933 年 5 月，埃里希·米萨姆的妻子克丽丝珍提亚（Kreszentia）甚至冲到负责保护性拘禁的普鲁士官员米特尔巴赫博士面前，挥舞着她从松嫩堡收到的被血浸染的短裤。[237]关于死亡的消息传播起来也很快。自从几次规模盛大的著名政治犯葬礼之后，普鲁士内政部要求当地政府于 1933 年 11 月起禁止举办任何"具有异议基调的"葬礼。[238]

随着公众对集中营虐待的不断了解，官方承受的压力越来越大。一部分要求释放囚犯的呼声来自宗教团体。[239]但大多数情况下是犯人的亲属在四处走动。仅仅几个月之内，人脉广泛的伊姆加德·利滕便找到了德国国防部部长布隆贝格（Blomberg）、德国司法部部长居特纳（Gürtner）、德国主教米勒（Müller）以及赫尔曼·戈林的副手。[240]让集中营与警局官员头疼的是，这样的活动时不时会有政府高官介入。[241]以汉斯·利滕为例，每当有高层介入后，他的待遇就时有改善。[242]但利滕仍被关在集中营里，其他一些政治名人也是一样。即便有德国总统兴登堡的支持，弗里德里希·埃伯特仍没能被释放。埃伯特的母亲曾经向总统请愿，别让自己的儿子"像屈辱的劳动犯"那样遭受虐待。[243]

弗里德里希·埃伯特不太走运。大多数早期集中营的犯人很快就被释放了——并不是因为外部的干涉，而是因为官方觉得一段时间的打击和震慑足以让政敌顺从。结果，1933 年的集中营频繁经历大换血，刚放出去一批囚犯，很快又有新来的囚犯补上。关押的时间无法预测。那些期待几天之后就能重获自由的囚犯大多都会失望，不过，也很少有人被关押超过一年。一般在更大的集中营才会出现长期徒刑，但即使像奥拉宁堡这样的大集中营，大约三分之二的囚犯也都在三个月内就被释放了。[244] 其结果是，不断有囚犯回归德国社会，正是这些男男女女提供了关于早期集中营的珍贵资料。

民众的反应

1934 年初，马丁·格林维德（Martin Grünwiedl）重获自由，他在达豪集中营里被关了十个月。两名在慕尼黑卧底的共产党同志问他能不能写一份关于集中营的报告。虽然风险很大，但这名 32 岁的装修工还是写了一份长达 30 页的出色报告，报告的名字叫《达豪囚犯的呐喊》，其中还收录了几名前囚犯的证词。经过艰辛的准备工作，格林维德和其他四名帮手将这份小册子印刷出来。他们假扮成度假游客，将帐篷、食物、复写纸以及复印机运到伊萨尔河（Isar River）中一个幽美的小岛上。经过几天提心吊胆的复印工作后，这帮人回到慕尼黑收尾。当全部工作完成之后，格林维德将大约 400 本册子分发给了德国共产党地下官员。另外 250 本被分发到邮箱中，或是送给公众人物和友好人士。册子中还有一段话，要求大家将小册子传阅出去，"以便更多的人能够阅读这本书"。[245]

显然，抵抗者们面对着巨大的阻碍：十几个人冒着巨大风险工作数月，其中几人后来还被逮捕（其中就包括马丁·格林维德，他又被关进了达豪集中营），得到的不过是几百本小册子。但出版这本小册子也反映了左翼人士揭露政权和集中营真面目的决心。格林维德和他的朋友们并不是孤军奋战。1933～1934 年还存在着相当活跃的抵抗运动，发行了上万份地下报纸和传单。[246]一些出版物被藏到普通书籍中，比如一份讲述了汉斯·利滕等囚犯在松嫩堡惨遭折磨的共产党小册子就套了一个关于肾脏和膀胱疾病的医学书皮。[247]有些囚犯的文章在德国国内广泛流传，其中就有格哈特·塞格在 1933 年 12 月初从奥拉宁堡集中营成功逃脱后，用捷克斯洛伐克语写的自述。[248]

不过，论及集中营的新闻，亲口说的话往往比白纸黑字的文章更重要。被释放之前，看守们都会威胁囚犯噤声，如果敢把集中营里的事说出去，就会被重新抓进集中营或者直接打死。[249]但这样的威胁并不能阻止脱离苦海的囚犯向家人和朋友倾诉，之后一传十，十传百，尽人皆知。[250]有观察家总结说，几乎所有人"都知道或者听说过某些人在集中营里的经历"。[251]

即便囚犯们因为恐惧或者伤痛不愿讲自己的故事，他们自身也可以成为集中营暴行的无言证明。[252]他们残缺的牙齿、布满伤痕的身体以及因为恐惧的沉默往往比语言来得更加有说服力；可见的伤口花数月时间即可痊愈，有些伤处却永远都不可能复原。[253]越来越多的德国知识分子开始了解冲锋队和党卫队，包括律师、公务员、检察官、验尸官，如今医生和护士也加入了这一行列。1933 年 10 月初，伍珀塔尔医院的一名护理人员就记录了埃里希·明茨（Erich Minz）的案例。25 岁的明茨从科姆纳集中营被送到医院时颅骨骨折，身上有明显的虐待痕迹，"病人完全失去了意识。身体上，尤其是背部和臀部，布满了鞭痕和淤青。有的是青紫色的，另外一些则是青黄和青绿色的。鼻子和嘴唇青紫，都肿起来了"。[254]关于酷刑的传言很快就流传到了医院外面，尤其是囚犯们伤重而死的时候。[255]

因此在第三帝国的初期，德国境内关于早期集中营的流言甚嚣尘上。德国人不仅知道它们的存在，还知道里面充满了残忍和压迫。集中营已经成为私人和公开纠纷的终极制裁手段，还成了笑话的元素：

69

"报告队长，"一名焦虑的集中营典狱长说，"你看那个躺在床上的犯人。他的脊梁骨折了，眼睛瞎了，耳朵也聋了。我们该拿他怎么办？"

"放了他！他已经准备好聆听我们元首的教诲了。"[256]

不过，关于暴行的信息在国内传播得并不均匀。德国不同地区的人对集中营的了解程度也不同，因为早期集中营大多建在城市中而不是乡村里。不同阶级的了解程度也不同。最了解这些信息的是相对有组织的工人阶级。毕竟大多数囚犯是共产党员或社会主义积极分子。他们的支持者都迫切地想知道他们的命运，更不必说他们的妻子、孩子、朋友和同事。而且，左翼工人更容易得到地下传播的册子，更容易听到被释放囚犯的倾诉，毕竟他们都属于同一个圈子的人。最后一点，许多早期集中营都建在工人活动的区域中间，左翼支持者们对日常暴行有更直观的感觉。

当然，阶级并不决定一切。中产阶级知识分子们也对集中营有所了解。同时，一些左翼囚犯的报告并不仅在工人阶级中传播。比如住在德累斯顿的教授维克托·克伦佩雷尔从一名朋友那里得知了埃里希·米萨姆的遭遇，而那位朋友则是从在丹麦遇见的被流放的德国共产党员那里知道的。[257] 不过总体来说，1933 年时大部分中产阶级还是支持纳粹政权的，也是最不了解纳粹恐怖的群体。[258] 他们自己倾向于认为这些关于暴行的传言是敌人散布的谎言。[259] 不过，纳粹的信徒们基本还是知道集中营的黑暗面的，那么他们是如何反应的呢？

来自各个阶级和各种背景的纳粹支持者们都在庆贺政府对左翼的镇压。"必须有秩序。"一名工厂的工头在 1933 年春天和孩子谈论逮捕左翼人士时这样评论道。[260] 许多纳粹的信徒对早期集中营内的暴行可以说是喜闻乐见。他们认为，就应该使用暴力手段惩治危险的左翼分子，而对待"恐怖分子"就应该无所不用其极。一些人甚至在囚犯们游街示众的时候喊着要对他们实施酷刑。在柏林，围观的群众煽动冲锋队队员们说："你们终于抓到这些狗了！揍死他们！把他们送到莫斯科去！"不过，并不是所有支持攻击左翼组织的人都赞成对左翼分子施暴。[261] 后来，海因里希·希姆莱重新审视战前时光，承认说当时许多"党外人士"非常反感建立集中营。[262] 希姆莱也许对此轻描淡写一笔带过，但确实有一些纳粹的支持者因为那些关于暴行的报告而感到不舒服。这种不舒服有许多原因。纳粹曾经承诺要在魏玛时期的街头暴乱后重建公共秩序，而相信这个承诺的那些人担心在集中营滋生的暴力无序将会蔓延开来。[263] 而其他人则担心德国在国际上的形象。随着集中营暴行的新闻传到国境以外，早期集中营成了残暴的希特勒的新德国的笑柄。[264]

70

国外的看法

1933 年 4 月 20 日，德国人庆祝希特勒生日的这一天，讽刺作家库尔特·图霍夫斯基（Kurt Tucholsky）远在安全的瑞士，他写了一封充满绝望的信，信中他是这样描述那些纳粹支持者的："如果可以，他们肯定会把我们关进集中营。""顺便提一句，（关于集中营的）报道很可怕。"图霍夫斯基在最后写道。[265]像图霍夫斯基这样的德国侨民通过国内传来的消息和流亡报纸了解集中营。在法国、捷克斯洛伐克以及其他一些地方，德语刊物越来越多。自从编辑卡尔·冯·奥西茨基被捕之后，知名刊物《世界舞台》（Weltbühne）在布拉格重新发行，于 1933 年 9 月发表了第一篇重点关注集中营的文章。流亡报纸和杂志将目光聚焦在最臭名昭著的集中营身上，比如达豪集中营、伯格摩尔集中营、奥拉宁堡集中营和松嫩堡集中营。而著名的流亡者贝托尔特·布雷希特（Bertolt Brecht）也在他的诗中描写了这些地方。同时，流亡的德国左翼党派还资助出版了目击者们的报告，其中就包括有关纳粹恐怖行动的共产党员棕皮书（Braunbuch）。这本反纳粹的畅销书于 1933 年 8 月在巴黎首次印刷之后被翻译成多国语言，书里将集中营的设立视为"希特勒政府独裁主义最可怕的行动"，其中有超过 30 页对集中营内罪行的描写。[266]

其中一些流亡出版物还悄悄流入了第三帝国。在个别情况下，它们甚至流传进一些早期集中营中，大大提升了犯人们的士气。但整体来说，它们的传播范围很小，无法在德国国内造成什么影响。[267]它们更多的还是影响国外舆论，其中有些报道很快就被外国报纸和政客引用。萨尔（1935 年前处于国际联盟的管辖下）的一份德语报纸（该报直到 1935 年一直由国际联盟授权）刊登了一篇伯格摩尔集中营前囚犯的文章。不到一周后，1933 年 10 月 13 日，《曼彻斯特卫报》（*Manchester Guardian*）刊登了相同的故事，报道了弗里德里希·埃伯特被"步枪托殴打至血流满面"，恩斯特·海尔曼被"打得好几天下不了床"。[268] 而最活跃的前囚犯是格哈特·塞格，他在欧洲和北美各国演讲、出书、游说政客，引起全世界对纳粹集中营的关注。[269]

71

1933 年，数百篇关于集中营的文章出现在世界各地的报纸和杂志上。很多文章的作者并不是流亡在外的德国人，而是在德国的外国记者。1933～1934 年，《纽约时报》（*The New York Times*）发表了数十篇由美国记者撰写的深度报道。其他外国媒体也差不多。早在 1933 年 4 月 7 日，《芝加哥每日论坛报》（*Chicago Daily Tribune*）就发表了一篇有关符腾堡集中营的文章，记者在文中称犯人们的面貌"令人震惊"。外国记者有时会与一些德国抵抗组织秘密联系。通过这种方式，一名荷兰记者拿到了一封奥拉宁堡囚犯们写的信，信中记述了他们被虐待的情况，造成了舆论轰动。[270]

外国媒体报道的重点往往是一些重要犯人被虐待的情况，这属于公众人物领导的国际运动的一部分。比如 1933 年 11 月，英国首相拉姆齐·麦克唐纳（Ramsay MacDonald）就对汉斯·利滕的安危进行了官方质询。虽然纳粹当局对这种干涉非常愤怒，但一些犯人确实得益于此类来自国外的压力，不过其中并不包括利滕。对于麦克唐纳的干涉，普鲁士的盖世太保拒绝回答关于他的任何问题。而德国外交办公室认为必须对这些"寻衅"的外国运动进行反驳，并展开更广泛的公关活动，提高集中营在国外的形象。[271]

纳粹政权密切关注着国外的意见，对一些重要报道尤其敏感。随着关于早期集中营内暴行的文章不断涌现，偏执的纳粹领导人怀疑这是由犹太人和布尔什维克联手炮制的国际阴谋，就像一战时同盟国的"暴行政治宣传"一样。当时一本流行的纳粹手册就是这样解释的：别国以集中营为借口攻击纳粹德国，手法就和1914年入侵比利时，别国攻击当时的德意志帝国一样。宣传部部长约瑟夫·戈培尔（Joseph Goebbels）在日记中愤怒地写道："就像在一战时一样！"[272]

为什么纳粹官员脸皮这么薄？他们显然很在意一些渗透进德国的重要报告（当时德国国内仍可售卖外国报纸），因为这会给本就热火朝天的谣言作坊添加更多的猛料。[273]而更重要的是他们担心德国在国外的形象。1933年，德国在国际上的地位仍然处于弱势。希特勒必须在国际舞台上谨言慎行，让其他领导人相信自己是一个热爱和平的人——即使没有关于集中营暴行的不断报道，这也是个非常艰巨的任务。[274]

为了平息国外的批评指责，德国官员们针对外国记者召开了新闻发布会，并且邀请他们参观几个特定的集中营。这些集中营此前已经做好了充分的准备。[275]但纳粹官员们自己也认为这是一着险棋。[276]一些记者并没有被蒙蔽，而有些粗糙的政治宣传还起了反效果。1933年9月19日，伦敦《泰晤士报》（Times）刊登了一份详细的目击报告，其中把奥拉宁堡集中营前囚犯路德维希·莱维（Ludwig Levy）称为冲锋队酷刑的受害者。而身在德国的路德维希·莱维以读者来信的方式反驳了这篇文章，高度赞扬了自己受到的"全面良好甚至带有敬意"的对待。原文的作者亲自写了一封回信，提供了关于虐待更加具体的细节：

我和莱维医生被关在奥拉宁堡集中营的同一个房间里……我亲眼见到莱维医生左眼被打得乌青，还有血流了出来。两星期后，他的右眼也跟左眼一样了。两次都是在莱维和集中营"领导们"谈话之后。我也多次见到他像我们所有人一样，被看守们拳打脚踢。

我不怪莱维医生此前在贵报上发表的声明。因为我充分理解，他现在还住在波茨坦（位于柏林郊外），一定承受着巨大的压力。[277]

不过，纳粹的公关活动也取得了一定的成功，特别是利用了西方国家对共产主义的恐惧。一些国外的新闻编辑开始出版有关德国的正面故事，或者对负面故事变得谨慎起来。[278]一些外交官员也被蒙骗了，其中就有英国在德累斯顿的副领事。他在一份报告中激情澎湃地写下了自己在 1933 年 10 月参观萨克森州的霍恩施泰因集中营（Hohnstein）的经历。该营属于早期最糟糕的集中营之一，至少有 8 名囚犯死亡。但副领事赞扬它"从各方面看都是一个模范"，冲锋队队员都很杰出，而囚犯们也给人一种"特别满足的印象"。[279]

纳粹政治宣传的目的是让持怀疑态度的外国听众相信，集中营是一个有序的、善意的机构，它能将恐怖分子转化为良民。[280]这个理念在 1933 年 9 月 30 日的一个专题广播报道中体现得淋漓尽致。这是为德国国际广播电台制作的，取材于奥拉宁堡集中营，目的是反驳国外那些"谎言与关于暴行的谣言"。在这段不算短的报道中，记者走访了操场、食堂、宿舍。指挥官舍费尔一路陪伴记者，夸耀了给左翼罪犯提供的得体待遇，以及由自己的冲锋队手下打造的良好纪律。这段广播甚至有针对囚犯们的采访，其中就包括了下面这段对话：

> （记者）这位站在我面前的德国人是一名曾被煽动闹事的共产党员。他不认识我，我也不认识他。他刚刚被叫出来回答问题，事先并没有准备……你不要担心，即使你告诉我们自己的不满之处也不会被惩罚。只要说出真相就好了。
>
> （囚犯）是，先生。
>
> （记者）跟我们说说这里的食物怎么样。
>
> （囚犯）食物很好吃，也很充足。
>
> （记者）……你在这里遭遇过什么吗？
>
> （囚犯）没有，什么都没有。[281]

我们不清楚这个报道是否真的上过广播，或者是否有人被这个明显编排过的报道蒙骗。不过，纳粹政权依然坚持对集中营进行正面宣传——不仅仅在国外，在德国国内也是一样。

纳粹的政治宣传

奥拉宁堡集中营建立还不到一周，当地的纳粹官员便想方设法为其辩解。1933 年 3 月 28 日，一份当地报纸刊登的文章恰好包含了许多有利于打造纳粹集中营正面形象的元素，这正是纳粹政权希望国内民众相信的。这篇文章的中心思想和其他许多类似的文章一样，表达了囚犯们很享受这种"体面、人道的对待"。集中营的卫生条件非常好，每天的劳动"既不下贱，也不累"。食物也很充足，囚犯们和冲锋队看守们分享同一锅饭菜。囚犯们的军事训练是为了锻炼他们的身体，比冲锋队的训练简单轻松得多。犯人们训练之后还可以在操场上玩游戏。在一天的辛劳结束后，囚犯们可以好好放松，"在夕阳下舒服地犯懒"，手中拿着香烟。而谈到奥拉宁堡集中营的功能时，文章说它不仅保护了人民，让他们免受政治敌人的侵害，也保护了这些政治敌人不被愤怒的人民毁灭。[282] 这就是幻想中的早期集中营：由无私的看守管理的有序机构，他们严格而公平地对待被捕的男人（女人很少被提到，也许是因为拘禁女人有损公共形象），设施齐整，犯人的休闲时间也很充足。"他们没什么可抱怨的"就是此类文章的典型标题。[283]

早期集中营童话般的形象以多种方式传播到第三帝国的各个角落。纳粹官员们在公众演讲中赞颂集中营，并允许在集中营内拍摄新闻影片。[284] 但最主要的传播媒介还是报纸，包括配有犯人工作、锻炼和休闲照片的文章。[285] 除了 1933 年 3 月这篇模板式的关于奥拉宁堡集中营的文章外，此类文章还有一个普遍的特色。它们将早期集中营描绘为通过劳动实现改造和再教育的场所。[286] 只有在很少的情况下文章才会说有些囚犯已经无法挽救。"那些人面兽心的人是无可救药的布尔什维克，"一份地区性的报纸在 1933 年 8 月谈到奥拉宁堡集中营时这样写道，"对这些人来说，劳教是没有用的。"这暗示了集中营的未来。[287]

一些由集中营高官们写就的报告相继出版，包括由奥拉宁堡集中营指挥官维尔纳·舍费尔在 1934 年 2 月完成的一整本书。因为这是唯一一本由集中营指挥官写的书，所以在当时引起了不小的轰动。书一共卖出了数万本，在几份地区性报纸上连载，连纳粹党领导人们也阅读过。指挥官舍费尔还送给了阿道夫·希特勒一本。还有两千本作为戈培尔宣传活动的一部分，

74

被送往国外的德国大使馆。[288] 在书中，舍费尔所述的集中营和官方说法相当一致。他声称他的手下克服了种种困难——如基础设施不足，囚犯不服从管教——建立了一个以关心、秩序和劳动为基础的模范机构。舍费尔异想天开地将冲锋队看守描述为尽职尽责的"教导员"与"心理辅导员"，倾尽全部心血将从前的敌人变为"对德国社会有用的人"。为了证明他的观点，舍费尔的书中还收录了几封前囚犯给他写的信，其中一封赞扬了在集中营中"非常宝贵"的经历，另一封则感谢了舍费尔本人，"感谢对我的优待，以及其他一切"。[289]

虽然具有讽刺意味，但利用囚犯是纳粹公关战略的关键一环。引用囚犯们满意度十足的证言已经成了德国报纸的家常便饭。[290] 这种行为在 1933 年 11 月 12 日达到顶峰，纳粹政府举办了一次暗箱操作的全民公投。早期集中营的囚犯被"允许"参与投票，不过结果很容易预测：根据慕尼黑媒体报道，几乎全部达豪集中营的囚犯都投票支持第三帝国。[291] 这滑稽的结果不是证明了囚犯们支持政府，而是证明了达豪集中营党卫队恐怖行动的效果显著。在大选前一周，一名巴伐利亚州高级官员警告囚犯说，投反对票的人将被当作叛徒对待。在大选当日，党卫队看守提醒囚犯们，如果想要重获自由就必须投赞成票。大多数囚犯也是这样做的，因为他们知道党卫队发明了一种可以分辨每一张选票的系统。[292] 而囚犯们也很清楚不服从的话没有好下场；在勃兰登堡集中营，一名投了反对票的共产党员被折磨致死。[293]

75　　官方制造舆论声势——赞颂集中营的"美好"形象——根本上是为了反驳国外的"暴行报道"。比如，妄自尊大的指挥官舍费尔就称他的奥拉宁堡集中营是世界上最受"诽谤"的集中营，而他管自己的书叫"反棕皮书"。[294]但纳粹对国外批评的愤怒通常不过是做做样子，他们真正要解决的是一个更加要紧的问题——德国国内的传言。早期，官方时不时承认最担心的还是国内的公众舆论。正如 1933 年 3 月 28 日一篇关于奥拉宁堡集中营的文章所言，所有"关于残酷鞭打"的传言都是"无稽之谈"。一周前，海因里希·希姆莱为达豪集中营揭幕的时候也说了同样的话，否认所有关于虐待保护性拘禁犯的传言。[295]达豪集中营前囚犯布鲁诺·贝特尔海姆（Bruno Bettelheim）后来说，这些话是说给纳粹支持者们听的，目的是"消除中产阶级支持者的忧虑，因为他们觉得非法行动会破坏他们生存的根本"。[296]

很难去判断公众对官员们关于"好集中营"表述的反应。支持纳粹的人本来就不甚关注集中营内的暴行，他们很可能会相信，也更愿意相信政府的说法。不过与此同时，很多旁观者还是能够看穿这些烟幕弹。并不只有维克托·克伦佩雷尔一个人怀疑那份 1933 年 11 月的关于绝大多数囚犯都投票给纳粹的报告。[297]而关于暴力和酷刑的传言依然存在，不断破坏着官方的宣传。

有时，纳粹官员自己的言论也与官方口径相矛盾。在那本轰动一时的书中，指挥官舍费尔时不时摘下良善的面具，承认囚犯们遭到殴打。[298]其他一些出版物则揭露了对于一些有名囚犯来说，被大肆吹捧的得体的改造劳动其实是打扫公共厕所这样下贱的工作。[299]在达豪，当地的报纸一直在报道集中营内的死亡事件，比如"自杀"或者囚犯"在逃跑时被射杀"，这样的文章揭下了集中营作为和谐的教育机构的伪善面具。但这类文章只在 1933 年出现过，因为当时纳粹的政治宣传机制还未完全建好。在随后的几年里这类文章就全部消失了。[300]总而言之，与官方口径不一致对政权没什么好处。当局并没有宣扬集中营内的暴力，而是试着消灭四散的流言。

76　　与"暴行谣言"抗争

1933年6月2日，一份达豪的报纸刊登了冲锋队最高指挥官的一项指示，似乎预示着接下来发展的不祥趋势。标题是《警告!》，内容是告知当地民众，有两人因为向集中营内偷看而被捕："他们称从墙上向里偷看是出于好奇，想看看营地里什么样。为了实现他们的愿望、满足他们饥渴的好奇心，我们将其在集中营内关了一夜。"指示后面还写道，其他"好奇之人"会被给予"机会以更久地研究集中营"。这已经不是当局第一次警告达豪居民远离集中营了。[301]

虽然有这样的威胁，但如达豪一样的早期集中营的官员们发现，几乎无法阻止外界的窥探。于是，一些本地官员将犯人们带到更加隐蔽的地方。1933年9月在不来梅（Bremen）就是如此，建设在居民区中的密斯勒集中营（Missler）被关闭，大部分囚犯都被转移到了建在城外偏僻河堤上的一艘大拖船上，那里成了新营地。[302]

纳粹还在不断威胁泄密者。自1933年春天起，报道所谓"暴行谣言"的报纸、广播将面临惩罚。[303]根据1933年3月21日生效的《抵抗恶意攻击法令》，"不实或大幅度夸张"、会对政权造成"严重损伤"的言论被定义为犯罪。在此基础上，新成立的特别法庭给出了示范性的判决。[304]被告是一些住在集中营附近的当地人，比如一个工匠晚上在柏林的一条街道上和两个人闲谈，向他们讲述了奥拉宁堡集中营里的暴行。这个工匠最终被揭发并被判处一年徒刑。"这类谣言，"法官认为，"必须被严肃处理，以此来警示其他人不要做同样的事。"[305] 一些远离集中营的人也被定了罪。比如在 1933 年 8 月，慕尼黑特别法庭判决几名工人 3 个月监禁，因为他们讨论德国共产党代表弗里茨·德雷塞尔在达豪的死。在汉斯·拜姆勒出书之前这事就已在巴伐利亚州广为人知。这些工人当时在距达豪集中营以东 125 英里远的伍兹多夫（Wotzdorf）的一个石匠小屋里谈论这件事。[306]

官方的严打引发了对政权还有集中营的更多嘲讽，就像下面这则关于达豪的笑话：

> 两个人在街上碰见了。一个人问道："你又被放出来了啊？集中营里怎么样？"
>
> "棒极了！可以在床上吃早餐，可以选咖啡或者巧克力。之后锻炼一会儿。午饭我们有汤有肉，还有甜点。下午我们一般玩会儿游戏，之后有咖啡和蛋糕，接着睡一小觉。然后我们会在晚饭之后看电影。"
>
> 这个人很震惊："这么棒！我最近还跟迈尔（Meyer）聊过，他也被关在那里，你们说的话完全不一样啊。"
>
> 另一个人别有深意地点点头然后说："是啊，要不他怎么又进去了呢？"[307]

纳粹政府迫切地想让批评者安静下来，他们开始针对前犯人的亲属，因为他们往往更了解那些可怕的真相。其中一个就是死去的弗里茨·德雷塞尔的妻子，她被关进了斯塔德海姆监狱。[308] 而辛塔·拜姆勒自 1933 年春天被抓之后被监禁了几年之久。纳粹以此要挟她丈夫不要再揭露关于达豪集中营的事。这种出于报复或胁迫的目的关押犯人亲眷的行为（后来被称为"连坐"）只会让国外的批评越发猛烈。1934 年初，德绍（Dessau）的政治警察将伊丽莎白·塞格（Elisabeth Seger）和她还在襁褓中的女儿雷娜特（Renate）关进了罗斯劳集中营（Rosslau），因为她的丈夫格哈特从奥拉宁堡集中营逃了出来。这一事件最终酿成了一次公关灾难。在 1934 年 3 月 18 日伦敦的一次新闻发布会上，格哈特·塞格谴责了纳粹政权的报复行动。他所写的书在德国内部广为流传，现在又谴责纳粹政权"夺走了我的妻子和孩子"，引得英国舆论一片哗然，甚至传到了希特勒的耳中。来自英国媒体和政客持续不断的压力迫使德国政府最终释放了母女二人，她们最终在国外和格哈特·塞格团聚。[309]

一些狂热的纳粹分子并没有就此罢手，而是重新将谋杀作为平息流言的手段。1933 年 10 月 1 日，达豪推出了新的管理条例。指挥官艾克威胁囚犯们，任何搜集和传播"集中营暴行宣传"的人都将被处死。不到三周，他的警卫们就发现一名囚犯试图偷偷将党卫队犯罪的证据偷传到国外，艾克将他的威胁付诸现实。在海因里希·希姆莱的支持下，达豪指挥官称嫌疑人试图向捷克斯洛伐克提供"暴行宣传片"的素材，他发誓要让这些人付出代价。党卫队怀疑五名囚犯涉及此案，其中三人是犹太人，另外两人不是，他们全被关进了地牢。等待他们的只有死亡。第一个死去的是威廉·弗朗茨（Wilhelm Franz，负责监督犯人通信的审头），而戴尔文·卡茨（Delvin Katz，一位医务室的护理员）医生在受酷刑之后被党卫队队员于 1933 年 10 月 18 日晚勒死。第二天，艾克对所有囚犯宣布他们已经死了，并且暂时停止了通信和释放（由希姆莱批准）。根据一位目击者称，艾克给囚犯们传达了一个令人胆寒的消息，其中一句故弄玄虚的话很好地总结了早期集中营的特点："我们这里还有足够多的橡树，足够将每一个背叛我们的人吊死。"艾克警告说："我再说一遍，我们达豪集中营没有暴行，也没有契卡的地窖。"[310]

当囚犯们被从早期集中营中释放之后，这些威胁仍一直萦绕在他们心中。集中营给他们身体上留下了许多深刻的、无法磨灭的伤痕。除了肉眼可见的伤疤之外，还有恐惧、侮辱、羞愧所留下的心灵创伤。许多男人发现很难带着那些伤害他们男子汉尊严的记忆，那些因恐惧而求饶、哭泣及羞辱自己的记忆活下去。[311]因为这些恐怖的经历，以及政权对"暴行谣言"的打压，马丁·格林维德等前囚犯需要有极大的勇气才敢站出来揭露集中营，继续与独裁政权对抗。很多左翼活动家不出意外地放弃了抵抗。早在 1933 年夏天，共产党地下领导人便警告忠诚的支持者们，许多被释放的同志都"变节"了，他们出于恐惧跟组织决裂了。[312]这种恐慌也感染了纳粹的其他政敌。自纳粹亮出恐怖獠牙的那一刻起，他们便缩回各自的小圈子里了。[313]就这样，有关早期集中营的暴行与虐待的流言为纳粹独裁铺好了路，沉重地打击了抵抗力量。[314]

当然，震慑只是早期集中营的功能之一。自一开始，纳粹集中营就是一个多功能的武器。达豪等集中营里的改革、特殊建筑、行政手续以及日常活动等都为未来打下了重要的基础。党卫队集中营的一些核心特点无疑从早期就已浮现，但和后期的党卫队集中营系统仍有很大的区别。在纳粹执政一年之后，德国的各个州仍处于各自为政的阶段，而协调统一的国家集中营网络还未出现。早期的集中营在外观、掌舵人和囚犯待遇上各有不同。1934 年早期，集中营的未来仍然未定。事实上在这个时候，集中营未来在第三帝国是否存在还是个问题。[315]

注 释

1. Beimler, *Mörderlager*（首次出版于 1933 年），quotes on pages 56 – 57。其他的细节，参见 Zámećník, *Dachau*, 30（n. 44）；DaA, A – 1281, "Aus dem Dachauer Konzentrationslager," *Amperbote*, May 11, 1933；StAMü, StA 34453/1, Bl. 44 – 46：Zeugenvernehmung J. Hirsch, December 27, 1949（感谢 Chris Dillon 提供的这个以及其他关于拜姆勒的资料）；Dillon, "Dachau," 234 – 35。

2. Quote in Beimler, *Mörderlager*, 10. See also Seubert, "'Vierteljahr,'" 80.

3. Mühldorfer, *Beimler*, 78 – 114；Richardi, *Schüle*, 7 – 8；Büro, *Reichstagshandbuch 1932*, 37；Herker-Beimler, *Erinnerungen*, 14, 26 – 27.

4. Quote in DaA, A – 1281, "Aus dem Dachauer Konzentrationslager," *Amperbote*, May 11, 1933. 更概括的叙述参见 Dillon, "Dachau," 35 – 36, 51 – 53。

5. Quotes in StAMü, StA Nr. 34479/1, Bl. 93 – 97：Lebenslauf H. Steinbrenner, n. d.（c. late 1940s）, Bl. 95；Beimler, *Mörderlager*, 28 – 29. See also ibid., 25 – 26, 31；DaA, 550, M. Grünwiedl, "Dachauer Gefängene erzählen," summer 1934, 6. 1933 年 5 月 1 日前后，拜姆勒从达豪集中营转移到慕尼黑医院，在被医生认为是"装病逃差者"后，1933 年 5 月 4 日他搭着警用车返回了达豪；DaA, 17. 269, BPP, Betreff：Beimler Johann, May 1, 1933；ibid, 17. 270, BPP, Vermerk, May 3, 1933。

6. StAMü, StA Nr. 34479/1, Bl. 93 – 97：Lebenslauf H. Steinbrenner, n. d.（c. late 1940s）. 更概括的叙述，参见 Evans, *Coming*, 159 – 60；Dillon, "Dachau," 36 – 37, 55。

7. 拜姆勒逃跑的具体情况至今仍不清楚（尝试重现当时的场景，参见 Richardi, *Schule*, 14）。前看守和囚犯们都提到过这两名党卫队队员的参与；StAMü, StA Nr. 34453/1, Bl. 44 – 46；Zeugenvernehmung J. Hirsch, December 27, 1949；ibid., Nr. 34465, Bl. 48 – 49；Zeugenvernehmung J. Nicolai, January 21, 1953；DaA, 550, M. Grünwiedl, "Dachauer Gefangene erzählen," summer 1934, 6 – 7。

8. Quote in StAMü, StA Nr. 34453/1, Bl. 44 – 46；Zeugenvernehmung J. Hirsch, December 27, 1949. See also DaA, 550, M. Grünwiedl, "Dachauer Gefangene erzählen," 6.

9. Quote in DaA, A – 1281, "Aus dem Dachauer Konzentrationslager," *Amperbote*, May 11, 1933. See also DaA, 550, M. Grünwiedl, "Dachauer Gefangene erzählen," 6；Polizeifunknachrichten, May 10, 1933, in Michaelis and Schraepler, *Ursachen*, vol. 9, 364；Mühldorfer, *Beimler*, 123；Internationales Zentrum, *Nazi-Bastille*, 79.

10. 引用的纳粹官员的话语和其他细节，参见 PAdAA, Inland II A/B, R 99641, Bay。MdI to RdI, January 26, 1934. See also Mühldorfer, *Beimler*, 14 – 15, 125 – 29；DaA, A – 1281, "28 Volksschädlinge verlieren deutsche Staatsangehörigkeit," November 4, 1933；Richardi, *Schule*, 15 – 17；Drobisch and Wieland, *System*, 170 – 71；Beimler, *Four Weeks*. 拜姆勒的明信片和话语，参见 interrogation Michael S., June 14, 1939, *NCC*, doc. 300。

11. Rubner, "Dachau," 56 – 57；Dillon, "Dachau," 154.

12. *Verhandlungen des Reichstag* (1938), quotes on 3. See also Domerus, *Hitler*, vol. 2, 664.

13. 例子参见 address by Himmler to the *Staatsräte*, March 5, 1936, *NCC*, doc. 78。

14. 此处（和以下）都引用了 Wachsmann and Goeschel, "Introduction"。

15. 这些观点参见 Aly, "Wohlfühl-Diktatur"。详情参见 Gellately, "Social Outsiders," 57 – 58。对此的辩驳，参见 Eley, "Silent Majority?," 553 – 61。

16. 关于"民族共同体"概念的双推力，早期研究参见 Peukert, *Inside*, 209。最近的可参见 Wachsmann, "Policy," 122 – 23。

17. 一般来说是在 1918 年，参见 Mason, "Legacy"。

18. Quote in Broszat, "Konzentrationslager," 328.

19. Reichardt, *Kampfbünde*, 87 – 88, 99, 616, 698 – 99. 柏林的政治暴力参见 Swett, *Neighbors*。

20. 纳粹的号召力，参见经典研究 Allen, *Seizure*。另参见 Weisbrod, "Violence"。

21. 国会纵火案，参见 Hett, *Burning*, quote on 16（感谢 Ben Hett 与我分享他的手稿）。更早的记录参见 Kershaw, *Hubris*, 456 – 60, 731 – 32；Evans, *Coming*, 328 – 31。

22. 名单参见 Hett, *Crossing*, 178 – 79；idem, *Burning*, 35 – 36；Tuchel, *Konzentrationslager*, 96 – 97。普鲁士警方领导下令在 1933 年 2 月 27 日下午对共产党迅速采取行动——包括保护性拘禁——这是在国会纵火案之前几个小时（Hett, *Burning*, 36 – 37）。这证实了一些纳粹官员参与纵火的可能性。

23. Hett, *Crossing*, 158 – 59, quote on 159. See also Mühsam, *Leidensweg*（首次出版于 1935 年），24；Mühldorfer, *Beimler*, 86；Suhr, *Ossietzky*, 201。关于利滕，参见 Bergbauer et al. , *Denkmalsfigur*。

24. *VöB*, March 2, 1933. See also Tuchel, *Konzentrationslager*, 100.

25. 这一段和前一段参见 Longerich, *Bataillone*, 165 – 79；Schneider, "Verfolgt"；Mayer-von Götz, *Terror*, 51 – 56, 62, 80 – 81, 118；Hett, *Burning*, 16, 155；Browder, *Enforcers*, 39, 77；Roth, "Folterstätten," 9 – 10；Helbing, "Amtsgerichtsgefängnis," 250 – 52。关于克珀尼克，参见 Hördler, *SA-Terror*。

26. Quotes in Tuchel, *Konzentrationslager*, 52；Bracher, *Diktatur*, 229.

27. 这个过程参见 Kershaw, "Working"。关于纳粹的统治，参见 idem, *Dictatorship*。

28. Quote in GStA PK, I. HA Rep. 84a, Nr. 3736, Göring to Oberpräsidenten et al. , February 22, 1933. See also Tuchel, *Konzentrationslager*, 45 – 53；Gruchmann, *Justiz*, 320 – 21；Allen, *Seizure*, 157.

29. Graf, "Genesis"；Browder, *Enforcers*, 30 – 31, 78；Gellately, *Backing*, 17 – 18.

30. Quote in "Der neue Geist im Münchner Polizeipräsidium," *VöB*, March 15, 1933. 其他掌握警察力量的纳粹高官，参见 Wilhelm, *Polizei*, 39。

31. Wachsmann, "Dynamics," 18.

32. Lüerβen, "'Wir,'" 161, 467 – 71；Knop et al. , "Häftlinge," 55；Baganz, *Erziehung*, 119 – 21；Krause-Vilmar, *Breitenau*, 49, 55, 65；Kienle, "Heuberg," 48 – 50；Mayer-von Götz, *Terror*, 92 – 95；Roth, "Folterstätten,"

5；Evans, *Coming*, 334. 跟地毯式逮捕共产党员相比，纳粹当局在拘禁社会民主党人和工会干部时更有选择性，通常更注重高层的重要人物。

33. Caplan，"Gender，"88；Kienle，"Gotteszell"；Mayer-von Götz，*Terror*, 102 – 103.

34. Herker-Beimler, *Erinnerungen*, 17, 21. See also Distel, "Schatten."

35. 在德国刑事监禁所，每天平均的囚犯数目从约 63000 人（1932年）增加到约 95000 人（1933 年），虽然有的囚犯不是政治敌人；Wachsmann, *Prisons*, 69, 392 – 93。

36. BArchB, NS 19/4014, Bl. 158 – 204：Rede des Reichsführers SS vor Generälen der Wehrmacht, June 21, 1944, Bl. 170.

37. Quote in Fraenkel, *Dual State*, 3. 所谓的国会纵火案法令转载于 Hirsch et al., *Recht*, 89 – 90. 有关法令，参见 Raithel and Strenge，"Reichstagsbrandverordnung"。1933 年前不受法律管辖的拘禁，参见 Caplan，"Political Detention，"26 – 28。

38. Drobisch and Wieland, *System*, 37 – 38, 104 – 105, 136；BArchB, R 43 II/398, Bl. 92：Übersicht Schutzhaft, n. d.；Tuchel, *Konzentrationslager*, 103, 107.

39. 一些细节参见 Drobisch and Wieland, *System*, 29, 31 – 36。

40. SA Gruppenführer Schmid to MPr Siebert, July 1, 1933, *NCC*, doc. 11. 关于混乱的拘捕状况，参见 Baganz, *Erziehung*, 69 – 73。

41. 我用"早期集中营"一词——由卡林·奥尔特提出（*System*, 23 – 26）——涵盖了所有的法外拘禁地点，从冲锋队的刑房到监狱里保护性拘禁犯的牢房。尝试对早期纳粹集中营进行分类，参见 Tuchel, *Konzentrationslager*, 42 – 45。重要的评估参见 Wachsmann and Goeschel, "Introduction，"xv。

42. 这些词语参见 Baganz, *Erziehung*, 58 – 61。

43. Tuchel, *Konzentrationslager*, 107；Gruchmann, *Justiz*, 573.

44. 这一点参见 Caplan，"Political Detention，"30。

45. Ayaβ, *Breitenau*, 14, 244, 250 – 51；Caplan，"Political Detention，"22, 29 – 30；*OdT*, vol. 2, 160 – 68.

46. Wachsmann，"Dynamics，"19；Baganz, *Erziehung*, 81 – 82；Drobisch and Wieland, *System*, 31, 45. 1932 年，巴伐利亚监狱（不包括乡村监狱）平均每月成人囚犯的数目保持在 4493 人；BayHStA, MJu 22663。

47. Herker-Beimler, *Erinnerungen*, 17 – 21；*OdT*, vol. 2, 169 – 70；

Moore，"Popular Opinion，" 68. 1933 年其他关押保护性拘禁女犯人的场所，参见 Riebe，"Frauen，" 125 – 27。

48. 艾夏赫（Aichach）监狱里的牢房，参见 StAMü，Strafanstalt Aichach Nr. 27，Letter，Margarete J.，September 3，1933。

49. LBIJMB，MF 425，L. Bendix，"Konzentrationslager Deutschland，" 1937 – 38，vol. 1，5 – 18. See also Bendix，*Berlin*. 其他例子参见 Kienle，"Gotteszell，" 69 – 70；Krause- Vilmar，*Breitenau*，118 – 19。

50. LBIJMB，MF 425，Bendix，"Konzentrationslager Deutschland，" 1937 – 38，vol. 1，quotes on p. 8. See also Wachsmann，*Prisons*，187；Mayer-von Götz，*Terror*，60.

51. *OdT*，vol. 2，212 – 13；Wisskirchen，"Schutzhaft，" 139 – 41，145 – 47；Rudorff，"Schutzhaft."

52. Wachsmann，*Prisons*，172 – 73.

53. L. Pappenheim to District President Kassel，March 31，1933，in Krause-Vilmar，*Breitenau*，73. 此时，德国犹太裔社会民主党政治家路德维希·帕彭海姆（Ludwig Pappenheim）在施马尔卡尔登（Schmalkalden）监狱里处于"保护性拘禁"状态。他于 1934 年 1 月 4 日在内森萨斯特姆（Neusustrum）的早期集中营内被冲锋队看守杀害；ibid，191 – 203。

54. 比如，把汉斯·利滕于 1933 年 4 月在松嫩堡（Sonnenburg）早期集中营内遭受的虐待和几周后他在施潘道监狱所受的温和对待进行对比；Hett，*Crossing*，171 – 73。

55. 其中一个例子参见 Roth，"Folterstätten，" 14。详情见 Wachsmann，*Prisons*，59 – 61；Schilde，"Tempelhofer，" 66。

56. 1933 年 9 月 4 日 M. Lahts 的演讲，*NCC*，doc. 13；Diercks，"Fuhlsbüttel"。纸面上，富营直到 1933 年 12 月都在司法当局的管理之下，除了经济之外，其他方面都隶属于当地警方（ibid，273 – 74，307）。See also Guckenheimer，"Gefängnisarbeit，" 112；Klee，*Personenlexikon*，301.

57. 摘录的引语来自佐尔米茨的秘密笔记，1933 年 9 月 13 ~ 18 日，1933，*NCC*，doc. 29。See also USHMM，RG – 11. 001M. 20，reel 91，1367 – 2 – 33，Bl. 2 – 3：Berichte aus Hamburg，n. d. ；Jürgens，*Solmitz*；Diercks，"Fuhlsbüttel，" 290；Drobisch and Wieland，*System*，128.

58. 这些呼吁参见 Gruchmann，*Justiz*，573 – 74。

59. IfZ，Fa 183/1，Bl. 269：Wagner to Frank，March 13，1933. See also

Bauer et al. , *München*, 231.

60. 早期集中营的多样性参见 Benz and Distel, *Terror*; idem, *Herrschaft*; idem, *Gewalt*。

61. Baganz, *Erziehung*, 87 – 88.

62. 关于魏玛共和国时期冲锋队在小酒吧的行动，参见 Reichardt, *Kampfbünde*, 449 – 62。

63. Quote in Mayer-von Götz, *Terror*, 56.

64. 仅在萨克森州，1933 年就建立了超过 30 个这样的集中营; Baganz, *Erziehung*, 24, 78 – 81。

65. Mayer-von Götz, *Terror*, 19, 23 – 24, 56 – 60; Reichardt, *Kampfbünde*, 468 – 75. 关于柏林选举的细节参见 "Wahl zum Deutschen Reichstag in Berlin am 5. 3. 1933," sent by Landeswahlleiterin Berlin to the author, October 4, 2011。

66. USHMM, RG – 11. 001M. 20, reel 91, 1367 – 2 – 33, Bl. 19 – 20: Bericht Justizrat Broh, n. d. 关于布若，参见 Liebersohn and Schneider, "*My Life*," 47。因为他的犹太血统，布若受到的折磨更多。

67. 这点首先出现在 Tuchel, *Konzentrationslager*, 38 – 42。See also idem, "Organisationsgeschichte," 12 – 13. 关于折磨和 "招供"，参见 Diercks, "Fuhlsbüttel," 286 – 87; Roth, "Folterstätten," 16 – 17; LG Nuremberg-Fürth, Urteil, November 29, 1948, *JNV*, vol. 3, 580 – 82。

68. Dörner, "Ein KZ. "

69. Seger, "Oranienburg"（首次出版于 1934 年），quotes on pages 26 – 27。See also Drobisch, "Oranienburg," 18. 其他的集中营参见 Drobisch and Wieland, *System*, 108 – 14; Mayer-von Götz, *Terror*, 74, 121 – 32; Baganz, *Erziehung*, 159 – 71; Rudorff, "'Privatlager,'" 158 – 60。

70. 数据见 Morsch, *Oranienburg*, 220。

71. Améry, *Jenseits*（首次出版于 1966 年），47。

72. Langhoff, *Moorsoldaten*, 162. 其他的例子，参见 ibid. , 70, 77, 88 – 89, 195。

73. 背景参见 Goffman, *Asylums*。

74. 暴力成了一种沟通的形式，参见 Keller, *Volksgemeinschaft*, 422。

75. Quotes in Burkhard, *Tanz*, 22. 其他的例子参见 JVL, JAO, Review of Proceedings, *United States v. Weiss*, n. d. （1946），29。

76. Mailänder Koslov, *Gewalt*, 418.

77. Seger, "Oranienburg," 57; Mayer-von Götz, *Terror*, 120.

78. Neurath, *Gesellschaft*（完成于 1943 年），30 – 37。

79. Ibach, *Kemna*, 18. 女性所受的折磨，参见 Mayer-von Götz, *Terror*, 80, 101。

80. Mayer-von Götz, *Terror*, 125, 137 – 46. See also Bernhard, "Konzentrierte," 235 – 36.

81. 达豪的情况参见 DaA, 550, M. Grünwiedl, "Dachauer Gefangene erzählen," summer 1934, 20; Zámečník, *Dachau*, 46。其他的例子参见 USHMM, RG – 11.001M.20, reel 91, 1367 – 2 – 33, Bl. 19 – 20：Bericht Justizrat Broh, n. d. ; Abraham, "Juda," 131 – 33。

82. Bendig, "Unter Regie," 100; Rudorff, "Misshandlung," 51 – 52; Moore, "Popular Opinion," 117; USHMM, RG – 11.001M.20, reel 91, 1367 – 2 – 33, Bl. 2：Bericht aus Staaken, n. d. ; Baganz, *Erziehung*, 133 – 35.

83. 例外的情况，参见 Rudorff, "Misshandlung," 42。

84. Mayer-von Götz, *Terror*, 112 – 13; Baganz, *Erziehung*, 151.

85. StAMü, StA Nr. 34479/1, Bl. 93 – 97：Lebenslauf H. Steinbrenner, n. d. (c. late 1940s). See also Dillon, "Dachau," 57, 59, 141.

86. 一些失业的冲锋队队员的确恳求过当局，让他们在当地的集中营工作; Moore, "Popular Opinion," 142。

87. Dillon, "Dachau," 45, 141; Baganz, *Erziehung*, 149; Stokes, "Das oldenburgische Konzentrationslager," 190 – 96; Reichardt, *Kampfbünde*, 330 – 31; Drobisch and Wieland, *System*, 54; Tooze, *Wages*, 48, table 1.

88. Mayer-von Götz, *Terror*, 117 – 18; Baganz, *Erziehung*, 152; Lüerβen, "'Moorsoldaten,'" 177. 关于报酬，参见 Seubert, "'Vierteljahr,'" 73; BArchL, B 162/7998, Bl. 623 – 44：Vernehmung J. Otto, April 1, 1970, Bl. 623 – 24。

89. 关于"多余的一代"，参见 Peukert, *Weimar*, 18, 89 – 95。详情参见 Reichardt, *Kampfbünde*, 384 – 86, 703 – 707。看守们的背景，参见 Dillon, "Dachau," 29 – 30; Krause-Vilmar, *Breitenau*, 147 – 48; Diercks, "Fuhlsbüttel," 275; Lechner, "Konzentrationslager," 89 – 90。

90. Reichardt, *Kampfbünde*, 697 – 99, 712, 719; Drobisch and Wieland,

System, 96.

91. Schäfer, *Konzentrationslager*, 21. 详情参见 Dillon, "Dachau," 39 –
40；Reichardt, *Kampfbünde*, 617 – 24；Moore, "Popular Opinion," 48 – 50。

92. 那些旗帜，参见 Mayer-von Götz, *Terror*, 123。绝对的权力和施暴
之间的联系，参见 Zimbardo, *Lucifer*, 187。

93. Baganz, *Erziehung*, 97 – 98, quote on 189.

94. Ecker, "Hölle," 25. 一些例子参见 Stokes, "Das oldenburgische
Konzentrationslager," 196；Ibach, *Kemna*, 22；Morsch, "Oranienburg—
Sachsenhausen," 121 – 22。

95. Dillon, "Dachau," 47 – 51；Knop et al., "Häftlinge," 47 – 48；
Wohlfeld, "Nohra," 116 – 17.

96. Dillon, "Dachau," 67 – 68. See also Wachsmann, *Prisons*, 36；ITS,
ARCH/HIST/KL Kislau, Bl. 59 – 72：Wachvorschrift, July 12, 1933.

97. Seger, "Oranienburg," 28 – 30；Mayer-von Götz, *Terror*, 63, 65, 89,
93, 138.

98. Arendt, "Concentration Camps," 758.

99. 各个集中营的数据，参见 Drobisch and Wieland, *System*, 127 – 31；
Mayer-von Götz, *Terror*, 147 – 52。

100. Quotes in Mühsam, *Leidensweg*, 25；Suhr, *Ossietzky*, 203. 详情参见
Nürnberg, "Außenstelle"；Drobisch and Wieland, *System*, 55；Hett,
Crossing, 161；Litten, *Mutter*, 18；Hohengarten, *Massaker*, 13。

101. Mühsam, *Leidensweg*, 26, 29；Drobisch and Wieland, *System*, 55；
Hett, *Crossing*, 71, 162 – 63；Suhr, *Ossietzky*, 203；Wünschmann, "Jewish
Prisoners," 39. 集中营看守们对知识分子的仇视，参见 Kautsky, *Teufel*,
75 – 76。

102. Quotes in Litten, *Mutter*, 22；Mühsam, *Leidensweg*, 30. See also
ibid., 27 – 29；Suhr, *Ossietzky*, 203 – 205；Buck, "Ossietzky," 22；
Braunbuch（首次出版于 1933 年），287；Hett, *Crossing*, 163。

103. Quotes in Abraham, "Juda," 135. See also ibid., 135 – 36；Seger,
"Oranienburg," 51 – 54（证明这两个人在到达当天并没有遭到虐待）；
BArchB, R 43 II/398, Bl. 99：Gestapa to RK, September 27, 1933；Büro,
Reichstagshandbuch 1933, 121；Danckwortt, "Jüdische 'Schutzhäftlinge,'"
154 – 55。对于即将到来的遣送，参见 Lüerβen, "'Moorsoldaten,'" 169。

重要囚犯的强制劳动情况，参见 Kienle，"Heuberg,"54；Rudorff，"'Privatlager,'"163。

104. 汉斯·利滕因为有犹太血统，根据后来的《纽伦堡法案》，他被官方认定为"半犹太人"（他的母亲是新教徒，他的父亲从犹太教皈依了新教）；Hett, *Crossing*, 7。

105. Quote in Kraiker, Suhr, *Ossietzky*, 103.

106. 有关的估算，参见 Wünschmann, "Jewish Prisoners,"86, 89。

107. 1933 年夏天的人口普查显示，德意志帝国里有 50 万人信奉犹太教，占总人口的 0.77%；Friedländer, *Nazi Germany*, 15, 338。纳粹的统计学家将这个数据定得更高，包括了已经皈依或者没有宗教信仰的德国犹太人。

108. 据估计，1933 年有超过 20 万囚犯经受住了早期集中营的折磨。

109. 1932 年，德国共产党的国会代表里没有一个是犹太人；Friedländer, *Nazi Germany*, 106。

110. 萨克森州内政部致警察局，1933 年 4 月 18 日，参见 Wünschmann, "Cementing,"583（原文中就有强调）。关押犹太律师，参见 Wünschmann, "Jewish Prisoners,"52。

111. SA-Gruppe Berlin-Brandenburg, Gruppenbefehl Nr. 28, May 24, 1933, cited in Mayer-von Götz, *Terror*, 99.

112. 出于非政治性原因而关押德国犹太人，参见 Wünschmann, "'Natürlich,'"100–103。

113. 冲锋队和党卫队的反犹太主义，参见 Reichardt, *Kampfbünde*, 631–43；Szende, *Zwischen*, 40–41。

114. Quote in Beimler, *Mörderlager*, 28. 详情参见 Wünschmann, "Jewish Prisoners,"76, 82–83, 95。

115. Quote in report by R. Weinmann, November 13, 1933, *NCC*, doc. 30. 详情参见 Sofsky, *Violence*, 168。

116. Quote in StAMü, StA Nr. 34479/1, Bl. 93–97；Lebenslauf H. Steinbrenner, n. d. (c. late 1940s), Bl. 94. 其他的例子参见 Mühsam, *Leidensweg*, 27；Megargee, *Encyclopedia*, vol. I/A, 51。

117. Quotes in Abraham, "Juda,"135–36. 早期集中营里通过强制劳动折磨犯人的其他情况，参见 Endlich, "Lichtenburg,"30–31；Lüerβen, "'Moorsoldaten,'"169；Meyer and Roth, "Zentrale,"207–208；*NCC*, doc.

30。

118. Wünschmann, "Jewish Prisoners," 89, 95 – 101. See also Meyer and Roth, "Zentrale," 191 – 92, 200.

119. Quotes in Dr. Mittelbach to Daluege, April 10, 1933, in Michaelis and Schraepler, *Ursachen*, vol. 9, 360 – 62; Litten, *Mutter*, 29. See also Mühsam, *Leidensweg*, 29 – 31; Hett, *Crossing*, 164, 171.

120. Quote in Graf, "Genesis," 424. See also ibid., 423 – 24; Tuchel, *Konzentrationslager*, 54 – 55, 57, 62 – 65; Drobisch and Wieland, *System*, 55.

121. Wohlfeld, "Nohra," 110 – 13, 119 – 20.

122. Drobisch and Wieland, *System*, 42, 135; Baganz, *Erziehung*, 218 – 21; Roth, "Folterstätten," 18.

123. Noakes and Pridham, *Nazism*, vol. 1, 171; Kershaw, *Hubris*, 501 – 502.

124. Drobisch and Wieland, *System*, 134.

125. Meyer and Roth, "Zentrale," 189 – 91; *NCC*, doc. 7.

126. 例子参见 Kienle, "Konzentrationslager"; Baganz, *Erziehung*, 108 – 13, 225。

127. 数字参见 Drobisch and Wieland, *System*, 66; Tuchel, *Konzentrationslager*, 155。

128. 1933 年 7 月 31 日, 26789 名保护性拘禁犯中, 普鲁士州关押了 14906 人; BArchB, R 43 II/398, Bl. 92。

129. MdI Preußen to Regierungspräsident Osnabrück, June 22, 1933, in Kosthorst and Walter, *Strafgefangenenlager*, vol. 1, 59 – 61.

130. Tuchel, *Konzentrationslager*, 60 – 69.

131. PMI to Provincial Administrations, October 14, 1933, *NCC*, doc. 14. See also Tuchel, *Konzentrationslager*, 71.

132. Nürnberg, "Außenstelle," 88.

133. Bendig, "'Höllen,'" 186; Mühsam, *Leidensweg*, 32.

134. Mette, "Lichtenburg," 132 – 35.

135. 埃姆斯兰的集中营参见下文。

136. Hesse, "'Erziehung,'" 122 – 27. 1933 年 10 月 14 日的通告承认只增加了一座集中营, 布劳韦勒 (Brauweiler) 省级机关; PMI to Provincial Administrations, October 14, 1933, *NCC*, doc. 14。其他在普鲁士

地区长官治下的集中营，参见 Tuchel, *Konzentrationslager*, 76。

137. PMI to Provincial Administrations, October 14, 1933, *NCC*, doc. 14.

138. Jenner, "Trägerschaft," 125; Drobisch and Wieland, *System*, 135.

139. PMI to Provincial Administrations, October 14, 1933, *NCC*, doc. 14.

140. Tuchel, *Konzentrationslager*, 49 – 50, 73 – 76, 78 – 80. 党卫队也到了像莫林根和布劳韦勒这样的地方集中营；Hesse, "'Erziehung,'"122; Wisskirchen, "Schutzhaft," 140。

141. Tuchel, *Konzentrationslager*, 80. 对比之下，在布劳韦勒，文职长官显然把党卫队看守管理得井井有条；Wisskirchen, "Schutzhaft," 140 – 41。

142. SA Gruppenführer Ernst to Preußisches MdI, September 8, 1933, in Michaelis and Schraepler, *Ursachen*, vol. 9, 367 – 68; HIA, DD 253/K 769, B. Köhler, "In eigener Sache," 1934, 96 – 97; Tuchel, *Konzentrationslager*, 77.

143. Tuchel, *Konzentrationslager*, 76 – 77, 92 – 93; Drobisch and Wieland, *System*, 68 – 69; Mayer-von Götz, *Terror*, 164 – 67.

144. Rudorff, "Misshandlung."

145. 戈林对普鲁士秘密警察巡视员所说，1934 年 3 月 11 日，*NCC*, doc. 21。

146. Niederschrift der Reichsstatthalterkonferenz vom 22. 3. 1934, in Repgen and Booms, *Akten*, vol. I/2, 1200.

147. Tuchel, *Konzentrationslager*, 85 – 89, 95; Graf, "Genesis," 424.

148. 对埃姆斯兰的早期集中营记载最完整的是 Lüerßen, "'Wir'"; Klausch, *Tätergeschichten*。

149. 此段和前一段，参见 Langhoff, *Moorsoldaten*, 118 – 31, 136 – 37, 165, quote on 130。See also Lüerßen, "'Wir,'" 52 – 55, 344 – 45; Abraham, "Juda," 147 – 48; Knoch, "Konzentrationslager," 292.

150. Lüerßen, "'Moorsoldaten,'" 157 – 61.

151. *OdT*, vol. 1, 211 – 12.

152. Tuchel, *Konzentrationslager*, 103.

153. 希姆莱在国防军课程上的演讲，1937 年 1 月 15 ~ 23 日，*NCC*, doc. 83。此段和前一段，参见 ibid., doc. 135; Lüerßen, "'Wir,'" 96 – 102; Wachsmann, *Prisons*, 98, 102 – 103; Patel, *Soldiers*, 296 – 300。

154. Quote in Langhoff, *Moorsoldaten*, 200 – 201. See also Lüerβen, "'Wir,'" 96, 102 – 105; Fackler, *Lagers Stimme*," 142, 245 – 51.

155. Lüerβen, "'Wir,'" 56 – 58, 76 – 86, 467 – 68; Klausch, *Tätergeschichten*, 30, 67 – 68, 266; Tuchel, *Konzentrationslager*, 80.

156. Klausch, *Tätergeschichten*, 163 – 66; Knoch, "'Stupider Willkür,'" 35 – 36.

157. 此段和前一段，参见 Langhoff, *Moorsoldaten*, 171, 234 – 43; Abraham, "Juda," 148 – 52; Klausch, *Tätergeschichten*, 82 – 90, 95 – 97; Diekmann and Wettig, *Oranienburg*, 109; Schumacher, *M. d. R.*, 175 – 78。Quotes in LG Oldenburg, Anklage gegen Johannes K., 1948, in Kosthorst and Walter, *Strafgefangenenlager*, vol. 1, 68; NLA-StAO, 140 – 45, Nr. 1154, Vernehmung F. Ebert, June 11, 1949.

158. LG Oldenburg, Urteil 1949, in Kosthorst and Walter, *Strafgefangenenlager*, vol. 1, 79 – 84; Klausch, *Tätergeschichten*, 34. 关于 1932 年的动乱，参见 Evans, *Coming*, 285。

159. WL, P. III. h. No. 280, A. Benjamin, "KZ Papenburg und Lichtenburg," c. 1934, quote on 5. See also Klausch, *Tätergeschichten*, 95 – 99, 166; Mette, "Lichtenburg," 133 – 37; Abraham, "Juda," 157 – 61.

160. Klausch, *Tätergeschichten*, 108 – 14, 206 – 12, 230 – 31.

161. Ibid., 281 – 86.

162. Hett, *Crossing*, 200 – 201, 216 – 17; Buck, "Ossietzky," 22 – 23; Kraiker and Suhr, *Ossietzky*, 108; Suhr, *Ossietzky*, 208 – 211; Lüerβen, "'Moorsoldaten,'" 196.

163. Klausch, *Tätergeschichten*, 284 – 85.

164. Tuchel, *Konzentrationslager*, 142 – 43; NSDAP Reichsleitung, Rundschreiben, December 27, 1933, in IfZ, *Akten*, vol. 2, 42.

165. Quote in Breitman and Aronson, "Himmler-Rede," 344. 在演讲中，希姆莱说自己接到任命的日期是 3 月 12 日。实际上他接受任命的日期是 1933 年 3 月 9 日晚。Longerich, *Himmler*, 158 – 59. 关于海德里希，参见 Gerwarth, *Heydrich*。

166. Longerich, *Himmler*, especially pages 158 – 60, 759 – 63. 关于希姆莱早期政治生涯的概述，参见 Mües-Baron, *Himmler*。

167. "Ein Konzentrationslager für politische Gefangene," *Münchner*

Neueste Nachrichten, March 21, 1933, partial translation *NCC*, doc. 5. See also BArchB, R 2/28350, Chronik der SS-Lageranlage in Dachau, March 1, 1938. 关于 1932 年的州级囚犯，参见 BayHStA，MJu 22663。

168. Tuchel, *Konzentrationslager*, 153 - 55; Drobisch and Wieland, *System*, 51. 1933 年 8 月 1 日，达豪关押了 2218 名保护性拘禁犯，而整个巴伐利亚州共有 4152 名保护性拘禁犯; Aronson, *Heydrich*, 325。

169. Rubner, "Dachau," 56 - 59; Ecker, "Hölle," 30; DaA, 550, M. Grünwiedl, "Dachauer Gefangene erzählen," summer 1934, 4; Záme ník, *Dachau*, 51 - 52; Richardi, *Schule*, 6566. 地图参见 Comité, *Dachau* (2005), CD-Rom。

170. Tuchel, *Konzentrationslager*, 125; Drobisch and Wieland, *System*, 51 - 52; Richardi, *Schule*, 54 - 56; Dillon, "Dachau," 51, 67, 139, 155.

171. StAMü, StA Nr. 34479/1, Bl. 93 - 97: Lebenslauf H. Steinbrenner, n. d. (c. late 1940s), Bl. 94. See also DaA, 550, M. Grünwiedl, "Dachauer Gefangene erzählen," summer 1934, 3.

172. Tuchel, "Kommandanten des KZ Dachau," 331 - 32; Internationales Zentrum, *Nazi- Bastille*, 20.

173. Richardi, *Schule*, 58; Orth, *SS*, 99.

174. Seubert, " 'Vierteljahr,' " quotes on pages 90 - 91. See also Wünschmann, "Jewish Prisoners," 79 - 80.

175. Seubert, " 'Vierteljahr,' " 103. See also Dillon, "Dachau," 156, 164.

176. 估值基于的数据来自 Seubert, " 'Vierteljahr,' " 76 - 77; Drobisch and Wieland, *System*, 51。

177. Seubert, " 'Vierteljahr,' " 81 - 92, quotes on pages 90, 120.

178. Wünschmann, "Jewish Prisoners," 83 - 84; idem, "Jüdische politische Häftlinge."

179. 达豪集中营的特别规定，1933 年 5 月，*NCC*, doc. 8。

180. Seubert, " 'Vierteljahr,' " 79, 91 - 96. 此处引用来自希姆莱 1937 年 2 月 18 日在党卫队地区总队长会议上的讲话，*NCC*, doc. 98。

181. 此段和前一段，参见 Gruchmann, *Justiz*, 634 - 39; Richardi, *Schule*, 97 - 113; StAMü, StA Nr. 34479/1, Bl. 93 - 97: Lebenslauf H. Steinbrenner, n. d. (c. late 1940s), Bl. 95。

182. 关于艾克的这一段，参见 Segev, *Soldiers*, 137 – 55, Bürckel quote on 142; Tuchel, *Konzentrationslager*, 128 – 41。See also BArchB（ehem. BDC），SSO, Eicke, Theodor, 17. 10. 1892; Longerich, *Himmler*, 162 – 63; 波尔的证词摘录，1947, *TWC*, vol. 5, 437; Koehl, *Black Corps*, 232; Bernhard, "Konzentrierte,"237。关注直到 1934 年这个时期的传记，参见 Weise, *Eicke*。艾克的雪茄，参见 MacLean, *Camp*, 306 – 307。

183. Dillon, "Dachau," 56, 59 – 60, 69, 157 – 59, 191, 198, 213, 235, quote on 197. 他战后的证词表明，施泰因布伦纳大约在 1933 年 7 月中旬离开了达豪集中营，秋天的时候以指导员的身份又回到了这里，后来成了看守团的一名办公室职员; StAMü, StA Nr. 28791/28, Bl. 39 – 41: Vernehmungsniederschrift H. Steinbrenner, May 12, 1949。

184. Richardi, *Schule*, 179 – 80. 关于韦塞尔，参见 Siemens, *Making*。

185. Burkhard, *Tanz*, 37 – 40; Ecker, "Hölle," 34; Tuchel, *Konzentrationslager*, 143.

186. Disziplinar-u. Strafordnung Dachau, October 1, 1933, *IMT*, vol. 26, 291 – 96, ND: 778 – PS, emphasis in the original。译文利用的是 *NCC*, doc. 150。See also Drobisch and Wieland, *System*, 79 – 80.

187. Wünschmann, "Jewish Prisoners," 84.

188. Quote in Vermerk Dr. Stepp, December 6, 1933, *IMT*, vol. 36, 54 – 55, ND: 926 – D. See also Gruchmann, *Justiz*, 640 – 45; Tuchel, *Konzentrationslager*, 141.

189. Meyer and Roth, "Zentrale," 202, 208. 数据覆盖的时间段为 1933 年 3 月到 1934 年 7 月。

190. LKA Dresden, Vorläufige Bestimmungen, August 5, 1933, in Baganz, *Erziehung*, 377 – 86, p. 380.

191. Comité, *Dachau*（1978）, 204; KZ-Gedenkstätte Dachau, *Gedenkbuch*, 19.

192. Zámečník, *Dachau*, 52 – 55.

193. *VöB*, August 11, 1932, *NCC*, doc. 2; *VöB*, March 13, 1921, *NCC*, doc. 1（译文有一处细微的改动）。1923 年在啤酒馆政变之前起草的纳粹宪法也设想了用集中营关押政敌; Drobisch and Wieland, *System*, 13。

194. See also Tuchel, *Konzentrationslager*, 37. 接下来的内容部分参考了 Wachsmann and Goeschel, "Before Auschwitz," especially pages 525, 529 – 32。

195. 例子参见 Arendt, "Concentration Camps," 748。

196. 其中一个例子参见艾克对利赫滕堡集中营的指示，1934 年 6 月 2 日，*NCC*, doc. 148。

197. Compare "Grundsätze," esp. §48 and §139 – 43, and LKA Dresden, Vorläufige Bestimmungen, August 5, 1933（in Baganz, *Erziehung*, 377 – 86），especially IV and V. 16. f. See also Lechner, "Kuhberg," 86; Hesse, "'Erziehung,'" 120.

198. Wachsmann, *Prisons*, 23, 409; Krohne, *Gefängniskunde*, 354 – 57; Hoelz, "*Weißen Kreuz*"（first published in 1929），302. 达豪的情况，参见 Disziplinar-u. Strafordnung Dachau, October 1, 1933, *IMT*, vol. 26, 291 – 96, ND：778 – PS。1937 年，希姆莱自己将注意力放在了普鲁士州监狱的鞭刑先例上；在国防军课程上的演讲，1937 年 1 月 15～23 日，*NCC*, doc. 83。

199. 在这个体系内平步青云的囚犯之一就是后来奥斯维辛集中营的指挥官鲁道夫·霍斯（Rudolf Höss），他在 1924～1928 年一直都是阶下囚；Wachsmann, *Prisons*, 26 – 27, 34 – 35, 38, 39, 50。

200. 引用自达豪的特别规定，1933 年 5 月，*NCC*, doc. 8。See also Beimler, *Mörderlager*, 29. 其他早期集中营内的等级体系，参见 *NCC*, doc. 13; Baganz, *Erziehung*, 216。

201. Wachsmann, *Prisons*, 21 – 23, 28, 95 – 99, 102.

202. Caplan, "Political Detention." 魏玛志愿劳动服务营和后来的党卫队集中营之间的人事联系，参见 Riedle, *Angehörigen*, 110 – 11。

203. Quote in Bendig, "'Höllen,'" 104. See also Mühsam, *Leidensweg*, 33.

204. 1934～1939 年，几乎所有被任命为集中营指挥官的人都参加过第一次世界大战［有一个例外是弗朗茨·齐赖斯（Franz Ziereis），他出生于 1905 年］，其中至少有四人曾是战俘［海因里希·多伊贝尔（Heinrich Deubel）、卡尔·奥托·科赫（Karl Otto Koch）、汉斯·洛里茨（Hans Loritz）和金特·塔马什科（Günther Tamaschke）］。传记体的总结，参见 Tuchel, *Konzentrationslager*, 371 – 96。

205. Reichardt, *Kampfbünde*, 458 – 59, 566 – 70, 579 – 89, 702; Siemens, *Making*, 66 – 67.

206. Manuscript by P. M. Neurath, 1943, *NCC*, doc. 195.

207. Dillon, "Dachau," 122 – 23.

208. Quotes in BArchB, R 3001/21167, Bl. 62 – 69：KL Dachau,

Dienstvorschriften für Begleitpersonen, October 1, 1933. 点名参见 Suderland, *Extremfall*, 190 – 94。音乐参见 Fackler, "Cultural Behaviour," 608, 614 – 15。

209. Report of a Jewish "reimmigrant," August 1936, *NCC*, doc. 243.

210. 引用自艾克针对埃斯特尔韦根的特殊营指令, 1934 年 8 月 1 日, *NCC*, doc. 149。See also BArchB, R 3001/21167, Bl. 62 – 69; KL Dachau, Dienstvorschriften für Begleitpersonen, October 1, 1933, Bl. 63; Wachsmann, *Prisons*, 24.

211. Richardi, *Schule*, 65. 这个术语只在 1937 年有改变, 不仅是在达豪; Baganz, *Erziehung*, 257。

212. Springmann, "'Sport,'" 96 – 97. 详情参见 Euskirchen, "Militärrituale," 128 – 34。

213. Wiedner, "Soldatenmiβhandlungen."

214. Springmann, "'Sport,'" 89 – 95; *NCC*, doc. 209.

215. Quote in Sopade report, December 1936, *NCC*, doc. 192. See also Langhoff, *Moorsoldaten*, 139 – 40; Richardi, *Schule*, 73 – 74; Sofsky, *Ordnung*, 84 – 85.

216. Caplan, "Political Detention," 41. See also Raithel and Strenge, "Reichstagsbrandverordnung," 450.

217. *Hildesheimer Allgemeine Zeitung*, May 9, 1933, in Drobisch and Wieland, *System*, 27. 详情参见 Moore, "Popular Opinion," 87, 113 – 14。战后的回忆, 参见 Marcuse, *Dachau*, 74; *KL*, epilogue。

218. Quotes in *VöB* (Berlin edition), August 10, 1933; BArchF, BB (Nr. 5), Deutsche Wochenschau, 1933; Rudorff, "'Privatlager,'" 150; Moore, "Popular Opinion," 51, 44. 详情参见 ibid., 30 – 31, 36 – 39, 57; Drobisch and Wieland, *System*, 88 – 94。

219. 例子参见 Gellately, *Backing*, 60, 257。

220. Kershaw, *Hubris*, 456; idem, *Popular Opinion*, 73.

221. *Schleswig-Holsteinische Landeszeitung*, August 28, 1933, in Jenner, "Trägerschaft," 119.

222. 关于这些困难, 参见 Kershaw, *Popular Opinion*, 6。

223. See also Moore, "Popular Opinion," 129.

224. *Sonnenburger Anzeiger*, April 7, 1933, in Nürnberg, "Auβenstelle,"

86. 其他的例子，参见 Rudorff，"'Privatlager,'" 154 – 55；Borgstedt，"Kislau," 220 – 21。在科斯劳（Kislau）的一次公众游行的照片，参见 Hesse and Springer，*Augen*，55。

225. Seger，"Oranienburg," 55 – 56. See also *NCC*，doc. 65；Baganz，*Erziehung*，185 – 87；Krause-Vilmar，*Breitenau*，138 – 39.

226. Rudorff，"Misshandlung," 55；Mayer-von Götz，*Terror*，154 – 55；Moore，"Popular Opinion," 132.

227. Aders，"Terror," 184；Moore，"Popular Opinion," 105 – 107. 有关城镇和集中营之间的联系，参见 Steinbacher，*Dachau*，125 – 80。

228. Oberstes Parteigericht，Beschluss，April 1，1935，in IfZ，*Akten*，vol. 1，56. 科姆纳集中营的情况，参见 Mintert，"Konzentrationslager"。

229. Langhoff，*Moorsoldaten*，302.

230. Report of the Prussian Central State Prosecutor's Office，June 21，1934，*NCC*，doc. 113.

231. Quotes in Asgodom，"*Halts Maul*," 16；Steinbacher，*Dachau*，150. 在其他地方也会有不同的演绎；Rudorff，"'Privatlager,'" 166。详情参见 Hüttenberger，"Heimtückefälle," 478 – 79，503；Kempowski，*Haben*，24 – 26。

232. Litten，*Mutter*，24.

233. Hett，*Crossing*，163，173. 利滕的一部分信件到了他朋友手中，而不是他的母亲那里。有关通信的规定，参见 Krause-Vilmar，*Breitenau*，138；Baganz，*Erziehung*，171。

234. Seger，"Oranienburg," 70；Baganz，*Erziehung*，171 – 72；Mayer-von Götz，*Terror*，132；ITS，ARCH/HIST/KL Kislau，Bl. 59 – 72：Wachvorschrift，July 12，1933，Bl. 67 – 68.

235. Litten，*Mutter*，29. See also Mühsam，*Leidensweg*，26 – 29，36.

236. Quote in Mayer-von Götz，*Terror*，133. 有关家属闯入集中营的其他例子，参见 *NCC*，doc. 51；Drobisch and Wieland，*System*，175。

237. Mühsam，*Leidensweg*，29；Wollenberg，"Gleichschaltung," 267.

238. Cited in Drobisch and Wieland，*System*，176.

239. 1934 ~ 1935 年的例子，参见 ibid.，236 – 237。

240. Litten，*Mutter*，22，37，59，70.

241. Rudorff，"'Privatlager,'" 167；*NCC*，doc. 50.

242. Hett, *Crossing*, 187.

243. L. Ebert to Hindenburg, July 14, 1933, *NCC*, doc. 47. See also Gestapa to Hitler, September 27, 1933, in Repgen and Booms, *Akten*, vol. I/2, 840 – 41.

244. 虽然有一部分囚犯离开奥拉宁堡后又被遣送到另外一座集中营，但大部分人都被释放了；Knop et al., "Haftlinge," 56。详情参见 Tuchel, *Konzentrationslager*, 103；Mayer-von Götz, *Terror*, 158 – 59；Langhoff, *Moorsoldaten*, 24, 46。出于政治宣传的目的大规模释放囚犯，参见 Drobisch and Wieland, *System*, 133。

245. Quote in DaA, 550, M. Grünwiedl, "Dachauer Gefangene erzählen," summer 1934, p. 30. See also ibid., 5670, Grünwiedl to VVN, August 20, 1947; Richardi, *Schule*, 26 – 47.

246. Schneider, *Hakenkreuz*, especially pages 905 – 908.

247. K. G. Saur Verlag, *Tarnschriften*, doc. BTS – 0064. 详情参见 Gittig, *Tarnschriften*。

248. Drobisch and Wieland, *System*, 171.

249. Ehret, "Schutzhaft," 256；Stöver, *Berichte*, 38.

250. 背景参见 Johe, "Volk," 334。

251. Szalet, *Baracke*, 11.

252. "Bericht über die Lage in Deutschland," February 1934, in Stöver, *Berichte*, 69 – 70；Lüerβen, "'Wir,'" 157.

253. Union, *Strafvollzug*, 18 – 20；Mayer-von Götz, *Terror*, 162 – 64.

254. HStAD, Rep. 29, Nr. 302, Krankenanstalten Wuppertal-Barmen, Anamnese, October 5, 1933. 更概括的内容参见 Moore, "Popular Opinion," 115 – 19；Mayer-von Götz, *Terror*, 161。

255. 其中一个案例，参见 Mayer-von Götz, *Terror*, 151。

256. Quote in Moore, "Popular Opinion," 112. 其他例子参见 ibid., 103；*Deutschland-Berichte*, vol. 1（1934），233, 302。

257. Klemperer, *LTI*, 41.

258. 关于纳粹投票，参见 Falter, *Wähler*。

259. Moore, "Popular Opinion," 162.

260. Quote in Fritzsche, *Life*, 31.

261. Quote in Mayer-von Götz, *Terror*, 155. See also Moore, "Popular

Opinion,"78, 161 – 62.

262. 希姆莱 1943 年 10 月 6 日对国家领袖和大区长官的演讲，in Smith and Peterson, *Geheimreden*, 168。

263. Drobisch and Wieland, *System*, 27.

264. Moore, "Popular Opinion," 159 – 60.

265. K. Tucholsky to W. Hasenclever, April 20, 1933, in Directmedia, *Tucholsky*, 11678.

266. *Braunbuch*, 270 – 302, quote on 270. See also Drobisch and Wieland, *System*, 168 – 71; Rabinbach, "*Antifascism*"; Milton, "Konzentrationslager," 142 – 43; Nürnberg, "Außenstelle," 89 (n. 25). 流亡在外的目击者的报告，参见 *Deutschland-Berichte*; Stöver, *Berichte*。

267. Baganz, *Erziehung*, 241 – 44.

268. "Malice against Ebert's Son," *Manchester Guardian*, October 13, 1933. See also Klausch, *Tätergeschichten*, 90 – 91; Meyer and Roth, "'Wühler,'" 236.

269. Diekmann and Wettig, *Oranienburg*, 12.

270. Milton, "Konzentrationslager," 138 – 42, quote on 138. See also Dörner, "Ein KZ," 133 – 34.

271. Drobisch and Wieland, *System*, 180 – 81, quote on 180. See also Mühsam, *Leidensweg*, 41.

272. Moore, "Popular Opinion," 29 – 31, quote on 30. See also Heiß, *Deutschland*, 101. 关于 1914 年德国的战争罪行，参见 Kramer and Horne, *German Atrocities*。

273. *NCC*, 304.

274. 德国的外交政策，参见 Kershaw, *Hubris*, 490 – 93。

275. Záměčník, *Dachau*, 91; Drobisch and Wieland, *System*, 88.

276. Baganz, *Erziehung*, 236 – 37.

277. Quotes in *The Times*, readers' letters, September 29, 1933, October 4, 1933, *NCC*, docs. 54 and 55.

278. Záměčník, *Dachau*, 96 – 97; Kersten, "'The Times.'"

279. Quotes in NAL, FO 371/16704, Bl. 363 – 65：report on a visit to Hohnstein, October 10, 1933. 关于霍恩施泰因集中营，参见 *OdT*, vol. 2, 129 – 34。

280. 例子参见 Hett, *Crossing*, 189; German Foreign Ministry to embassies, July 1933, *NCC*, doc. 48。

281. Quotes in Favre, "'Wir,'" translation in *NCC*, doc. 56.

282. *Oranienburger Generalanzeiger*, March 28, 1933, in Longerich, "Straβenkampf," 30 – 31.

283. "Sie können sich nicht beklagen," *Kasseler Neueste Nachrichten*, June 23, 1933, in Krause-Vilmar, *Breitenau*, 104. 详情参见 Moore, "Popular Opinion," 53 – 54, 66, 73, 77 – 78。

284. 电影参见 Drobisch, "Oranienburg," 19。

285. 专题摄影参见 "Im Konzentrationslager Oranienburg bei Berlin," *Berliner Illustrirte Zeitung*, April 30, 1933。详情参见 Drobisch and Wieland, *System*, 88 – 92。

286. Moore, "Popular Opinion," 52 – 53. 详情参见 Caplan, "Political Detention," 33。

287. *NS-Nachrichten für Nieder-Barnim*, August 19, 1933, *NCC*, doc. 49.

288. IfZ, Fa 199/29, Bl. 51: Schäfer to Hitler, March 24, 1934; ibid., Bl. 52: Dr. Meerwald to Schäfer, April 3, 1934; Drobisch and Wieland, *System*, 93; "Dokumentation der Ausstellung," 182. 关于舍费尔的书, 参见 P. Moore, "'What Happened'"。

289. Schäfer, *Konzentrationslager*, quotes on pages 25, 63, 40, 238 – 39.

290. 例子参见 Longerich, "Straβenkampf," 31; Wollenberg, "Gleichschaltung," 262 – 64。

291. Kershaw, "*Myth*," 63; idem, *Hubris*, 494 – 95.

292. Ecker, "Hölle," 48; DaA, 550, M. Grünwiedl, "Dachauer Gefangene erzählen," summer 1934, 23 – 25. 并不是所有地方都像达豪集中营一样进行恐吓: 在萨克森堡 (Sachsenburg), 只有 27% 的因犯投票给纳粹党; Baganz, *Erziehung*, 181。

293. Bendig, "'Höllen,'" 107.

294. Schäfer, *Konzentrationslager*, 16.

295. Quotes in Longerich, "Straβenkampf," 31. See also "Konzentrationslager für Schutzhäftlinge in Bayern," *VöB*, March 21, 1933, in Comité, *Dachau* (1978), 43.

296. Bettelheim, "Individual," 426.

297. Klemperer, *Zeugnis*, vol. 1, 69.

298. Schäfer, *Konzentrationslager*, 23, 25, 27 – 28. 其他例子参见 Drobisch and Wieland, *System*, 92; Baganz, *Erziehung*, 237。

299. Wollenberg, "Gleichschaltung," 260.

300. 有关达豪，参见 Steinbacher, *Dachau*, 186 – 87。

301. *Amper-Bote*, June 2, 1933, NCC, doc. 42（译文有细微的调整）。详情参见 Steinbacher, *Dachau*, 187 – 88。

302. Wollenberg, "Gleichschaltung," 263, 267 – 68; Wieland, "Bremischen," 282 – 87.

303. Dörner, " Konzentrationslager," 72; Longerich, " Straβenkampf," 31.

304. 法令重印于 Hirsch et al. , *Recht*, 90 – 91。它于 1934 年 12 月 20 日被更具扩张性的法律取代，专门针对攻击国家和纳粹党的恶毒行为。相关背景，参见 Dörner, *Heimtücke*, 17 – 25。

305. LaB, A Rep. 339, Nr. 702, Bl. 334 – 36: Sondergericht Berlin, Urteil, November 24, 1933. See also Hüttenberger, "Heimtückefälle," 478 – 79; Dörner, "Konzentrationslager," 71 – 73.

306. StAMü, StA Nr. 7457, Sondergericht München, Urteil, August 19, 1933. See also Drobisch and Wieland, *System*, 177.

307. Cited in Moore, "Popular Opinion," 110 – 11.

308. Moore, "Popular Opinion," 68 – 69.

309. Quote in "Life in Nazi Prison Camp," *Daily Telegraph*, March 19, 1934. See also "Baby Labelled ' Political Prisoner No. 58 , ' " *Daily Herald*, April 23, 1934; "Frau Seger Free," *Manchester Guardian*, May 25, 1933; IfZ, Fa 199/29, Bl. 69 – 71: ORR Volk to RK, April 30, 1934.

310. Quotes in Ecker, "Hölle," 15; Záměčník, *Dachau*, 45; Disziplinar-u. Strafordnung für Dachau, October 1, 1933, *IMT*, vol. 26, 291 – 96, ND: 778 – PS, p. 294. See also Záměčník, *Dachau*, 43 – 46（不过威廉·弗朗茨在这里被误认为是犹太囚犯；Wünschmann, "Jewish Prisoners," 112）。

311. Améry, *Jenseits*, 38, 54, 58. 关于犹太受害者，一个类似的观点参见 Wildt, "Violent Changes"; K. Wünschmann, "Konzentrationslagererfahrungen," 56 – 57。

312. Mitteilungen des Gestapa, August 24, 1933, in Boberach, *Regimekritik*, doc. rk 21.

313. 例子参见 Kershaw, *Popular Opinion*, 79 – 80。

314. Eley, "Silent Majority?," 558.

315. See also Wachsmann, "Dynamics," 20.

第 2 章　党卫队集中营体系

　　杀戮成就了特奥多尔·艾克。更准确地说，1934 年 7 月 1 日下午 6 点的那一枪开启了他的事业。那个周日，夜幕刚刚降临，当他阔步穿过位于慕尼黑的斯塔德海姆监狱新建成的牢房，匆匆赶去执行谋杀任务时，他就已经想到将会得到的奖赏。虽然他从来没有亲手杀过人——身为达豪的指挥官，他把大多数肮脏的活交给手下去做——但是当他走上二层，穿过两段有武警站岗的走廊时，却没有显露出一丝一毫的紧张。他最终停在了 474 号牢房门前，下令打开牢门，在得力手下米夏埃尔·利珀特的陪伴下走了进去，直面自己曾经的恩人——如今纳粹最有价值的政治犯，冲锋队领袖恩斯特·罗姆。

　　艾克和利珀特一小时前刚刚从达豪来到斯塔德海姆监狱，他们直接找到监狱负责人，要求立刻提审罗姆，后者前一天早晨与冲锋队其他高层刚以叛国罪被捕。监狱负责人明显是在拖延时间，于是艾克愤怒地说自己是奉希特勒之命，元首私下命令他给冲锋队领袖发出最后通牒，让罗姆自裁谢罪；如果罗姆不听从命令，就由艾克行刑。监狱负责人慌忙打了几个电话核实艾克的话，得到证实后才准许这两位党卫队军官前往 474 号牢房。在牢房里，艾克递给罗姆一份《人民观察家报》的复印件，上面详细报道了前一天在斯塔德海姆监狱处决六位冲锋队领导人的新闻，随后他干脆利落地发出了希特勒的最后通牒。

罗姆显然试图反抗，但是他的牢房很快又被锁了起来，房间内的一张小桌子上放了一把手枪，里面只有一颗子弹。牢房外，艾克看着表，紧张地等待了十分钟——也就是希特勒指定的时间。十分钟一过，他便命监狱的看守打开牢门，收回了没有使用的手枪。随后，艾克和利珀特举起自己的枪对准罗姆，后者将自己的衬衫脱了下来。镇定了几秒后，两人扣下了扳机。罗姆踉踉跄跄地向后退，虽然满身是血，但还活着。罗姆呻吟的情形似乎吓到了艾克，他命令利珀特完成收尾工作。这个年轻人上前，近距离地冲罗姆的心脏开了第三枪。根据一名目击者所述，这名冲锋队领袖临死前一直念叨着："元首……我的元首。"[1]

希特勒很早之前就想对付罗姆，只是所有人都没想到结局会如此血腥。此前几个月，许多冲锋队队员把希特勒寻求理智和冷静的呼吁抛到脑后。在热血罗姆的号召下，他们发动了"二次革命"，希望建立一个"冲锋队国家"。这种暴力对话，伴随着公开的骚乱和野蛮行为，成为令希特勒非常头疼的政治问题。冲锋队的行为不仅在希特勒上台后第二年加剧了国内民众对政权的不满，还疏远了德国陆军。陆军将领们对罗姆军队的野心和庞大的准军事力量感到威胁，其队伍截至 1934 年中已经有超过 400 万人。更严重的是，罗姆还在纳粹党中挑拨充满嫉妒的领导人与希特勒为敌，这些人密谋消灭自己的政敌。特别是希姆莱和海德里希，他们不断欺骗希特勒，隐瞒冲锋队要发动政变的计划。

1934 年 6 月，经过几个月的犹豫，希特勒终于行动了。不过，希特勒对罗姆的"背叛"太愤怒，以至于提前发动了偷袭。1934 年 6 月 30 日凌晨，希特勒带领一小队人马直取冲锋队在巴特维塞（Bad Wiessee）的休养地，逮捕了罗姆和其他冲锋队高官。几个小时后，希特勒处决了第一批犯人，不过他把罗姆留到了第二天。与此同时，警察和党卫队根据早已准备好的嫌疑人名单，在德国其他地方展开了突击抓捕。受害者不只是冲锋队队员。这次清洗还为镇压国家保守派对希特勒政权的反对之声和其他所谓的敌人打了掩护。最终，所谓的"长刀之夜"——实际上持续了三天——据说夺走了 150～200 条性命。[2]

在这次流血清洗中，达豪的党卫队向希特勒证明了自己是最有激情的刽子手。几天前，艾克与达豪党卫队领导一起策划了巴伐利亚州的突袭和逮捕方案。随后，6 月 29 日，集中营党卫队已处于戒备状态。当天深夜，艾克将冲锋队针对希特勒的阴谋告诉了手下，让他们无须对冲锋队手下留情；艾克怒气冲天，据说还撕碎了一张罗姆的照片。几个小时后，在他的带领下，数百名看守趁着浓重的夜色从集中营出发，登上了卡车和公交车，其中一些人还配备了从瞭望塔取来的机关枪。他们最终停在了距巴特维塞几英里外的地方，与另外一支党卫队——希特勒护卫分队会合。可是，由于希特勒提前行动，达豪党卫队晚了一步，结果只得跟着希特勒的车队回到慕尼黑。艾克在慕尼黑总部，也就是所谓的褐宫见到了其他纳粹官员。希特勒就是在这里歇斯底里地怒斥"世界历史上最糟糕的背叛"，并承诺处决冲锋队的所有叛徒。此时，艾克或许已经接到了在达豪实施屠杀的指示，因为在他 6 月 30 日回到集中营后不久，杀戮就开始了。[3]

第一批遇难者中包括 71 岁高龄的古斯塔夫·里特尔·冯·卡尔（Gustav Ritter von Kahr），他也是迄今为止身份最显赫的遇难者。他于 6 月 30 日晚在慕尼黑被党卫队逮捕，随后就被拖到了达豪。这位拥护君主制度的巴伐利亚前长官自 1923 年 11 月协助镇压过希特勒的武装政变后，就成了极右翼仇视的对象。[4]当冯·卡尔从黑色敞篷式警车里下来时，达豪党卫队队员认出了他，差点儿将他当场处决。一大群穿着制服的看守吵吵嚷嚷地把老人扯到特奥多尔·艾克面前，后者坐在指挥官办公室外的一把椅子上，正叼着一根雪茄吞云吐雾。艾克像罗马皇帝似的先竖起右手大拇指，然后翻手向下一指。党卫队的一帮人便推搡着冯·卡尔穿过旁边的一扇铁门，进入达豪新建的地堡。不久后，传来一声枪响。[5]

不断有车将"叛徒"从慕尼黑运到集中营，因此杀戮一直持续到深夜。跟冯·卡尔一样，大多数人都死在地堡或者地堡附近，但至少有两个人是在集中营探照灯的扫视下被枪决的。达豪的犯人们被关在集中营牢房中，听到了外面的枪响，接着就是党卫队兴奋的吼叫声，那是一种在酒精和鲜血刺激下的疯狂。兴高采烈的艾克下令，党卫队食堂免费供应啤酒，除此之外还有震天响的音乐。[6]令人毛骨悚然的党卫队聚会时不时被更多的枪声和殴打声打断；有的犯人被虐待致死，他们的脸被捣烂，尸体被砍得七零八落。[7]

不是所有被害人都是从集中营外押送来的。疯狂的党卫队看守在地堡处决了五名长期在押的达豪囚犯，其中至少有两人是德国犹太人。以往达豪党卫队都是依上级指示行事，一般是警方和帝国保安部（SD）的领导通过艾克下达处决的命令，可现在党卫队自己扮演起了法官和处决者的角色。为了掩盖他们的残暴行径，艾克和手下向希姆莱宣称，处死的犯人都属罗姆麾下，这些人试图煽动其他囚犯起义。有人被处决的消息很快传到了其他犯人耳中，本来就惶惶不安的犯人们如今更加恐惧，害怕党卫队对自己也下毒手。[8]

残暴的一夜总算过去，1934 年 7 月 1 日一早，特奥多尔·

艾克出现在达豪集中营的铁丝网前。为了安抚惊慌失措的囚犯，他把清洗的前因后果告诉了众人，还说很快就会把罗姆吊在集中营里示众。[9] 但是在艾克当晚一路鸣笛，从斯塔德海姆驾车赶回来时，罗姆已经死了，死在了他和利珀特手中。不过，艾克仍然决心在达豪来一场杀戮表演。他带回来四个官阶稍低的冲锋队队员，暂时安置在食堂，等待集中营为死刑做好准备。党卫队看守们在地堡外集合，站在靶场边。囚犯们则在艾克的指示下站在铁丝网后面观看枪决。一切就绪后，四名冲锋队队员一个接一个被带出食堂，在夕阳的余晖中穿过靶场。艾克当众宣布他们死刑后，一队党卫队哨兵举枪瞄准。每一声枪响后，还沉浸在昨晚疯狂情绪之中的党卫队看守都会爆发一阵欢呼，大喊"万岁"。[10]

第二天早上，在党卫队练兵场北边的森林里，更多的人被处决，达豪的屠杀也随之结束。同一天，1934 年 7 月 2 日，希特勒正式宣布清洗运动结束，第三帝国再次恢复了平静。[11] 至此，有 20 多人在达豪营区被处决，更多的人则死在了营区附近。[12] 死者包括冲锋队高级官员、与罗姆有私交的人（比如罗姆的司机）、据称是间谍的女友（她是唯一被处决的女性），以及持不同政见的作家和政客，他们全部是报复和仇杀的牺牲品。党卫队还处决了一位名叫施密德（Schmid）的音乐评论人，结果发现是巴伐利亚政治警察把他跟同名的记者弄混了，等当局意识到抓错了人，赶紧打电话通知艾克的时候，这个被错认的施密德已经死了。[13]

1934 年夏天针对罗姆的清洗运动成了第三帝国历史的分水岭。经此一役，冲锋队威望大减，再也不是希特勒内部统治的最大威胁。作为一支主要的政治力量，冲锋队的衰落换来了大批德国将军的投降和臣服。不仅将军们对希特勒赞不绝口，整个德国都开始流传关于希特勒的传说，许多德国人欣赏他，因为他通过对冲锋队暴徒和叛徒的果断一击恢复了国家的秩序和体面（纳粹大肆宣传罗姆是同性恋者，此前希特勒一直在容忍他）。1934 年 8 月，兴登堡总统去世后，希特勒终于确立了自己不容置疑的地位，成为"第三帝国的元首及总理"。[14]

83

此次清洗运动对集中营历史来说也是一个重要的节点。它为党卫队集中营之后罔顾法律、肆意关押的行事作风做好了铺垫。同时，它还促使党卫队加快创建职业看守军团的速度，共同的罪恶将看守们紧密联系起来。在达豪，这三天的遇害人数等同于前一年全年的处决量，成为改变当地许多党卫队队员的重要经历。"这些事深刻地影响了我。"汉斯·奥迈尔（Hans Aumeier）回忆说，当时年仅 27 岁的他在达豪任职才几个月的时间，后来他成了奥斯维辛集中营的领导。[15]

永久例外

清洗罗姆对特奥多尔·艾克来说是个绝佳的机会。他将自己的手下捧到比看守更高的位置来加以炒作。就在几周前他还将手下吹嘘成纳粹德国"最忠实的支柱"，时刻准备"围绕在元首周围"，用"无畏的进攻精神"保卫元首。[16]艾克意识到这次清洗运动是证明自己的机会，所以他并没有放过。他提醒希姆莱，执行"重要任务"充分证明了自己和手下的"忠诚、勇气和使命感"。[17]虽然其他集中营也参与了此次行动，但它们仅限于把囚犯关在条件严苛的营区里，而达豪是主要的行刑地。[18]最重要的是，艾克自己协助处理了"阴谋"的幕后策划者恩斯特·罗姆。这成了他打入党卫队圈子的王牌。18 个月后，在达豪庆祝冬至时，据说艾克曾大喊："我很骄傲，亲手枪毙了这头同性恋猪。"[19]

希特勒没有忘记艾克及其下属的功劳。清洗运动后没过几天，希特勒就提升艾克为党卫队地区总队长，只比希姆莱低三级。党卫队也成了希特勒最钟爱的镇压工具，1934 年 7 月 20 日出台的一项命令充分显示出党卫队地位的上升。该命令宣布党卫队是一支完全独立的力量，不再隶属于冲锋队。党卫队领袖希姆莱知道，这次清洗运动是一个至关重要的时刻。即便 10 年后，他仍赞扬下属"将做错事的同事押到墙下击毙"的坚定意志。事实上，此次行动最大的受益者是希姆莱。他的事业已经处在上升阶段，但清洗运动加速了他的晋升，最终令他获得了对警察和集中营的控制权，虽然这中间也经过了几番激烈的内部拼杀。[20]

84　集中营督察组

"像雨后的蘑菇一样"——希姆莱这样形容纳粹掌权后政治警备队的崛起。[21]起初，德国各个州都有自己的军队。但不久之后这些军队就被整合了，负责整合的人正是希姆莱。自 1933 年底起，这位强硬的党卫队领袖从自己的根据地巴伐利亚州开始，在几个月内将德国各州政治警察的力量一个接一个收入囊中。最后落入其手的大州是普鲁士，其军队力量也是最强大的，其间有多位对手与他竞争这个拜占庭式的恐怖机器。最终，在 1934 年 4 月 20 日，普鲁士强权人物赫尔曼·戈林同意任命希姆莱为普鲁士秘密警察督察官。深受希姆莱信任的参谋海德里希成为普鲁士地方盖世太保的新首领，掌管着柏林总部 600 名官员和遍布普鲁士州的 2000 多名官员。在纸面上，戈林仍是普鲁士盖世太保的首领，最初也确实发挥了重要的作用。但最后他还是敌不过精明狡猾的下属。[22]

希姆莱对德国政治警察——实施保护性拘禁的主要力量——的掌控为接管集中营奠定了完美的基础。希姆莱对此再清楚不过。他比任何纳粹领导人都更了解集中营未来的潜力，并从 1933 年底就谋划着将余下的早期集中营收入自己手中。[23]现在他已经获得了对政治警察的控制权，是时候行动了。[24]

为了实现自己的计划，希姆莱找到特奥多尔·艾克。1933 年 5 月，就在清洗罗姆行动的前几周，希姆莱指示艾克对集中营系统实行"基本组织重构"，从普鲁士开始。希姆莱想要推翻充满缺陷的普鲁士模式，以达豪现行的集中营体系取而代之。[25]利赫滕堡是第一个试验点。艾克如今自称"集中营督察官"，1934 年 5 月 28 日，他从名义上负责监督集中营党卫队的福斯特（Faust）警官手中接管了利赫滕堡集中营。一天后，艾克就以捏造的罪名逮捕了福斯特警官（这名不幸的前总管很快发现自己被希姆莱下令实施了保护性拘禁，先是关在柏林，后来又转移到埃斯特尔韦根）。艾克还解雇了两名为福斯特工作的行政警官，让自己的亲信担任残忍的指挥官一职，统领当地的党卫队看守。为了实行更严苛的统治，1934 年 6 月 1 日，艾克还引入了新的囚犯惩罚规定，几乎跟达豪的一样。[26]第二天，他完成了人事变动，并出台了给利赫滕堡看守的第一份书面命令：85 "在此之前你们的上级都是一些官员和一个贪污受贿的负责人。从现在开始，将有士兵为你们的幸福和麻烦负责。我们将齐心协力，一块石头一块石头地向上垒，直至大业得成，同时丢弃没用的坏石头。"[27]

利赫滕堡的重组在接下来几周内迅速展开，受此鼓舞，希姆莱开始策划接下来的行动。1934 年 6 月，他将目光对准了萨克森堡（萨克森州）和普鲁士州最大的集中营埃斯特尔韦根——这一步棋更大胆，因为这两座集中营仍处于冲锋队的管理下。希姆莱打算先拿下埃斯特尔韦根，艾克原本已准备在 1934 年 7 月 1 日动身，却被清洗罗姆行动绊住了，不过党卫队借此更快地获得了对早期集中营的掌控权。[28]结果，党卫队不仅如愿接管了埃斯特尔韦根和萨克森堡，还拿下了另外两座冲锋队治下的集中营——霍恩施泰因和奥拉宁堡。[29]党卫队的势力越发壮大，在接下来的几周，特奥多尔·艾克——1934 年 7 月 4 日被正式任命为集中营督察官，也就是枪杀罗姆后三天——穿梭于两座新营之间。[30]

掌控奥拉宁堡——成立最早也是最重要的冲锋队集中营——象征着党卫队获得了新的领导权。1934 年 7 月 4 日，艾克大摇大摆地来到了奥拉宁堡，就在几天前，一队警察刚来到这里解除了大部分冲锋队队员的武装。艾克命令手下的部队（其中一部分是从达豪调过来的）将集中营包围起来；据一名目击者称，艾克还带了两辆坦克作为后援。但是吓坏了的冲锋队队员完全没有抵抗。艾克简单地宣布了党卫队的接管，让冲锋队看守再去找一份工作。冲锋队在奥拉宁堡的统治自此在抽泣声中结束了。同时，新主人以独特的方式庆贺自己的接管，那就是处决重要的囚犯埃里希·米萨姆。起初他们试图逼迫米萨姆自杀。米萨姆坚决不从，但也知道自己命不久矣，于是私下悄悄地将自己的物品分给了其他囚犯。1934 年 7 月 9 日深夜，孱弱的米萨姆被带走了。他明显是被一条晾衣绳勒死的，尸体被挂在集中营的公厕里，党卫队试图把他的死伪装成自杀。7 月 16 日，埃里希·米萨姆的葬礼在柏林举行，只有少数几名勇敢的朋友和仰慕者参加。他的妻子克丽丝珍提亚此时已经逃到了国外，所以并没有到场，她曾花了很长时间试图营救自己的丈夫，但如今只能在国外披露集中营残暴的内幕，讲述丈夫的悲惨遭遇。[31]

希姆莱和艾克很快精简了新到手的集中营。他们对维持奥拉宁堡和霍恩施泰因没有兴趣，所以直接把它们关了。[32]对比之下，萨克森堡和埃斯特尔韦根则由艾克接手，成了跟达豪一样的党卫队集中营。[33]比如，埃斯特尔韦根 1934 年 8 月 1 日出台的新规定就是直接以达豪的为基础。[34]艾克还四处寻找能够将党卫队精神带入新集中营的官员。在达豪，党卫队分队长汉斯·洛里茨给艾克留下了深刻的印象，此人狂热好战，令艾克颇为欣赏。现在，艾克任命他为埃斯特尔韦根的新指挥官。洛里茨并没有让艾克失望。一名前囚犯记得他在 1934 年 7 月的第一次讲话："今天我接管了这里。在纪律方面，我就是一个粗人。"[35]

起初，特奥多尔·艾克在达豪或者在飞去其他党卫队机构的路上给自己的集中营下达命令。[36]不过在 1934 年 12 月 10 日，希姆莱给他指定了一处与他头衔相匹配的常设办事处。选址体现了集中营对希姆莱的重要性，因为艾克直接搬到了柏林的警察局总部。作为帝国官僚体系的一部分，艾克的新集中营督察组（IKL）在阿尔布雷希特王子街（Prinz-Albrecht-Strasse）8 号一楼盖世太保的办公区占了 5 间办公室。尽管两个部门挨得很近，但希姆莱保证艾克的督察组跟海德里希的盖世太保彼此独立。[37]这两个关系不善的人不得不紧密协作。海德里希实际指使警察垄断实施保护性拘禁的权力，押送嫌疑人到集中营并下达释放的指令；而集中营的组织和管理则交给艾克负责。[38]

艾克领导的看守部队从党卫队总队分立出来后，他的地位

86

进一步得到了巩固（同样，盖世太保也从常规警察中独立出来）。1934 年 12 月 14 日，希姆莱做出了一项重要举措，将集中营看守提升为党卫队中一支独立的力量，头领艾克还获得了一个新头衔：党卫队看守团（SS Guard Troops）督察官。诚然，艾克并不算完全脱离党卫队的管理，特别是在财务和人事方面，他仍隶属于新的党卫队总办公室（直到 1939 年夏天）。不过实际上，艾克经常越过行政上司，直接向希姆莱汇报。[39]

截至 1934 年底，短短几个月的时间里，希姆莱和艾克打造了全国范围内党卫队集中营体系的雏形。现在五座党卫队集中营——遵循相似的路线，由党卫队看守团管理——在柏林新成立的督察组的监管下形成了一个小型的伞状网络。[40]但党卫队体系的未来还是个未知数，因为集中营还没有被确立为永久性的常设机构。事实上，1934 年的集中营看起来很快就会消亡。

党卫队集中营遭遇威胁

第三帝国成立伊始，内部便开始就未来发展方向上演拉锯战：究竟要采取什么样的独裁统治？今天，这个答案显而易见。但是纳粹德国一开始并没有打算走上极端恐怖统治的道路。最初，国内一些有影响力的人物和党派设想了一个完全不同的未来。他们希望建立法治的独裁政府，由传统国家机器执法。他们的确接受并且拥护 1933 年放纵的镇压行动，因为他们认为这是稳定政权的一条途径。但是他们把清洗罗姆的行动视为纳粹最后一次革命，是为建立在专制法律基础上的独裁政体扫清障碍。如今再没有必要随意运用暴力，而且，不受法律支配的集中营除了在国内外损害政府形象外也没有其他意义了。[41]

早在 1933 年春夏，政府官员就开始试探性地控制集中营，与此同时，一些媒体也向读者保证这些集中营不会成为新德国的常设机构。[42]到年底的时候，在一名不可思议的领军人物的推动下，撤销集中营的势头更猛了，这个人就是赫尔曼·戈林。纳粹第一波恐怖行动平息之后，一直拥护强权政府的戈林标榜自己为支持法律与秩序的高尚政治家。[43]随着"纳粹党政权彻底稳定"，他在 1933 年 12 月初纳粹党的新闻发布会上宣布，将大批释放普鲁士集中营的囚犯。这次所谓的圣诞节大赦中，总共有多达 5000 名囚犯获释，几乎是普鲁士保护性拘禁人员的一半。[44]大多数人都是步兵或者左翼的拥护者，剩下的则是对政权不满的人。[45]但是政府这次也释放了一些重要人物，其中就有弗里德里希·埃伯特，他自从被释放后就一直低调做人，在柏林经营一家加油站。[46]

1934 年，早期集中营开始加速衰落。赫尔曼·戈林继续在公开和私人场合进行反集中营斗争，特别是在希特勒面前游说。纳粹的忠实拥护者、帝国内政部部长威廉·弗里克（Wilhelm Frick）与戈林站在一边，他尖锐地批评了过度实行保护性拘禁的做法，并指出集中营终将解散。[47]随着政权越来越稳固，更多的囚犯获释（3 月底沃尔夫冈·朗霍夫随其他囚犯一起被释放），被抓入集中营的犯人寥寥无几。在普鲁士，1934 年 8 月 1 日仅有 2267 人仍处于保护性拘禁，一年前则有 14906 人。[48]早期集中营迅速减少。1934 年的头几个月，在普鲁士和其他地方有十几个集中营被关闭，其中包括勃兰登堡、松嫩堡和布雷多。[49]

1934 年下半年，在希特勒的直接干预下，更多集中营被关闭。1934 年 8 月初，在公民即将选举他成为国家元首和总理之前，希特勒在公众面前故作姿态，大赦政治犯和其他冒犯政府的人。最关键的是他在集中营问题上装腔作势。他下令快速回

88

顾所有的保护性拘禁案，要求释放罪行较轻且不对国家构成威胁的囚犯。[50]尽管党卫队和盖世太保反对——他们拒绝释放重要人物，比如卡尔·冯·奥西茨基和汉斯·利滕——大部分保护性拘禁的犯人还是恢复了自由身。在普鲁士，希特勒大赦后集中营只剩下了437名囚犯；在埃斯特尔韦根——埃姆斯兰的最后一个集中营，初始关押了5000名囚犯——到1934年10月只羁押了150人。[51]集中营的迅速萎缩已尽人皆知。1934年8月底，戈林就关闭奥拉宁堡集中营召开新闻发布会，宣布将来会"大幅度削减"保护性拘禁，触犯法律者"会被迅速移交法院处理"。[52]

　　拥有数百所监狱的司法机关已经做好了取代集中营的准备。从1933年初开始，德国司法体系就开始大转型。尽管它仍主要由民族保守主义派掌控，比如长期担任帝国司法部部长的弗朗茨·居特纳，但是它也开始成为纳粹政府的忠实仆人。主要官员都被遣散，基本法律原则被摒弃，新法院建立，更严格的法律开始实施。德国法学家一边倒地支持这些改革。结果是国家囚犯人口迅速攀升，从1932年日均6.3万人飞升到1933年夏天的10.7万人，其中至少有2.3万人是政治犯。居特纳和其他法学家给纳粹领导人传达了一条明确的信息：政府的敌人会遭到法律严厉的惩罚，保护性拘禁等措施完全没有存在的必要。有如此坚定的司法体系，谁还需要集中营呢？[53]

　　为了支持这一观点，司法官员可以用条件严苛的监狱作为证明。1933年，司法高层领导承诺会采取更具有威慑力的惩罚手段——就像有些人形容的那样，将监狱变成了"恐怖屋"——并且引进更严厉的制裁方法，并削减供给。[54]政府新监狱的榜样就是埃姆斯兰的集中营。在一场约束法外拘禁的动员运动中，德国司法官员于 1934 年 4 月接管了内森萨斯特姆和伯格摩尔早期集中营；营内的保护性拘禁囚犯被换成了普通的监狱囚犯。1935 年，帝国司法部在埃姆斯兰掌管六座集中营，其中关押了 5000 多名犯人。这里的规则和条件比较苛刻，对待犯人的态度比较野蛮，同年造成了 13 名囚犯的死亡。这在很大程度上是因为雇用了前冲锋队队员当监狱看守。领导他们的是另一个经验丰富的早期集中营管理者——冲锋队二级突击大队长维尔纳·舍费尔，1934 年 4 月他被司法系统从奥拉宁堡指挥官的位置上挖了过来。舍费尔被任命为公务员后就被派到了埃姆斯兰的监狱营区，一直干到 1942 年，这些年间有几百名囚犯死在这里。[55]

　　司法官员们对发生在自己监狱里的虐待行为睁一只眼闭一只眼，却开始将目光锁定在冲锋队和党卫队集中营里的施暴行为上。这其中的确有相互勾结瞒天过海的勾当。比如，清洗罗姆一派的运动中存在越界的谋杀行为。[56]如今早期集中营失势，国家公诉人便启动了多起刑事侦查，在 20 世纪 30 年代中期涉及至少十座集中营。最大的一桩案子是在霍恩施泰因集中营关闭后对冲锋队前看守的指控。司法机关炫耀着纳粹给予其的信任，很乐意忽视那些因报复共产党干的"坏事"或者出于"政治原因"的犯罪。但法官确立了一条明确的界限，不会姑息随心所欲的施暴行为。在他们看来，第三帝国不能容忍虐待狂式的暴行，霍恩施泰因就是被这种行为毁掉的。1935 年 5 月 15 日，德累斯顿地方法院将 23 名冲锋队队员送进了监狱。霍恩施泰因集中营前任指挥官情节最严重，被判刑六年，其他人则是十个月到六年不等。[57]

　　党卫队发现自己也成了被审查的对象。1934 年春天，什切

89

青地方法院判处七名来自刚被关闭的布雷多集中营的党卫队队员犯严重伤害罪和其他罪行，前集中营指挥官更是被判处 13 年有期徒刑。这一案件被德国媒体争相报道，戈林为烘托自己是秩序捍卫者自然在其中推波助澜。希特勒不甘落后，1934 年 7 月 13 日在国会讲话中宣布三名党卫队看守（属布雷多集中营）在清洗罗姆的行动中被枪毙，因为他们"恶意虐待保护性拘禁犯"。[58] 如今就连艾克手下的集中营也被审查了，埃斯特尔韦根和利赫滕堡的部分高层官员被逮捕和定罪。[59]

党卫队如今处于劣势。[60] 它的名声本来就不好——"我知道在德国有些人害怕看到穿黑制服的人。"希姆莱承认道——司法调查更是进一步将它推向悬崖，在此关键时刻，集中营体系的未来充满了不确定性。[61]艾克认为这些"恶毒"攻击的"唯一目的就是系统性地瓦解和动摇帝国领袖对集中营的信心"。[62]同时，司法机关继续削弱集中营的力量。1935 年夏天，艾克视为眼中钉的帝国司法部部长居特纳建议给所有集中营囚犯配备法律代表，这也是许多德国律师和新教首领提议的。[63]

到了 1935 年，初具规模的党卫队集中营面临巨大的压力。集中营数量迅速减少，整个体系还面临着合法性问题。对许多观察者来说，集中营的寿命似乎时日无多。但海因里希·希姆莱有不同的想法。1934 年 12 月，他警告戈林不应该"废除目前对抗国家敌人最有效的工具"。[64]希姆莱为保留集中营而奋战，在他看来这不仅是为了稳固和拓展自己的力量，还是为了拯救第三帝国。[65]

希姆莱的愿景

1934 年大批释放集中营囚犯是"纳粹党有史以来最大的政

治错误之一"，海因里希·希姆莱几年后在一次机密讲话中愤慨地说。允许狠毒的敌人重拾他们破坏性的工作绝对是"愚蠢的行为"。毕竟，保卫纳粹政权的斗争距离胜利还很远。按希姆莱的说法，德国仍然面临致命的危险，阴魂不散的敌人会威胁国家的方方面面，从国家和社会的根基到人民的道德品质乃至种族健康。国家必须与"有组织的次等人力量"奋战到底，希姆莱一次又一次用到这个宽泛的名词，它指的是共产党人、社会党人、共济会成员、神父、反社会人士、罪犯，特别是"不应该被视为我们人类"的犹太人。[66]

希姆莱的理念建立在末日世界观之上。在他脑子里，与德国国家敌人的全面战争将会持续数个世纪，靠传统武器是无法取胜的。为了彻底消灭那些妄想毁灭德国的固执的敌人，希姆莱和他的支持者认为，国家应该处于战争状态。军队在国内与"内部敌人"做斗争，应该像战场上的士兵那样不受法律的约束。要想取得彻底的胜利，只能依靠彻底的恐怖行动，由希姆莱的精英战士来领导：警察可以逮捕所有对"国家机体"有害的人，党卫队会把他们关进集中营隔离起来。[67]

希姆莱呼吁撤销对警察和党卫队恐怖行为的一切限制，希望国家一直处于紧急状态，这令他和其他仅仅希望建立独裁国家的纳粹领导人发生了冲突。[68]这种冲突在 1934 年春天进入了白热化阶段，主要的交锋地就是希姆莱的老窝巴伐利亚州。他的力量在其他地方依旧薄弱，他只能眼睁睁看着集中营里绝大部分的囚犯被释放。但在巴伐利亚就不一样了。有了强大的内政部部长阿道夫·瓦格纳为自己撑腰，希姆莱底气十足，拒绝响应清空达豪模范营的号召。"只有身在巴伐利亚的我没有屈服，没有释放我扣押的保护性拘禁者。"希姆莱几年后这样宣称。[69]但这只有一半是

91

真的，希姆莱在巴伐利亚州被迫做着无望的抵抗。

1934 年 3 月，巴伐利亚州州长冯·埃普被一条新闻震惊，报道称巴伐利亚的保护性拘禁人数似乎超越了普鲁士（去年夏天，普鲁士关押的因犯人数还是巴伐利亚的三倍），埃普因此开始猛烈抨击希姆莱的方式方法。埃普呼吁进行一次特赦，正好可以赶上纳粹掌控巴伐利亚一周年纪念。他在 3 月 20 日的一封信中称，巴伐利亚的做法是不对的，是武断的、过分的，会瓦解"人民对法律的信任，而法律正是一切国家体制的基础"。值得注意的是，65 岁的埃普私下里绝不是一个自由主义者。他是极右翼领军人物，是前任大将以及资深的纳粹拥护者，1919年他的自由军团协助镇压了左翼起义，自此后他就被称为"慕尼黑解放者"。但是州长冯·埃普将第三帝国看作一个规范的国家。如今，纳粹革命已经结束，保护性拘禁等紧急措施也就"可有可无"了。更何况，新的法律和法院赋予了司法当局足够的力量去处理犯罪行为。[70]

希姆莱被刺痛了。在他为瓦格纳起草的一封极其粗鲁的回信中，他极力为自己的成就辩护。他声称保护性拘禁的存在有效减少了巴伐利亚的政治犯罪和其他犯罪行为，这是司法体系无法企及的。[71]但是希姆莱也不得不做出一定让步。即使州长冯·埃普只是巴伐利亚有名无实的荣誉领袖，但他的话在政界依然有分量。1934 年 3 月到 4 月，希姆莱手下的巴伐利亚警察勉为其难地从达豪和其他集中营释放了将近 2000 名因犯。[72]

1934 年秋天，当针对巴伐利亚的冲突再次爆发时，希姆莱的立场却坚定了不少，这充分反映出清洗罗姆运动后他在第三帝国地位的上升。这一次是帝国内政部部长弗里克挑战他。在10 月初给巴伐利亚州大臣的信中，弗里克指出巴伐利亚最近关押了 1613 名保护性拘禁犯——几乎是德国其他州总数的两倍。鉴于巴伐利亚当局的过度狂热，弗里克要求重审个别案件，为将来的释放迈出第一步。[73]

希姆莱的回应相当倨傲。他在 1934 年 11 月中旬写道，经过"最彻底的"回顾，巴伐利亚将会释放 203 名保护性拘禁犯，这个数字简直微不足道。希姆莱还补充说，任何大规模释放都是不可能的。他声称最近有集中营把危险的共产党员放了出来，这些人对国内安全构成了严重威胁——除了巴伐利亚州，这还要多亏此处集中营更严格的行事作风。在别处，"无耻的"共产党人因为政府机关"普遍松懈"而变得更加胆大妄为。这种敌人把大规模释放看成"纳粹党领导下的国家内部软弱"的信号，由此加大对国家的攻击。希姆莱的结论非常明确：比起释放囚犯，他反倒想抓更多的人进集中营；他打算先发制人，向共产主义发起攻击。[74]

事实上，1934 年秋天所谓的共产主义"威胁"是想象出来的，因为盖世太保牢牢压制住了地下抵抗势力。[75]尽管希姆莱对共产党的担心是真的——许多低阶的警察和州政府官员都被共产主义吸引——但他的确为了促进自己的预防性政策而夸大了共产党的行为。[76]不过不是所有人的想法都跟他一样，弗里克就继续向他施压，要求达豪释放囚犯。[77]

希姆莱直到 1934 年底仍坚守阵地，但他的立足点却摇摇晃晃。特别是新的党卫队集中营体系依旧脆弱。集中营的去留仍充满争议，其影响也微不足道，至少从囚犯的数量上来说。截至 1934 年秋，希姆莱的集中营只关押了大约 2400 名囚犯。[78]如果没有第三帝国最强大之人在 1935 年的几个果断干预，集中营很可能就彻底消失了。

希特勒和集中营

阿道夫·希特勒身为公众人物，从始至终都谨慎地与集中营保持着距离，刻意撇清关系。他从没有进集中营视察过，也很少在公开场合提及集中营。[79]他有充分的理由保持沉默，身为纳粹领导人，他知道集中营的名声不好。"我知道人们对这个机构的描述、谈论和指责有多么恶毒和愚蠢。"海因里希·希姆莱在 1939 年承认。[80]希特勒非常在意自己的形象，因此尽量避免与大众可能不喜欢的事物产生联系。[81]这无疑是他与集中营——至少在公开场合——划清界限的原因。私下里就是另外一回事了。希特勒从一开始就和最紧密的同伴商量集中营的问题，后来更是成了推动集中营发展的关键人物之一。[82]

93

希特勒的支持通常都是有条件的。随着政权越来越稳固，他起初似乎和那些想要废弃集中营的人站在了同一战线。数千名囚犯被释放，1934 年 2 月他在《人民观察家报》上说，他甚至希望后续释放更多的囚犯。[83]六个月之后希特勒就兑现了他的诺言。1934 年 8 月的大赦释放了 2700 名保护性拘禁犯，被德国国内和国外媒体争相报道。[84]但希特勒真的希望集中营消失吗？或者只是在等待时机？[85]

1935 年，希特勒暗中表露了他对集中营的真实感情。2 月20 日，他接见了希姆莱，后者向他展示了德国内政部部长弗里克最近一次敦促进一步释放囚犯的来信复印件。刚视察完利赫滕堡和萨克森堡的希姆莱，在信的空白处潦草地写下了希特勒的坚定回答："让囚犯继续待在集中营。"[86]四个月后，希特勒的态度更明显了。他在 6 月 20 日接见希姆莱，坚定地表示未来几年仍然需要集中营，而且批准了希姆莱增加党卫队看守的请求。[87]在第三帝国，毁灭性的愿望如果符合希特勒的心意，就可以被轻易实现。希特勒支持希姆莱扩展这种恐怖机器。

为了巩固集中营的地位，希特勒同意给它们提供稳定的资金支持。从一开始，资金就是一个容易引起争议的问题，不同的州和党政机关都在推卸责任。[88]1935 年秋天，希特勒同意了特奥多尔·艾克的提案：从 1936 年春天开始，帝国将承担党卫队看守团的开支，集中营的一切开销由各州政府承担。[89]艾克只将此视为临时办法。如今，集中营成了纳粹帝国的常设机构，他满心期待着由国家全部买单的那一天。[90]他很快就得逞了。从 1938 年春天开始，由帝国内政部统一给集中营和党卫队拨款，仅当年一年就下拨了 6300 万马克。[91]多亏了希特勒，集中营有了稳定的资金来源。

希特勒还明确了党卫队集中营的运作可以在很大程度上不受法律的限制。1935 年 11 月 1 日，他告诉希姆莱保护性拘禁犯不应该配备法律代表。同一天，司法机关上报的囚犯可疑死亡案件也被他以无关紧要为由抹去了。[92]就在几周后，希特勒赦免了之前被定罪的霍恩施泰因冲锋队队员，给司法部门传递了一个令人寒心的信息：即使是最残酷成性的集中营看守也有他在背后撑腰。[93]名义上，法庭仍可以继续调查党卫队手中囚犯的不正常死亡事件，但实际上，此类指控最终都会被撤销。[94]公诉人知道，即使克服了党卫队设立的重重障碍，判决生效的可能性也微乎其微。[95]

不久，希特勒给希姆莱领导的独立于政府的恐怖机器补上了最后一块拼图：1935 年 10 月，他基本上同意了由希姆莱领导德国全境的警力。经过与弗里克数月的周旋，希姆莱于 1936 年 6 月 17 日被任命为德国警察总监。如今已经成为全国性机构

94

的盖世太保获得了完整的保护性拘禁权，统一由柏林总部决定集中营囚犯的去留。[96]海因里希·希姆莱成了无可争议的集中营无限期监禁的决策人。

希姆莱的崛起看似势不可挡，但若没有希特勒的支持，他什么都不是。希特勒为什么如此坚定地支持他呢？首先，希特勒不太喜欢希姆莱的竞争对手。威廉·弗里克的运气已经开始减退，司法部部长弗朗茨·居特纳及其司法部也没有长进。希特勒非常不信任司法机关，他认为法学家都胆小懦弱，充满官僚气息，总是将抽象的法律凌驾在国家重大利益之上。[97]同时，赫尔曼·戈林开始逐渐从警察统领的位置上退下来，把注意力放在发展德国经济和重整军备上。[98]

希姆莱登场的机会来了，他在1934年夏天的清洗罗姆行动中已经证明了自己的价值。他凭借毫不妥协的坚定态度成了希特勒的心腹，一旦他有了在希特勒面前进言的机会，他就不停地赞颂集中营的好处。[99]他的下属也一样。特奥多尔·艾克尤其期待1935年9月的纳粹党大会，那将是他第一次带领集中营部队接受希特勒的检阅。艾克将此视为重要的面试。他的部下穿着整洁的制服，戴着亮闪闪的钢盔出发前往纽伦堡，在此之前，他们已经排练了好几周——他们从各个集中营聚集到达豪进行特训。"我们通过了检验。"艾克后来自豪地写道。[100]希特勒也是这么想的。他对自己看到和听到的集中营印象深刻，在1935年11月与希姆莱的一次会面上，他还专门夸赞了他们的模范管理。[101]

希特勒将集中营视为不可或缺的机构也是因为他可以利用集中营迅速解决自己的敌人。[102]最重要的是，希特勒将集中营视为强大的武器，可以对"社会公敌"发动全力攻击。希特勒在1935年6月20日告诉希姆莱，安全地关押危险囚犯很有必要，他还同意在集中营设立特种机枪部队。为了防止国内动荡，希特勒补充说，党卫队看守甚至可以作为奇袭部队执行集中营外的任务。[103]

有了希特勒的支持，希姆莱底气更足了，他马上在全国范围内发起了第一次"预防性"突击行动。1935 年 7 月 12 日，他命令警察逮捕了 1000 多名德国前共产党官员，仅仅因为怀疑他们持有"颠覆性态度"就足以获得逮捕许可。[104]但正如我们所知，希姆莱的目标更远大，他要瞄准一切所谓的敌人。他再一次获得了希特勒的支持。这两个人在 1935 年 10 月 18 日会面时，不仅商讨了对共产党的攻击，还有针对堕胎者和"反社会分子"的攻击。[105]不久后，刑事警察针对社会边缘分子的打击越来越严，把大量的囚犯送入集中营。[106]

95

示意图2　1935年夏，党卫队集中营

希姆莱模式的胜利意味着司法机关的巨大失败。"只有那些依旧怀念自由主义年代的人才会认为保护性拘禁措施太严苛甚至违法。"一名盖世太保官员在重要的法律期刊上发表评论。[107]

96 此时，与司法体系并行的体制外常设机构，典型地体现了纳粹统治多头治理的权力复制现象。[108]的确，司法官员可以安慰自己，监狱仍是国家拘留的主要场所，相比之下集中营不值一提；尽管希姆莱尽了最大努力，到1935年夏天，他的集中营也只关押了3800名囚犯，跟国家正规监狱的10万名在押犯根本没办法比。[109]但是法学家不得不像大多数德国人一样接受并且习惯集中营的存在。[110]

尽管20世纪30年代后半段仍然有一些冲突点，但司法机关跟希姆莱的恐怖机器还是建立了大体良好的关系。[111]他们分工协作，与新秩序的可疑敌人做斗争：法庭将触犯法律的人送进监狱，而那些不能被定罪的人则被送进集中营。[112]此外，国家关押的数千名囚犯在司法判决后被移送至集中营。当德国共产党前国会代表卡尔·埃尔卡斯（Karl Elgas）以严重叛国罪被判刑三年，1936年即将服刑结束的时候，卢考（Luckau）监狱主管宣布将他移送至集中营，因为怀疑"他未来还会搞阴谋活动"；盖世太保对此非常赞同。偶尔，如果集中营里的囚犯被判刑事犯罪的话，也会先被移送到监狱服刑，然后再回到集中营。[113]

1937年9月，耶拿市（Jena）总检察长的一封信揭示了司法官员和集中营日益勾结的情况。在他告诉帝国司法部最近新开了一座叫布痕瓦尔德的大集中营时，他补充说："在刚开始的几周，有七名囚犯试图逃跑，被看守击毙。司法程序已经被中止。集中营管理层和检察官办公室的合作目前为止进展顺利。"[114]

新集中营

1936 年 8 月 1 日下午，当 50 多个国家的运动员拥入世界上最大的体育馆时，阿道夫·希特勒走到麦克风前，宣布奥林匹克夏季运动会正式开始，庞大的开幕式有超过 10 万名观众。柏林奥运会在纳粹宣传上是重头戏。德国首都经过改头换面的整顿，街道整洁，彩旗飘飘，迎接八方来客。同时，纳粹领导人也尽力展现自己最好的一面，弱化了国家压抑的现实，沉浸在体育盛事的欢乐氛围之中。[115] 但纳粹的恐怖并没有掩藏得太深。就连奥运火炬在柏林奥运会体育馆点燃的时候，在北边不到 25 英里，靠近奥拉宁堡的地方还有一队筋疲力尽的囚犯在党卫队看守的驱使下清理一片巨大的松林；他们在为营建新集中营萨克森豪森开辟土地。[116]

海因里希·希姆莱认为在德国首都附近建立大型集中营是迫切且必要的。当时，柏林只有一座名叫哥伦比亚屋（Columbia House）的党卫队集中营，曾是臭名昭著的盖世太保监狱，1934 年 12 月由集中营督察组接管。[117] 这座集中营太小了，根本无法实现希姆莱关押大批敌人的目标。于是党卫队开始寻找适合建立大型集中营的地点，他们认为奥拉宁堡最合适，早期最大的集中营之一也设在这里。从 1936 年春天开始，党卫队的规划者将目光对准了小镇东北方一大片隐蔽的树林，那里有充足的空间建立新集中营，而且离柏林很近。希姆莱和执行人艾克在实地考察后，1936 年 7 月，党卫队出发，前去兴建萨克森豪森集中营。新集中营很快开始吸收其他集中营冗余的囚犯。9 月初，它吸收了埃斯特尔韦根的剩余囚犯，这些人后来在《萨克森豪森之歌》里纪念这次转移：

我们从埃斯特尔韦根来，远离荒野和泥淖，

我们很快要到萨克森豪森，大门再一次被关上。[118]

抵达的囚犯中包括恩斯特·海尔曼，他侥幸活到了现在。"我从荒野里又出来了。"1936 年 9 月 8 日，他从萨克森豪森给妻子写的第一封信里如是说。同时，埃斯特尔韦根集中营匆忙关闭，变身成另一个司法监狱营（这个时机对党卫队来说刚好，因为埃斯特尔韦根的土地耕种项目基本没取得任何成果）。下一个被关闭的是狭小的哥伦比亚屋，于是在 1936 年秋天，萨克森豪森集中营趁机又吸收了一批囚犯；到了年底，囚犯总人数增加到了 1600 人。[119]

萨克森豪森是第一个为特定目的新建的集中营，以新模范营的身份开始了与达豪集中营的竞争。1936 年至 1937 年，希姆莱与艾克保持着紧密的联系，两人联手巩固集中营的地位，萨克森豪森的兴建就属于其中一部分。现在，集中营的未来得以确保，他们重塑了集中营体系，用两座全新的集中营替代了现有的大多数营地：萨克森豪森集中营和布痕瓦尔德集中营（位于图林根）。[120]

98   希姆莱和艾克在 1936 年就已经希望能在图林根建一座大集中营，几乎与建立萨克森豪森集中营同时，但是这个项目直到第二年春天才启动。1937 年 5 月，经过亲自调研，他们最终确定了一个合适的地点，就是陡峭的埃特斯山（Ettersberg，此处风光秀美，是魏玛居民比较喜欢的一处景点）北部斜坡上的一大片林地。新集中营曾短暂地以此山命名，却遭到当地人的反对，因为这跟魏玛最著名的市民约翰·沃尔夫冈·冯·歌德（Johann Wolfgang von Goethe，1749～1832）联系在了一起（歌德有一首诗与此山有关。——译者注）。于是希姆莱用布痕瓦尔德（德语意为"山毛榉林"）作为替代，这个充满田园风情的词最终成了残暴机构的名字。尽管改了名字，但集中营与歌德的联系并没被切断。那棵大橡树，也就是歌德遇见自己缪斯的地方，正好在新集中营里。因为它是保护对象，所以党卫队不得不围着它施工。布痕瓦尔德的囚犯看到歌德的橡树也在集中营里，都会认为这不仅亵渎了德国史上最杰出的作家，还象征着国家社会主义统治对文化的摧残。[121]

第一批囚犯在 1937 年 7 月 5 日抵达布痕瓦尔德，接下来的几周更多囚犯被陆陆续续押送过来。到 9 月初，这座新集中营已经拥有 2400 名囚犯。大多数囚犯都来自三座较老的集中营——最近刚被艾克接手的小集中营巴特苏尔察（Bad Sulza）、萨克森堡集中营，还有利赫滕堡集中营。这三座集中营如今都关闭了，但利赫滕堡在几个月后，也就是 1937 年 12 月，作为党卫队首座专门关押女性囚犯的集中营重新投入使用。从利赫滕堡移送过来的囚犯中就有汉斯·利滕，他在那里待了三年，过得还不算太差。但他发现，到了布痕瓦尔德之后日子就没这么舒服了。在 1937 年 8 月 15 日给母亲的第一封信中，他用密文告诉母亲自己再次遭到了野蛮的虐待。[122]

在 20 世纪 30 年代后半段，党卫队的恐怖系统经历着快速的改变。纳粹夺权时匆忙建立的集中营被量身定制、旨在长期运营的集中营代替。[123] 艾克的集中营督察组管辖的四座集中营中，只有利赫滕堡和达豪是在 1933 年建立的。而且达豪已经在大规模重建之中；许多旧的军工厂被拆除，为新建的长期集中营腾地。[124] 党卫队领导将新建的集中营体系视为未来。希姆莱和艾克热爱此类现代化集中营，在接下来的几年里又建了三座，分别是弗洛森比格（Flossenbürg，1938 年 5 月）、毛特豪森（1938 年 8 月），还有拉文斯布吕克（Ravensbrück，1939 年 5 月），其中拉文斯布吕克是党卫队特地为女囚建造的第一座集中营，建成后代替了利赫滕堡。[125]

在希姆莱和艾克眼中，这些新式集中营并不是指内部组织或看守的精神面貌新，其实这两者遵循的是陈旧的达豪模式。[126]相比之下，新意是指功能上的设计。新集中营被规划成承载了大批囚犯的小型恐怖城市。当时，整个集中营体系关押的囚犯不超过5000 人，萨克森豪森和布痕瓦尔德却计划各自容纳6000 人。[127]事实上，按照希姆莱的设想，警方可以无限制地实行抓捕，囚犯人数也没有上限。1937 年，希姆莱和艾克视察完萨克森豪森的雏形后，希姆莱写道，跟原先狭窄逼仄的老集中营相比，新集中营在设计的时候就注重"可以随时扩张"的能力。不受限的恐怖行动需要不受限的集中营。[128]

这就是新集中营占地甚广的原因之一：萨克森豪森占地近 80 公顷（1936 年），布痕瓦尔德则超过了 100 公顷（1937 年）。[129]随着集中营内部的持续发展，囚犯仅是其中的一部分，但并不是最大的部分。在营外有储物间、车库、工作坊、行政办公室、加油站、自来水系统和污水泵，还有大型的党卫队营房和家属区，囚犯们修建了四通八达的道路连接各个功能区。

新集中营里的囚犯区大体相似，都组织明确、便于看管。党卫队对严格的安保措施引以为豪，囚犯区四周围着电线、围栏、瞭望台、壕沟还有禁区。在囚犯区里面有少数职能建筑，比如洗衣房、厨房和医务室，还有一个大的点名场。然后就是预先建造好的囚犯营房，都是一层的木制棚屋（在布痕瓦尔德，

1938 年还增添了两层的石砌营房），类似于沃尔夫冈·朗霍夫1933 年在伯格摩尔见到的那些。这些与埃姆斯兰集中营的相似之处并不是巧合，因为萨克森豪森的党卫队建筑师曾经在那里就职（不过有一个重大的改变：大多数新营房的水平排列更长了，而且分成左右两翼，两头是囚犯的住所，中间是盥洗室）。尽管有众多相似点，但各个新集中营从外观上还是各不相同，这是因为它们所在的地形不同。而且，党卫队也在尝试不同的设计。萨克森豪森集中营的综合区最初被规划为三角形，而基础区的囚犯营房则围绕点名广场形成一个半圆形。但这种设计限制了集中营的扩张，不利于监视囚犯，而且后来越来越松散。相反，在达豪，党卫队选择了矩形设计，营区的主路两边是一排排整齐对称的营房，这成为后来大多数党卫队集中营的标准布局。[130]

新集中营还有一个更主要的特点：隐秘。当然，它们也没有完全切断与外界的联系。党卫队集中营系统在发展过程中依然保持着与营外当地人的社会联系。比如，截至 1939 年，党卫队队员大概占到了达豪当地人口的五分之一。[131]不过，新集中营大部分时候还是隐藏在公众视线之外。与大多数早期集中营不同，它们的位置更偏远和隐蔽，隔绝了好奇者的窥探。[132]这些集中营还更独立于周边的基础设施。很多居民最初希望从当地集中营身上赚取些好处。少数贸易者和当地人也的确挣了些钱，比如利赫滕堡的一个农民用囚犯们的粪便给自己的土地施肥。但整体来说，希望获得大量物质收益的想法落空了，主要是因为新集中营自给自足的能力更强了，它们有自己的铁匠、鞋匠、裁缝、工匠的作坊。达豪集中营里甚至还有面包店和肉店，给其他集中营起到了示范作用。[133]结果，集中营更加淡出了附近村

100

落和城镇居民的视野，就像 20 世纪 30 年代后半段淡出大多数
德国人的视野一样。[134]

集中营党卫队

　　1939 年 1 月 29 日，海因里希·希姆莱为纪念德国警察日发
表广播讲话。讲话中他罕见地公开提到了党卫队集中营。希姆
莱再三向听众保证集中营具备"严格却公平"的良好条件，随
后开始介绍集中营的功能："这些集中营的口号是'通向自由
之路'，推崇的是顺从、勤奋、诚实、有序、整洁、节制、真
诚、时刻准备做出牺牲、热爱祖国。"[135]党卫队对希姆莱的格言
推崇备至，很快就在多座集中营宣传开来——指示牌、屋顶、
墙上都是，让所有囚犯都能看到；囚犯们站在一块告示牌前的
照片被纳粹媒体疯传。[136]以前也有过类似的口号。比如从 1936
年开始，从达豪集中营大门通往囚犯营区的熟铁门上就刻着
"劳动使人自由"，这句话后来被刻在了萨克森豪森、弗洛森比
格和奥斯维辛集中营的门上。[137]党卫队用这些讽刺的话语折磨囚
犯。在萨克森豪森，希姆莱 1939 年的格言后来被写在了点名广
场四周的营房上，字体巨大；战争时期，看守会把新来的囚犯
带到这些庄严的标语前，指着附近的火葬场说："这里有通向自
由之路，但是只能通过这些烟囱。"[138]

　　但是在希姆莱扭曲的观点中，他对"自由之路"是十分认
真的。[139]他喜欢把自己想象成严厉的老师，将集中营整体当成大
规模教育的机构——这个概念在纳粹德国非常流行，许多不同
类型的集中营都是在塑造"民族同志"。希姆莱把自己的集中
101　营当成教管所，那些被扳正了"内在态度"（党卫队的说法）
的囚犯就可以被放归社会。[140]根据这种思路，20 世纪 30 年代后

期被捕的许多囚犯最终都重获自由了。[141] 自然，没有人是被"教"好的，他们都被打垮了。当希姆莱谈到党卫队的"教育理念"时，他实际指的是强迫、惩罚、恐怖行为——就他个人而言，集中营只会这样对付离经叛道、肮脏、堕落的"人渣"和"垃圾"。[142] 而且，即使囚犯们已经被击垮了，希姆莱也坚称不是所有人都可以被释放。根据当代犯罪学的理论，犯法者可以被分成可改造和无可救药两类，希姆莱认为"绝对不可以释放"最堕落的普通刑事犯和最危险的政治犯，因为这些人会再次用"布尔什维主义的毒药"感染德国人。[143]

希姆莱声称只有具备过人才能的党卫队才可以驾驭集中营这个危险的领域："对军队来说，没有任何一项任务比看守恶棍和罪犯更加危险和艰辛。"[144] 那些被希姆莱蒙蔽的历史学家会以为党卫队看守是一群精挑细选的战士。[145] 但囚犯们描绘了一幅跟官方形象相反的画面，把看守们形容成与社会格格不入的残暴分子或者虐待狂。[146] 在萨克森豪森，他们甚至模仿希姆莱著名的格言编了一支小曲："这里有一条'通向党卫队之路'，推崇的是愚蠢、冒失、说谎、吹牛、避责、残酷、不公、虚伪、热爱豪饮。"[147] 虽然这些俏皮话反映了一些现实情况，但也只是局部反映出集中营和督察组工作人员的背景和行为。虽然所有这些人都被称为集中营党卫队，但那时他们还有一个更阴险的名字。1935 年时，他们的制服上佩戴了黑色徽章，徽章上绘有骷髅头和一堆白骨。"加入我们就是与死神为伍。"特奥多尔·艾克装腔作势地说。这个可怕的标志启发了希姆莱，他在 1936 年春天将集中营党卫队正式命名为骷髅部队（Death's Head units）。[148]

打造政治军人

希姆莱和艾克这样描述集中营党卫队：一支政治军人的精

英队伍。在和平时期，艾克一直告诫自己的士兵，他们是保护祖国的唯一力量，要夜以继日与集中营铁丝网后面的敌人做斗争。[149]"政治军人"的形象最早在魏玛时期由冲锋队普及。[150]但很快海因里希·希姆莱和热衷于将党卫队塑造成强硬士兵的党卫队领袖挪用了这个概念。[151]特奥多尔·艾克充分诠释了这个词。1943 年 2 月 26 日他的飞机被击中，在东线坠落，他的讣告刊登在《人民观察家报》上，副标题就是《政治军人艾克》。自此之后，他就与政治军人这个词紧密联系在一起。[152]

以政治军人为榜样的集中营党卫队建设包含几个要素。首先，用艾克的话来说，在"热诚的同志关系"基础上要有"绝佳的团队精神"。军人之间的模范友谊（其中最具代表性的是在一战战壕里，兄弟生死与共的故事）在战后德国成了强大的政治工具，特别是在动员纳粹积极分子的时候。[153]同志关系的另一面是在面对敌人时能够弥合等级之间的差距，同仇敌忾。艾克教导自己的士兵对囚犯不要有半分同情。他坚称，集中营党卫队成员之间的感情，应该像对敌人的敌意那样深厚。"执勤时只有严格、无情和强硬，"艾克提醒下属，"不执勤的时候则要有温暖的同志情谊。"[154]他要求党卫队全力惩治囚犯，不得心存怜悯。[155]"包容意味着软弱。"对艾克来说，同情敌人是最恶劣的事情。意志薄弱的人适合去修道院而不是在集中营工作。"保持我们队伍的纯洁，"他告诉下属，"你们之中不允许存在心软或单薄的意志。"[156]在这一切背后都是对男子气概的推崇，要像军人一样坚韧、强壮、冷血。只有真正的男人才能加入集中营党卫队。[157]

但是，如何将党卫队队员塑造成政治军人？海因里希·希姆莱尝试发挥模范带头作用。他曾在 1935 年确保了集中营的未来，并且亲自参与集中营的巩固和扩张。希姆莱下达指令，任命高层官员，与艾克协商，访问新集中营，并视察已有的集中营。他的一些访问是精心安排的。为了给希姆莱和其他高官留下深刻的印象，集中营会提前做好准备，尽量贴近官方宣传的形象。[158]但希姆莱偶尔也会突然到访，吓当地的党卫队一跳。如论起同志关系，希姆莱并不是很受欢迎，下属们不喜欢他的保留，害怕他的一丝不苟；集中营党卫队的一个老队员后来形容这位领导是"思想刻薄的学究"和"小气的暴君"。[159]

然而，特奥多尔·艾克却能跟这位上司保持良好的工作关系，这是基于他们对集中营的共同理念、艾克对希姆莱始终如一的感激之情以及希姆莱对他的尊重，希姆莱将艾克视为党卫队集中营体系完美的管理者。希姆莱给了当时遭贬谪的艾克一次重生的机会，这个决定如今获得了丰厚的回报。希姆莱信任艾克，创立集中营党卫队时，他给了艾克充足的余地，他欣赏甚至羡慕艾克和下属之间亲密的关系。[160]

艾克很快就给集中营打上了自己的烙印。他把集中营督察组从一个小的幕后组织变成了有影响力的机构。他的集中营督察组员工从 5 人（1935 年 1 月）增加到了 49 人（1937 年 12 月），遍及各个部门：有主办公室（或政治办公室），还有主管人事、行政、医疗事务的独立办公室。[161]集中营督察组成了党卫队集中营系统的神经中枢。艾克和下级官员们的关键决定都是从这里传达给各个集中营的。从 1937 年起，集中营督察组还每月出版时事通讯，记载了艾克对机构事务（从员工的身份卡到武器保养）、党卫队行为和囚犯处置的一系列感想和指示。[162]为了证明自己是独立于盖世太保的，艾克很快就将集中营督察组办公室从阿尔布雷希特王子街搬到了更宽敞的地方，先是于

103

1936 年 6 月在柏林中心的弗里德里希大街（Friedrichstrasse），然后于 1938 年 8 月搬到了奥拉宁堡的全新办公大楼里（一些囚犯被迫参与了施工和建造），紧邻萨克森豪森集中营。由于它的外形特殊，这座长条状的三层建筑很快就被称为 T 字楼。艾克自己霸占了最豪华的办公室，可以俯瞰外面的大广场；等到晚上，他就回到附近装修奢华的新别墅享受美酒佳肴。集中营党卫队总部的人如今的住处都很时髦，与他们日渐升高的地位相匹配。[163]

但是艾克并没有把自己当成超然的管理者。跟其他纳粹积极分子一样，他担心太多的书面工作会把自己变成坐办公室的文人；他跟他的手下必须保持男子汉的气概和行事作风。[164]艾克以身作则，给自己排满了会议和视察。"我每个月有 20 天都在出差，累坏了，"他 1936 年 8 月给希姆莱写信，跟往常一样热切地表达，"我活着只是为了履行对部队的职责，因此获得了爱戴。"[165]此外，艾克还跟手下的指挥官定期开会。在 1936 年底的一个令人难忘的场合中，他们齐聚德国第一高峰楚格峰（Zugspitze）山脚的一家景色怡人的酒店；在一张抓拍的照片里，艾克和他的下属们在雪地里散步，身穿党卫队的黑色长外套，头戴有骷髅和骨头标志的帽子。[166]

艾克对下属来说是绝对的权威，尽管这种权威根本上源自希姆莱，但他自身的性格也起了很大作用。艾克是个极具个人魅力的领导，许多下属深信他是英雄人物，具有超人的才干和眼光，因此坚定不移地追随左右。[167]他的崇拜者视他为罗姆的终结者，将各种其他的英雄壮举也安在他头上，把他描绘成泰坦战士（泰坦是希腊神话中曾统治世界的古老神族。——译者注）一般的人物。[168]尽管艾克对于自己的头衔和办公室扬扬得意，他表现出来的却是愿意打破等级和地位壁垒的态度，要求下属用非正式的"你"称呼自己，并告诉他们："我随时愿意倾听最年轻的同志的意见，并且始终站在坦率诚实的同志身边。"在一次庆祝党卫队友谊的铺张派对上，艾克甚至跟普通看守聊天、豪饮、吸烟，直至深夜——这些举动是一丝不苟的希姆莱完全不可能做的。[169]

反过来，许多下属崇拜艾克。艾克把集中营党卫队当作自己家的理念深深地感染了他的下属——"我的士兵比我的妻子和家人与我更亲密。"他曾这样写道。在这样的"大家庭"中，艾克被奉为无所不能的父亲；他的下属们甚至叫他"艾克老爹"（艾克还自豪地跟希姆莱提起）。[170]这些奉承的人里就有约翰内斯·哈塞布勒克（Johannes Hassebroek），时年 25 岁，1936年从党卫队军官学校（Junkerschule）毕业后由艾克亲自选为排长。甚至在战争结束几十年后，哈塞布勒克对艾克的爱戴仍旧没有减退。"艾克不只是指挥官，"1975 年，65 岁的哈塞布勒克双眼湿润地追忆说，"他是一位真正的朋友，我们和他的情谊是那种真正的男子汉之间的友情。"[171]

惩罚的双面性

在海因里希·希姆莱幻想他的政治军人时，他最看重一个美德——得体。在他下达的众多诫命中，有一项最重要。无论与敌人的斗争有多残酷，他的下属必须牢记自己是在为德国的利益奋斗，而不是为个人的利处或享乐。希姆莱在 1938 年对党卫队领导们的讲话中坚称，对囚犯施虐跟同情囚犯一样，都是错误的："要强硬，但不要残忍"是指导思想。[172]

希姆莱号召党卫队队员举止得体，这个呼吁得到了集中营党卫队的响应。早在 1933 年 10 月，特奥多尔·艾克刚被任命为达豪指挥官几个月，他就下令严禁一切"虐待或戏弄"囚犯的行为。其他党卫队指挥官纷纷效仿。[173]后来，党卫队看守甚至被要求签署一份书面声明，保证不会对国家的敌人"动手"。[174]凡是不遵守规定的集中营党卫队队员都将面临制裁。1937 年 3 月，特奥多尔·艾克在时事通讯中警告看守们，不能对囚犯"有一点儿虐待（扇耳光）"，否则就会被希姆莱逐出党卫队。[175]

105 就在几个月后，另一期时事通讯刊登了一份惊人的通告："萨克森豪森集中营的党卫队二级小队长蔡德勒（Zeidler），出于嗜虐的偏好，以最可耻的方式殴打囚犯。他被降级，永远开除出党卫队，并被移交刑事审判。这件案子成了警示典型。"[176]到底发生了什么？难道希姆莱和艾克真的要限制党卫队在集中营内的施暴行为吗？

党卫队领导真正担心的并不是虐待囚犯的问题，而是希姆莱身边谏言的一位副官提到的"不必要的折磨"有损风度而且会引起混乱。[177]为了禁止此类行为，党卫队领导们采取了两个关键的措施。首先，他们推出了一本经过官方批准的集中营惩罚措施目录，其中大部分都在艾克的老地盘——达豪集中营实践和验证过。[178]其次，他们规定只有指挥官才可以执行正规惩罚。如果看守们发现了违反纪律的囚犯，他们需要遵照这本规定行事。他们不可以自己动手教训犯错者，而是需要向指挥层提交书面报告。[179]就连指挥官们也不能随心所欲。如果要执行鞭刑，也就是最残酷的刑法，他们需要将书面申请一式三份递交给集中营督察组。[180]

鞭打囚犯是集中营党卫队最喜爱的刑罚，也是希姆莱自己最喜欢的。早期集中营里已经开始普遍使用棍棒和鞭子，冲锋队和党卫队更喜欢用工具而不是徒手教训囚犯；这样的话，既可以对囚犯造成更大的伤害，又不会伤到他们自己。而且，自古以来就有主人鞭打奴隶的传统，所以这种处罚手段还具有象征意义。[181] 除了没头没脑的鞭刑外，一些早期集中营还有正式的鞭刑。在达豪，指挥官瓦克勒手下的党卫队队员会定期为新来的囚犯举行"欢迎仪式"，把他们拽到桌子上趴着，然后开始用鞭子抽，直到他们晕过去。瓦克勒还对所谓的违规者施行肉体上的惩罚。"有罪"的囚犯要被牛鞭或长长的柳木杖抽打 5 ~ 25 下。[182] 新指挥官艾克上任后仍保留着这个刑罚，还把它正式收录进了 1933 年 10 月出台的达豪处罚规定。等艾克当上集中营督察官之后，他还把这个规定推广到了其他集中营。[183]

最有仪式感的鞭刑往往以封闭式进行。但是集中营党卫队也会定期在点名广场上进行惩罚表演，以此羞辱受刑人并恐吓其他的囚犯（仅 1938 年下半年，在布痕瓦尔德就有 240 多名囚犯被公开抽打过）。在这样的场合，所有囚犯被迫立正站好，眼看着受刑人被绑在特制的木架上抽打臀部，鲜血顺着腿流下来；一些过度激动的看守下手极重，甚至会把刑杖打断。[184] 这就是希姆莱理想的"得体"惩罚。

还有一个同样残忍的酷刑被称为"吊刑"。[185] 这是党卫队另一个正式的折磨手段——可以追溯到宗教法庭甚至更早的时代——也是先在达豪试行，然后推广到其他集中营。[186] 囚犯双手被绑在身后，手腕吊在横梁上。有时他们可以脚尖触地；有时却没有任何支撑，就这样被悬挂几个小时。为了加重囚犯的痛苦，看守们还会往下拽他们的腿或者把他们当作沙袋打，让他们飘来荡去。韧带撕裂和关节脱臼甚至骨折的痛苦太剧烈，尽管一些囚犯尽力保持冷静，为了向党卫队和其他囚犯证明自己

106

不会被打垮，但他们很快也会汗如雨下，呼吸艰难。他们身上的后遗症会持续很多天。1939年夏天，一名在萨克森豪森集中营被吊了三个小时的囚犯不久之后作证说："大概有十天，我都感觉不到自己的两条胳膊还在肩膀上，我的同伴不得不帮我做一切的事情……因为我根本没办法碰任何东西，因为我的胳膊没有任何知觉。"一些受刑者没有挺住，还有一些则因为受到的精神创伤太大而寻求自杀。[187]

吊刑和鞭刑是党卫队正式认可的两种折磨手段。此外，艾克的官方惩罚目录还包括惩罚性劳动、负重操练（也被称为"运动"）、口粮削减、在可怕的地堡里关禁闭以及发配到特殊受罚小队（又称受罚区）。[188]大多数惩罚手段一直沿用到第三帝国倒台，成为战前集中营的多项遗毒之一。

到20世纪30年代末，党卫队已经建立了详细的惩罚体制：在囚犯被正式处罚之前，看守们要先写书面报告并填写表格。党卫队领导看到了正规流程所带来的诸多好处。首先，加强了监管。集中营的领导原则同样适用于其他纳粹机构，为预防混乱，一定程度上的集中控制是有必要的。[189]其次，新流程能让囚犯更恐惧。因为任何举动都可能被说成违反规定，所以每一个囚犯都有被处罚的危险——囚犯们都知道这意味着什么。对受刑人来说，在被折磨之前还要经受另外一种心理上的痛苦。他们被认定"违规"后必须等待数日甚至数周才能知道要遭受怎样的折磨。[190]最后，这本折磨指南还保护了集中营党卫队。党卫队领导们依然在乎其他纳粹机构的反应，有了正规的惩罚目录后，他们就可以营造一种集中营管理有序的表象。就像艾克对下属们说的那样，他对那些殴打了"无耻犯人"的看守深表同情，但是不能公开宽恕他们，"否则我们就可能被帝国内政部指责为没有能力处理囚犯"。[191]

但是集中营的官方规定并没有，也不打算终止其他的过激行为。党卫队看守将施暴视为自己与生俱来的权力。他们继续折磨囚犯，并想方设法加重常规的惩罚，比如，超出规定的要求鞭打囚犯。[192]在本地集中营党卫队官员的支持下，这种情况经常发生，因为他们知道随心所欲的殴打会给囚犯们再增添一层恐惧。甚至大多数指挥官起了带头作用：他们一边签署正式的处罚命令，一边不顾书面规定滥用私刑。[193]这种按规定施暴和任意施暴的双面性成就了集中营内党卫队恐怖行为非比寻常的威力。

纳粹恐怖行为的雅努斯之面——规范和特权的双面性——反映了希姆莱和艾克更远大的信念。[194]在正常情况下，他们希望党卫队尊重参与规则和指挥路线。但是在紧急情况下，政治军人不能等拿到书面许可后才突击。如果铁丝网后面的敌人发起进攻——囚犯们总被怀疑处在反抗和起义的边缘——那看守们就不得不抛开规章守则。在集中营党卫队的道德观里，几乎所有对囚犯的攻击都可以被归为必要行为。这也有一定的现实好处，因为可以顺利通过司法调查。达豪哨兵头领曾经秘密下达一项命令，提醒下属虐待囚犯的一切行为都可以被官方记录为是出于自我防卫的。[195]

只有在极个别情况下党卫队领导才会处置施虐的看守。艾克在时事通讯上提到的保罗·蔡德勒是个例子。但是，蔡德勒并不像艾克说的那样是因为折磨囚犯才被开除的；如果虐待囚犯就会被开除，那大部分看守早就被党卫队除名了。从上级的角度来说，蔡德勒真正的罪过就是被司法人员逮住了。1937 年2 月，他跟其他看守一起在萨克森豪森集中营的地堡里杀害了犯人弗里德里希·魏斯勒（Friedrich Weissler）；在逐渐将魏斯勒打得血肉模糊后，他们用魏斯勒自己的围巾勒死了他。在随后的常规审讯中，当地的集中营党卫队将此事掩盖了过去。但事情并没有结束。魏斯勒曾经是新教认信教会的负责人——因为向希特勒请愿，指责政府和集中营的问题而被捕，此事泄露到了外国报刊媒体那里——他的死引起了国内外教会界的恐慌。而且，魏斯勒还曾与柏林国家检察官共事；他在 1933 年因犹太血统被解雇之前一直是地区法院的首席法官。正是出于这些原因，审讯比以往更加严格和持久，很快就揭露了党卫队的谎言。只有到了这个时候，案件更广泛地影响到了萨克森豪森集中营，党卫队才把蔡德勒推出来顶罪。后来经过不公开审判，蔡德勒被判一年有期徒刑。通过牺牲蔡德勒，党卫队才得以保全萨克森豪森的其他涉事官员，包括指挥官卡尔·奥托·科赫，他后来成为战前集中营的主导人物。[196]

骷髅部队的事业

党卫队骷髅部队在 20 世纪 30 年代后半段迅速扩张，从 1987 人（1935 年 1 月）迅速增加到 5371 人（1938 年 1 月）。[197]集中营里的骷髅队员主要被分为两类。第一类是经过选拔的少数人，制服上有明显的 "K" 字标识，他们加入了所谓的指挥参谋部（Commandant Staff），掌控集中营最重要的领域，包括囚犯营区。[198]其余的人都属于所谓的看守团，每个集中营都有一个骷髅部队的营（后来变成一个团）驻守。看守团负责外围安保。他们围绕集中营巡逻并在岗楼放哨，击毙试图穿越警戒线的囚犯。他们还负责监视囚犯们在集中营外劳动，这给了他们亲手殴打囚犯的机会。[199]尽管看守团和指挥参谋部成员有许多接触，但党卫队还是尽力做到分工明确；一般情况下，哨兵不允许进入集中营营区。管理和保卫分离成为集中营的基本组织特质——达豪等早期集中营就已经是这样了。[200]

集中营党卫队绝大部分成员都属于看守团，数量远超指挥参谋部人员，到 1937 年底，比例达到约 11∶1。[201] 跟同时期其他党卫队队员一样，哨兵们必须经过筛选，主要是为了维护党卫队的精英形象。所有新兵必须身体健康，身高在 5 英尺 6 英寸以上，具有勇猛的体格以及刚毅的性格和气概。他们必须符合希姆莱有关种族纯洁的奇思妙想，身上的"雅利安"血统要追溯到 18 世纪。[202] 其实，集中营党卫队最初并没有这些常规要求，都是随意筛选。但随着 20 世纪 30 年代后半段集中营体系的协调统一，特奥多尔·艾克开始推行更系统的看守团招募政策，主要看重两点——年轻和自愿。[203]

109

艾克喜欢"浅色眼睛"和"肌肉发达"的看守。他甚至欢迎 16 岁的青少年加入，他认为 20 岁以上的人"只会成为累赘"。希姆莱口中的"男孩"更容易被塑造成政治军人。鉴于党卫队紧张的财务情况，更务实的动机是单身的青少年更廉价。[204] 艾克对年轻人的偏好改变了集中营党卫队，1938 年平均年龄已经降到了 20 岁左右，许多新人都是刚从希特勒青年团结业就进入了党卫队。[205] 但艾克并不是欢迎所有人。应征者需要显示出对这条道路的热情，具备渴望为党卫队献身的精神。在此，艾克借鉴的是志愿军的理想标准，这是一个长期伴随民族主义的形象，拥有奉献以及自我牺牲的精神。[206]

由于队伍扩张太迅猛，艾克在招募时没办法太挑剔，但他还是实现了自己的首要目标。截至 20 世纪 30 年代末，集中营党卫队几乎全部由志愿者组成，而且绝大部分都是青少年。[207] 骷髅部队给人的印象是最好的军事组织，所以能够吸引如此多的年轻人加入。党卫队的招募材料里将自己比作军队，并暗示说会为元首执行特殊任务，还谎称当德国处于和平年代时，他们仍然在战斗。相比之下，一个字都没提到集中营和里面的囚犯。大部分应征者肯定已经知道他们会被派驻到什么地方，但招募人并没有把集中营当作一个卖点。[208]

看守团的新人训练很艰苦——持续的检阅、行军、越障训练和武器操练。新人完全受年长的党卫队官员的支配，其中一些是一战的老兵，每次都会骚扰和羞辱手下的小兵。"他们不断操练我们，"一名党卫队队员后来回忆说，"直到我们生气地大吼。"这种野蛮的入门培训为的是赶走"脆弱"的人，很多新人都崩溃或者流下了眼泪。他们签署了 4 年（后来变成 12 年）的服役合同，不过连 3 个月的试用期都没撑过去。相反，剩下的都是享受操练的人——越苦越好，这样可以显示出他们坚强的一面。[209]

那些熬过了入门仪式的新人被编入看守团。但他们的日常生活跟想象中的冒险几乎不沾边。到 20 世纪 30 年代后期，看守团每日按部就班地工作，大部分时间都在例行军事演习和训练，每个月有一周的站岗任务，通常是劳累枯燥的。大多数人在管制下过着集体生活，一些人抱怨说他们不过是"带枪的囚犯"。哨兵们羡慕其他配有武器的党卫队组织，比如警卫旗队（Leibstandarte），他们的装备和薪酬更好。那些才是真正的精英部队，而看守团不过是枯燥的看门人。[210]"同志们的士气不太高。"1935 年，一名看守如此承认。对集中营党卫队英雄式的自我幻想和日常生活差距很大，就连艾克的雄辩才能也没有办法弥合。"我知道你们的艰辛，每天也都在努力解决困扰你们的问题，"他向看守们再次保证，"但是我们只能一步一步来。"[211]

尽管生活匮乏，但仍有不少看守对艾克深信不疑，这些人最后也获得了丰厚的回报。党卫队集中营很快就给他们提供了更好的薪水和其他福利。没受过多少教育的人在任何地方都不可能比在党卫队里走得更远；而且对于党卫队队员来说，在短短几年时间内从一个二等兵晋升为官员也不是什么稀罕事。[212]他们通常能晋升为指挥参谋部成员。在上级眼中，他们已经证明了自己是政治军人，如今可以进入集中营管理囚犯了。[213]

平步青云的人中就有鲁道夫·霍斯。出生于1900年的霍斯梦想成为一名士兵，在一战期间，他从沉闷的家里偷跑出来，加入了军队，那时他只有15岁。德国战败并没有磨灭他想为军旅生活献身的精神。在他深恶痛绝的魏玛时期，他大部分时间都花在了极右翼半军事化部队中，为自由军团苦战，随后又加入了被孤立的乡下社区，那里都是志同道合的人。他也从没失去对暴力的热爱，1924年霍斯被指控参与杀害了一名被认为是共产党员的叛徒（为此他在监狱待了四年）。霍斯在魏玛时期与激进的右翼分子建立的联系后来将他引入了党卫队集中营。他在20世纪20年代初期曾参加纳粹运动，那时他第一次遇到希姆莱。在之后几年，他们的道路又有了交集。1934年夏天，希姆莱在视察什切青的普通党卫队队员时（霍斯一年前刚加入其中），建议霍斯参加集中营党卫队。霍斯接受了他的建议，特别是考虑到能够快速获得晋升。1934年12月，他加入了达豪党卫队，成了一名哨兵。仅仅四个月后，艾克就把他从看守团提拔上来，让他成了指挥参谋部的一员，这也成了他随后迅速崛起的跳板。[214]

霍斯比大多数新人晋升得更快更高，但他的背景与集中营指挥参谋部的许多成员相似。像霍斯一样，他们大多是 30 岁左右，比看守团的小年轻们大了许多。大多数人在 1933 年之前就有了首次参军或者参加半军事化部队的经验，早就表露了对纳粹运动的热情；1934 年春天，11 名达豪指挥参谋部成员中有 8 人的党卫队编号都在 10000 左右甚至以下，这充分说明他们加入党卫队的时间之早，资历之深。[215]

111

集中营党卫队中最有经验的当属指挥官。几乎所有战前党卫队指挥官都经历过第一次世界大战——大概有一半曾是职业军人，后来转向参加纳粹运动，在 1932 年以前加入了党卫队，在 1933 年初升到了军官级别。[216]这些指挥官要向艾克的督察组汇报工作，但是在各自的集中营里他们就是所有因犯和党卫队队员的最高权威；如此一来，指挥官们就需要依靠指挥参谋部办公室，尤其倚重自己的副官，所以副官们通常也变成举足轻重的人物。[217]指挥官负责指挥看守团的站岗工作。[218]他们也统领指挥参谋部，在大型集会上传达上级的命令和指示，并监督集中营其他部门的官员。[219]

从 20 世纪 30 年代中期开始，指挥参谋部包括 5 个主要的部门——以达豪的组织结构为基础——这种基本划分直到二战结束都没有太大的改变。[220]除了指挥参谋部办公室（Ⅰ部），还有所谓的政治办公室（Ⅱ部），负责囚犯抵达后对他们进行登记、押送、释放和死亡处理，保存囚犯的档案和照片。此外，它还掌管地堡和囚犯审讯，利用各种折磨手段。这就是为什么囚犯被政治办公室召唤"就如同犯了心脏病一般"，一名布痕瓦尔德的前囚犯在战后写道。最重要的是，政治办公室的主任不仅向指挥官汇报工作，也会向警方汇报。他们是警察局派来的职业警察，经常穿便衣就是他们特殊身份的标记。[221]

集中营首席医生掌管的医疗办公室（Ⅴ部）也有两个领导——除了指挥官外，还要向督察组的总医务官卡尔·根泽肯（Karl Genzken）医生汇报，他曾是一位海军医生，也是一名老纳粹积极分子。他需要上报党卫队医疗局（给集中营指派医生的机构）和党卫队帝国医生。集中营医生负责一切医疗事务，监督党卫队和囚犯的健康，为他们设立最基本的医务室。[222]这些医生对囚犯的影响非常突出，相比之下行政办公室（Ⅳ部）的官员就没有什么存在感，因为他们大多在幕后工作。但是在很多方面，行政办公室也发挥着重要作用。他们不仅负责审查集中营的预算，掌管囚犯和党卫队的衣食住，还负责集中营的维护，和奥斯瓦尔德·波尔（Oswald Pohl）领导的党卫队行政处保持密切的协作。[223]

112

指挥参谋部权力仅次于指挥官的人是集中营营区负责人，掌管保护性拘禁营（Ⅲ部）。他是指挥官代理，平时更常出现在集中营里，对囚犯和党卫队看守来说是个关键人物。鲁道夫·霍斯称其为"真正执掌囚犯生死的统治者"。这也能从办公位置上体现出来，营区负责人的办公室就在集中营门房里，可以直接俯瞰囚犯营区。营区负责人领导的是指挥参谋部里最大的部门，人员构成包括一名或多名副手、一名考勤主管（负责囚犯的纪律和点名）、一名工作服务主管（负责监督主管囚犯劳动分队的突击队领导），还有分区主管（掌管囚犯营房）。专注敬业的党卫队队员升迁很快，有的时候可以一路升成一把手。[224]

鲁道夫·霍斯就是集中营党卫队最闪亮的一颗新星。在达豪指挥参谋部，他很快就从一名分区主管升为考勤主管，海因里希·希姆莱1936年视察时将他提拔为三级突击中队长；霍斯加入党卫队才三年就已经成了一名军官。他在1938年夏天调到了萨克森豪森集中营，最初是副官，然后成了集中营营区负责人。这两个岗位是努力奋斗的党卫队队员成为指挥官的主要途径，可以肯定的是，1940 年霍斯的上级想寻找一个富有激情的官员来领导新建的集中营时，首先想到的就是他。于是，霍斯收拾行囊，一路向东到了一个"曾经属于波兰"的地方担任集中营指挥官，这个集中营就是奥斯维辛。[225]

集中营党卫队的专业人才

特奥多尔·艾克从不吝于弘扬党卫队骷髅部队的"精神"——他所谓的黏合剂，将队员牢牢团结在一起。[226]但是艾克的花言巧语没办法弥合集中营党卫队的裂痕。比如，他叫嚣着要打破等级障碍，可是在领导、军士和普通士兵之间，不管在集中营就职还是已经退役，都有许多正式和不成文的等级划分；军官们通常住在新建的党卫队家属区里，房子宽敞、配备齐全；士兵们却睡在简陋的大棚屋里，有时就隔着铁丝网与囚犯营房相对。[227]

由于招收了太多性情冷酷、精明务实的人，党卫队并没能成为一个团结的大集体，而是分成了若干敌对的小集团。[228]围绕每日的工作总会爆发冲突，许多人也并不符合艾克的期望。党卫队领导经常会斥责下属，因为他们穿着邋遢，仪态不良，和囚犯闲聊，从仓库偷东西，在当值的时候读书甚至睡觉。[229]1938年夏天，希姆莱针对有辱党卫队形象的队员制定了新的制裁措施，少数看守甚至因为犯错成了囚犯：希姆莱亲自下令，犯错者将被关进萨克森豪森集中营，接受保护性拘禁。等到 1939 年9 月，73 名前党卫队队员——包括看守——被关在所谓的教育排（Education Platoon），他们的待遇相对来说还算不错。曾经的同事经常会安排他们攻击其他因犯。而普通因犯也特别害怕这些"骨头男"，之所以这样称呼是因为他们囚服上有交叉腿骨的标志，日日提醒着他们从前的地位。[230]

虽然艾克有夸大之嫌，但党卫队骷髅部队的精神并不全是虚构的。艾克像个企业领导人一样给集中营党卫队做了明确的机构定位——有它自己的传统、价值观和专业词汇——他手下的骨干们也全盘接受。"我们集中营是一个完全独立的派系。"战后还有人骄傲地回忆道。他们纷纷签约成为艾克理想中的政治军人，把成为集中营专业人才当作自己长期的事业追求。战前可能只有几百名这样的人，大多数都在指挥参谋部就职，但正是这些人最终统治了整个集中营体系。[231]

像政治军人一样生活是一项全日制承诺。集中营党卫队核心成员的大部分闲暇时间都是一起在营区度过的。他们在党卫队食堂集会，一起庆祝节日。在达豪，党卫队队员会一起在专属泳池、保龄球馆和网球场消磨时光；那里甚至还有一个野生动物自然保护区。高层官员也会到营区外社交。大多数人都已经成婚，有两个或者更多孩子——这是党卫队男子气概的另一个标志——他们的家人通常都会住在附近的家属区。这样一来，敬业的集中营党卫队队员的私人生活和职业生活就融为一体了。[232]

他们生活的中心还是暴力，这才是真正将集中营党卫队专业人士联系在一起的黏合剂，他们彼此分享虐待和折磨因犯的手段，建立了密切的共谋关系。[233] 党卫队核心的暴力精神太强烈，甚至延伸到了营区之外，引发了看守和当地人之间的争吵斗殴。最严重的一次发生在 1938 年 4 月的达豪，一名党卫队队员就制服和纳粹党的黄金徽章与两名工人争吵起来，然后拿仪式用的匕首刺死了他们。[234]

暴力是集中营党卫队精神的精髓，也渗入了党卫队专业人士的骨血。除了正式的惩罚手段，他们还摸索实践了其他形式的暴力行为，首先就是掌掴。对囚犯来说，第一次脸上挨巴掌是羞辱，也提醒着他们的奴隶地位——德国人经常用掌掴来惩戒未成年人和下级——但跟许多其他刑罚比起来已经算是好的了。[235]比如，拳打脚踢会对身体造成实际伤害，就像党卫队的另一种暴力仪式——夜间突击一样，大喊大叫的看守会突然袭击熟睡中的囚犯，接下来就是折磨和残杀了。[236]

对比之下，谋杀在 20 世纪 30 年代中期还是很少见的。平均下来，1937 年每个大型男子集中营（达豪、萨克森豪森和布痕瓦尔德）每月有四五名囚犯死亡，它们各自的囚犯日均在押人数大约为 2300 人。[237]1934 年到 1937 年，总共约有 300 名囚犯死在集中营里，大多数是被逼自杀或者当场被害。[238]

暴力被认为是压制危险囚犯的唯一方法（在早期集中营），因此自然而然成了集中营党卫队的核心精神。如今，第三帝国政权已经稳固，继续维持被虚构出来的囚犯的残暴形象变得越来越难。但是集中营党卫队领导努力煽动仇恨之火。新招募的成员要接受意识形态教育，这会贯穿他们的职业生涯始终。在演讲、传单和指令中，党卫队领导将囚犯描绘成危险的敌人，绝不能信任，绝不能不干涉，绝不能赦免。此类口号通常内容不变，一部分是因为集中营里的工作人员都是自主选择加入纳粹党的信徒，一部分是因为光头和穿条纹囚服的囚犯开始成为有罪的象征（见下文）。党卫队对囚犯的反感越发浓厚，鲁道夫·霍斯写道，"到了外人意想不到的地步"。[239]然而，并不是每一巴掌、每一次踢打都出于仇恨。党卫队有很多理由惩罚囚犯，比如惩罚违规行为或者整顿纪律。有时仅仅是出于无聊，想给沉闷的生活找些乐子。[240]不过，不管出于何种动机，所有的攻击都来自他们对囚犯深深的不屑和蔑视。

为了让手下更加强硬，特奥多尔·艾克下令他们参加正规的囚犯鞭刑。鲁道夫·霍斯回忆，他第一次参加的时候被囚犯的惨叫吓到了，但后来跟其他同事一样习惯了，有的人甚至很享受看到"敌人"受苦。[241]当然，职业的集中营党卫队队员可不仅仅是被动的围观者。少数人接受过专业的刑讯培训。[242]但大多数人都是在工作中学习，模仿更有经验的同事和上级的行为。[243]他们可以在酒精的作用下忘掉一切顾虑，变得更加暴力。有的人甚至会在喝醉后，在集中营里跌跌撞撞地走着而伤到自己。[244]

暴力不仅将集中营党卫队的强硬派团结在一起，还推进了他们的仕途发展。在一个以政治军人崇拜为基础的团体里，野蛮残忍变成了宝贵的社交资本。野心勃勃的党卫队队员知道，冷酷无情的名气可以给上级留下良好的印象，点亮自己的前程。这也是为什么分区主管会攻击囚犯，并自愿施行鞭刑。同时，上级官员并不想被下级超越。"若是我想亲自干的事情，我就不会要求分区主管多干，"萨克森豪森前任考勤主管在战后发表证言，"这就是为什么我会亲自对囚犯拳打脚踢。"为了维持自己的地位，集中营党卫队队员必须反复证明自己的残忍。与不顾一切掩藏自己的囚犯不同——他们流行的座右铭就是"别显眼"——坚定的党卫队队员渴望突出自己，用夸张的残酷表演取悦他们的党卫队观众；攀比竞争更加剧了他们的残暴程度。[245]总之，行凶的党卫队队员不仅仅是为了施暴而施暴。[246]相反，他们的行为背后交织着一系列意识形态和环境因素。

那些没能通过暴力测试的集中营党卫队队员会被边缘化和

嘲弄。就像艾克要求的那样，他们被羞辱为懦夫或者没有男子气概的人。这给个人制造了巨大的集体压力，他们被迫要"强大起来"。比如，鲁道夫·霍斯就非常害怕被嘲笑。"我想成为严厉得令人胆寒的人，"他写道，"这样我就不会被别人说是软弱了。"那些被视为失败者的党卫队队员会退居办公室处理文书、被责罚或者被开除——"因为骷髅部队也会打击自己人，"艾克用自己独特的风格写道，"如果他偏离了我们预期的轨道。"艾克清除"软弱"者的动力造成了几起重大的伤亡事件，党卫队最大的集中营指挥官更是如此。[247]

达豪学校

当海因里希·希姆莱寻找接替艾克担任达豪指挥官的人选时，他想到了资历最老的一名下属。海因里希·多伊贝尔生于1890年，第一次世界大战时是一名荣誉加身的中尉，但被俘虏了。战后，他在海关办公室找到了一份稳定的工作。但他的真正热情寄托在了极右翼的事业上。1926年，他加入了新成立的党卫队，编号186，升迁速度很快。到1934年，已经成为党卫队区队长的多伊贝尔掌管了一个奥地利团，也驻扎在达豪集中营。身为一名老兵和充满激情的党卫队官员，性情暴烈的多伊贝尔似乎是接任艾克的理想人选，他于1934年12月成了达豪集中营指挥官。[248]他的任命是早期集中营随机人事政策的典型示例，资深的纳粹党人在困难时期依旧忠心耿耿地参与行动，因此会得到嘉奖，通常都是一时冲动下的提拔。[249]

但他们在纳粹党的完美资历并不能成为胜任集中营工作的担保。像其他几个老纳粹党员一样，海因里希·多伊贝尔辜负了上级的期望。若说到恐怖统治，他跟艾克可不太一样。达豪

116

当然还是一个野蛮的集中营，在 1935 年已知有 13 名囚犯死亡。不过对囚犯们来说日子还是好过了不少。他们面临的刑罚不再那么重，劳动量也比以前有所减少，自由时间更多了。在集中营营区负责人卡尔·丹杰洛（他在早期集中营奥斯特霍芬的表现更温和）的协助下，多伊贝尔对囚犯管理方法进行了改革，包括在所谓的集中营学校开设数学和外语课程。他甚至建议让纳粹资助一名共产党员去游览，以此把共产党拉入纳粹的阵营。

多伊贝尔的统治时期虽然具有重要意义，证明了早期集中营的情况并非持续恶化，却没能长久。艾克很快就以失去模范集中营的体面为由攻击多伊贝尔，达豪集中营里的强硬派也纷纷抱怨对囚犯的"恶心的人道主义待遇"。1936 年 3 月底，艾克再也忍受不下去了，他撤销了多伊贝尔的职务。跟其他失败的官员一样，党卫队的同志原则给了多伊贝尔第二次机会。但是在他当了几个月哥伦比亚屋的指挥官后，艾克又把他踢走了，理由是"完全不能胜任"。很快，多伊贝尔又回到海关办公室重操旧业了。[250]

多伊贝尔在达豪的位置由 40 岁的区队长汉斯·洛里茨接替，后者后来成了集中营党卫队的关键人物。他的背景和多伊贝尔惊人地相似，也是一个一战老兵和前战俘，在魏玛时期成为公务员，过着单调的生活，随后将全部热情献给了党卫队（于 1930 年加入）。但是，洛里茨在一个重要的方面跟多伊贝尔不同。他志愿加入集中营，非常崇拜艾克，在埃斯特尔韦根担任指挥官时证明了自己的强硬。[251]

洛里茨是一个外形粗糙、胸肌发达的人，有一双小且黑的眼睛和黑色的希特勒式小胡子，他在 1936 年春天成为达豪指挥官，没有让他的上司失望。在给艾克的几封信中，他将自己描述为集中营党卫队精神的捍卫者。他关闭了集中营学校，谴责了多伊贝尔的"懒散"管理，以及近乎"同志般"对待囚犯的态度，发誓要清理干净这些"垃圾"。洛里茨言出必行，在第一次集体点名时就执行了大规模鞭刑。他被囚犯们称为尼禄，甚至会亲手殴打囚犯。[252] 那些遵照他指令的官员也获得了成功，其中包括达豪的新营区负责人雅各布·魏斯布（Jakob Weiseborn）——又一个残忍的集中营党卫队人——他顶替了"像黄油一样软的"丹杰洛（艾克解雇他时这样说的）。集中营人事经历了大换血，洛里茨撤换了多伊贝尔的大批人马，引入其他集中营里有经验的人。结果就是达豪囚犯死亡率迅猛上升。[253]

汉斯·洛里茨的任命标志着达豪集中营更统一的党卫队人事政策的开始。随着 20 世纪 30 年代中期集中营体系的巩固，几个像多伊贝尔这样被匆匆任命为指挥官的"老战士"都被解雇了。一支在集中营里摸爬滚打出来的新党卫队力量顶替了他们。结果，集中营体系更加稳固；比如，洛里茨在达豪担任了三年多的指挥官，又在萨克森豪森任职了两年多。[254]

对野心勃勃的集中营党卫队队员来说，达豪仍然是最具吸引力的跳板。十名战前集中营营区负责人中有七人后来被提拔为指挥官，其中就有雅各布·魏斯布，他从 1938 年开始就成了弗洛森比格集中营指挥官。在此之前，他还从达豪调到萨克森豪森，担任营区负责人，这也是党卫队日益成熟的人事政策的另一部分：通过调任心智坚定的官员，艾克将党卫队精神从现有的集中营散播到新成立的集中营。[255] 跟魏斯布一样，大多数萨克森豪森新集中营的人员都是其他集中营的老人，比如看守团的领导正是艾克的老搭档米夏埃尔·利珀特。1937 年夏天，当布痕瓦尔德集中营成立时，再一次重复了同样的流程。这次，备受信赖的党卫队官员从萨克森豪森而来，包括利珀特、魏斯布和指挥官一级突击大队长科赫，后者将执掌新集中营长达四年。[256]

卡尔·奥托·科赫跟汉斯·洛里茨同为二战前主要的党卫队指挥官。他也是一名热切的纳粹士兵，在英国军队的俘虏中见证了德国在第一次世界大战中的失败。在魏玛时期，科赫磕磕绊绊地做过一系列白领工作，1932 年失业。随后，他全身心投入纳粹运动，1931 年加入党卫队。他正式的集中营事业开始于 1934 年 10 月，时年 36 岁。他在 1936 年 9 月成了萨克森豪森集中营的指挥官，在此之前，他在利赫滕堡、哥伦比亚屋和埃斯特尔韦根都担任过指挥官一职。外表柔弱、谢顶的科赫当过银行职员，如今要把自己塑造为理想的政治军人。他甚至在萨克森豪森附近的树林里举办婚礼，迎娶第二任妻子伊尔莎（Ilse）。结婚仪式在深夜举行，四周围着手举火把、身穿制服的集中营党卫队队员。[257]

科赫是一个残酷的指挥官，不好相与的上司。他不仅喜欢对囚犯实施恐怖管理，还要细致入微地控制下属的生活。因此一些下属很怕他。同时，囚犯们也鄙视他。一名布痕瓦尔德的幸存者在 1945 年写道，很难说出科赫最邪恶的是哪一面，"他病态的残忍、暴虐、乖张，抑或是腐败"。[258]到目前为止，这些方面都没有阻碍他的仕途。相反，科赫的暴虐巩固了他的地位。艾克信赖他，就像信赖洛里茨一样，而且在任命其他集中营党卫队高层时会咨询他们的意见。[259]

到 20 世纪 30 年代末，艾克将集中营党卫队打造成了一个相对紧凑的群体，统一程度可以说是前无古人后无来者。成员之间建立起了密切的联系，通过恩惠、友谊和裙带关系连在一起，而不是正规的层级结构。但是，集中营党卫队根本和团结

118

不沾边。普通成员间存在大量不满，核心成员间也是内斗不止。而且集中营无法吸引新招募进来的精英，这让艾克在挑选高层人员时选择受限。他不得不任命一些极度不合适的人，比如卡尔·金斯特勒（Karl Künstler）。身为达豪看守团的高层官员，二级突击大队长金斯特勒在一次醉酒胡闹后就失宠了。艾克怒气冲冲地称，金斯特勒的无赖行为像"酿酒商的车夫"，会给下属造成不良影响。作为惩罚，金斯特勒从 1939 年 1 月 15 日起被贬到骷髅部队的预备团，被派到德国东部垦荒，薪资也减少了。但艾克很快又起用了他。雅各布·魏斯布在 1939 年 1 月 20 日暴毙身亡，艾克急需一名有经验的军官补上弗洛森比格指挥官一职。所以金斯特勒被贬黜没几天就又被委以重任。在他的管理下，弗洛森比格在接下来的几年内堕落成死亡之地，夺走了数千名囚犯的生命。[260]

囚犯的世界

随着党卫队开始协调统一，集中营系统在 20 世纪 30 年代中期越来越规范。各个集中营的外观开始趋同，员工的背景和事业发展也越来越相似。党卫队还对囚犯实行更统一的管理。囚犯们甚至在外形上都越来越像：到 1936 年，大多数男性囚犯在入营的时候就被剃了光头，之后还会定期修剪（大约每周一次）。[261]后来，大概从 1938 年开始，他们还穿上了统一的囚服。之前他们穿的都是自己的衣服——五颜六色的平民服装、老式警服和其他类型的衣物——如今他们穿的是一样的条纹制服，也就是所谓的斑马服，夏天是蓝白条纹，冬天是蓝灰条纹，外套和裤子上缝有数字。在小型的早期集中营，看守们通常叫的是囚犯的名字；但到了 20 世纪 30 年代末，在大型集中营里，

119

囚犯们只剩下一个个数字作为称号。[262]

新来者可能会迷失在千人一面的人海中，但当他们仔细查看，很快就会发现囚犯中存在不同的群体和等级。比如，一些囚犯穿得更好、住得更好，也更体面，他们通常身上带有标记，即所谓的审头。[263]不同背景的囚犯有不同的标记，这在一些早期集中营里已经试行过。在 1937 年到 1938 年左右，此类标记被规范化，集中营党卫队根据囚犯外套和裤子上不同颜色的三角形来区分他们的类别，不同的颜色对应着囚犯们被逮捕的理由。[264]三角形的颜色对囚犯们在集中营的生活有深刻的影响，性别因素也是，男囚和女囚的待遇差别非常大。

日常生活

集中营里的每一天都不尽相同。日程安排会根据不同的集中营、不同的季节、不同的年份改变。而且，随着时间的推移，集中营的领导并不想让生活变得太规律，总想让囚犯生活在提心吊胆之中。每天，囚犯们一醒来就会害怕可知和不可知的折磨，深知他们重复的日常活动随时可能被党卫队突发奇想的惩罚打断。[265]不过，集中营的生活作息大体类似。在所有集中营，一天被划分成不同的时段，由响彻营区的警笛或者铃声标记——这是另一项从军旅和监狱生活借鉴而来的管理办法。[266]

集中营里囚犯们日常的一天开始得很早，天不亮就要起床；夏天，囚犯们凌晨 4 点甚至更早就要起床，先用水简单地清洗一下脸和身体，狼吞虎咽地吃早饭（面包或粥，还有茶或者人造咖啡），匆匆忙忙洗完锡制的水杯和盘子后放到小柜里，整理床铺。然后囚犯们离开营区，"安静、迅速、像军人一样"列队前往广场进行早间点名，这正是 1937 年布痕瓦尔德集中营营

区负责人要求的。虚弱和患病的人由其他囚犯搀扶着，因为所

120 有人必须接受点名（除了在医务室的）。一旦全体囚犯到齐，党卫队考勤主管便开始核对人数；如果数目不对，囚犯们就要站很长时间，有时候长达几个小时。在点名的时候，党卫队官员也会用喇叭发布通知或者下令进行短期军事操练，而分区主管则对弯腰驼背或者鞋子太脏等违规行为进行惩处。最后，囚犯们被分成各个劳动分队，以双倍的速度列队前往劳动地点，通常都在营区外。[267]

囚犯们白天大部分时间都在进行强制劳动，只在午饭的时候能稍微休息一会儿。[268]午饭通常都不好吃，总是炖蔬菜和面包。囚犯们经常抱怨伙食差吃不饱，有的人体重迅速下降。但总体来说食物还是可以下咽的。那些后来经历了战时集中营的囚犯们在回忆过去时，甚至觉得早期生活还算不错，主要是因为当时囚犯们可以通过其他途径增加日常供给。虽然禁止送食物（或其他东西），但家属可以给囚犯寄钱，让他们在党卫队经营的小卖部买必需品。在 1938 年的达豪，如果一名囚犯每周收到四马克，他就可以买到半磅黄油、半磅饼干、一听鲱鱼或沙丁鱼罐头、一些人造蜂蜜，还能买一点儿私人用品，比如肥皂、鞋带或者牙膏，几十块方糖和两包香烟（囚犯们可以在饭后抽支烟，也可以把香烟当作货币使用）。[269]

囚犯们特别怕黄昏的点名。等所有劳动分队筋疲力尽地从外面回到集中营，不管天气如何，他们必须立正站好，直到党卫队清算完总账。党卫队喜欢延长囚犯们的痛苦，强迫他们唱歌或者让他们观看正式行刑。最后，囚犯们解散回到营房吃晚餐，能多喝些汤，还有面包和奶酪。然后他们有时不得不继续在营内做些强制劳动，或者整理内务，比如洗衣服。但是，囚

犯们也有些空闲时间。白天大多数时候，私人对话都是被明令禁止的，但现在囚犯们可以聚在一起聊聊天；其他人会读纳粹报纸（自己花钱买的）。8 点到 9 点之间会有安息号，囚犯们必须回到自己的营房。一些人再花几分钟阅读，但很快熄灯的铃声就会响起。就寝期间囚犯们禁止离开营房，否则会被当场击毙。他们陷入断断续续的睡眠中，还没睡够时就会被叫起来，开始新的一天。[270]

　　大多数囚犯期待星期日的到来，因为这一天的节奏不再紧张。他们偶尔也会劳动，但劳动不是主要的项目。当然，党卫队还是会控制营区内的一切，有时会延长点名的时间，强迫囚犯打扫营房，或者用喇叭连续播放纳粹领导人的讲话和领导人喜欢的音乐（有时候工作日的晚上也会播），观看管弦乐队表演。自从 1935 年在埃斯特尔韦根建立了第一支正式的囚犯管弦乐队，多个集中营也组建了乐队，主要为党卫队和囚犯表演。[271]一开始，集中营还跟普通监狱一样有宗教礼拜活动。甚至在达豪，党卫队起初也允许当地神父在点名场上主持弥撒。但是到 20 世纪 30 年代中期纳粹和教会对立后，这样的活动就逐渐消失，最终被希姆莱彻底禁止了。[272]

　　虽然有高压统治，党卫队对集中营的约束却不是绝对的。尽管一些看守痛恨囚犯们"闲逛"，但周日当值人员数量减少，看管不得不放松了许多，给囚犯们留下了更多的自由活动空间。偶尔囚犯们也能到营房外做做运动，更多的时候则是留在营房里玩桌游或者阅读。刚开始，囚犯们还可以留着自己的书，后来就不允许了。1937 年，当汉斯·利滕从利赫滕堡移送到布痕瓦尔德时，他不得不把自己所有的藏书寄回家。"你肯定能想象到这个打击对我有多大。"他绝望地给母亲写信道。利滕现在不

121

得不依靠集中营简陋的图书室，这种图书室从 1933 年开始出现，有时靠的是从囚犯身上剥削来的钱。虽然购置的大多数是政治宣传小册子，但也有足够多的书籍——到 1939 年秋天，布痕瓦尔德集中营图书馆大约有 6000 本书——偶尔也会有些精品。[273]

囚犯还会利用闲暇时间给爱人写信。每一周或两周，囚犯可以寄出一封短信或者明信片，不过信中不能含有任何可以被视为批评言论的内容；一名囚犯回忆，最理想的内容应该类似这种："谢谢你寄来的钱和信，我很好，一切平安，你的汉斯。"结果，寄出的内容大多平淡简单，可也意义重大，毕竟如今只有极特殊的情况才允许家属探视。如果信件延迟或者没有信件，本就神经紧绷的家属们会更惊慌失措。1938 年，一位达豪囚犯的妻子还曾联系指挥官办公室，直接询问说："你们是不是把我丈夫枪毙了，否则我怎么没有收到他的来信？"[274]

122　　　原则上，所有囚犯的活动都要在党卫队划定的狭窄范围内进行。但实际上，囚犯们通常利用这些场合削弱党卫队的控制。他们偷偷将暗语写进信中，就像我们之前看到的那样。同样，他们从很早以前就开始利用艺术表演来讽刺党卫队的制裁行为。以伯格摩尔的"集中营马戏团"为例。1933 年 8 月的一个星期日下午，在演员沃尔夫冈·朗霍夫的指挥下，一队囚犯表演了杂技、舞蹈和音乐，首次演出了具有挑衅意味的《荒野士兵之歌》。他们还取笑党卫队的消费，而党卫队队员把这当成娱乐消遣来看，也带有些许怀疑。但这样大胆的表演很少，特别是在党卫队加紧了对集中营的控制之后。在 20 世纪 30 年代后期，党卫队只允许有少数卡巴莱歌舞表演，对模糊压迫者和被压迫者之间界限的行为非常谨慎。当然，囚犯们经常不经党卫队的许可偷偷表演，他们还会在违规的文化、宗教和政治集会时亮明自己的身份。[275]

审头

海因里希·希姆莱在 1944 年夏天告诉德国的将军们，集中营成功的秘诀之一就是安排囚犯担任看守代理。这种"压制次等人"的天才打算，他补充说，是特奥多尔·艾克提出来的。据他解释，少数挑选出来的囚犯可以强迫其他人努力工作、保持整洁、整理床铺。这些囚犯监督者被称为"审头"。[276]这个词被普遍认为来源于意大利语的"capo"（头领或领导），希姆莱将审头视为集中营这台恐怖机器的中枢齿轮，这点倒是没有错。事实证明，审头制度在战前集中营非常有效——既可以让一小帮党卫队队员控制住大集中营，又可以离间囚犯——纳粹官员后来在犹太人聚居区和奴工营引入了相似的"分而治之"的机制。[277]

然而，审头制度的起源并非希姆莱在 1944 年所描绘的那样。首先，在囚犯里面挑人当小头目不是什么新鲜事。[278]在德国监狱，早就有指派"模范囚犯"的做法（比如，如果回到 1927 年，那么根据鲁道夫·霍斯过失杀人的罪名，他就相当于勃兰登堡监狱的狱卒）。许多集中营囚犯曾经在纳粹监狱中待过一段时间，已经熟悉了这种略具影响力的职位。"我们从监狱来，"一名共产党员在到达布痕瓦尔德之后形容，"已经习惯了有同伴担任'模范'。"[279]集中营和监狱的区别不在于设立此类囚犯称号，而在于审头手中掌握的权力。

审头机制并非希姆莱在描绘集中营时说的那样，它既不是特奥多尔·艾克发明的，也不是党卫队的明智设计。事实上，

123

集中营在诞生之初几乎没有目的和规划。在早期集中营，是囚犯自己——精通政治机构的管理和运营——选出代表来监督秩序，向有关人员反映意见。1933 年春，沃尔夫冈·朗霍夫抵达杜塞尔多夫监狱的保护性拘禁区不久，囚犯们（主要是共产党工人）选出了一名名叫库尔特（Kurt）的年轻德国共产党官员作为头领。在其他早期集中营，是党卫队或者冲锋队进行此种指派，但仍是囚犯们自己来选发言人。当朗霍夫在 1933 年夏天被移送到伯格摩尔集中营时，副指挥官让新来的囚犯们自己选个营头；经过长时间的商讨，囚犯们还是选择了在杜塞尔多夫时的头领库尔特，据朗霍夫的回忆录所述，库尔特当选后还发表了简短的讲话。最重要的是，库尔特告诉其他人，要"通过无可挑剔的秩序和纪律向党卫队证明我们不是次等人"——不经意间总结了审头制度对党卫队的吸引力。[280]

审头制度的稳固确立是在 20 世纪 30 年代中期，且随着集中营的扩张不断发展。例如在 1938 年底，当布痕瓦尔德的在押囚犯总数达到 1.1 万人时，审头达到了 500 多人。[281] 如今，高级审头由党卫队指派——不过他们也常常会听取杰出囚犯的提议——形成了一个与党卫队并行的组织结构。

广义来讲，审头按职能分为三类。第一类是监工，一般都在规模比较大的劳动分队——有时管理数百名囚犯——除了总审头外还会有几个工头。这类审头身兼多种职责，比如汇报误工情况，防止囚犯逃跑。总之，他们必须是"优秀的奴隶监工"，一名幸存者这样形容。内部手册里总结了党卫队的期望："审头负责严格落实一切命令，要为劳动分队的所有突发情况负责。"[282]

第二类是在营区里监视囚犯生活的审头。每个营房（也常被称为片区）有一个营头，还有几个区服务人、室长和桌长从旁协助。在党卫队看守缺席时，他们会时不时到营房里检查，营头被赋予全权。每天早上，起床号响起后，他会严格监督囚犯们按部就班地行动。然后，他带队前往点名广场，向党卫队报数。在其他人去工作后，他会视察营房，确保床铺整理得像党卫队要求的那样"完美"，也没有"不愿工作的囚犯"藏在房间里（只有营头和他的手下才有权在白天进入营房）。到了晚上，他还掌控食物的分配，汇报失踪的囚犯，动员新来的囚犯，并为熄灯做准备。然后，像党卫队规定的那样，他要"负责让囚犯们在夜间保持安静"。[283]

第三类是在集中营行政部门当助手，越来越多的囚犯被提拔为这一类审头。在一些早期集中营，已经有囚犯在医务室里当看护，到了 20 世纪 30 年代后期这种情况更加普遍。[284] 审头也会在囚犯厨房、仓库和地堡里当差，还能进入各种党卫队办公室当助理。审头阶级的最顶层是营区长（通常有两个副营区长），负责监督其他审头并向党卫队汇报，成为连接压迫者和被压迫者的主要渠道。任何囚犯都不如营区长的权力大。然而这也是一个危险的岗位，并不是所有囚犯都向往。比如萨克森豪森的政治犯哈里·瑙约克斯（Harry Naujoks）起初拒绝众人让他当审头的心意，直到一些共产党同志——在战前集中营，审头的位置通常由他们占据——说服了他。瑙约克斯在回忆录中写道，他的整体战略是通过保证点名和劳动的顺畅来体现审头不可或缺的意义，让党卫队不必贴身教导囚犯。但他知道党卫队想要的不止这样，他们想让审头成为恐怖统治的助力。审头们应对这些压力以及利用"狭窄的机动空间"（瑙约克斯的说法）的方式决定了他们在囚犯中的地位。一些人成了囚犯们的

124

灾难；另一些人，像瑙约克斯，则赢得了大家的尊重。[285]

所有审头都有对其他囚犯施加影响的能力，一些人享受这样的权力，对其他人发号施令并且玩得过了火。[286]一些囚犯因此把审头制度称为"自管理"的一种表现形式，这个词被广泛用于历史文献中。[287]但这个词其实具有误导性，暗示着集中营里存在一定程度的自治，但实际上审头们根本无法自主决定任何事情。[288]他们首先也最重要的目的是为党卫队的利益服务；营头要向党卫队分区主管汇报，医疗看护要向党卫队医生汇报，监工要向党卫队突击队领导汇报，等等。辜负了党卫队期望的审头会面临惩罚和解雇。[289]尽管审头有特权，但他们的地位并不稳固。即使是善于应对党卫队的哈里·瑙约克斯也没能长久。他在当了三年半的萨克森豪森集中营营区长后，有一天突然被党卫队丢进了地堡，被指控参与共产党阴谋，随后被遣送到了其他集中营。[290]

125　　囚犯群体

"集中营是一个名副其实的马戏团，因为有如此多的色彩、标记和特殊的设计。"布痕瓦尔德幸存者欧根·科贡在战后不久写道，嘲讽党卫队对符号、缩写和徽章的痴迷。[291]三角形——一共有八个颜色，还有不同的搭配标记——成为区分囚犯类别的主要可见标志。当然，集中营政治办公室的分类通常飘忽不定。一些与纳粹斗争的共产党员被定义为反社会人士，一些触犯了反犹规章的犹太人被贴上了职业罪犯的标签。[292]不管怎样，集中营党卫队以三角形为根据指导囚犯，囚犯们也用党卫队的标志区分彼此。三角形的颜色定义了每个囚犯的身份，不管他们是否喜欢。

1938 年之前，大多数囚犯都被定义为政治犯，制服上有红色的标志。[293]例如 1936 年 11 月，当局将集中营内 4761 名囚犯中的 3694 人定义为政治犯。[294]他们之中有政治活动家的中坚力量，首当其冲就是共产党员。[295]许多都是早期集中营的老相识了。自从 1933～1934 年被释放后，他们总会重新加入地下反抗力量，很快又被抓进了集中营。[296]根据 1936 年 3 月希姆莱的指示，再度被捕的囚犯将面临额外惩罚，三年内不得释放（其他囚犯则是三个月内不得释放）。[297]在达豪，1937 年初据估计大约有 200 名二进营的囚犯，他们衣服上有特殊的标记。他们的营房与其他区域是隔开的，创造了营中营的现象。集中营内第一次出现了整个群体被隔离的情况，树立了一个不祥的先例。这些二进营的囚犯无书可读，允许向外发信的机会更少，更不易获得医疗护理，而且劳动更加繁重。其中就有德国犹太律师路德维希·本迪克斯，他 1937 年被关进达豪后的情况跟 1933 年第一次被保护性拘禁时完全不同。本迪克斯如今身体虚弱，还生着病，像殉道者一样在达豪进行强制劳动，"我很怕自己会死，我需要动用所有的力量才能撑下去"。[298]

尽管希姆莱执着于抓捕左翼敌人，地下活动者在集中营囚犯中所占的比例却下降了，反映出 20 世纪 30 年代中期抵抗力量的逐渐减弱以及抓捕重心向其他边缘分子转移。说到反政府人士，如今警察手中的网撒得更大了。1935～1936 年，在保护性拘禁案例中，因抱怨和对政府持有异议而被捕的人可能占到了 20%；几个月内，因为玩笑或语言攻击被捕的人和因参与共产党活动被捕的人一样多。[299]不需要做太多事就能被认定为国家的危险敌人。就像玛格达莱妮·卡塞鲍姆（Magdalene Kassebaum），她两次被关进莫林根集中营，第一次是因为唱

《国际歌》，第二次是因为烧了一张希特勒的照片。[300]

　　警察还逮捕了一些神职人员，因为 20 世纪 30 年代中期纳粹和基督教会的对抗越发明显。虽然被捕的神职人员人数很少——1935 年，集中营只关押了十几个天主教神父和新教牧师——他们的逮捕却有重大的象征意义，在德国国内引起一些不安。[301]神职人员要跟政治犯一样佩戴红色的标志，经常被党卫队挑出来打骂。集中营党卫队积极宣扬反教权论，甚至比总党卫队更厉害，大部分人在艾克的激励下宣布和教会断绝关系，艾克将自己的观点总结为："祈祷书是女人和穿底裤的小孩的玩意儿。我们仇视祈祷时熏香的气味。"[302]1935 年，在柏林大教堂的牧师伯恩哈德·利希滕贝格（Bernhard Lichtenberg）私下质疑埃斯特尔韦根的条件后，艾克的愤恨突然爆发了。在给盖世太保的信中，艾克痛斥"罗马非法私人侦探"的干涉，说他们"把粪便拉在圣坛"，还抱怨"恶毒的口水不仅腐蚀国家"，还给党卫队制服上留下了污点，最后又提议让利希滕贝格自己到埃斯特尔韦根体验一下。[303]许多看守在遇到被囚禁的神父时会争相模仿艾克。语言和肢体攻击都很残忍，以至于一些党卫队队员的妻子都开始同情神职人员的处境。[304]

　　到 20 世纪 30 年代中期为止，最大的宗教囚犯群体是耶和华见证会的信徒，他们承诺忠于上帝，抵制纳粹主义的全部声明。第三帝国早已开始迫害他们，不久之后更是变本加厉，因为他们拒绝进入新的德国军队服役，而且在宗教团体被禁止后还吸收教徒，分发重要的传单。政府试图遏制他们对当局的蔑视，一些偏执的纳粹官员认定他们与共产党人勾结并开展群众行动（实际上这个教派只有 2.5 万名信徒）。20 世纪 30 年代中期，数千名信徒被捕。大多数人被关在普通监狱，其他人则被带到集中营。在 1937～1938 年的高强度镇压之下，萨克森豪森和布痕瓦尔德的囚犯中超过 10% 都是耶和华见证会的信徒。这个囚徒群体如此庞大，以至于党卫队专门赋予他们一个特殊的记号：紫色三角形。[305]

佩戴紫三角的囚徒过得非常艰苦。"耶和华见证会的信徒经常是各种迫害、恐怖和暴力行为的目标。"其中一人被释放不久后在 1938 年写道。一些虐待是意识形态推动的，集中营党卫队将受害者嘲笑为"天堂小丑"和"天堂之鸟"。战争结束后，当被问及为什么要把一名囚犯活埋时，萨克森豪森集中营的考勤主管回答说："他因为宗教信仰不肯服从。因此在我看来，他没有生命权。"[306] 然而真正激怒党卫队的并不是囚犯的宗教信仰，而是他们"顽固的"行为，因为耶和华见证会信徒拒绝执行某些命令甚至试图让其他囚犯皈依。[307] 消极抵抗的领袖们受到了严重的恶意攻击，其中包括矿工约翰·路德维希·拉胡巴（Johann Ludwig Rachuba）。他在 1936 年至 1938 年被萨克森豪森的党卫队惩罚，严格拘留了 120 多天，被抽了 100 多鞭，被施以四个小时的吊刑，在惩罚连劳动了三个月（他后来死在了集中营）。然而，这样残暴的手段成效不大，因为许多囚犯将其视为对信仰的考验。只有在战争后期，党卫队官员变得更加精明，意识到只要不直接与耶和华见证会信徒的信仰发生冲突，许多人是可以成为可靠的劳动力的。[308]

正如德国警方不断扩大政治犯罪嫌疑人的圈子一样，对社会边缘人士的攻击也不断扩大。主要的受害者是自 1933 年以来被定义为反社会分子或罪犯的人，他们在集中营里佩戴黑色或绿色三角形。20 世纪 30 年代中期又有另外一群人加入集中营——男同性恋者，他们要佩戴粉色三角形。恩斯特·罗姆被杀后，政府开始严厉打击同性恋者。现有的法律在 1935 年变得更加严格（不过妇女仍然能得到豁免），在强烈恐同者希姆莱的积极带领下，警察加强了对同性恋者的搜捕。希姆莱在 1937年对党卫队领导说，不能杀同性恋者令人感到十分遗憾，但至少可以拘留他们。再一次，绝大多数被捕的人被送到监狱，少部分被关进集中营。[309] 1935 年，这些人在利赫滕堡短暂地集中关押了一段时间——6 月，706 名囚犯中有 325 名被列为同性恋者——后来大部分人分散到了不同的集中营。[310]

在集中营里，被认定为同性恋者的犯人会遭受非常苛刻的对待。党卫队认为他们应该受到特殊处罚。为了"保护"其他人，有些官员把佩戴粉色三角形标记的囚犯关进隔离营房。为了"治好"他们，看守经常把他们派到特别辛苦的劳动分队，比如清扫厕所小队和惩罚连。[311] 此外，几名囚犯还被阉割了。纳粹的法律规定，必须经过同性恋者同意才能进行手术，但集中营党卫队的官员会迫使一些人点头。其中包括来自汉堡的裁缝奥托·吉林（Otto Giering），他曾多次被认定有同性恋行为。1939 年初，22 岁的吉林被带到了萨克森豪森。1939 年 8 月中旬，吉林被叫到医务室并被注射了镇静剂。他醒来时得知自己刚刚被阉割了，他感觉胃里沉重得像装满了沙子。几天后，指挥官亲自走进来，兴高采烈地举着一个玻璃瓶："你可以再多看一下你的蛋，不过它已经成标本了。"[312]

党卫队在监视同性恋囚犯时对他们的疑心非常重，在集中营内被指控发生性关系的人会遭受折磨，以提取"供词"；有时候，这些人被移交法庭进行刑事审判。[313] 有些嫌疑人是被其他囚犯揭发的。鉴于党卫队对同性恋的憎恶，指控他人为同性恋者是囚犯们对抗竞争对手和仇人的有力武器。更普遍的是，许多囚犯对同性恋者抱有偏见，会排挤他们；甚至有同情心的囚犯也会跟他们保持距离。奥托·吉林回忆说，他刚收到制服上的粉色三角形就被"各种类别"的囚犯"嘲弄和骚扰"——这也是个例子，证明了囚犯群体之间存在许多裂痕。[314]

团结和摩擦

哈里·瑙约克斯在共产党运动中感到十分自在。他生于1901 年一个贫困的工人家庭，住在汉堡码头附近，这个结实的矮个男人看着就像水手，因为他走起路来都是摇摇摆摆的。他早年辍学，曾学过制造和修补锅炉，很快在地方工会接受了政治洗礼。1919 年 3 月，还不满 18 岁的他加入了刚刚成立的德国共产党，后来成了汉堡共青团的领袖。瑙约克斯是一名忠诚的地方共产党员，1933 年加入了抵抗纳粹的运动。他为此付出了沉重的代价：1933～1934 年被辗转关押在多个早期集中营，在监狱中待了两年多，又在集中营里度过了八年。从始至终，瑙约克斯坚持为共产党事业奉献，也获得了其他共产党狱友的支持。1936 年 11 月 11 日，从他踏入萨克森豪森集中营的那一刻起，同志们就对他庇护有加。他刚入营，一名汉堡共产党员就带他参观了集中营的仓库；他的营头也是一名汉堡的同志，告诉了他集中营生活的最重要的规则；然后，另一名汉堡的前共产党官员带他去厨房拿吃的。在萨克森豪森的第一天结束后，瑙约克斯后来写道，他甚至有了一种归属感。[315]

其他大规模囚犯群体的新人——比如社会民主党人和耶和华见证会信徒——也可以在精神上和物质上得到朋友和同志的支持。[316]这些群体内部通常团结紧密，可以为自己人在集中营里谋得更好的位置而铺路，就像瑙约克斯，他在 1937 年初从让人

129

筋疲力尽的森林开荒小队转到了惹人羡慕的工匠岗（这是在另一位汉堡老党员的帮助下）。"再没有惨叫，没有殴打，甚至没有任何催促你干活的压力。"瑙约克斯写道。囚犯们团结在一起，共同推选出值得信赖的人担任审头，以获取更大的影响力。共产党人尤其擅长此道，这要多亏他们庞大的人数和严格的纪律。1937年夏末，哈里·瑙约克斯被安排在仓库里，自此开启了他向营区长发展的道路。[317]

同类囚犯的闲暇时间大部分是在一起度过的——因为党卫队是根据三角的颜色来分配营房——所以各个团体都有自己的主张。到了晚上，囚犯们会私下展开有关政治、宗教、历史和文学的非法讨论和讲演。在埃斯特尔韦根，本已十分虚弱的卡尔·冯·奥西茨基每当和同伴展开辩论时便似乎恢复了生机。"能聆听他的见解、与他辩论、向他提问是非常难得的经历。"一名曾是囚犯的共产党员恭敬地回忆。[318]

集中营里也有规模比较大的集会。在萨克森豪森集中营，哈里·瑙约克斯和同志们在1936年12月举行了第一次大型集会，当时党卫队看守们正在圣诞节派对上豪饮。这次隐蔽的集会由一名共产党前国会代表组织，他首先发表了简短的演讲，然后背诵了有关工人运动的诗文和歌曲。"我们每一个在场的人都被集体的力量深深打动了，这给了我们对抗恐怖统治的勇气。"瑙约克斯在回忆录中写道。[319]其他囚犯群体跟共产党一样，想方设法激发集体精神。犹太囚犯会在营房里举行文化活动——用音乐、诗歌和表演——基督教徒则聚在一起做节日祷告。[320]

很少有直接向党卫队权威发起挑战的人。在早期集中营，偶尔会有一些坚信第三帝国即将覆灭的囚犯敢于站出来抗议。[321]但纳粹政权并没有崩塌的迹象，到了20世纪30年代中期，党卫队看守很喜欢镇压囚犯们的抗议行为，一丝征兆都不放过。只有寥寥几人仍然敢和党卫队做对抗，其中就包括 1937 年末被关进布痕瓦尔德的新教牧师保罗·施耐德（Paul Schneider）。次年春天，施耐德因为拒绝向正门上悬挂的新纳粹党旗行礼而被拖进了地堡，遭受了数月的饥饿和折磨。但施耐德并没有被击败。有时恰逢星期日和宗教节日，他会在地堡里喊几句简短的话语，激励点名场上的囚犯，直到发怒的党卫队看守用皮鞭和拳头让他住嘴。他的声音最终在 1939 年夏天消失了，源于党卫队的折磨。[322]

身处不同群体的囚犯会因为钦佩和赞赏像施耐德牧师这样敢于反抗的人物而在短时间内团结起来。但这样的团结非常罕见，因为集中营滋养了大量的分歧和不协调。至少在 20 世纪 30 年代末期以前，最明显的裂痕存在于左翼囚犯的大群体之中，在德国共产党和社会民主党之间。这两党之间的长期不睦——互相指责是对方背叛了工人阶级，造成了纳粹的崛起——经常影响集中营内的团结。[323]

在早期集中营，魏玛共和国时期的争斗依然影响着共产党和社会民主党的关系。的确有一些超越政党的友谊和互助，特别是在普通党员之间。但许多共产主义革命家并没有忘记曾经在普鲁士和其他地方镇压过自己的亲民主力量，并公开冷落和社会民主党有关联的囚犯。反过来，一些社会民主党人因为受人数更多、组织更完备的共产党人的排挤而感到沮丧；有人抱怨说同营房的共产党人对自己就像对"麻风病人"一般，还有人伤心地表示共产党对自己"一丁点儿友好的情谊都没有"。有时，共产党囚犯甚至会向集中营管理者揭发社会民主党人，或者对他们进行身体伤害。[324] 被共产党和纳粹嘲讽为"权贵"

130

的社会民主党前领袖遭受的敌意最强。比如，以对共产党寸步不让而闻名的恩斯特·海尔曼即使在被捕后也没有改变心意，因此无论他到哪个集中营都会受到共产党员的鄙视；没有人同情和可怜他，共产党员沃尔夫冈·朗霍夫如此回忆。而且，看守们还命令共产党囚犯去攻击海尔曼，显然是党卫队想给左翼囚犯们之间已有的摩擦加把火。[325]

左翼分子之间的冲突一直持续到 20 世纪 30 年代中期甚至更久。魏玛时期留下的伤疤即便真能愈合，也是以极慢的速度，而且在审头的分配上两党反复发生冲突，社会民主党人一直抱怨共产党人的垄断。在早期集中营里，个体间也能建立起友谊，131 像瑙约克斯一样有包容心的人会向其他党派的囚犯伸出援手。但是，大环境依然是缺乏互信，左翼在成为纳粹阶下囚后从没能形成统一战线。[326]

集中营里的女人

1936 年初，一个周五的早晨看似跟平时没什么两样，斯塔德海姆监狱的一名看守打开了辛塔·拜姆勒的牢房门。她原本以为跟往常一样要被押送去工作，但这次是令人激动的消息：她可以离开监狱了。在被关押近三年后，拜姆勒期盼着终于能够重获自由。但是盖世太保另有打算。她的丈夫完成了从达豪越狱的壮举后一直没有被抓，只要他还在逃，他的妻子就不能放。因此，辛塔·拜姆勒并没有被释放，而是从斯塔德海姆监狱转到了莫林根集中营，那里已经成为德国专门关押保护性拘禁女性囚犯的集中营。[327]

对辛塔·拜姆勒来说，幸运的是莫林根集中营跟关押男囚犯的地方有很大差别。莫林根还不是正式的党卫队集中营，它仍在普鲁士州的管理下，而不是党卫队督察组；它的负责人——一个循规蹈矩的体制内公务员——跟艾克的"政治军人"截然不同。跟集中营相比，这里的囚犯数量少了许多，每月保护性拘禁的人数平均不到 90 人。这些女人不穿制服，穿的都是自己的衣服，劳动虽然单调但并不繁重。大多数人编织或者修补衣服，每天工作不到八个小时。最重要的是不会受到看守的打骂和虐待。[328]

虽然生活也很苦，比如作息时间严格、伙食差、卫生条件不好，但莫林根更像普通的监狱而不是集中营。这里的女囚根据背景被分到几个集体宿舍和房间中，可以相对自由地交往。辛塔·拜姆勒曾长时间被关在斯塔德海姆监狱的小牢房里，如今能够有其他共产党员，包括她的亲姐姐相伴左右，已经非常开心了。她们一起玩耍、唱歌、谈论政治。"可以聊任何事，这令我们所有人都感到开心些。"拜姆勒后来写道。[329]

在莫林根的女共产党员中，辛塔·拜姆勒是个领军人物。她的丈夫汉斯是一个勇于抗争的英雄，而且长期的监禁并没有动摇她的信念，她的坚定也给其他非共产党囚犯留下了深刻印象。[330]但是，莫林根囚犯中的共产党员并不像集中营里的那样占主导地位。首先，女审头的权力和影响并不像男审头那样大。[331]而且，莫林根囚犯的背景更多样化。1935 年，耶和华见证会的群体规模已很可观，反映出女性活动家的高层次，在 1937 年她们成了囚犯中最大的群体。到 11 月，大概一半的保护性拘禁者都是耶和华见证会信徒。[332]

莫林根的这些改变和急速上升的囚犯人数紧密相关，1937 年 1 月初，这里只有 92 名囚犯；1937 年 11 月，增长到了约 450 人。[333]辛塔·拜姆勒此时已经不在这里了，2 月时她在悲痛

132

万分的状态下被释放了。早在几个月前，莫林根的女共产党员们就听说，汉斯·拜姆勒正与国际纵队在西班牙内战中并肩战斗，这进一步提高了他的声望。但是，有传言说他在保卫马德里时牺牲了。辛塔·拜姆勒并没有丈夫的确切消息，因此备受折磨——她"像个行尸走肉一般到处走"，一名狱友回忆说——直到集中营负责人确认了这个消息。很快，她就被释放了。如今她的丈夫已死，纳粹再不用把她当作人质了；她的姐姐几个月后也被放了出来。[334]但大多数囚犯仍然继续被关在这里，直到莫林根的整个保护性拘禁区域被关闭，剩下的囚犯们被转移到了利赫滕堡。

1937 年 12 月新开的利赫滕堡集中营是第一座女子集中营。特奥多尔·艾克耗时三年建立了这样一座集中营，凸显了他眼中女性囚犯的外围地位；对他来说，"铁丝网后的敌人"是男人。但他最终还是决定行动。不仅是因为在集中营督察组以外的地方关押保护性拘禁犯令人感觉异常，也是因为女性囚犯的人数持续增加。希姆莱在 1937 年 5 月末视察时亲眼看见，莫林根已经不够用了，而更宽敞的利赫滕堡自从被关闭后一直处于闲置状态。于是，利赫滕堡很快被再度启用，装满了囚犯。1939 年 4 月，这里关押了 1065 名女囚。[335]

刚到利赫滕堡，来自吕贝克的 30 岁耶和华见证会信徒埃尔娜·卢多尔夫（Erna Ludolph）很快就意识到这里比莫林根大多了。很快，卢多尔夫和其他人就发现了更多不同，几乎都比原来更糟糕。作为党卫队集中营，利赫滕堡保留着更多的军事习俗，比如在走廊和院子里点名。每天的休息时间缩短了，强制劳动时间延长了两个小时。党卫队还更多地利用审头。总之，女囚们要忍受更严格的处罚和偶尔的暴行。像卢多尔夫这样的耶和华见证会信徒在囚犯中人数最多，所受的待遇也最差，她们被当作"不可救药"的群体孤立起来。1938 年的一天，这些女囚拒绝排成一队收听希特勒的广播讲话，于是看守殴打了她们，并且用高压水管冲她们喷水。[336]

133

　　尽管当地的党卫队也对女性囚犯实行严格管理，但他们并没有像管理男子集中营那样管理利赫滕堡。它跟其他党卫队集中营区别开来，发展出自己的特色。区别首先体现在集中营的外貌上。利赫滕堡的老城堡虽然可以充当大型宿舍，可是与党卫队理想中的现代化营房相差甚远。一般来说，利赫滕堡的女囚所受的折磨比集中营里的男囚轻多了。强制劳动并没有到让人筋疲力尽的程度，暴力行为也不常有，惩罚力度也比较轻（比如，根据官方规定，女囚不适用于鞭刑）。因此，这里的死亡率非常低，从 1937 年末到 1939 年春季党卫队关闭利赫滕堡集中营，只有两名女囚确认死亡——她们都是耶和华见证会的信徒。[337]

　　"1939 年 5 月中旬，"卢多尔夫在战后回忆，"我们耶和华见证会信徒，总共有 400 ~ 450 人，被卡车第一批运送到拉文斯布吕克集中营。"党卫队官员希望进一步增加女囚的数量，因此在 1938 年决定建立一个全新的女子集中营。在达豪附近建营的计划落空后，他们将目光移到了菲尔斯滕贝格（Fürstenberg）附近一个更隐秘的区域，在柏林北部约 50 英里处。1939 年初，当萨克森豪森集中营的一小队男囚建起第一批营房和建筑时，新集中营拉文斯布吕克已经准备就绪了。[338]

　　跟之前从莫林根到利赫滕堡时一样，囚犯们从利赫滕堡转移到新集中营后生活条件进一步下降。"一切都已经糟到令人无法想象的程度。"卢多尔夫回忆说。拉文斯布吕克的点名更折磨人，强制劳动愈发繁重，惩罚也更严重，生活越来越死板。现在，女囚们穿的是同样的蓝色和灰色条纹裙，戴着头巾和围裙。[339] 不过，集中营党卫队在施虐时依旧会对男女囚区别对待，最残酷的虐待还是留给男囚。尽管鞭刑在拉文斯布吕克已经成为正式的惩罚手段，但吊刑等其他刑罚并不算。虽说不会有残忍的暴力伤害，但党卫队增加了看门犬的数量，因为希姆莱认为女性特别害怕它们。[340]

拉文斯布吕克的特殊地位也影响了工作人员的构成。党卫队最初决定建立女子集中营时就面临着两难的局面。直到现在，集中营党卫队一直是纯男性组织，遵循极端男性化的价值观。134 但在女子集中营安排男看守却是个麻烦，因为早期集中营的性虐待情况已经说明了问题。最终，希姆莱选择妥协。在利赫滕堡和拉文斯布吕克，党卫队男队员只负责岗哨和担任指挥参谋部里的高层职位，集中营指挥官也是男性。营内每天跟囚犯接触最多的看守则由女性来担任，不过希姆莱回避承认她们也是党卫队员；尽管女看守是集中营党卫队的一部分，可她们从不是正式队员。即便在战争年代，她们处在党卫队的管辖之下，却仅仅属于党卫队的扈从（Gefolge），穿着特殊的土灰色制服。[341]

拉文斯布吕克的女看守跟其他集中营的男看守还是有区别的。诚然，她们大多数也是志愿者，年龄在 25 岁到 30 岁之间，不过一般没有政治暴力的前科；魏玛年代和纳粹时代初期的纷争都是男人的专场 。而且，只有一小部分女看守是纳粹党员，相比之下，大多数党卫队队员都加入了纳粹党。大多数女性愿意来当看守并不是出于意识形态上的追求，而是因为可期的社会福利。她们一般都出身贫困且未婚，也不具备专业能力，集中营承诺给她们提供稳定的工作、不错的酬劳以及其他福利，比如舒适的住处，甚至（从 1941 年开始）让她们的孩子进入党卫队幼儿园。[342]一旦进了拉文斯布吕克，这些女看守就会受到严格的管制，虽然她们从来没有服从命令，完成跟"政治军人"一样的操练。的确，拉文斯布吕克的指挥官十分沮丧，反复训斥女看守破坏军队的纪律。[343]

现在，集中营系统中的女性仍然处于边缘地位，不管是囚犯还是看守。女囚犯的总体比例确实飞快上升——从 1938 年夏末的 3.3% 上升到了一年后的 11.7%——但拉文斯布吕克在规模和严格程度上依然落后于男子集中营。[344]不管怎样，它的出现都具有重要意义，体现了党卫队对女囚从传统的拘禁到新统治形式的转变。[345]

女子集中营是集中营体系后来新增的部分。集中营体系于 20 世纪 30 年代中期建立并巩固，1934 年底时，人们曾以为它会退出历史舞台。但仅仅 3 年之后，集中营已经成了第三帝国的常设机构，不受法律约束，由国家资助，并由新的机构——集中营督察组管理。党卫队吸取自己第一座集中营达豪的经验，为集中营体系的发展绘制了基本蓝图。集中营体系的关键特征是统一的行政结构、相同的建筑布局、专业的人才队伍，以及系统化的惩罚机制。党卫队系统的同步扩张——囚犯总数从 1935 年夏天的约 3800 人上升到 1937 年末的 7746 人——指向了集中营另一个关键的方面，由汉娜·阿伦特在第二次世界大战后首次着重提出。在一个彻底的极权主义国家，比如第三帝国，政权稳固后恐怖行动并不会减少。即使国内的政治反对派减少了，纳粹领导人依然会追求更极端的目标，所以集中营体系才会不断扩张。[346]直到 1937 年底，这种扩张仍没有停止；相反，这只是开始。

135

注　释

1. 罗姆之死，参见 StAMü, GStA beim OLG München Nr. 2116, LG München, Urteil, May 14, 1957, quote on page 46；致命一击无疑是利珀特下的手，虽然法官无法百分之百确定这项罪名。See also ibid., Nr. 6237, Vernehmung W. Kopp, May 27, 1953; ibid., StA Nr. 28791/40, Dr. Koch, Niederschrift, July 1, 1934; ibid., Nr. 28791/1, Bl. 13 – 16：Vernehmung Dr. Koch, January 25, 1949; ibid., Nr. 28791/3, Bl. 72 – 75：Vernehmung W. Noetzel, June 28, 1949。据说艾克在 1933 年夏天射杀了一名达豪囚犯（Richardi, *Schule*, 187），但这是个例，因为他极少亲自动手。

2. 本段和前一段参见 Kershaw, *Hubris*, 499 – 517。See also Longerich, *Himmler*, 180 – 84；Höhne, *Orden*, 90 – 124.

3. 引用和希特勒的演讲，参见 Kershaw, *Hubris*, 514。达豪党卫队和大清洗，参见 StAMü, StA Nr. 28791/3, Bl. 5 – 7：Vernehmung M. von Dall-Armi, May 5, 1949; ibid., Bl. 61 – 64：Vernehmung J. Hirsch, June 27, 1949; ibid., Bl. 103：Vernehmung M. Müller, July 19, 1949; ibid., Nr. 28791/6, Bl. 406 – 409：Vernehmung R. Dirnagel, June 3, 1953; ibid., Bl. 441 – 42：Vernehmung X. Hammerdinger, July 9, 1953; ibid., Nr. 28791/28, Bl. 36：Vernehmung T. Dufter, May 6, 1949; ibid., GStA beim OLG München Nr. 2116, LG München, Urteil, May 14, 1957, 18 – 19；Höhne, *Orden*, 101。

4. StAMü, StA Nr. 28791/28, Bl. 53 – 54：KOK Schmitt, Schlussbericht, June 17, 1949; Kershaw, *Hubris*, especially pages 159, 208 – 209.

5. StAMü, StA Nr. 28791/28, Bl. 39 – 41, 42 – 44：Vernehmung J. Steinbrenner, May 12, 1949, May 25, 1949; ibid., Nr. 28791/6, Bl. 398 – 402：Vernehmung J. Steinbrenner, June 1, 1953.

6. StAMü, StA Nr. 28791/3, Bl. 5 – 7：Vernehmung M. von Dall-Armi, May 5, 1949; ibid., Bl. 57 – 58：Vernehmung A. Pleiner, June 22, 1949; ibid., Nr. 28791/6, Bl. 398 – 402：Vernehmung J. Steinbrenner, June 1, 1953.

7. DaA, Nr. 24658, Bestattungsamt Munich, Ordner: Poliz. Opfer allg., n. d., Abschrift.

8. StAMü, StA Nr. 28791/46, GStA Munich, EV, January 28, 1952, p. 11; ibid., Nr. 28791/6, Bl. 403 – 405: Vernehmung W. Noetzel, June 2, 1953; ibid., Nr. 28791/28, Bl. 35: Vernehmung A. Stadler, May 5, 1949; BayHStA, StK 6299/2, Bericht des Politischen Polizeikommandeurs Bayerns, May 7, 1935（感谢 Kim Wünschmann 提供本条文献）。

9. StAMü, StA Nr. 28791/3, Bl. 61 – 64: Vernehmung J. Hirsch, June 27, 1949; ibid., Bl. 68 – 69: Vernehmung H. Reis, June 21, 1949; ibid., Bl. 70: Vernehmung L. Schmidt, June 30, 1949.

10. StAMü, StA Nr. 28791/6, Bl. 441 – 42: Vernehmung X. Hammerdinger, July 9, 1953; ibid., Nr. 28791/3, Bl. 5 – 7: Vernehmung M. von Dall-Armi, May 5, 1949; ibid., Bl. 12 – 13: Vernehmung J. Lutz, May 11, 1949; ibid., Bl. 72 – 75: Vernehmung W. Noetzel, June 28, 1949; ibid., Bl. 92: Vernehmung J. Klampfl, July 15, 1949.

11. Domarus, *Hitler*, vol. 1, 405. 关于 7 月 2 日达豪的谋杀，参见 StAMü, StA Nr. 28791/46, GStA Munich, EV, January 28, 1952, p. 11。

12. 22 名受害者姓名已知；Zámeǒník, *Dachau*, 70。已知至少还有 3 人在离营地不远的地方被杀害，可能是达豪党卫队队员下的手；StAMü, StA Nr. 28791/46, GStA Munich, EV, January 28, 1952, pp. 13 – 15。

13. StAMü, StA Nr. 28791/46, GStA Munich, EV, January 28, 1952, pp. 11 – 16; ibid., Nr. 28791/32, KOK Schmitt, Schlussbericht, June 20, 1949.

14. Kershaw, *Hubris*, 517 – 26. See also idem, "*Myth*," passim.

15. USHMM, 1998. A. 0247, reel 15, Bl. 184 – 93: statement H. Aumeier, December 15, 1947（由 Katharina Friedla 从波兰语翻译为英语）。See also BArchB（ehem. BDC）, SSO, Aumeier, Hans, 20.8.1906.

16. 1934 年 6 月 2 日，艾克对利赫滕堡的指令，*NCC*, doc. 148。

17. 1936 年 8 月 10 日，艾克对希姆莱所说，*NCC*, doc. 152。

18. Endlich, "Lichtenburg," 32; Schilde and Tuchel, *Columbia-Haus*, 35, 123 – 25; StAMü, StA Nr. 28791/7, Vernehmung K. Launer, May 23, 1949.

19. StAMü, GStA beim OLG München Nr. 2116, LG München, Urteil,

May 14, 1957, 56 – 59 quote on 55.

20. Quote in *IMT*, vol. 29, Rede bei der SS Gruppenführertagung in Posen, October 4, 1943, ND: 1919 – PS, p. 145. See also ongerich, *Himmler*, 184; von Papen, *Papen*, 30 – 31. 1934 年 7 月艾克得到晋升，但具体日期未知；Tuchel, *Konzentrationslager*, 181。

21. Quote in Breitman and Aronson, "Himmler-Rede," 345.

22. Longerich, *Himmler*, 165 – 79, 192 – 96; Gerwarth, *Heydrich*, 102.

23. Tuchel, *Konzentrationslager*, 319.

24. 1934 年 4 月，帝国内政部颁布的第一部全国范围内保护性拘禁的条例确认了盖世太保在实施集中营拘留方面的中心地位；Wachsmann, "Dynamics," 20 – 21。

25. 引用自 1934 年 6 月 15 日，希姆莱对梅泽堡（Merseburg）地区长官所说，in Tuchel, "Theodor Eicke," 65。希姆莱下达指示的日期，参见 BArchB（ehem. BDC），SSO, Eicke, Theodor, 17. 10. 1892, Lebenslauf, March 15, 1937。

26. Tuchel, *Konzentrationslager*, 162 – 63; Mette, "Lichtenburg," 144; BArchB（ehem. BDC），SSO, Eicke, Theodor, 17. 10. 1892, Eicke to Chef des SS-Amtes, June 2, 1934.

27. 艾克对利赫腾堡的指示，1934 年 6 月 2 日，*NCC*, doc. 148。

28. BArchB（ehem. BDC），SSO, Schmidt, Bernhard, 18. 4. 1890, Eicke to Chef des SS-Amtes, June 21, 1934.

29. 关于萨克森堡和霍恩施泰因，参见 Baganz, *Erziehung*, 251 – 52; *OdT*, vol. 2, 132。接管埃斯特尔韦根的日期不明，新指挥官洛里茨预计 1934 年 7 月 9 日接管埃斯特尔韦根（Riedel, *Ordnungshüter*, 98），但他可能提前到了（Drobisch and Wieland, *System*, 189）。

30. 关于艾克的头衔，参见 BArchB（ehem. BDC），SSO, Eicke, Theodor, 17. 10. 1892, Gesamtdienstbescheinigung, March 30, 1943。

31. Von Papen, *Papen*, 25 – 30; Tuchel, *Konzentrationslager*, 184 – 86; Mühsam, *Leidensweg*, 43 – 48; Kreiler, "Tod," 106; Hirte, *Mühsam*, 311.

32. *OdT*, vol. 2, 132, 180. 希姆莱参与关闭奥拉宁堡，参见 BArchB, NS 4/Sa 18, Bl. 118: KL Oranienburg to Bürgermeister Fuchs, July 14, 1934。

33. 艾克的主导地位，参见 BArchB（ehem. BDC），SSO, Loritz, Hans, 21. 12. 1895, Kommandantur Dachau to H. Loritz, June 29, 1934。

34. Riedel, *Ordnungshüter*, 113. 萨克森堡显然在 1935 年就引入了达豪的规章制度；Baganz, *Erziehung*, 266 – 69。

35. Riedel, *Ordnungshüter*, 85 – 116, quote on 116. 在达豪，洛里茨作为附近"党卫队－救济会"（奥地利党卫队队员营）的主管，给艾克留下了深刻的印象。

36. IfZ, F 13/6, Bl. 369 – 82：R. Höss, "Theodor Eicke," November 1946, Bl. 372.

37. Himmler directive, December 10, 1934, *NCC*, doc. 72；Rürup, *Topographie*, 13；Tuchel, *Konzentrationslager*, 209 – 10, 220, 294, 347 – 48. 艾克和海德里希向希姆莱汇报，既作为党卫队官员，也作为政府官员。

38. 1935 年 7 月 8 日，希姆莱给盖世太保的备忘录，*NCC*, doc. 73；Sydnor, *Soldiers*, 21 – 22；BArchB, R 58/264, Bl. 50 – 52：Heydrich Anordnung, May 31, 1934。集中营指挥官如果反对盖世太保的释放命令，可以向希姆莱申诉；ITS, ARCH/ HIST/KL Lichtenburg 2, Bl. 86：IKL to LK, November 6, 1936。

39. Tuchel, *Konzentrationslager*, 210, 223 – 25, 229, 238 – 40；Kaienburg, *Wirtschaftskomplex*, 59 – 60.

40. 五座集中营是达豪、利赫滕堡、埃斯特尔韦根、萨克森堡和哥伦比亚屋（柏林）；参见示意图 2。

41. Herbert, "Gegnerbekämpfung," 60 – 61. 参见德意志帝国银行行长沙赫特（Schacht）的备忘录，1935 年 5 月 3 日，in Hockerts and Kahlenberg, *Akten*, 567 – 70；德国驻英国大使的报告，1935 年 1 月 26 日，*NCC*, doc. 278；Longerich, *Himmler*, 203；Gruchmann, *Justiz*, 545 – 47。

42. See PMI, circular, April 24, 1933, *NCC*, doc. 6；Krause-Vilmar, *Breitenau*, 107.

43. Tuchel, *Konzentrationslager*, 93 – 94；Kube, "Göring," 78.

44. Quote in Prussian MPr, announcement, December 9, 1933, *NCC*, doc. 18. See Tuchel, *Konzentrationslager*, 104 – 105；Drobisch and Wieland, *System*, 136 – 37. 1933 年末德国其他地方的大赦，参见 Baganz, *Erziehung*, 223 – 24。

45. 基本背景参见 Pingel, *Häftlinge*, 25, 51。

46. Schumacher, *M. d. R.*, 302. 艾伯特活了下来，后来成了德意志民主共和国（东德）的德国统一社会党的高级政客。

47. 弗里克的观点也反映在 RdI to Landesregierungen et al. , April 12, 1934, in Repgen and Booms, *Akten*, vol. I/2, 1235 – 38。See also ibid. , 1200; Gruchmann, *Justiz*, 547 – 49; FZH, 353 – 31, "Schutzhaft," *Frankfurter Zeitung*, March 13, 1934。

48. BayHStA, Staatskanzlei 6299/1, Frick to Sk Bayern, October 5, 1934; BArchB, R 43 II/398, Bl. 92; Übersicht Schutzhaft, n. d. ; Langhoff, *Moorsoldaten*, 315.

49. Drobisch and Wieland, *System*, 140.

50. GStA PK, I. HA, Rep. 77, Nr. 484, Bl. 115; Hitler to Landesregierungen et al. , August 7, 1934; Gruchmann, *Justiz*, 334 – 36.

51. BayHStA, Staatskanzlei 6299/1, Frick to Sk Bayern, October 5, 1934; Hett, *Crossing*, 205 – 207. 关于党卫队守卫，参见 ITS, ARCH/KL Sachsenburg 1, Bl. 6; Beurteilung A. Cieslok, September 7, 1934。关于埃斯特尔韦根，参见 Lüerβen, " 'Wir, ' " 465。

52. GStAPK, I. HA, Rep. 90P, Nr. 137, Bl. 63; "Weitere Schutzhaftentlassungen," n. d. See also Tuchel, *Konzentrationslager*, 187.

53. Wachsmann, *Prisons*, 68 – 71, 112 – 18, 372 – 75, 392 – 93.

54. Quote in Sarodnick, " 'Haus, ' " 347. 详情参见 Wachsmann, *Prisons*, 83 – 101, 375 – 76。

55. Wachsmann, *Prisons*, 101 – 11, 398 – 99. See also Knoch, " 'Willkür, ' " 39 – 44.

56. Wachsmann, *Prisons*, 168.

57. RJM proposal, n. d. (1935), *IMT*, vol. 26, ND; 785 – PS, quotes on 308; Baganz, *Erziehung*, 286 – 89; Gruchmann, *Justiz*, 368 – 71.

58. Quote in Domarus, *Hitler*, vol. 1, 422. 希特勒没有指名道姓地提到什切青集中营。被处决的人里还包括其前任指挥官。详情参见 "Ein Interview Ministerpräsident Görings über die Sicherheit in Deutschland," *VöB*, April 22 – 23, 1934; Rudorff, "Misshandlung," 62 – 63; Gruchmann, *Justiz*, 348 – 52; RJM proposal, n. d. (1935), *IMT*, vol. 26, 311, ND; 785 – PS。

59. Gruchmann, *Justiz*, 364 – 65; Tuchel, *Konzentrationslager*, 83, 163, 181 – 83, 387.

60. 为配合党卫队的回应，希姆莱命令指挥官们私下将非正常死亡的囚犯人数报给自己; BArchB, NS 4 Bu/12, Eicke to LK, May 24, 1935。

61. 希姆莱在帝国农民代表大会上的讲话, 1935 年 11 月 12 日, in Noakes and Pridham, *Nazism*, vol. 2, 301 – 302。盖世太保指责国外报纸试图"为废除德国境内的集中营制造气氛"; Gestapo to Foreign Ministry, March 12, 1935, *NCC*, doc. 263。

62. Eicke quote in Best to Göring, September 27, 1935, *NCC*, doc. 120. See also Gruchmann, *Justiz*, 647; Dillon, *Dachau*, chapter 4.

63. Gruchmann, *Justiz*, 564 – 70. See also BArchB, R 3001/alt R 22/1467, Bl. 74 – 75: Evangelische Kirche to RJM, May 4, 1935. 艾克对居特纳的看法, 参见 BArchB (ehem. BDC), SSO, Eicke, Theodor, 17. 10. 1892, Lebenslauf, March 15, 1937。

64. Himmler to Göring, December 6, 1934, *NCC*, doc. 71.

65. See also Tuchel, *Konzentrationslager*, 212, 306.

66. Quotes in Himmler speech to *Staatsräte*, March 5, 1936, *NCC*, doc. 78 (第一处引用从希姆莱的原稿里被删去了)。详情参见 Wachsmann, "Dynamics," 22; Longerich, *Himmler*, 204 – 207。

67. See Herbert, "Gegnerbekämpfung." 关于引用, 参见 idem, *Best*, 163, 178。See also Tuchel, *Konzentrationslager*, 297 – 307.

68. See Thamer, *Verführung*, 376 – 78.

69. 希姆莱在国防军课程上的演讲, 1937 年 1 月 15 ~ 23 日, *NCC*, doc. 83。

70. BayHStA, Staatskanzlei 6299/1, Bl. 174 – 77: Reichstatthalter to Bay. MPr, March 20, 1934. See also ibid., Bl. 215: Aktennotiz, March 12, 1934, March 15, 1934; Bauer et al., *München*, quote on page 230; BArchB, R 43 II/398, Bl. 92. 详情参见 Fraenkel, *Dual State*, passim; Wachsmann, *Prisons*, 3, 379 – 83。

71. BayHStA, Staatskanzlei 6299/1, Bl. 132 – 41: MdI to Bay. MPr, April 14, 1934. See also Tuchel, *Konzentrationslager*, 303.

72. 在巴伐利亚, 保护性拘禁犯的总体数目从 3500 人 (1934 年 2 月) 减少到 2343 人 (1934 年 4 月); Tuchel, *Konzentrationslager*, 155。

73. BayHStA, Staatskanzlei 6299/1, Bl. 23: Frick to Sk Bayern, October 5, 1934.

74. BayHStA, Staatskanzlei 6299/1, Bl. 9 – 12: Himmler to Sk Bayern, November 15, 1934.

75. Longerich, *Himmler*, 201.

76. Gestapa, Lagebericht Marxismus, August 23, 1935, in Boberach, *Regimekritik*, doc. rk 127; Tuchel, *Konzentrationslager*, 95, 106.

77. Frick to Bavarian Sk, January 30, 1935, *NCC*, doc. 114; Tuchel, *Konzentrationslager*, 307 – 308.

78. 1934 年秋天的数据：达豪 1744 人（1934 年 10 月）；埃斯特尔韦根 150 人（1934 年 10 月）；利赫滕堡 369 人（1934 年 8 月 8 日）；萨克森堡不到 200 人（1934 年 10 月）。See Tuchel, *Konzentrationslager*, 155; Lüerβen, "'Wir,'" 465; Mette, "Lichtenburg," 154; Baganz, *Erziehung*, 254.

79. 希特勒单独提及集中营，参见 Domarus, *Hitler*, vol. 2, 527; ibid., vol. 3, 1459; ibid., vol. 4, 1658。

80. 德国警察日演讲，1939 年 1 月 29 日，*NCC*, doc. 274。希姆莱补充说，此类批评"特别是来自国外"。这是纳粹领导人惯用的招数，指责外国人传播"暴行故事"，避免公开指责也这样做的德国人。德国国内对集中营的持续不安情绪，参见 Schley, *Nachbar*, 90 – 91; Gestapa II A 2, Bericht, June 27, 1938, in Kulka and Jäckel, *Juden*, doc. 2461。

81. Kershaw, "*Myth*," especially pages 257 – 58.

82. 早期有关集中营的一段私人讨论，参见 Fröhlich, *Tagebücher*, I/2/III, October 12, 1933。

83. 希特勒最初是对《每日邮报》的一名记者做了这些评论；*VöB*, February 19, 1934, in Domarus, *Hitler*, vol. 1, 364 – 65。

84. GStAPK, I. HA, Rep. 77, Nr. 484, Bl. 115: Hitler to Landesregierungen et al., August 7, 1934; BayHStA, Staatskanzlei 6299/1, Frick to Sk Bayern, October 5, 1934. 国外的报道，参见"Prisoners in Germany," *The Times*, September 3, 1934。

85. 起初，希特勒反复做出策略性的让步，以显示自己是一个有节制的人，特别是对他那些民族保守主义盟友。例子参见 Repgen and Booms, *Akten*, vol. I/2, 840 (n. 1); Broszat, "Konzentrationslager," 350。

86. Cited in Broszat, "Konzentrationslager," 352. 希姆莱视察，参见 BArchK, N 1126/7, Bl. 16: Himmler diary entries for February 15 and 16, 1935。

87. Tuchel, *Konzentrationslager*, 309 – 10.

88. Drobisch and Wieland, *System*, 82 – 87.

89. Tuchel, *Konzentrationslager*, 225 – 26, 324 – 25. 希特勒做决策的时机，参见 Eicke to Himmler, August 10, 1936, *NCC*, doc. 152。落实决定需要一些时间；Pohl to Grauert, December 4, 1935, *NCC*, doc. 75。

90. Eicke to Sauckel, June 3, 1936, in NMGB, *Buchenwald*, 55 – 56.

91. Tuchel, *Konzentrationslager*, 230, 258, 261；Drobisch and Wieland, *System*, 260.

92. Broszat, "Konzentrationslager," 353. 1936 年春天，希姆莱对帝国司法部就法律代表做出了一个让步，但实际上并没有落实；Longerich, *Himmler*, 209。

93. Baganz, *Erziehung*, 291 – 92；Gruchmann, *Justiz*, 373 – 74. 这不是希特勒第一次干预这样的事情；ibid., 365 – 66。

94. 一个例外，参见下文提到的弗里德里希·魏斯勒的案件。

95. 党卫队的阻碍，参见 BArchB, R 3001/21522, Bl. 9 – 18：AG-Rat Hans, Dienstliche Äusserung, July 26, 1938。

96. Tuchel and Schattenfroh, *Zentrale*, 89 – 92, 112, 118 – 25；Longerich, *Himmler*, 204, 207 – 209；Herbert, "Gegnerbekämpfung," 66 – 67, 72 – 73；Heydrich decree, January 16, 1937, *NCC*, doc. 84. 作为警方的领袖，希姆莱正式从属于帝国内政部部长弗里克。

97. Wachsmann, *Prisons*, 68 – 69, 212 – 15；Neliba, "Frick."

98. Kube, "Göring," 73 – 75.

99. Tuchel, *Konzentrationslager*, 309.

100. Quote in BArchB（ehem. BDC）, SSO, Eicke, Theodor, 17. 10. 1892, Eicke to Himmler, August 10, 1936. See also ITS, HIST/SACH, Sachsenburg, Ordner 1, Bl. 7：KL Sachsenburg, Zusatzbefehl, August 10, 1935；ibid., Bl. 24：Wachtruppenbefehl, August 24, 1935；ibid., Bl. 33：Befehl, August 1935（感谢 Stefan Hördler 与我分享这些和其他的文件）。

101. Himmler to RJM, November 6, 1935, in Tuchel, *Inspektion*, 43.

102. 例子参见 Bormann to Wernicke, January 29, 1940 and November 26, 1940, in IfZ, *Akten*, vol. 1, 481, 539。

103. Tuchel, *Konzentrationslager*, 309 – 10, 324.

104. Quotes in BArchB, R 58/264：Bl. 142：Heydrich to Stapostellen, July 29, 1935. 在希姆莱的领导下，自 1935 年春天以来，德国警方加快了对共产

党嫌疑人的抓捕；Longerich, *Himmler*, 202 – 203；Tuchel, *Konzentrationslager*, 311 – 12。

105. BArchB, NS 19/1447, Bl. 17：Führervortrag, October 18, 1935. 详情参见 Herbert, "Gegnerbekämpfung," 72。

106. 参见第 3 章。

107. *Deutsches Recht*, April 15, 1936, *NCC*, doc. 123.

108. 这个术语参见 Hüttenberger, "Polycracy"。

109. 1935 年夏天的囚犯人数：哥伦比亚屋 400 人（估计），达豪 1656 人（1935 年 7 月），埃斯特韦根 322 人（1935 年 6 月 10 日），利赫滕堡 706 人（1935 年 6 月 10 日），萨克森堡 678 人（1935 年 6 月 10 日）。See Schilde, "Tempelhofer," 77；Tuchel, *Konzentrationslager*, 203；Drobisch and Wieland, *System*, 204.

110. Tuchel, *Konzentrationslager*, 339.

111. 一些导火索，参见 Gruchmann, *Justiz*, 599 – 602。

112. 实际上，经常无法严格按照这样的区分来执行。有时警察会将一些犯法者直接拖进集中营，常规的监狱仍然关押着数百名保护性拘禁犯，至少在 20 世纪 30 年代中期是这样的；Wachsmann, *Prisons*, 171 – 72。

113. Wachsmann, *Prisons*, 171, 175 – 83, quote on 179.

114. GStA Jena to RJM, September 30, 1937, *NCC*, doc. 129.

115. Kershaw, *Nemesis*, 5 – 9；Domarus, *Hitler*, vol. 2, 632 – 33.

116. Morsch, "Formation," 87 – 89, 101；Kaienburg, *Wirtschaftskomplex*, 139 – 41.

117. *OdT*, vol. 2, 58. See also Georg et al., "*Why.*"

118. Sachsenhausen Song, *NCC*, doc. 224. 背景参见 Fackler, "*Lagers Stimme*," 336 – 38。

119. Kaienburg, *Wirtschaftskomplex*, 111 – 17, 129 – 33, 138 – 41, 191 – 93；Morsch, "Formation," 126 – 29, Heilmann quote on 127；Wachsmann, *Prisons*, 104；Danckwortt, "Jüdische 'Schutzhäftlinge,'" 156；Schilde, "Tempelhofer," 77 – 80. 另外一个有利于萨克森豪森新集中营建成的因素就是党卫队看守的存在（从哥伦比亚屋调来的），他们驻扎在旁边的奥拉宁堡城堡。哥伦比亚屋后来被拆，在那里建起了滕佩尔霍夫机场，这也是它关门的原因之一。

120. 这个时期，在艾克的集中营督察组掌管之外最后残存的早期集中营也被接管或者再次指派：巴特苏尔察集中营，由图林根州内政部建于 1933 年，在 1936 年 4 月 1 日被集中营督察组接管（Wohlfeld, "Hotel"）；汉堡 – 富尔斯比特尔在 1936 年成了警方的一处监狱（Diercks, "Fuhlsbüttel," 305）；科斯劳是位于巴登的一处早期集中营，直到 20 世纪 30 年代末都是作为"拘留营"的（Hörath, "Terrorinstrument," 529 – 30）。希姆莱 1937 年的预约日志记录着他与艾克曾九次会面（甚至可能更多）；IfZ, F 37/19。

121. *OdT*, vol. 3, 301 – 303; Tuchel, *Konzentrationslager*, 335 – 38; Eicke to Himmler, July 24, 1937, *NCC*, doc. 89; Koch to Gommlich, July 28, 1937, in Schnabel, *Macht*, 125; Moore, "Popular Opinion," 223; Burkhard, *Tanz*, 138. 艾克 5 月 18 日游览了埃特斯山，希姆莱则是 5 月 22 日；Wildt, "Terminkalender," 686 – 87（n. 68）。

122. 第一批被送到布痕瓦尔德集中营的囚犯来自萨克森豪森，其中也吸收了许多萨克森堡的囚犯。1937 年 9 月 9 日，最后一名萨克森堡的囚犯也启程前往布痕瓦尔德。巴特苏尔察集中营于 1937 年 8 月 1 日正式关闭。利赫滕堡作为一座男子集中营，于 1937 年 8 月 18 日关闭。See *OdT*, vol. 3, 302; NMGB, *Buchenwald*, 698; Wohlfeld, "Hotel," 275; Baganz, *Erziehung*, 283; Endlich, "Lichtenburg," 20 – 21; Morsch, "Formation," 133 – 34; Hett, *Crossing*, 210 – 19.

123. 集中营周围的党卫队建筑也一样；*OdT*, vol. 3, 303。

124. Záměčník, *Dachau*, 86 – 88; Riedel, *Ordnungshüter*, 188 – 89.

125. 关于"现代"营的资料，参见 Eicke to Sauckel, June 3, 1936, in Schnabel, *Macht*, 121 – 22; Himmler to RJM, February 8, 1937, *NCC*, doc. 85。

126. Morsch, "Sachsenhausen—ein neuer Lagertypus?"; Kaienburg, "Systematisierung." 这些连续性意味着党卫队在 1936 ~ 1937 年并没有创造一个全新的集中营类型；cf. Orth, *System*, 35 – 36。

127. 1936 年 11 月 1 日，集中营关押了 4761 名囚犯；German Foreign Ministry to diplomatic missions, December 8, 1936, *NCC*, doc. 82。关于这两座集中营的规划，参见 Kaienburg, *Wirtschaftskomplex*, 193; Eicke to Thür. MdI, October 27, 1936, in Schnabel, *Macht*, 123。集中营的建筑，参见 Gabriel, "Biopolitik," especially page 207。

128. 希姆莱此话参照的是萨克森豪森集中营；Himmler to RJM,

February 8, 1937, *NCC*, doc. 85。他在 1937 年 1 月 20 日视察了这座营；IfZ, F 37/19, Himmler diary。老集中营里的空间限制，参见 ITS, ARCH/HIST/KL Lichtenburg 2, Bl. 54；Helwig to IKL, April 18, 1937。

129. Morsch, "Formation," 102；*OdT*, vol. 3, 302 – 303.

130. *OdT*, vol. 1, 210 – 29；ibid., vol. 3, 303 – 305, 321；Neurath, *Gesellschaft*, 37 – 44；Naujoks, *Leben*, 48, 52, 68, 98 – 100；Morsch, "Formation," 93 – 101；Gabriel, "Biopolitik," 207, 210 – 11.

131. Steinbacher, *Dachau*, 174, 178 – 9, 205 – 206.

132. 例子参见 Künstler to Salpeter, March 9, 1939, *NCC*, doc. 292；Kaienburg, *Wirtschaftskomplex*, 130。即便是从 1933 年起就没有挪过地方的达豪，如今也变得更加隐蔽；Steinbacher, *Dachau*, 132 – 34。

133. Steinbacher, *Dachau*, 93 – 100, 126 – 29, 137 – 44, 181；Schley, *Nachbar*, 43 – 63, 79 – 86；Kaienburg, *Wirtschaftskomplex*, 150 – 51, 181, 275 – 80；idem, *Wirtschaft*, 123 – 29；Moore, "Popular Opinion," 144 – 57. 关于利赫滕堡，参见 LBIJMB, MF 425, L. Bendix, "Konzentrationslager Deutschland," 1937 – 38, vol. 4, 27；Decker, "Stadt," 210 – 11。

134. 大多数当地人都不得接近集中营，甚至在公开场合谈论集中营都会感到不安。See Steinbacher, *Dachau*, 181, 185；Litten, *Mutter*, 189 – 90；A. Bettany, Reader's Letter, *The Times*, April 21, 1945.

135. 1939 年 1 月 29 日德国警察日上的演讲，*NCC*, doc. 274。

136. 在达豪、萨克森豪森、毛特豪森和其他集中营里也增加了这个标语，不过有些细微的变动；Riedel, *Ordnungshüter*, 206；Naujoks, *Leben*, 135 – 36；Maršálek, *Mauthausen*, 66。

137. Riedel, "'Arbeit.'" 在格罗斯 – 罗森集中营（Gross-Rosen），党卫队也在囚犯营区入口处写上了"劳动使人自由"的标语。在布痕瓦尔德，党卫队选择了一个不同的标语，将"各得其所"刻在了大铁门上。集中营里正门的重要意义，参见 Sofsky, *Ordnung*, 75 – 77。

138. Naujoks, *Leben*, 136.

139. 另外一种不同的观点，不考虑党卫队所说的一切"改革"，参见 Sofsky, *Ordnung*, 317。

140. Quote in special camp order for Esterwegen, August 1, 1934, *NCC*, doc. 149. See also Longerich, *Himmler*, 327 – 64；Himmler to A. Lehner, May 18, 1937, *NCC*, doc. 226. 纳粹用集中营来教育"民族同志"，参见 Patel,

"'Auslese'"; Buggeln and Wildt, "Lager," 227 – 33。

141. 数以万计的集中营囚犯在这一时期被释放，包括 1938 年 11 月种族清洗后被捕的大多数犹太人；参见第 3 章。

142. 1939 年 1 月 29 日德国警察日上的演讲，*NCC*, doc. 274；在国防军课程上的演讲，1937 年 1 月 15 ~ 23 日，*NCC*, doc. 83。

143. Quotes in speech at SS Gruppenführer conference, November 8, 1937, *NCC*, doc. 94. 德国犯罪学理念，参见 Wachsmann, *Prisons*, 22 – 27, 46 – 54; Wetzell, *Inventing*, 107 – 289。

144. 在国防军课程上的演讲，1937 年 1 月 15 ~ 23 日，*NCC*, doc. 83。

145. 例子参见 Sydnor, *Soldiers*, 30; Shirer, *Rise*, 271 – 72。

146. 一个典型的例子，参见 Kogon, *Theory*。

147. AdsD, KE, E. Büge, Bericht, n. d.（1945 – 46），208，原文中最后一句大写的话。

148. Quote in Eicke to commandant offices, December 2, 1935, *NCC*, doc. 151. 在这份历史性的文献中，党卫队骷髅部队（SS Totenkopfverbände）一词通常专门用来指党卫队看守团（Tuchel, *Konzentrationslager*, 225; Drobisch and Wieland, *System*, 256）。但是，在集中营指挥参谋部和集中营督察组工作的党卫队队员（包括艾克在内）也在此列，他们的衣服上都有骷髅头的标志（IfZ, Fa 183, Bl. 30 – 31: SS-Hauptamt, Abzeichen der SS-Wachverbände, March 9, 1936; *Statistisches Jahrbuch 1938*, 83; MacLean, *Camp*, 312）。"集中营党卫队"（Camp SS）一词的起源，见 Orth, *SS*, 12。

149. Broszat, *Kommandant*, 84. "政治军人"一词，参见 Eicke order for Lichtenburg, June 2, 1934, *NCC*, doc. 148。

150. Reichardt, *Kampfbünde*, 570 – 74.

151. 希姆莱在第一次以慕尼黑警察局局长的身份接受采访时把自己形容为"军人"；"Der neue Geist im Münchner Polizeipräsidium," *VöB*, March 15, 1933。

152. *VöB*, March 4, 1943. 艾克之死，参见 Sydnor, *Soldiers*, 271。

153. Quotes in Eicke to Himmler, August 10, 1936, *NCC*, doc. 152. See also Kühne, *Kameradschaft*, 271 – 79; Reichardt, *Kampfbünde*, 590 – 93, 671 – 73; Dillon, "Dachau," 94 – 97.

154. Eicke order for Lichtenburg, June 2, 1934, *NCC*, doc. 148.

155. Quote in regulations for Esterwegen, August 1, 1934, *NCC*, doc.

150. See also IfZ, F 13/6, Bl. 369 – 82：R. Höss, "Theodor Eicke," November 1946.

156. Eicke to commandant offices, December 2, 1935, *NCC*, doc. 151. See also Broszat, *Kommandant*, 84.

157. 关于男子气概与集中营党卫队，参见 Dillon, "Dachau," 98 – 126。

158. 希姆莱的视察，参见 *OdT*, vol. 4, 20, 293 – 94；Drobisch and Wieland, *System*, 303 – 304；Baganz, *Erziehung*, 278。与艾克的会面，参见 Wildt, "Terminkalender," 685 – 86。

159. Quotes in Dicks, *Mass Murder*, 104. See also AS, J D2/43, Bl. 146 – 54：Vernehmung G. Sorge, May 6, 1957.

160. IfZ, F 13/6, Bl. 369 – 82：R. Höss, "Theodor Eicke," November 1946.

161. Drobisch and Wieland, *System*, 195, 256；Tuchel, *Konzentrationslager*, 218 – 20, 230 – 31.

162. IfZ, Fa 127/1, for the issues 1 to 6, 涵盖的时间为 1937 年 2 月到 7 月。

163. Kaienburg, *Wirtschaftskomplex*, 146 – 47, 160, 195. See also Tuchel, *Inspektion*, 50；Drobisch and Wieland, *System*, 256；Segev, *Soldiers*, 153.

164. Eicke order for Lichtenburg, June 2, 1934, *NCC*, doc. 148. 纳粹对官僚政治的厌恶，参见 Caplan, "Civil Service," especially page 49。

165. Eicke to Himmler, August 10, 1936, *NCC*, doc. 152.

166. Riedel, *Ordnungshüter*, 150；Morsch, *Sachsenburg*, 353.

167. 马克斯·韦伯对魅力型领袖的概念及其在纳粹统治中的运用，参见 Kershaw, "*Myth*," 8 – 10。

168. 鲁道夫·霍斯就是其中之一，他坚信艾克在第一次世界大战中在前线勇猛地战斗，随后因为他在被占领的莱茵兰地区从事反抗斗争而被法国人判处死刑；IfZ, F 13/6, Bl. 369 – 82：R. Höss, "Theodor Eicke," November 1946。

169. Ibid.；Segev, *Soldiers*, 133 – 36；Dicks, *Mass Murder*, 104. Quote in Eicke order for Lichtenburg, June 2, 1934, *NCC*, doc. 148.

170. Quote in Segev, *Soldiers*, 149. See also BArchB（ehem. BDC），SSO, Eicke, Theodor, 17. 10. 1892, Eicke to Himmler, August 10, 1936；

Dicks, *Mass Murder*, 99；Dillon，"Dachau,"97，197.

171. Quote in Segev, *Soldiers*, 149. 关于哈塞布勒克，参见 Orth, *SS*, 118 – 24。关于党卫队军官学校，参见 Wegner, *Soldaten*, 149 – 71。

172. Quote in IfZ, MA 312, Rede bei SS Gruppenführerbesprechung, November 8, 1938. 详情参见 Longerich, *Himmler*, 319 – 22。

173. 例子参见 Commandant's order, Buchenwald, August 30, 1937, *NCC*, doc. 1。

174. Ehrenwörtliche Verpflichtung, September 7, 1938, cited in Dillon, "Dachau," 140. 二战期间，集中营党卫队依旧会签署此类声明；Mailänder Koslov, *Gewalt*, 147。

175. Order of the SS Death's Head units, March 1, 1937, *NCC*, doc. 155. 希姆莱之前的警告，参见 BArchB, R 58/264, Bl. 69：Gestapa to Dienststellen, September 5, 1934。

176. Order of the SS Death's Head units, June 4, 1937, *NCC*, doc. 157. 艾克偶尔也会在私下里责备集中营党卫队虐待犯人的行为；Riedel, *Ordnungshüter*, 156。

177. Quote in BArchB, R 58/264, Bl. 69：Gestapa to Dienststellen, September 5, 1934.

178. *OdT*, vol. 1, 59 – 61.

179. 一段生动的描写，参见 IfZ, F 13/7, Bl. 397 – 420：R. Höss, "Lagerordnung für die Konzentrationslager," October 1946。

180. ITS, ARCH/HIST/KL Lichtenburg 2, Bl. 74：IKL to Kommandanturen, October 9, 1935.

181. Buggeln, *Arbeit*, 352.

182. StAMü, StA Nr. 34479/1, Bl. 93 – 97：Lebenslauf H. Steinbrenner, n. d. (c. late 1940s), Bl. 95；ibid., Nr. 34430, Bl. 21 – 22：LG München, Urteil, July 8, 1948.

183. Disziplinar-u. Strafordnung für Dachau, October 1, 1933, *IMT*, vol. 26, 291 – 96, ND：778 – PS；Drobisch and Wieland, *System*, 193.

184. Riedel, *Ordnungshüter*, 182；*NCC*, doc. 208；*OdT*, vol. 3, 335；Union, *Strafvollzug*, 26 – 27. 正式来说，囚犯不应该被裸身鞭打，但党卫队经常不按规矩办事。

185. 这项刑罚的地位存在争议。它并没有被列入党卫队官方记载的

惩罚 （YVA, O – 51/64, Bl. 16 – 17: Strafverfügung），这使历史学家假设说它不是官方的处罚方法（*OdT*, vol. 3, 337）。然而，它在 1933～1934 年被纳入艾克的惩罚规定，而这个规定正是其他集中营制定正式管理规则的基础 （Disziplinar-u. Strafordnung für Dachau, October 1, 1933, *IMT*, vol. 26, 295, ND: 778 – PS; USHMM, RG – 11. 001M. 20, reel 91, 1367 – 2 – 19, KL Esterwegen, Disziplinar-u. Strafordnung, August 1, 1934）。

186. Drobisch and Wieland, *System*, 210; Richardi, *Schule*, 136; Lüerβen, "'Wir,'" 125. 关于中世纪的起源，参见 Schmidt, "Tortur," 212 – 13。

187. Pretzel, "Vorfälle," 133 – 35, quote on 148 – 50. See also DaA, 9394, A. Lomnitz (later A. Laurence), "Heinz Eschen zum Gedenken," July 3, 1939; Richardi, *Schule*, 136 – 39; *NCC*, docs. 216 and 217; Kohlhagen, *Bock* （写于 1945 年）, 20, 136 – 37。

188. Disziplinar- u. Strafordnung für Dachau, October 1, 1933, *IMT*, vol. 26; YVA, O – 51/64, Bl. 16 – 17: Strafverfügung; *NCC*, doc. 217.

189. IfZ, F 13/6, Bl. 369 – 82: R. Höss, "Theodor Eicke," November 1946.

190. Neurath, *Gesellschaft*, 134 – 35; anonymous report, c. 1936, *NCC*, doc. 208.

191. Order of the SS Death's Head units, March 1, 1937, *NCC*, doc. 155.

192. Naujoks, *Leben*, 67.

193. 例子参见 Riedel, *Ordnungshüter*, 189。详情参见 Kaienburg, "Systematisierung," 59 – 60。

194. See Fraenkel, *Dual State*.

195. M. Simon to Führer der Sturmbanne, June 10, 1938, in Merkl, *General*, 119. See also Záměčník, *Dachau*, 100 – 101.

196. 魏斯勒受虐案涉及的另一名萨克森豪森看守，即党卫队三级小队长古特哈特 （Guthardt） 在判决前便自杀了。LaB, A Rep. 358 – 02, Nr. 1540, Notiz, April 5, 1937; ibid., GStA Berlin to RJM, June 3, 1937; ibid., Justizpressestelle to GStA Berlin, November 17, 1938; Morsch, *Mord*, 71 – 77; *The Times*, Letters to the Editor, March 11, 1937, p. 12. 经此事后发达的党卫队队员里面包括党卫队二级小队长雅洛林 （Jarolin），当魏斯勒被杀时，他正在地堡里执勤; Riedle, *Angehörigen*, 69, 78; Záměčník, *Dachau*, 305 – 306; JVL, JAO, Review of Proceedings, *United States v. Weiss*, n. d. （1946），

22 - 24。

197. *Statistisches Jahrbuch 1937*, 51; *Statistisches Jahrbuch 1938*, 83.

198. IfZ, Fa 183, Bl. 30 – 31: SS-Hauptamt, Abzeichen der SS-Wachverbände, March 9, 1936. 到 1937 年底，每座集中营平均有 112 名指挥参谋部成员; *Statistisches Jahrbuch 1937*, 51（不包括利赫滕堡女子集中营）。

199. Service Regulations for Escorts, October 1, 1933, *NCC*, doc. 146; Orth, *SS*, 34 – 35; idem, "Personnel," 45 – 46; Kaienburg, *Wirtschaftskomplex*, 37 – 40, 62 – 64, 172 – 77; Burkhard, *Tanz*, 99 – 100, 103 – 104. 从 1937 年 4 月开始，在达豪、萨克森豪森和布痕瓦尔德有三支骷髅部队兵团（SS-Totenkopfstandarten）驻扎。第四支在 1938 年入驻毛特豪森。起初，弗洛森比格没有独立的大队。

200. Orth, *SS*, 35; Tuchel, *Konzentrationslager*, 143, 150; Riedle, *Angehörigen*, 43 – 47, 54, 130.

201. *Statistisches Jahrbuch 1937*, 51（excluding Lichtenburg）.

202. Longerich, *Himmler*, 312 – 13; Dillon, "Dachau," 112 – 13; IfZ, Fa 127/1, Bl. 4 – 5: Merkblatt für die Einstellung in die SS – TS, 1939.

203. Dillon, "Dachau," 142 – 47.

204. Quotes in Order of the Death's Head units, July 6, 1937, *NCC*, doc. 159; order of the SS Death's Head units, May 4, 1937, ibid. , doc. 156; BArchB, NS 19/1925: Bl. 1 – 9: Eicke to Himmler, August 10, 1936; IfZ, MA 312, Himmler Rede bei der SS Gruppenführerbesprechung, November 8, 1938. See also Himmler speech at a Wehrmacht course, January 15 – 23, 1937, *NCC*, doc. 83.

205. *Statistisches Jahrbuch 1938*, 87. See also Dillon, "Dachau," 149.

206. Dillon, "Dachau," 142 – 46. See also *NCC*, doc. 159.

207. *Statistisches Jahrbuch 1938*, 87. 显然，绝大多数申请者都加入了集中营党卫队; Riedle, *Angehörigen*, 75; Kaienburg, *Wirtschaftskomplex*, 58。

208. Dillon, "Dachau," 142, 150 – 52; IfZ, Fa 127/1, Bl. 4 – 5: Merkblatt für die Einstellung in die SS-TS, 1939; Steiner, "SS," 432.

209. Quote in Dicks, *Mass Murder*, 135. See also Sydnor, *Soldiers*, 25; Orth, *SS*, 76, 129 – 32; Dillon, "Dachau," 114 – 15, 145, 170; Kaienburg, *Wirtschaftskomplex*, 169 – 72; *DAP*, Vernehmung R. Baer, December 29,

1960, 3035.

210. Quote in *Neuer Vorwärts*, February 14, 1937, *NCC*, doc. 180. See also Dillon, "Dachau," 109 – 11, 115, 139 – 40, 161 – 63, 180 – 81; *OdT*, vol. 3, 40 – 41; Eicke to Himmler, August 10, 1936, *NCC*, doc. 152.

211. Quotes in *Arbeiter-Illustrierte Zeitung*, May 23, 1935, *NCC*, doc. 177; Eicke order, April 29, 1936, in ibid. , doc. 153. 集中营党卫队中的不满，参见 LBIJMB, MF 425, L. Bendix, "Konzentrationslager Deutschland," 1937 – 38, vol. 4, 63 – 64。

212. Boehnert, "Sociography," 116, 239 – 40; Riedle, *Angehörigen*, 102 – 13.

213. *OdT*, vol. 1, 131 – 32; Riedle, *Angehörigen*, 134; Dillon, "Dachau," 140, 190. 到 1942 年，集中营指挥官有权将人从看守团调到指挥参谋部；NAL, HW 16/21, GPD Nr. 3, October 17, 1942。

214. Orth, *SS*, 105 – 15; Broszat, *Kommandant*, passim; BArchB (ehem. BDC), SSO, Höss, Rudolf, 25. 11. 1900.

215. KL Dachau, Protokoll, April 18, 1934, in Friedlander and Milton, *Archives*, vol. XI/2, doc. 17. See also Riedle, *Angehörigen*, 72, 79 – 83; Dillon, "Dachau," 191 – 92; Morsch, "Formation," 170 – 74.

216. 基于一项对党卫队现役指挥官的调查（1934～1939 年），大量数据来自 Tuchel, *Konzentrationslager*, 371 – 96。See also Orth, *SS*, 79 – 81.

217. Orth, *SS*, 39 – 40; *OdT*, vol. 1, 61 – 63. 详情参见 BArchB, NS 3/391, Bl. 4 – 22：Aufgabengebiete in einem KL, n. d. (1942), Bl. 4 – 9。

218. *OdT*, vol. 1, 59; ibid. , vol. 3, 41.

219. *OdT*, vol. 1, 61.

220. BArchB, NS 3/391, Bl. 1 – 2：Zweck und Gliederung des Konzentrationslagers, n. d. ; JVL, JAO, Review of Proceedings, *United States v. Weiss*, n. d. (1946), 86. 奥拉宁堡发展出一套与 1933 年的达豪集中营相近的组织结构（*OdT*, vol. 1, 58）。

221. Quote in Kogon, *Theory*, 53. See also Tuchel, "Registrierung"; *OdT*, vol. 1, 65 – 66; Orth, *SS*, 46 – 48, 66 – 71.

222. Hahn, *Grawitz*, 42 – 57, 96 – 106, 154 – 55; Orth, *SS*, 45; Morsch, "Formation," 166 – 67.

223. Orth, *SS*, 41 – 44, 71 – 75.

224. Quote in Broszat, *Kommandant*, 139. See also BArchB, NS 3/391, Bl. 4 – 22: Aufgabengebiete in einem KL, n. d. (1942), Bl. 17 – 21; Orth, *SS*, 40 – 41, 63; *OdT*, vol. 1, 66 – 68; DaA, 9438, A. Hübsch, "Insel des Standrechts" (1961), 268; StAMü, StA Nr. 34588/2, Bl. 95 – 106: Vernehmung K. Kapp, November 14 – 16, 1956, Bl. 98.

225. Quote in Broszat, *Kommandant*, 134. See also ibid. , 84 – 85, 266; BArchB (ehem. BDC), SSO, Höss, Rudolf, 25. 11. 1900; Hördler, "Ordnung," 39, 44; Riedle, *Angehörigen*, 56.

226. Eicke to commandant offices, December 2, 1935, *NCC*, doc. 151.

227. ITS, ARCH/HIST/KL Lichtenburg 2, Bl. 104 – 15: Befehlsblatt SS-TV/IKL, April 1, 1937; Morsch, "Formation," 114 – 16, 120 – 22; Schwarz, *Frau*, 112 – 15; KZ-Gedenkstätte Flossenbürg, *Flossenbürg*, 50 – 51; Dillon, "Dachau," 111.

228. 一个例子参见 Broszat, *Kommandant*, 103 – 104, 132 – 34。

229. Commandant's order for Buchenwald, August 3, 1937, August 30, 1937, *NCC*, docs. 167 and 168; BArchB, NS 31/372, Befehlsblatt SS-TV/IKL, June 1937, Bl. 69; ITS, HIST/ SACH, Sachsenburg, Ordner 1, Bl. 73: Wachtruppenbefehl, October 21, 1935.

230. Naujoks, *Leben*, 64, 68, 131, quote on 150; instruction by Himmler, July 21, 1938, *NCC*, doc. 161; *OdT*, vol. 3, 33.

231. Quote in Dicks, *Mass Murder*, 103, "KZs" in the original. See also ibid. , 138; Orth, *SS*, especially pages 151 – 52; Broszat, *Kommandant*, 49, 233 – 34; Warmbold, *Lagersprache*, 122 – 43. 详情参见 Rouse, "Perspectives"; Gioia et al. , "Organizational identity"。

232. Riedel, *Ordnungshüter*, 175, 205 – 209; BArchB, R 2/28350, Chronik der SS-Lageranlage Dachau, March 1, 1938; Dillon, "Dachau," 105; Orth, *SS*, 88, 145.

233. Orth, *SS*, 151. See also Sofsky, *Violence*, 24 – 27; Kühne, *Belonging*, 91, 168 – 69.

234. Steinbacher, *Dachau*, 179 – 80; Dillon, "Dachau," 81 – 84.

235. Buggeln, *Arbeit*, 344 – 48; APMO, Proces Höss, Hd 6, Bl. 129 – 312: Vernehmung O. Wolken, April 17 – 20, 1945, Bl. 297.

236. 例子参见 Naujoks, *Leben*, 38 – 39, 62 – 64。

237. 1937 年三大集中营月平均死亡数字（达豪 41 人；萨克森豪森 44 人，包括死于柏林州立医院的囚犯；布痕瓦尔德，1937 年 7 月到 12 月间 53 人）；KZ-Gedenkstätte Dachau, *Gedenkbuch*；AS, Totenbuch des KZ Sachsenhausen；http：//totenbuch. buchenwald. de。

238. 估算的数字里包含了达豪集中营内清除罗姆派系时的受害者。自杀的情况，参见 Goeschel, "Suicide," 630 – 32。

239. Quote in Broszat, *Kommandant*, 98. See also ibid. , 97 – 98, 101；Sydnor, *Soldiers*, 27 – 28；*NCC*, doc. 174；ITS, HIST/SACH, Sachsenburg, Ordner 1, Bl. 22：Wachtruppenbefehl, August 21, 1935；Dillon, "Dachau," 178 – 80；Van Dam and Giordano, *KZ-Verbrechen*, 28.

240. Sofsky, *Ordnung*, 134；Neurath, *Gesellschaft*, 117.

241. Broszat, *Kommandant*, 81 – 83；IfZ, F 13/6, Bl. 369 – 82：R. Höss, "Theodor Eicke," November 1946, Bl. 370. 1937 年，艾克放宽了指令：并不需要整个排都参加，只有从指挥参谋部挑选出的长期学员（有两年或以上经验）才必须参加鞭刑；骷髅部队的指令，March 1, 1937, *NCC*, doc. 155。

242. Dicks, *Mass Murder*, 100 – 101.

243. 例子参见 Broszat, *Kommandant*, 85 – 86。

244. 例子参见 *NCC*, doc. 180；Lüerβen, "'Wir,'" 119 – 20；*DAP*, Vernehmung F. Hofmann, April 22, 1959, 3850。

245. 引用参见 AS, J D2/43, Bl. 59 – 72：Vernehmung G. Sorge, April 23, 1957, Bl. 71；Lüerβen, "'Moorsoldaten,'" 195。详情参见 Dillon, "Dachau," 125, 190, 233, 241；Broszat, *Kommandant*, 83；Hördler, "Ordnung," 49；Trouvé, "Bugdalle," 33；Sofsky, *Ordnung*, 262 – 63；Springmann, "'Sport,'" 91 – 92。

246. 有关纳粹暴行的讨论，参见 Neitzel and Welzer, *Soldaten*, 88 – 94。

247. Quotes in Broszat, *Kommandant*, 102；Eicke to commandant offices, December 2, 1935, *NCC*, doc. 151. See also Segev, *Soldiers*, 122, 135；Orth, *SS*, 131 – 34；Riedle, *Angehörigen*, 237 – 39；Dicks, *Mass Murder*, 101；Dillon, "Dachau," 115, 118 – 19；Zimbardo, *Lucifer*, 221, 259. 被开除出集中营党卫队的现象很普遍：在 1937 年为期六个月的训练中，大概有 200 人落选。一些党卫队队员被欺凌至自杀，这也就解释了集中营党卫队中非

同寻常的高自杀率；Segev, *Soldiers*, 128。

248. Tuchel, " Kommandanten des KZ Dachau," 337 – 39; Dillon, "Dachau," 82 – 83, 200 – 201.

249. Orth, *SS*, 101; Tuchel, *Konzentrationslager*, 295.

250. 本段及前一段，参见 Dillon, "Dachau," 183 – 84, 201 – 202, 214 – 15, guard quote on 202; Schilde and Tuchel, *Columbia-Haus*, 67 – 69, Eicke quote on 68; KZ-Gedenkstätte Dachau, *Gedenkbuch*, 19。关于同志情谊，参见 Kühne, *Belonging*, 83。

251. Riedel, *Ordnungshüter*, 31 – 134. See also BArchB（ehem. BDC）, SSO, Loritz, Hans, 21.12.1895, Loritz letter, June 19, 1934.

252. Riedel, *Ordnungshüter*, 141 – 42, 178 – 82, Loritz quotes on 142, 144; Dillon, " Dachau," 204, 222, Loritz quote on 203; Internationales Zentrum, *Nazi-Bastille*, prisoner quote on 36; IfZ, statement P. Wauer, May 21, 1945, ND：NO – 1504.

253. Riedel, *Ordnungshüter*, 143 – 49, quote on 145; Tuchel, "Kommandanten des Konzentrationslagers Flossenbürg," 201 – 204; Dillon, "Dachau," 214 – 16, 226 – 27, 233, 237; *Nazi- Bastille*, 37; Hördler, "Ordnung," 78. 达豪死亡率，参见 KZ-Gedenkstätte Dachau, *Gedenkbuch*。

254. 大背景参见 Orth, *SS*, 127。洛里茨在 1939 年底迁往萨克森豪森，1940 年 3 月 11 日接到正式任命，参见 Riedel, *Ordnungshüter*, 217 – 29。

255. Orth, *SS*, 63（n. 18）; Dillon, " Dachau," 242 – 43; Tuchel, "Kommandanten des Konzentrationslagers Flossenbürg," 204; *NCC*, docs. 145 and 208. 关于作为未来集中营指挥官跳板的达豪，参见 Hördler, "Ordnung," 58。

256. Riedle, *Angehörigen*, 50（n. 50）, 135, 157, 223; Morsch, "Formation," 169 – 70, 176; Kaienburg, *Wirtschaftskomplex*, 114 – 15.

257. BArchB（ehem. BDC）, SSO, Koch, Karl, 2.8.1897, Personalbericht, August 3, 1937; Morsch, *Sachsenburg*, 336 – 37; Segev, *Soldiers*, 187 – 89; Schilde and Tuchel, *Columbia- Haus*, 64 – 66; StAAu, StA Augsburg, KS 22/50, Vernehmung I. Koch, April 29, 1949.

258. Quote in Hackett, *Buchenwald*, 338.

259. IfZ, F 13/6, Bl. 369 – 82：R. Höss, "Theodor Eicke," November 1946, Bl. 378; Riedel, *Ordnungshüter*, 150 – 59.

260. Quote in BArchB（ehem. BDC），SSO，Künstler，Karl，12. 1. 1901，Eicke to 1. SS – TS，January 5，1939. 详情参见 Tuchel，"Kommandanten des Konzentrationslagers Flossenbürg，" 206 – 209；Hördler，"Ordnung，" 76。魏斯布的官方死因是心脏病，不过犯人间有传言说是自杀。有关纳粹行凶者的网络理论，参见 Berger，*Experten*。

261. 以前存在一些差异。在一些集中营里，从 1933～1934 年，囚犯已经开始理短发（或剃头）；而在其他集中营，囚犯还可以留长一点儿的头发（参见照片 Morsch，*Sachsenburg*，227 – 37）。党卫队自 1936 年开始的实践，参见 ibid.，286，304 – 307；DaA，Nr. 7566，K. Schecher，"Rückblick auf Dachau，" n. d.，230 – 32；LBIJMB，MF 425，L. Bendix，"Konzentrationslager Deutschland，" 1937 – 38，vol. 5，3；Neurath，*Gesellschaft*，68 – 69。

262. 在一些集中营，冬季的制服有绿色条纹，没有蓝色；Schmidt，"Geschichte"。这些新制服是在 1937～1938 年的不同时段（达豪），以及在 1939 年春天（萨克森豪森）引进的；Zámečník，*Dachau*，86；*OdT*，vol. 3，51。关于囚犯的姓名和编号，参见 AdsD，KE，E. Büge，Bericht，n. d.（1945 – 46），57；Baganz，*Erziehung*，271。

263. 关于一些特权犯人的物质利益，参见 LBIJMB，MF 425，L. Bendix，"Konzentrationslager Deutschland，" 1937 – 38，vol. 4，33 – 34。

264. *OdT*，vol. 1，91 – 95；Baganz，*Erziehung*，165；DaA，Nr. 7566，K. Schecher，"Rückblick auf Dachau，" n. d.，90. 达豪和埃斯特尔韦根的先行做法，参见 Knoll，"Homosexuelle Häftlinge，" 65；Lüerβen，"'Wir，'" 90 – 91。

265. Sofsky，*Ordnung*，89.

266. DaA，9438，A. Hübsch，"Insel des Standrechts"（1961），77 – 78；Naujoks，*Leben*，34；Freund，*Buchenwald！*，121.

267. Naujoks，*Leben*，34，49，62 – 63，69，76；Drobisch and Wieland，*System*，294；Neurath，*Gesellschaft*，44 – 49；Freund，*Buchenwald！*，162 – 65. Quote in BArchB，NS 4/Bu 31，Bl. 20：A. Rödl，Allgemeine Anordnungen，October 9，1937.

268. 有的囚犯在劳动地点吃午饭。其他人会回营地迅速清洗和点名，然后在住处吃午饭。

269. Neurath，*Gesellschaft*，54 – 56，69 – 78；Naujoks，*Leben*，32，69，

96；Drobisch and Wieland, *System*, 207；Kautsky, *Teufel*, 246；*NCC*, docs. 190 – 92；ITS, ARCH/KL Sachsenburg, Ordner 11, Bl. 82：Bekanntmachung, June 10, 1936. 党卫队对囚犯货币的管理，参见 Grabowski, *Geld*, especially pages 29 – 51。

270. Neurath, *Gesellschaft*, 57 – 58, 239 – 42；Naujoks, *Leben*, 65 – 67；Kogon, *Theory*, 75 – 80；Freund, *Buchenwald!*, 163；Drobisch and Wieland, *System*, 297.

271. Fackler, "*Lagers Stimme*," 151 – 69, 340 – 42, 356 – 61；Drobisch and Wieland, *System*, 297；Kautsky, *Teufel*, 219 – 22；Barkow et al., *Novemberpogrom*, 77.

272. Fackler, "*Lagers Stimme*," 187 – 90；Záměčník, *Dachau*, 53 – 54；Steinbacher, *Dachau*, 165 – 70；Drobisch and Wieland, *System*, 215, 307 – 308. 在早期的奥斯特霍芬集中营，犹太人偶尔能接触到拉比；Wünschmann, "Jewish Prisoners," 118。

273. Quote in Hett, *Crossing*, 218. See also Seela, *Bücher*；Neurath, *Gesellschaft*, 238 – 39；Fackler, "*Lagers Stimme*," 182；Seger, "Oranienburg," 37 – 38；Freund, *Buchenwald!*, 158.

274. Quotes in Neurath, *Gesellschaft*, 67；DaA, 9438, A. Hübsch, "Insel des Standrechts" (1961), 111. See also BArchB, NS 4/Na 6, Bl. 3 – 4：Eicke to LK, October 14, 1938；ibid., R 58/264, Bl. 293 – 97：Gestapo Munich to Stapoleitstellen et al., March 4, 1937；Baganz, *Erziehung*, 277；Internationales Zentrum, *Nazi – Bastille*, 58 – 59；Bettelheim, "Individual," 440 – 41.

275. Langhoff, *Moorsoldaten*, 175 – 95；Lüerßen, "'Wir,'" 131；Kautsky, *Teufel*, 221 – 22；Záměčník, *Dachau*, 55；Fackler, "*Lagers Stimme*," 406 – 407.

276. BArchB, NS 19/4014, Bl. 158 – 204：Rede vor Generälen, June 21, 1944, Bl. 165. 有关审头的一般讨论，参见 Sofsky, *Ordnung*, 152 – 68。

277. 犹太人聚居区和奴工营，参见 Browning, *Remembering*, 116 – 17。

278. 在古拉格，苏联当局长期依靠挑选出来的囚犯来协助他们；Applebaum, *Gulag*, 329 – 37。

279. Interrogation W. Bartel, May 29, 1953, in Niethammer, *Antifaschismus*, 427. See also BLHA, Pr. Br. Rep. 29, Zuchthaus Brandenburg Nr. 691；Broszat, *Kommandant*, 72. 关于 20 世纪 20 年代的"模范囚犯"，参见

Hoelz，"*Weißen Kreuz*"。

280. Langhoff, *Moorsoldaten*, 34 – 41, 140 – 42, quote on 142. 库尔特的真名是卡尔·沙布罗德（Karl Schabrod）; Drobisch and Wieland, *System*, 142。类似的选拔也发生在其他早期集中营，包括达豪; StAMü, StA Nr. 34588/2, Bl. 39 – 40: Vernehmung K. Kapp, September 28, 1956; Wieland, "Bremischen," 286。

281. 1938 年底，党卫队的文件记录了大约 400 名囚犯管理员，不包括监工审头，后者的数量肯定超过了 100 人; *OdT*, vol. 3, 331。See also Naujoks, *Leben*, 97.

282. SS quote in DaA, 5427, Richtlinien für Capos, n. d. ; prisoner quote in Neurath, *Gesellschaft*, 224. See also StAMü, StA Nr. 34588/8, LG München, Urteil, October 14, 1960, p. 6.

283. Quotes in SS Buchenwald instructions, n. d. , *NCC*, doc. 196. See also Kautsky, *Teufel*, 214 – 19.

284. 有关早期集中营，参见 Langhoff, *Moorsoldaten*, 219; Richardi, *Schule*, 196; Wünschmann, "Jewish Prisoners," 109 – 10。关于 20 世纪 30 年代后期的情况，参见 Naujoks, *Leben*, 105 – 106; Freund, *Buchenwald!*, 37, 54, 72。

285. Naujoks, *Leben*, 117, 121 – 22, quote on 122. See also Neurath, *Gesellschaft*, 210 – 11, 227, 245; *NCC*, doc. 230; Pingel, *Häftlinge*, 57 – 58. 在毛特豪森，不同寻常的是，首席集中营办事员据说比营区长还有影响力; Fabréguet, "Entwicklung," 195 – 96。

286. Neurath, *Gesellschaft*, 222.

287. 同时期该术语的使用，参见 LBIJMB, MF 425, L. Bendix, "Konzentrationslager Deutschland," 1937 – 38, vol. 4, 34。关于今日不加批判地使用该术语，参见 Sofsky, *Ordnung*, 152。

288. See also *OdT*, vol. 1, 120; Orth, "Lagergesellschaft," 110.

289. 一个例子参见 DaA, Nr. 7566, K. Schecher, "Rückblick auf Dachau," n. d. , 80。

290. Naujoks, *Leben*, 333 – 39.

291. Kogon, *Theory*, 37.

292. Naujoks, *Leben*, 53 – 54, 77; Schikorra, *Kontinuitäten*, 54, 55, 219.

293. 尽管党卫队直到 1937 ~ 1938 年对三角的用法仍未统一，但政治犯通常早已开始佩戴红色的条纹或徽章；*OdT*, vol. 1，92，95；Naujoks, *Leben*，30；Endlich，"Lichtenburg，" 48。

294. StANü, Auswärtiges Amt to Missionen et al.，December 8，1936，ND：NG – 4048（数字包括不归督察组监管的莫林根集中营）。这个数字以盖世太保内部数据为证；GStAPK, I. HA, Rep. 90A, Nr. 4442, Bl. 187 – 91, Schutzhaft, 1937。

295. 1936 年 12 月，超过四分之一的保护性拘禁犯（由普鲁士盖世太保管辖）被指控进行"共产党活动"；GStAPK, I. HA, Rep. 90A, Nr. 4442, Bl. 187 – 91, Schutzhaft, 1937。

296. 盖世太保对那些再次加入抵抗运动的前囚犯的警告，参见 Gestapa, Lagebericht Marxismus, August 23, 1935, in Boberach, *Regimekritik*, doc. rk 127。

297. Himmler to Eicke, March 23, 1936, *NCC*, doc. 79. 每三个月自动审查保护性拘禁的工作从 RdI 下放至州政府等，April 12, 1934, in Repgen and Booms, *Akten*, vol. I/2, 1235 – 38。

298. LBIJMB, MF 425, L. Bendix, "Konzentrationslager," 1937 – 38, vol. 5, 7 – 20, quote on 20. 详情参见 Sopade report, May 1937, *NCC*, doc. 220。

299. Browder, *Enforcers*, 82; Gestapa, Lagebericht, October 3, 1935, in Boberach, *Regimekritik*, doc. rk 128.

300. NLHStA, Hann. 158 Moringen, Acc. 84/82, Nr. 6, Bl. 158.

301. Longerich, *Himmler*, 227 – 33. 数字参见 Moore, "Popular Opinion," 108 – 109; BArchB, R 3001/21467, Bl. 74: Evangelische Kirche to RJM, May 4, 1935。

302. Quote in Sydnor, *Soldiers*, 29（n. 68）. See also Wegner, *Soldaten*, 251, table 25.

303. Eicke quotes in W. Best to H. Göring, September 27, 1935, *NCC*, doc. 120. 利希滕贝格直到 1941 年才被抓捕，之前他不止一次说过有关集中营里囚犯的事情。服刑期之后，他在去达豪的路上崩溃了，并在 1943 年 11 月死去；Lüerβen，"'Wir，'" 142。

304. Naujoks, *Leben*, 50; Dillon, "Dachau," 107, 136 – 37.

305. Garbe, "Erst verhasst," 219 – 22; Wachsmann, *Prisons*, 125 – 27.

详情参见 Garbe, *Widerstand*; Kater, "Bibelforscher"。

306. Quotes in report by A. Winkler, 1938, *NCC*, doc. 229; AS, J D2/43, Bl. 146 – 54; Vernehmung G. Sorge, May 6, 1957, Bl. 147.

307. Quote in BArchB, Ns 4/Bu32, Bl. 3: SlF to Kommandantur Buchenwald, November 17, 1938.

308. *OdT*, vol. 3, 46（拉胡巴于 1942 年 9 月在萨克森豪森去世）；Garbe, "Erst verhasst," 224 – 36; Pingel, *Häftlinge*, 90 – 91; Lüerβen, "'Wir,'" 211 – 13。第三帝国期间，总共有 4000 多名耶和华见证会的信徒被带到集中营，德国市民居多，约四分之一死亡（Garbe, "Erst verhasst," 235）。

309. 据估计，因为同性恋而被迫进集中营的男性的数目在 5000 ~ 15000 之间，最近的研究只考虑较低的那个数值；Röll, "Homosexuelle," 95。详情参见 Wachsmann, *Prisons*, 144 – 46; Longerich, *Himmler*, 242 – 50; Jellonnek, *Homosexuelle*。

310. Müller, "Homosexuelle," 74.

311. Knoll, "Homosexuelle," 62 – 66; Müller, "Homosexuelle," 75 – 78; idem, "'Wohl'"; Hackett, *Buchenwald*, 173.

312. Quote in O. Giering, Entschädigungsantrag, 1955, in Pretzel, "Vorfälle," 159 – 61. See also Ley and Morsch, *Medizin*, 290 – 97; Wachsmann, *Prisons*, 139 – 44, 146 – 49; Poller, *Arztschreiber*, 105 – 107. 1942 年，吉林被送至柏林州监狱服刑，因为被指控在萨克森豪森进行性犯罪。1945 年 5 月，他被释放。

313. 例子参见 Pretzel, "Vorfälle"; StAMü, StA Nr. 14719。

314. Quote in O. Giering, Entschädigungsantrag, 1955, in Pretzel, "Vorfälle," 159 – 61. See also Heger, *Männer*, 91; Kogon, *Theory*, 35; Burkhard, *Tanz*, 68 – 71; Zinn, "Homophobie," 85 – 94。关于女囚犯，参见 Eschebach, "Homophobie"。关于审头被对手错误指责为从事性犯罪的（战时）例子，参见 Kozłoń, "… ich kann," 87 – 89。

315. Naujoks, *Leben*, 8, 14 – 17, 27 – 34.

316. Neurath, *Gesellschaft*, 34 – 35.

317. Naujoks, *Leben*, 35 – 39, 55 – 56, 69 – 70, 115 – 17, quote on 56.

318. Quote in Suhr, *Ossietzky*, 215.

319. Naujoks, *Leben*, 45, 47 – 49, 103, 133, quote on 49.

320. Jahnke, "Eschen," 27 – 28; Drobisch and Wieland, *System*, 324 – 25.

321. Drobisch and Wieland, *System*, 149 – 50.

322. Kirsten and Kirsten, *Stimmen*, 47 – 50; Jahn, *Buchenwald!*, 89 – 94; Gedenkstätte Buchenwald, *Buchenwald*, 130 – 31; Freund, *Buchenwald!*, 112 – 15; Poller, *Arztschreiber*, 159 – 65.

323. 背景参见 Pingel, *Häftlinge*, 51 – 52。

324. Rubner, "Dachau," 67 – 68, quote on 67; Seger, "Oranienburg," 50 – 55, quote on 51; Riedel, "Bruderkämpfe"; Knop et al., "Häftlinge," 62 – 63; Langhoff, *Moorsoldaten*, 214 – 16, 235 – 37; Krause-Vilmar, *Breitenau*, 135 – 36.

325. Langhoff, *Moorsoldaten*, 240; Seger, "Oranienburg," 52; Klausch, *Tätergeschichten*, 95（n. 380）; Suhr, *Ossietzky*, 214 – 15; Morsch, "Formation," 143; Abraham, "Juda," 150 – 51.

326. *Deutschland-Berichte*, vol. 3, 1006; Pingel, *Häftlinge*, 109 – 10; Morsch, "Formation," 141 – 43; Naujoks, *Leben*, 17, 43 – 45; LBIJMB, MF 425, L. Bendix, "Konzentrationslager Deutschland," 1937 – 38, vol. 4, 56 – 58, 62, 82.

327. Herker-Beimler, *Erinnerungen*, 23 – 24. 位于普鲁士州中部的莫林根集中营专门关押处于保护性拘禁的女性，从 1934 年就开始接收德国其他州的女囚（Riebe, "Frauen," 127）。从 1936 年初开始，巴伐利亚州的长期服刑囚犯也可以被移送至莫林根（IfZ, Fa 183/1, Bl. 354 – 55: Politische Polizei to Polizeidirektionen et al., February 13, 1936）。在这个过程中有影响力的莫林根管理者，参见 Hörath, "Terrorinstrument," 526 – 27。

328. Caplan, "Einleitung," 42 – 44, 46; NLHStA, Hann. 158 Moringen, Acc. 84/82, Nr. 2, Bl. 144 – 47: Dienst-und Hausordnung, n. d. 这并不意味着莫林根的负责人仁慈：跟其他监狱和济贫院的管理者一样，他也屈从于许多普遍的种族和犯罪成见；*OdT*, vol. 2, 164 – 65。

329. Herker-Beimler, *Erinnerungen*, 25. See also Riebe, "Frauen," 128 – 29; Hesse and Harder, *Zeuginnen*, 30 – 32, 50 – 52; Caplan, "Einleitung," 12, 55; Herz, "Frauenlager," 188 – 90.

330. Caplan, "Einleitung," 51 – 52; Herz, "Frauenlager," 130 – 31, 202.

331. Riebe, "Funktionshäftlinge," 52 – 53.

332. Hesse and Harder, *Zeuginnen*, 34, 40 – 50.

333. NLHStA, Hann. 158 Moringen, Acc. 84/82, Nr. 2, Bl. 103: Moringen to Gestapa, February 18, 1937; Hesse and Harder, *Zeuginnen*, 40 – 41.

334. Herz, "Frauenlager," 202, 220 – 21, quote on 220; Herker-Beimler, *Erinnerungen*, 27 – 28; Krammer, "Germans." 汉斯·拜姆勒于 1936 年 12 月 1 日在马德里市郊被杀，可能是被友军的炮火误杀。

335. Fahrenberg and Hördler, "Lichtenburg," 166 – 69; IfZ, F 37/19, Himmler diary, May 28, 1937. 囚犯在 1937 年 12 月至 1938 年 3 月间被分阶段从莫林根转移至利赫滕堡。

336. Hesse and Harder, *Zeuginnen*, 322 – 33; Fahrenberg and Hördler, "Lichtenburg," 170 – 71, 172 – 73, 176 – 78; Riebe, "Frauen," 136; Riebe, "Funktionshäftlinge," 54 – 55.

337. Fahrenberg and Hördler, "Lichtenburg," 173, 179; Hesse, "'Erziehung,'" 112; idem, Harder, *Zeuginnen*, 93 – 94, 117 – 19; Endlich, "Lichtenburg," 21; Riebe, "Frauen," 137; Hördler, "SS-Kaderschmiede," 109. Hesse 和 Harder 提到了第三名死者，不过没有官方确认。有关体罚，参见 BArchB, NS 3/415, Bl. 1: KL Lichtenburg to IKL, March 14, 1939。

338. Hesse and Harder, *Zeuginnen*, 88, 122, quote on 333; Strebel, *Ravensbrück*, 44 – 47, 103 – 104; Endlich, "Lichtenburg," 21 – 22.

339. Hesse and Harder, *Zeuginnen*, 50, 146, quote on 333; Strebel, *Ravensbrück*, 90.

340. Kaienburg, "Resümee," 171; Strebel, *Ravensbrück*, 84 – 88. 拉文斯布吕克首次规定体罚是在战前还是在 1940 年，目前仍不明确；Fahrenberg and Hördler, "Lichtenburg," 180（n. 54）。

341. Koslov, *Gewalt*, 17 – 22, 99; Hördler, "SS-Kaderschmiede," 109 – 19.

342. Koslov, *Gewalt*, 93 – 111, 117, 132 – 33, 490 – 91; Strebel, *Ravensbrück*, 72 – 78; Hördler, "Ordnung," 92 – 93; Wolfram, "KZ-Aufseherinnen"; Toussaint, "Nach Dienstschluss."

343. Koslov, *Gewalt*, 149, 159 – 63, 175 – 94; Strebel, *Ravensbrück*, 91 – 98.

344. 1938 年 9 月, 集中营每天的囚犯数目稳定在 24400 人左右, 包括在利赫滕堡的 800 名女性; NMGB, *Buchenwald*, 698; DaA, ITS, Vorläufige Ermittlung der Lagerstärke (1971); *OdT*, vol. 4, 22; Fahrenberg and Hördler, "Lichtenburg," 169; AS, D 1 A/1020: Bl. 117 (感谢 Monika Liebscher); Maršálek, *Mauthausen*, 109。1939 年 9 月, 有 21400 名集中营囚犯, 包括 2500 名左右在拉文斯布吕克的女囚; Pohl to Himmler, April 30, 1942, *IMT*, vol. 38, 363 – 65, ND: 129 – R。感谢 Stefan Hördler 为我确认利赫滕堡的数字 (下文同样)。

345. Caplan, "Gender," 99.

346. Arendt, "Concentration Camps," 760. 这个理论没能在苏联长久适用, 因为集中营系统在斯大林死后就基本上被削弱了。1937 年末集中营的囚犯数目: 布痕瓦尔德 2561 人, 达豪 2462 人, 利赫滕堡 200 人, 萨克森豪森 2523 人。See Gedenkstätte Buchenwald, *Buchenwald*, 698; Drobisch and Wieland, *System*, 266, 271; Endlich, "Lichtenburg," 23.

第 3 章　扩张

　　1938 年 5 月 13 日星期五是布痕瓦尔德集中营囚犯们永远铭记的日子。这一天开始的时候还是温暖舒适、春光明媚。空气中充满了春天的气息，集中营周围的乡村一派生机勃勃的景象。清晨朝阳初升，快速移过埃特斯山上方澄澈明净的天空，此时一队囚犯已经在集中营外的一个森林里开始劳作，挖掘铺设污水管道的土沟。9 点左右，两个囚犯埃米尔·巴加茨基（Emil Bargatzky）和彼得·福斯特（Peter Forster）如往常一样去给其他人取咖啡。他们走的是一条僻静的小路，突然间，他们出手袭击了随行的看守。党卫队四级小队长阿尔贝特·卡尔魏特（Albert Kallweit）还没来得及开枪就被铁锹击中了头部。两个早就计划着越狱的囚犯将看守的身体拖到灌木丛里，夺走他的武器，开始了逃亡之旅。[1]

　　阿尔贝特·卡尔魏特的死给整个党卫队造成了冲击。自从督察官艾克允许手下不必预警就可以射杀逃跑的囚犯后，就很少有人能够成功地逃离集中营，对党卫队发起致命的攻击更是史无前例。[2] 海因里希·希姆莱第二天便飞往魏玛，在艾克的陪同下巡视了营地，查看了卡尔魏特的尸体，下令追捕逃犯。地方报纸纷纷报道了这个耸人听闻的谋杀案件，并宣布只要有人能够提供线索帮助党卫队抓获亡命徒，就可以获得一千德国马克的高额奖励；连续几个星期，此事成为魏玛和其他城市街头巷尾的谈资，这在 20 世纪 30 年代后期是一个罕见的时刻，集中营就这样再次渗透进了公众意识。[3]

1938 年 5 月 22 日，在埃米尔·巴加茨基逃亡九天后，警察在布痕瓦尔德以北 140 英里的一座砖厂中发现了他。一个星期内，魏玛特别法庭就匆匆组织起了一场对他的公开审判。关于这场审判，当地媒体充分挖掘了他之前的犯罪记录。1901 年，巴加茨基出生于一个贫穷的家庭，他有 14 个兄弟姐妹。在悲惨的魏玛时期，他一直努力保住自己的饭碗，当过木匠、屠夫和教练员，并犯下了多起罪行。媒体着重抨击他曾经的违法行为是为了进一步证明他的非人性。与此同时，魏玛州检察官高度称赞了集中营的看守，称他们保护国民免受巴加茨基这样危险的反社会因素影响。他还表示支持设立"预防性"治安力量，主要针对社会上的"异类"。这种所谓的"预防性"治安力量在 20 世纪 30 年代后期日渐膨胀，将数千人关进了人满为患的集中营，其中就有埃米尔·巴加茨基，他因为过去所犯的罪行，自 1937 年开始被关押在集中营里。[4]

5 月 28 日，星期六，审理巴加茨基谋杀案的法官们花了不到两个小时就宣判他死刑。他被关进死囚牢房，原本安排的是在监狱里处决，但命运在最后一刻发生了改变，海因里希·希姆莱请示希特勒，想要在临近犯罪现场的布痕瓦尔德绞死巴加茨基。希特勒批准了。[5]1938 年 6 月 4 日清晨，布痕瓦尔德的囚犯在点名场上排队站好，四周由党卫队看守，一些看守还拿机枪对着人群。早上 7 点左右，大门缓缓打开，手戴镣铐的埃米尔·巴加茨基经过一排排党卫队看守，被带到广场上。他走路恍恍惚惚，一些囚犯推测是党卫队给他下了药。穿着黑袍的法官宣读了死刑判决后，巴加茨基走上新搭建的绞刑台，站上木箱，把头放进了绞索里。指挥官卡尔·奥托·科赫一声令下，箱子被推开，被指定为刽子手的囚犯拉住绳子；巴加茨基死命挣扎，扭曲着身体凌空旋转了几分钟，然后断气了。党卫队将他那扭曲的尸体在点名场上悬挂了一段时间，作为对所有囚犯的一个致命警告。[6]

这是党卫队第一次公开处决集中营犯人，与德国在近代早期执行死刑的仪式相呼应。而特奥多尔·艾克等一众高级别官员的出席则像是炫耀自己的力量和权威，艾克还热切地向希姆莱报告行刑的细节。[7]党卫队领导人厚颜无耻地将这个耻辱——看守被打死，而两个囚犯成功逃脱——转变为政治资本，用于证明囚犯的野蛮程度和集中营的重要性。在巴加茨基被绞死之前，一份非常受欢迎的党卫队期刊就发表了一篇图文并茂的文章，试图拔高党卫队集中营的地位。文章中不仅有两个逃犯的照片，还有被摆成一副英雄姿势的遇害看守的照片。文中大量引用艾克的世界观，声称两个"劣等种族的罪犯"对看守发起了"懦夫攻击"，显示出党卫队看守的政治任务究竟有多危险（事实上，党卫队的人遭到队友火力攻击的可能性比遭到囚犯袭击的可能性大得多）。在《他为我们而死！》的标题下，颇具影响力的党卫队周刊抒情地赞颂了阿尔贝特·卡尔魏特，希望能令他跻身于纳粹殉道者的神圣殿堂之中。此外，文章还赞扬了骷髅部队的其他无名英雄，他们"始终坚持无畏地面对敌人"，这样普通德国民众才能"过上正常平安的生活"。[8]将党卫队士兵塑造成英勇的战士形象是为了激发民众参加党卫队的积极性，而艾克正在大规模扩展党卫队编制，以便在即将到来的战争时期扩大集中营党卫队的规模。

最重要的是，集中营将卡尔魏特的死亡视为暴行升级的信号。即使在遥远的达豪，守卫也对囚犯展开了残酷的报复。[9]而在布痕瓦尔德，党卫队士兵更是横冲直撞。自逃跑事件后，集体惩罚越来越频繁，并且在 1938 年 5 月 13 日星期五达到新的顶峰。看守们吼叫着，把剩下的囚犯从污水厂一路打回到营地，到了集中营后还有一群党卫队士兵用鞭子和拳头继续施暴，直到打得一些伤重者倒地不起。那一天，守卫至少杀了两个布痕瓦尔德囚犯。根据科赫指挥官的要求，所有犯人在未来将面临更艰苦的条件。[10] 他的确说到做到，囚犯遭到了一次又一次的虐待。在巴加茨基被处决三个星期后，党卫队在一次施暴中砸碎了囚犯营房的不少窗户，撕毁了几十张床罩，扯破了数百张稻草床垫，杀死了三名囚犯。[11]

党卫队领导支持这一强硬立场。在《人民观察家报》对遇害看守的一篇颂歌中，艾克威胁说，"国家的敌人"将面临"铁一般强硬"的惩戒。[12] 希姆莱在 1938 年 5 月 14 日访问布痕瓦尔德时也说了大致相同的话，两天后，他在一封给德国司法部部长居特纳的信中再次要求采取强硬措施。希姆莱声称，早在春天的时候居特纳曾经指责党卫队用枪过度频繁，于是自己命令党卫队在使用武器时需更加谨慎，结果造成了"毁灭性的"后果。这种直指居特纳对卡尔魏特之死有责的说法实属荒谬——卡尔魏特本就违反了党卫队条例，他当时离两个囚犯太近了——但这并没能阻止希姆莱，他宣布党卫队看守自此可以更自由地使用他们的步枪，抢先一步堵住了未来司法批评者的嘴。[13]

希姆莱的趾高气扬反映出他在 20 世纪 30 年代后期地位的不断上升。可以肯定的是，他的党卫队还不够强大。在布痕瓦尔德处决埃米尔·巴加茨基时，法官的存在时刻提醒着集中营外还有一个法庭负责宣判死刑，而不是党卫队。此外，死刑在战前的集中营内仍然属于特例。然而，党卫队领导人的信心不

139

断增强，他们在死刑判决等事情上渴望篡夺司法机关的垄断权力。实际上，党卫队已经这么做了：在 20 世纪 30 年代后期，党卫队杀害的囚犯比以前更多。卡尔魏特死后的几个星期，布痕瓦尔德展开了一场杀戮热潮；1938 年 6 月到 7 月间有 168 名囚犯丧生，而在 3 月到 4 月遇害的囚犯只有 7 人。[14]其他集中营的情况大致相同。而在临近第二次世界大战的最后几年，党卫队在其他集中营的暴力行为也不断升级，集中营不断扩张，苦役越来越多。集中营体系的残酷崛起似乎不可阻挡。

社会边缘分子

海因里希·希姆莱对他的集中营有大计划。在 1937 年 11 月的一次秘密讲话中，他告诉党卫队领导人，他期望三个男子集中营——达豪、萨克森豪森和布痕瓦尔德能容纳 2 万名囚犯，在战争情况下甚至更多。[15]这是一个雄心勃勃的目标，因为当时集中营关押的犯人还不到 8000 人。但是，在 1938～1939 年那个疯狂的时期，以弗洛森比格、毛特豪森和拉文斯布吕克三个营地为基础，希姆莱很快就实现，甚至超越了原定的目标。由于警察的大规模搜捕，囚犯人数迅速攀升，到 1938 年 6 月底，营内已有 2.4 万名或更多的囚犯，仅仅六个月就增至原先的三倍。[16]即使这样对警察和党卫队领导人来说仍不够，他们很快又将目标设定为 3 万甚至更多。[17]

随着囚犯人数的变化，其构成也产生了变化，主要群体早已不是德国左翼分子。集中营的官员努力跟随情况变化做出相应的调整。例如，萨克森豪森的囚犯类别由初期的 5 个（1937 年初）增加为 12 个（1939 年底）。[18]自纳粹领导人开始在国际舞台上大展拳脚，集中营的新囚犯中又多了数以千计的外国人。

1938 年 3 月，第三帝国入侵并吞并了奥地利，新的统治者迅速逮捕了数万名所谓的"政敌"。1938 年 4 月 1 日晚，新组建的维也纳刑事警察局往达豪遣送了第一批奥地利囚犯，其中包括维也纳市长在内的许多年老的政治精英；他们在火车上遭受了严重的虐待，第二天抵达集中营后这种虐待仍然继续。民族主义政治家弗里茨·博克（Fritz Bock）回忆说："在相当长的一段时间里，我们奥地利人是集中营的主要群体。"总共有 7861 名奥地利男子在 1938 年被带到达豪（其中约 80% 是犹太人）。[19]

140

随着希特勒在慕尼黑会议上胁迫法国和英国领导人接受德国吞并苏台德地区，集中营随即迎来了来自捷克斯洛伐克的囚犯。1938 年 10 月和 11 月，来自苏台德地区的 1500 多名犯人抵达达豪，其中包括许多德国人。[20]孤立无援的捷克斯洛伐克政府在德国的压迫下，不得不同意引渡彼得·福斯特。与埃米尔·巴加茨基不同，福斯特成功逃离了德国警察的追捕，并设法在 1938 年 5 月底跨越德捷边界，然后一直躲在捷克斯洛伐克。福斯特作为一个坚决反对纳粹政权的左翼分子，恳求捷克斯洛伐克政府庇护自己，并为自己杀害看守一事辩护。"我们只是自卫，"他说，"因为在那个集中营，每个囚犯都生活在被杀的危险之中。"尽管国际上发起了一场试图拯救他的运动，他仍在 1938 年末被移交给纳粹德国，他的命运与埃米尔·巴加茨基一样。12 月 21 日福斯特被判处死刑，当天晚些时候，被绞死在布痕瓦尔德。他和巴加茨基是二战前在集中营被公开处决的唯一一对囚犯。[21]1939 年 3 月，德国侵占了其余的捷克斯洛伐克领土后，指定其为第三帝国的"波希米亚和摩拉维亚保护国"，更多的受害者被德国警察拖进了集中营，其中包括众多的德国流亡者和捷克犹太人。然而，鉴于国际上对纳粹侵略行为的谴责，德国警察的行动还是相当谨慎，并没有像一年前吞并奥地利之后那样发生大规模的驱逐事件。[22]

外国囚犯的陆续到来预示着集中营后来的戏剧性变化。然而在战争之前，总体来说外国人的数量仍然很少。在 20 世纪 30 年代后期，德国政府依然把集中营视为对付本国人民的主要武器，包括被纳入第三帝国的奥地利国民（他们大部分被党卫队归为德国人）。最重要的是，当局把目光放在了社会边缘分子身上，他们正迅速成为主要目标。

对"罪犯"和"反社会人士"的早期攻击

追捕社会上的"异类"是纳粹排除异己政策的主要内容，它旨在消除一切没有（或不能）融入神圣民族的人。福利机构、法院和警方的动机与其针对的对象一样广泛多样，而且往往反映了纳粹掌权的要求。有些官员怀有乌托邦式的想法，希望能根除所有社会弊病；有些官员对种族优生的教义深信不疑；还有一些官员希望通过对失业人士实施恐怖统治来刺激经济。随后社会边缘人士对德国政府的攻击最终导致了福利削减、监视力度提高，还有拘留——关押地点不仅局限于传统的国家机构，比如监狱和教管所，还有集中营。[23]

在第二次世界大战之后，集中营中的社会边缘分子与其他被遗忘的受害者混在一起，他们命运也因此被大众忽视。如果作家把对异己的迫害仅仅描述为纳粹当局为获得民众支持或诋毁政治犯声誉而进行的战术演习，那就太轻描淡写了。[24]在近几十年里，历史学家才认识到纳粹把攻击社会"异己"视为自己权力中的一项关键政策。[25]许多历史学家现在认为，警察和党卫队从 1936 年开始采取"种族综合预防"政策，为了"清洗国家机体"而攻击所谓的离经叛道者和堕落的人，也就是社会上的异类。[26]这项新的研究揭示了 20 世纪 30 年代末大规模拘捕社会边缘分子背后的意识形态驱动力。尽管它具有如此重要的意义，却也忽视了纳粹此前对这一群体发动的具体攻击。虽然 1933～1934 年的早期集中营主要用于关押政治反对派，但当局也利用它们拘留和惩罚社会边缘分子。[27]

1933 年 3 月，海因里希·希姆莱成为慕尼黑警察局局长后，他宣布"根除犯罪阶层"是重中之重。[28]在接下来的几个月里，他将整顿治安设想为社会清洗，把早期集中营作为拘留、惩罚和纠正的地点。[29]希姆莱的方法早在 1933 年夏天就对模范集中营达豪产生了影响，那时警察第一次把所谓的罪犯和流浪者拖入集中营。[30]自 1933 年 9 月警察逮捕了数万名乞丐和无家可归者后，集中营里社会边缘分子的人数飞速增长。虽然当局很快释放了其中大多数人，但也有些人长时间滞留在集中营和教管所里。[31]达豪集中营成立一年后，其囚犯的人员构成发生了显著的变化。巴伐利亚的保护性拘禁犯中政治犯仍占绝大多数，但在 1934 年 4 月，他们的比例已下降到 80% 左右，其余的 20% 都是社会异类；其中有 142 名"不愿工作、好吃懒做"的囚犯，96 名"国家害虫"，还有 82 人被指控有"反社会行为"。[32]

达豪拘留社会异类的举措并没有逃过巴伐利亚州州长冯·埃普的眼睛。埃普主张减少囚犯人数，他在 1934 年 3 月曾提出抗议，称逮捕被指控的犯罪分子和反社会人士违背了"保护性拘禁的意义和目的"。[33]不过，希姆莱不为所动。在他起草的粗鲁的回复中（见第 2 章），他驳斥了一切批评，并阐述了更为宏观的信念："对酗酒者，偷柴火的小贼，挪用公款、私生活堕落、好吃懒做的人实施保护性拘禁的确超出了保护性拘禁的定义和规章，这点完全正确。然而，它们却符合国家社会主义精神。"在希姆莱看来，"国家社会主义精神"胜过一切，包括法律。他认为，正是由于法院没能迅速果断地处理反社会人士和罪犯，所以警察才要将嫌疑人带到达豪。他补充说这样的做法成效显著，预防性逮捕是"巴伐利亚犯罪率下降的最主要原因"。希姆莱认为没有任何理由改变自己的路线。[34]

海因里希·希姆莱在国内可能面临一些批评，但他在追捕社会异类上并非单打独斗。[35]在整个德国，国家和政党官员在1933年至1934年间纷纷将社会异类置于保护性拘禁之中，主要是各地方积极响应。在汉堡，警方于1933年暂时逮捕了数百名乞丐、皮条客、流浪汉以及几千名妓女。在其他地方，纳粹官员也打击所谓的反社会人士，特别是在9月发生了"乞丐突袭"事件之后；1933年10月4日，《人民观察家报》报道了缅济热茨（Meseritz，波森）的"第一个乞丐集中营"。[36]

若说打击犯罪，全国对持续性犯罪者的攻势给了普鲁士灵感，普鲁士在1933年实行的政策比巴伐利亚还要激进。德国法学家多年来一直希望对危险的重复犯罪者实行不定期刑，他们的愿望终于在第三帝国成为现实。根据1933年11月24日出台的《习惯性罪犯法》，法官可以判处被告不定期保护性拘留（Sicherungsverwahrung），在监狱或教管所中服刑；到1939年，法院已经做出了差不多一万个这样的判决，主要针对的是情节轻微的财产犯罪者。[37]然而，普鲁士警方高层领导认为新法律有缺陷，因为它只针对初次犯下罪行的人。他们认为，为了消灭犯罪阶层，那些由于证据不足无法被移交法院的"职业罪犯"也必须被拘留。赫尔曼·戈林对此非常赞同，并在1933年11月13日以法令的形式引入了预防性治安拘留。从此，普鲁士刑警不必经过审讯或者判决就可以将所谓的职业罪犯关进国家集中营。此法令针对的主要是曾多次实行财产犯罪的人；但即使是从未遭受过指控的人，如果警察称其有"犯罪意图"，也可以逮捕。[38]

当时，普鲁士刑警没有预料到会出现大规模逮捕。警方高层官员认为，绝大多数财产犯罪其实都是一小撮核心人员所为，选择性拘捕这些人足以起到"杀鸡儆猴"的作用。普鲁士内政部最初确定了 165 名囚犯的上限，很快便调高到 525 人；起初，这些人被关在利赫滕堡，很快就成了此处主要的在押群体。[39] 尽管逮捕的人数相对较少，但普鲁士的倡议给预防性治安拘留提供了一种更激进的形式，为集中营未来的发展做了铺垫。

对社会边缘分子的法外拘留在 20 世纪 30 年代中期越来越普遍。在普鲁士，警察逮捕了许多并非职业罪犯的男性，他们有过前科，因此被列为盗窃一类的"普通嫌疑人"。1935 年，警察当局将他们集中关押在埃斯特尔韦根，督察官艾克由此称集中营是最难管理的机构；截至 1935 年 10 月，埃斯特尔韦根共关押了 476 名所谓的职业罪犯，他们成了此处最主要的囚犯群体。[40] 同时，德国其他几个州陆续采纳了激进的普鲁士政策，也将罪犯以预防性治安拘留的名义关进了集中营。[41]

除了犯罪分子，所谓的反社会人士在 20 世纪 30 年代中期依然是拘捕的目标。如前所述，纳粹官员主要针对的是贫困人群。例如，在巴伐利亚，政治警察在 1936 年夏季逮捕了 300 多名"乞丐和流浪汉"，并将他们送到达豪，不过是为了在奥运会举办前让街道变干净一些。[42] 此外，当局也将目标锁定在"不检点"的人身上。几十个妓女被拖进莫林根集中营，其中就有明娜·K.（Minna K.），她是个站街女，1935 年末被不来梅警察逮捕。这个 45 岁的女人曾多次被拘留，如今被指控在脏乱的酒吧里醉酒"勾引男子"，损害了警方为"保持城镇的街道和设施在道德层面的整洁"所做的努力，从而危及了公共秩序和纳粹国家。[43]

到 20 世纪 30 年代中期，集中营已成为针对社会边缘分子的完善武器。可以肯定的是，集中营的主要目标仍然是广义上的政治敌人。但是如今在达豪和其他集中营，社会边缘分子在囚犯中占了很大的比例。当英国退伍军人协会（British Legion）代表团于 1935 年 7 月 21 日访问达豪时，东道主党卫队（包括特奥多尔·艾克本人）告诉他们，在营内的 1543 名囚犯中，246 名是"职业罪犯"，198 名是"不愿工作的懒汉"，26 名是"不知悔改的罪犯"，还有 38 名"道德败坏的人"——换句话说，约有33% 的囚犯是作为社会边缘人士被关押在集中营的。[44]1937 ~ 1938 年，此类数字在整个集中营系统内进一步上升，因为警察对早期针对社会边缘分子的措施进行了集中和强化。[45]

144   "绿三角"

随着海因里希·希姆莱在 1936 年夏天被任命为德国警察总监，建立全国性刑警力量的前景便日益明朗。接下来的几年里，在希姆莱的监督下，一支以柏林为协调中心的大型现代化军事力量逐渐成形。[46]希姆莱迅速利用自己的新权力策划了一次针对前科犯的打击。1937 年 2 月 23 日，他命令普鲁士国家刑事警察局（后来的帝国国家安全办公室或 RKPA）针对"职业罪犯和惯犯"展开第一次全国性袭击，对他们施行"突然"抓捕，关进集中营。早些时候，地方警察已经列好名单，刑事警察局根据名单选择性地挑了一些嫌疑人，然后在 1937 年 3 月 9 日展开抓捕行动。行动按计划进行，在接下来的日子里，约 2000 名囚犯——这是希姆莱定下的目标——被关进集中营，而艾克早已准备妥当。几乎所有的囚犯都是男人，其中包括埃米尔·巴加茨基，他被埃森（Essen）的警察逮捕，与其他 500 名所谓的罪犯被送往利赫滕堡。[47]

希姆莱决心消灭犯罪亚文化，所以才下令展开了 1937 年春季的突击。早期的预防性治安措施并没有取得预期的成功，希姆莱担心社会上仍存留严重犯罪的话将损害纳粹政权的声誉，毕竟纳粹早已承诺整顿德国。他相信，是时候把预防性逮捕的范围扩展到数百名最显眼的嫌疑人之外了。[48] 自然地，希姆莱很快宣布他的计划获得了巨大的成功，在几个月后对党卫队领导人的讲话中，他称犯罪率"已经显著降低"。因为一些罪犯几年后才会被释放，党卫队会击破他们的意志并教他们秩序，所以他预测未来的情况会更好。[49] 希姆莱毫无疑问也是受了德国犯罪学家理论的影响，坚信营地的改造力量，认为某些罪犯可以通过惩戒和劳动洗心革面。[50]

希姆莱除了 1937 年春季的突袭和对罪犯的执着外还有一些别的心思。[51] 经济因素开始影响警方和党卫队的政策。到了 20 世纪 30 年代后期，曾经推动纳粹掌权的大规模失业正在成为一个遥远的记忆。德国迅速从经济萧条中走了出来，开始面临劳动力严重短缺的问题，工人纪律也越来越受关注。[52] 1937 年 2 月 11 日，由戈林主持的政府高级官员会议上，希姆莱隐约露出了想要迫使约 50 万"不愿工作"的人进入"劳改营"的想法。[53] 他可能早已与集中营首领艾克讨论过此事，但这个建议对纳粹国家来说还是太激进了，所以两天后，当希姆莱和帝国司法部高级公务员会面时，他只提到选择性地拘捕"不愿工作者"的计

145

划。他说（根据会议记录），在集中营里每天辛勤工作长达 14 个小时，"可以让他们，还有其他不想工作的人明白，在自由中寻找工作好过被带到这种地方工作"。[54]仅仅 10 天后，希姆莱就批准在 1937 年 3 月发动突袭，下令警方拘留"没有参加工作"的犯罪分子。[55]毫无疑问，希姆莱把这些逮捕作为对所谓不愿工作者的警告。[56]

作为雄心勃勃的帝国建设者，希姆莱把大规模袭击视为扩大营地，进而扩大自己权力的一条途径。事实上，他在 1937 年 2 月与司法官员会面是为了对囚犯下手：希姆莱想将掌控范围扩大到国家监狱里成千上万的囚犯。司法部部长居特纳依然手握实权，能够无视希姆莱的紧逼，但这绝不是希姆莱最后一次试图把国家囚犯纳入自己快速成长的集中营帝国。[57]

1937 年 3 月针对所谓罪犯袭击之后，党卫队集中营很快就被填满了；在接下来的几个月里，还有嫌疑人陆续被送进集中营。[58]同时，帝国国家安全办公室收紧了释放人数，导致绝大多数在 1937 年春季和夏季被捕的人在战争爆发两年多后仍被关在集中营里。[59]结果，1937～1938 年，集中营里的"罪犯"人数居高不下，可达数千人。[60]1937 年，大部分人被关在萨克森豪森和布痕瓦尔德，彻底改变了当地囚犯的人口组成。不久之后，新的布痕瓦尔德集中营从利赫滕堡接管了 500 多名"职业罪犯"，其中就有埃米尔·巴加茨基，他与后来的同伴彼得·福斯特一起在 1937 年 7 月 31 日下午抵达了布痕瓦尔德。[61]1938 年 1 月，布痕瓦尔德共关押了 1008 名所谓的罪犯，占该营地囚犯人数的 38% 以上。[62]1938～1939 年，他们中大多数人被送往弗洛森比格的新集中营——后来，弗洛森比格与毛特豪森成了主要关押所谓罪犯的集中营。[63]

以职业罪犯为名被捕的男性因犯经常会成为党卫队发泄怒火的对象。鲁道夫·霍斯对许多同事说过，这些因犯是"残忍卑鄙"的恶棍，只会犯罪，沉溺于罪恶的人生。他声称这些人是"国家真正的敌人"，常规的惩罚虽然严格，但还远远不够。他的观点证明了党卫队集中营的极端暴力的正当性。[64]一个达豪的政治犯后来回忆起了 1937 年春天，党卫队集中营营区负责人赫尔曼·巴拉诺夫斯基（Hermann Baranowski）迎接这些所谓的罪犯时的讲话：

> 听着，你们这些混账！你们知道自己在哪里吗？——知道？——不知道？没关系，我会告诉你们。你们不是在监狱，也不是在劳改所。都不是，你们在集中营。这意味着你们在一个教育营！你们要在这里接受教育——我们会好好地教育你们。你们就吃这一套，你们这些发臭的蠢猪！——你们会在这里做有意义的工作。任何没有令我们满意的人都会得到我们的帮助。我们自有办法！你们会知道的。在这里没有游手好闲的人，也没有人能够逃跑。没有人。哨兵可以对任何尝试逃跑的人开枪，无须示警。我们这里都是党卫队的精英！——我们的男孩都是神枪手。[65]

146

巴拉诺夫斯基不是虚张声势。党卫队集中营的官员的确把所谓的职业罪犯当成了逃跑大师，提醒守卫们要保持警惕，毫不犹豫地使用武器。[66]很快，党卫队队员就开始攻击集中营里的"罪犯"。要识别他们很容易，因为他们制服上都有特殊的标志，20 世纪 30 年代后期统一为绿色的三角形。[67]在萨克森豪森，1937 年至少有 26 名"罪犯"死亡，其中 10 人死在了 3 月和 4

月，超过同期政治犯的死亡率。[68]在布痕瓦尔德也是如此，至少有 46 名所谓的职业罪犯在 1937～1938 年，也就是来到集中营的第一年死亡。[69]

有绿三角的人不太可能得到其他囚犯的帮助，因为其他囚犯对"BVer"有敌意（德文 Berufsverbrecher 的缩写，意思是职业罪犯），有时对"绿三角"的仇视甚至可与党卫队看守相提并论。如关押在古拉格的苏联政治犯一样，集中营中的许多政治犯都鄙视所谓的罪犯，认为他们粗暴、残忍、堕落——其中一种对他们的称呼是"社会的渣滓"。[70]对"绿三角"的厌恶来源于对他们是残忍暴徒的社会偏见以及集中营里的日常接触，政治犯声称这些新来的人用犯罪的本事侵害其他犯人，还和党卫队同流合污。[71]

政治犯的说辞长期以来塑造了"绿三角"的形象。[72]但并不正确。即使在 20 世纪 30 年代末，绝大多数所谓的职业罪犯只是财产性犯罪者，而不是暴力刑事犯罪者；像埃米尔·巴加茨基一样，大多数在 1937 年春季那次突击行动中被捕的人都有抢劫和偷盗的嫌疑。[73]而且，"绿三角"并没有勾结在一起对付集中营里的其他囚犯。[74]当然，其中的确有人成了朋友或形成小团体，那是因为他们经常一起工作，睡在同一个营房。[75]然而，他们之间的联系似乎比政治犯之间的友谊更松散些，因为这些所谓的罪犯很少有相似的经历或意识形态和信仰。[76]最后，虽然"红色"和"绿色"囚犯之间确实关系紧张，但这并不总是后者的暴行造成的，只不过是因为二者争夺稀缺资源，这类摩擦在战争期间还会升级。[77]

在 1937 年警察对所谓的罪犯发起攻击后，希姆莱和他手下的警方领导很快计划了与社会边缘人士斗争的下一步行动。为了协调和推广预防性打击犯罪活动，帝国国家安全办公室起草并在 1937 年 12 月 14 日帝国内政部的一项机密法令中推出了第一个全国性规定。[78] 这项法令借鉴了普鲁士先前的规定，鼓励在集中营内对犯罪嫌疑人实施预防性拘留。更重要的是，它大大增加了嫌疑人的数量。除了不知悔改的罪犯外，它还针对"一切通过其反社会行为危害社会大众的人，不管是不是职业罪犯或惯犯"。[79] 这是为了警方大规模镇压社会异类铺路。

针对"不愿工作者"的行动

为什么像威廉·米勒（Wilhelm Müller）这样的贫民会成为德国的敌人？离异加上失业，这位 46 岁的男子在德国工业中心地带杜伊斯堡（Duisburg）过着勉强糊口的生活。福利部门强迫他每周工作四天，做些卑微的体力活，以换取每周微不足道的 10.4 德国马克，勉强够维持生活。他偶尔会上街乞讨，1938 年 6 月 13 日下午，他在乞讨的时候被一名警察逮捕。此前，他因为乞讨被罚过两次。但这一次，警察采取了更严格的措施，以"反社会人士"的名义对他进行了预防性拘留。米勒发现自己被打上了不愿工作的乞丐和罪犯的标签，被认定"不能遵守国家要求的纪律"。1938 年 6 月 22 日，他被关进了萨克森豪森集中营。[80]

1938 年 6 月大规模突袭期间，约有 9500 名"反社会"的男性被逮捕并被拖入集中营，威廉·米勒只是其中之一。[81] 刑事警察在全国范围内展开的袭击从 6 月 13 日一早开始，持续了几天，是对社会边缘人士最激进的攻击，主要搜查火车站、酒吧和收容所。[82] 这与早些时候的行动是一致的：1938 年 4 月最后十天，盖世太保逮捕了近 2000 名"不愿工作"的人，把他们强

148　行关进了布痕瓦尔德。[83]与此同时，地方警察在 1938～1939 年对所谓的反社会人士也各自采取措施，把更多的嫌疑人送入了集中营，其中包括数百名被指控道德犯罪的女性。[84]

　　1938 年大规模袭击期间遭到围捕的男子大多被突如其来的拘禁吓得手足无措。[85]在逮捕时，地方警官几乎随心所欲，因为"反社会"的定义被刻意模糊化，所有和往常不同的行为都可以成为抓捕的借口。根据秘密警察（即刑事和政治警察的结合）头领赖因哈德·海德里希的指示，抓捕目标包括"流浪汉"、"妓女"、"酒鬼"和其他"拒绝融入集体的人"。[86]实际操作中，大规模逮捕的目标主要是流浪汉、乞丐、福利受助者和临时工。此外，警察还逮捕了一些疑似皮条客的人，其中一些不过是因为经常出入名声不佳的酒吧。[87]

　　德国警察领导人在判断"反社会"嫌疑人时也带有种族主义目光。赖因哈德·海德里希在 1938 年 6 月下令突袭时，还将目标特别锁定在犹太"罪犯"身上。此外，他还挑出了那些有前科或者"对正规工作不感兴趣"的吉卜赛男人。[88]由于生活方式往往与众不同，德国境内的少数吉卜赛人（如今通常被称为辛提人或罗姆人）长期遭到政府的骚扰。第三帝国时期有国家在背后撑腰的种族歧视迅速加剧和蔓延，尤其从 20 世纪 30 年代后期开始。1938 年 6 月的突袭后，数百名吉卜赛男人被抓进了集中营；到 1938 年 8 月 1 日为止，光萨克森豪森就关押了442 名吉卜赛人（几乎占囚犯总数的 5%）。许多人被逮捕时都是自由职业者，如音乐家、艺术家或巡回商人等。[89]38 岁的奥古斯特·拉宾格（August Laubinger）就是其中一员。他是一个 4 岁孩子的父亲，和家人住在马格德堡（Magdeburg）附近的奎德林堡（Quedlinburg），过着贫穷的生活。虽然他没有犯罪前科，做过多年的纺织品商人，还试图寻找一个稳定的工作，但刑事警察仍然在 1938 年 6 月 13 日逮捕了他，理由是他"不愿工作"，"在全国各地漫游"，没有固定工作。几天后，拉宾格就被关进了萨克森豪森，在那里待了一年多。[90]

1938 年全面攻击"反社会人士"背后其实有很多驱动力，目的并不单一。纳粹领导人非常推崇警察是社会医生这种说法，认为警察可以像医生那样，净化德国社会，除掉一切偏离社会和道德堕落的人，这种念头越来越受种族主义的感染。[91]同时，地方警官和其他参与抓捕行动的人——包括德国福利办公室和职业介绍所——把这些大规模行动当成了一个机会，可以消除长期以来被视为麻烦和威胁的人，这些人包括所谓的福利欺诈者、抗拒国家控制的受助者、长期乞讨者和不能被法律起诉的犯罪嫌疑人。地方警察官员也对清除社会边缘人士充满热情，结果导致抓捕人数远远超过了海德里希在 1938 年 6 月设定的最低目标。[92]

经济因素也非常重要，甚至比以前更重要。[93]在第三帝国针对社会边缘人士展开的打击行动中，"不愿工作者"已经突出地成为修正的对象之一。正如许多学者和科学家当时所坚信的那样，"不愿工作者"不仅在生物学上被视为次种人等，还无法满足国家对同志的一个主要要求——进行生产性劳动。[94]随着德国经济正在为备战而加速发展，纳粹领导人迫使"不愿工作者"工作的愿望越发紧迫了。正如赖因哈德·海德里希所说，政府"不能容忍反社会人士逃避工作，破坏国家的四年计划（1936 年）"。[95]阿道夫·希特勒赞同这种观点并大力支持——甚至可能主动提出——大规模拘留"长期失业者"和"人渣"。[96]同时，党卫队领导人开始在集中营实施更加雄心勃勃的经济政策，渴望得到更多的强制劳动力。希姆莱希望得到更多囚犯的想法对 1938 年的抓捕行动产生了明显的影响，警察在大规模逮捕"反社会人士"时重点强调了要抓捕有工作能力的男性。[97]

集中营在 1938 年极速扩张，社会边缘人士很快成了囚犯主体。据估计，截至 1938 年 10 月，所谓的反社会人士占了囚犯总人数的 70%。[98]这个比例在接下来的几个月有所下降，但总人数仍然高居不下，许多"不愿工作者"一心等着被释放，却是徒劳。[99]第二次世界大战前夕，在布痕瓦尔德和萨克森豪森集中营，超过一半的犯人都属于"反社会人士"，凭他们制服上的黑色三角形标志一眼就能识别出来（一些吉卜赛人则是棕色标记）。[100]最初，政府将 1938 年大突袭中抓捕的犯人指定关进布痕瓦尔德集中营。[101]但是警察在 6 月逮捕了太多的人，达豪和萨克森豪森也打开了门，分流了部分囚犯；事实上，萨克森豪森才是关押社会边缘分子最多的集中营，到 1938 年 6 月 25 日为止，"不愿工作"的囚犯总数达到了 6224 人。[102]

党卫队把这些囚犯标记为"反社会寄生虫"，将他们贬低为肮脏、不诚实、堕落的人。[103]党卫队很快便用压倒性的力量打垮了他们。囚犯们在 1938 年 6 月刚刚踏入萨克森豪森时就遭到了辱骂、踢打和掌掴。随后，新近从达豪调来的指挥官巴拉诺夫斯基下令从新来的犯人里挑出几个，绑在一起，在其他惊恐不已的囚犯面前鞭打他们。就像他在达豪威胁那些"职业罪犯"一样，巴拉诺夫斯基也警告萨克森豪森的"反社会分子"别想着逃跑，他大声宣布了哨兵们的座右铭："砰——杂碎就没了！"[104]

佩戴黑三角的犯人的生活条件特别差。1938 年夏天的大规模逮捕使得集中营党卫队看守严重不足，导致过度拥挤的营地一片混乱。在萨克森豪森，党卫队用装满稻草的麻袋替换了床架，将 400 个"反社会人士"塞进了原本容纳 146 人的空间里；作为应急措施，党卫队还在点名广场的东北方新建了 18 个营房，形成了所谓的小集中营。新囚犯的制服既不合身又肮脏，鞋子和帽子短缺，导致许多人赤脚受伤，头部也被晒伤。[105]布痕瓦尔德的囚犯处境更悲惨。不仅因为营地仍在建设中，还因为当地党卫队已经被几周前阿尔贝特·卡尔魏特被杀事件惹火了。[106]

　　更糟糕的是，"反社会人士"在囚犯中处于底层。和"绿三角"一样，他们也会遭到其他囚犯的蔑视。然而，与"绿三角"不同的是，黑三角的囚犯尽管人数更多，但不太可能当上有影响力的审头。他们虽然也存在些许同袍之情——相互帮助、讲讲笑话或者传奇故事来转换心情——但彼此间的认同感依然薄弱，因为"反社会人士"之间的共同点比所谓的罪犯之间的共同点还少。[107]最惨的是残疾人和精神不稳定的人，他们在最艰苦的条件下经常孤立无援。在布痕瓦尔德，党卫队把这些人称为白痴，让他们戴着写有"蠢"字的白色臂章。[108]

　　一些"反社会"囚犯还会被纳粹以优生的名义杀害。德国的新统治者从 1933 年上台后马上引入了针对"遗传病患者"的强制绝育法律。到了 1939 年，新设立的遗传病卫生法庭的医生和法官，出于自己的偏见，令至少 30 万人（男女都有，其中许多是精神病院的患者）被强制绝育。[109]维尔纳·海德教授负责监督集中营里的绝育计划，他在 1936 年与督察官艾克会面后便被指派负责"遗传病监控"，讽刺的是，他上次与艾克见面时，艾克还是他在维尔茨堡诊所的病人。显然，所有监狱都要尽可能展开绝育计划，而那些"反社会人士"最容易成为绝育的目

标，因为海德认为他们之中有"不少低能人"。最初，只有海德一人做这个工作，但他很快教会了集中营里的医生完成正式
151　的法院申请。在 20 世纪 30 年代后期，其他一些在集中营工作的冷漠无情的医生突然对囚犯绝育产生了热情，当时绝育手术主要在当地的医院进行。[110]

　　在 20 世纪 30 年代后期，党卫队的残忍手段连同普遍恶化的条件，导致了集中营内囚犯的大规模死亡，死亡人数创历史新高。死亡率第一次飞速上升是在 1938 年夏天，即 6 月突袭行动中被抓捕的犯人到达集中营后。整个集中营系统在 1938 年的前 5 个月（1 月至 5 月）已知有 90 人死亡。在接下来的 5 个月（6 月至 10 月），至少有 493 人死亡——其中大约 80% 的人是"反社会人士"。[111]在萨克森豪森，仅 1938 年 7 月，就有至少 33 名"反社会人士"丧命，而在一年前（也就是 1937 年 7 月），萨克森豪森只有一名囚犯死亡的记录。[112]

　　更恐怖的时刻还没有到来；如果说 1938 年的夏天和秋天已经令人窒息，那接下来的几个月才真正致命。从 1938 年底开始，"反社会人士"的死亡人数猛增到了新的高度。在 1938 年11 月至 1939 年 4 月的 6 个月间，集中营里至少有 744 名"反社会人士"死亡。[113]在萨克森豪森，最致命的一个月是 1939 年 2 月，121 名所谓的反社会人士被杀，同月其他类别囚犯有 11 人死亡，差别甚大。从 1938 年 6 月至 1939 年 5 月，一年的时间内，萨克森豪森至少有 495 名"反社会人士"死亡，占囚犯总体死亡人数的 80%。据集中营一名幸存者回忆，主要的死亡原因是"饥饿、寒冷、枪击或施暴"。[114]显然，20 世纪 30 年代后期，集中营里的囚犯死亡更为常见，因"反社会"而被捕的犯人死亡最多：1938 年 1 月至 1939 年 8 月，所有的党卫队集中营

中"反社会"因犯的总体死亡人数超过 1200 人。[115]即使在今天，也很少有人知道这些社会边缘人士曾经是战前最后阶段集中营中的最大受害者群体。

政治宣传和偏见

从吓唬政治对手到恐吓社会边缘人士，这种转变对集中营的公众形象也产生了影响。可以肯定的是，纳粹政府从来没有在各类敌人之间划定严格的界限，而且掌权时间越长，纳粹领导人脑海中敌人的类型就越多——罪犯、特定的种族还有政敌；战争临近尾声的时候，海因里希·希姆莱谈到帝国在 1933 年曾面临"犹太共产主义反社会组织"的挑战。[116]尽管如此，早期集中营的主要功能还是摧毁左翼反对派，当时的报道和谣言也以此为主。[117]然而，随着集中营功能的改变，其在纳粹德国的官方形象也发生了变化。20 世纪 30 年代中期，媒体报道就已经越来越强调对社会边缘分子的拘禁。[118]其中最突出的是 1936 年末刊登在光鲜亮丽的纳粹杂志上的一个故事，这篇关于达豪的文章长达 5 页，包含 20 张集中营和囚犯的照片。文章开篇就强调了囚犯的人员构成最近发生了改变：

152

> 1933 年的那批政治犯，除了一小部分人以外，其余的早已被释放。如今集中营关押的主要是各种反社会人士、政治上一再犯错的糊涂虫、流浪汉、不愿工作的人和酒鬼……流亡人士、国内的犹太寄生虫、道德败坏的人，以及一群预防性拘留的职业罪犯。

文章称这些囚犯现在正在学习严格的军事纪律，培养一丝不苟的卫生习惯，并且辛勤地劳动，"这些是其中许多人一辈子都在逃避的事情"。为了打消人们对党卫队虐待犯人的怀疑，文章一再向读者保证囚犯们十分健康，被喂养得很好。确实，其中一些囚犯"生长于破败不堪的社会环境"，他们从未过得像现在这样美好。这样倒也好，因为其中许多人永远不会再品尝到自由的滋味——囚禁他们有利于维护国家和社会的安全稳定。[119]纳粹其他的政治宣传也强调了最后一点，宣称对社会边缘分子的永久性拘禁将会减少犯罪。[120]

这样的言论在德国国内是可以找到市场的。魏玛共和国总是和犯罪联系在一起，尤其在最后的几年中，国内严惩不良分子的呼声越来越高。[121]第三帝国就利用了这一臭名昭著的遗产，甚至一些政治犯也支持将社会边缘分子无限期地拘禁起来。[122]纳粹对集中营的宣传报道还利用了社会固有的偏见，摆拍了许多满是文身、姿态邪恶的囚犯照片。"在我们穿过集中营时，"1936 年这篇描写达豪的文章写道，"常能看到那种天生就会犯罪的典型面孔。"这话利用了当时大众对面相理论的迷信。[123]这类故事对第三帝国产生了一定影响，把营地塑造成了充满危险分子的地方，让公众越发相信是希特勒把街道变得更加安全，这种想法甚至在纳粹倒台后仍存在了很长一段时间。[124]

无论如何，在 20 世纪 30 年代后半段，集中营在普通德国人心中并没有占据主要位置；1933 年时的种种强烈情绪——好奇、喝彩、愤怒、恐惧——都抵不过越来越多的冷漠；即使在左派以前的支持者当中，集中营的新鲜感也早被消磨掉了。而且，集中营拘禁的人大部分来自社会边缘，逮捕行动也经常远离公众视野。即使是针对所谓反社会分子和犯罪分子的突袭，虽然是政治宣传的好材料，却也几乎没有德国媒体进行报道。[125]

这种做法是大势所趋，集中营正逐渐消失于公众的视野之中。这其中有许多原因。第一，几百座半公开的早期集中营已经被几座隐秘的集中营取代。第二，目击者的证言大部分也消失了，那是 1933 年公众认识集中营的主要渠道。第三，囚犯少了，被释放的人往往也噤若寒蝉。[126]而敢于出声的人却很少能造成影响，因为对纳粹有组织的抵抗已经支离破碎。最重要的一点是，随着纳粹独裁政权越来越受欢迎，批评性报道的受众越来越少。当然，德国人并没有忘记集中营，也没忘记以前里面发生的恐怖故事；在公众的脑海中，集中营仍和暴力、虐待联系在一起。而这也使许多当地要员非常恼火，比如在达豪，很多人就意识到集中营的坏名声吓退了许多游客。[127]不过绝大多数德国人对纳粹政权是满意的，至少是顺从的，他们对集中营的恐惧此时已变得模糊且抽象。[128]

至于纳粹独裁政权，它很愿意让集中营融为背景，只在偶尔的情况下才作为威慑手段出现一下。除此之外，政府并没有把集中营重新置于媒体聚光灯下的意愿。现在关于虐待的传言已经少了，所以没必要再为集中营洗白。[129]而且，纳粹仍然不确定公众对集中营的接受程度，尽管他们声称集中营为对抗犯罪做出了贡献。达豪集中营的照片在 1936 年开始流传的一周之后，官方甚至发出了一道密令，要求减少对集中营内部事件的报道；纳粹党首席新闻发言人奥托·迪特里希（Otto Dietrich）曾在私下说，这样的报道"容易引发国内外对德国的攻击，对帝国形象造成损伤"。[130]

迪特里希关于外国舆论的观点十分正确。虽然政府对操纵德国国内舆论越来越得心应手，但国外的舆论没有那么好掌控。纳粹并非没有试过。为了改善集中营在国外的形象，集中营党卫队继续运用施压和欺骗两种手段，双管齐下。[131]其中被蒙骗的是英国退伍军人协会的成员。自从1935年参观达豪集中营后，他们便相信每个党卫队队员"都在想方设法帮助每一个囚犯改造自己，并改善他们的境况"。这话写在一份给多疑的英国外交部的备忘录中。[132]有时，外国的报纸上也会有此类赎罪似的澄清。[133]但在20世纪30年代中期，在境外媒体和德国流亡人士的报纸上更多的仍是有关集中营恐怖、虐待和谋杀的大量报道。相比之下，这种洗白式的报道只是杯水车薪。[134]

国外对于集中营的批评仍然围绕着个别政治犯的命运。比如在英国，公众为汉斯·利滕的请愿行动让德国驻英大使得出了释放他可以大大提高第三帝国形象的结论。不过，纳粹政府拒绝了所有释放利滕的请求；在1935年9月的纽伦堡党代会上，宣传部部长约瑟夫·戈培尔在演讲中抨击汉斯·利滕是主要的犹太敌人之一，是全球共产主义阴谋的幕后黑手。[135]但在另外一个更著名的事件中，纳粹领袖在一定程度上向外国的压力屈服了。

和平主义作家卡尔·冯·奥西茨基是20世纪30年代中期集中营中最有名的囚犯，至少在德国境外是最知名的，一场授予他诺贝尔和平奖的运动正在凝心聚力。自1933年2月被逮捕以来，奥西茨基的身体每况愈下。他仍被关在埃斯特尔韦根，患有严重肺结核，几近失声。一名前来探访的红十字会工作人员将他的病情形容为"极度危险"。特奥多尔·艾克知道奥西茨基随时可能会死，但仍建议希姆莱无视所有要求释放奥西茨基的呼声。因为以奥西茨基的知名度和他对党卫队罪行的了解，他很可能会成为"指控纳粹德国的首要目击者"。海德里希持有相同的观点，但赫尔曼·戈林否决了两人的意见，因为他担心这件事会影响即将到来的奥运会。1936 年 5 月底，奥西茨基离开了埃斯特尔韦根，在警察的密切监视下在柏林一家医院度过了余生。也是在那里他得知自己获得了诺贝尔和平奖。尽管纳粹不断施压，他还是接受了这份荣誉，作为反抗纳粹的谢幕演出。不过，政府不许他离开德国去接受这份荣誉。奥西茨基一直没能从集中营的阴影中恢复，最终于 1938 年 5 月 4 日去世，享年 48 岁。[136]

　　虽然解救奥西茨基的运动暂时将纳粹集中营推到了国际舆论的风口浪尖，但国际媒体对集中营的兴趣正在衰减。一部分原因在于获取新闻细节的难度越来越大，另一部分则是因为历史学家们所谓的"同情疲劳"，连续多年有关纳粹暴行的报道已经让公众越来越麻木。[137]不过，20 世纪 30 年代后期一件轰动一时的大案曾经短暂地打破了这种平静，那就是对新教牧师马丁·尼默勒（Martin Niemöller）的逮捕行动。[138]马丁·尼默勒是一名右翼民族主义者，一度对纳粹抱有同情。但纳粹政权对新教的打压令他越发不满，他随后成了认信教会的领袖，结果在 1937 年以恶意攻击帝国的罪名被逮捕；1938 年 3 月，柏林特别法庭驳回了针对他的指控，当庭将他无罪释放。这场审判最终稀里糊涂地收场，希特勒对此暴怒不已，宣称司法系统犯了一场大错，并要求希姆莱立刻将尼默勒关进萨克森豪森集中营。警察在法院大楼内将尼默勒带走，在国际上引起了如潮的谴责。纳粹领导人预料到了这一喧嚣，但认为这是值得付出的代价。此前处理奥西茨基的问题时，纳粹政府为平息国外舆论还曾惺惺作态，但这一次纳粹无视了所有要求释放尼默勒的呼吁，哪怕世人皆知尼默勒的健康状况不断恶化，他仍在萨克森豪森和达豪集中营内度过了七年的时光。[139]

155

这种顽固反映出第三帝国在 20 世纪 30 年代后期实力不断增强。纳粹领袖越来越咄咄逼人，领导国家走上了与西方公开对立的道路，此时国际评论变得越发无足轻重。对战争的渴望改变了德国的国际立场，也给党卫队集中营留下了深刻的烙印。

党卫队的军事野心

希姆莱喜欢将集中营党卫队视为军人。他把手下粉饰成与"德国的人渣"做斗争的勇士，希望能够以此提高党卫队的声望和地位，不再只是狱卒。[140]希姆莱这种军事上的抱负并非纸上谈兵。从一开始他便将看守们视为半军事化组织的成员，不仅可以在集中营内虚拟的战场上巡逻，也可以在国家进入紧急状态时，到铁丝网外去战斗，就像在 1934 年罗姆动乱时达豪的党卫队的行为。希姆莱坚称，经过与集中营内部的"敌人"历练之后，他的特种部队足以同集中营外的恐怖分子开战。[141]

早在 20 世纪 30 年代中期，党卫队看守团向半军事化力量的转变就已经开始了。[142]集中营周边的岗哨只是他们职责的一部分。就像前文提到的，队员花了大量时间在军事演习上。一开始，看守团的指挥官们因为装备破败而苦恼不堪；在达豪集中营，他们甚至连足够的军火储备都没有。但这一点在希特勒同意从国家预算中拨款资助骷髅部队之后便改变了。大量的战斗武器被分配给看守团，甚至能再建立一个机枪编队了。在达豪集中营，破败不堪的旧营房被一座巨大的新兵训练营取代，彰显了党卫队的军事企图。在萨克森豪森，囚犯们在集中营旁边建起了一个全新的大型综合设施，作为党卫队拉练的基地。在萨克森堡，同时建成的还有一个新的现代化射击场，配备了移动标靶。最重要的是党卫队继续招募看守团成员，远超过营内正常运营所需要的人数。党卫队的人员从 1935 年 1 月的 1700 人增至 3 年后的 4300 人，守卫与囚犯的比例远低于 1：2。虽然这股军事力量仍然很小，但其领导人的野心已经昭然若揭。[143]

集中营党卫队这种循序渐进的军事化进程是希姆莱心中宏伟蓝图的一部分：创建独立的党卫队编队，并派往前线。自从与冲锋队领袖恩斯特·罗姆发生冲突之后，德国军队一直对纳粹领袖的军事野心提心吊胆。而将军们也确实应该担心希姆莱。虽然一再否认，但希姆莱并不满足于把党卫队和警察打造成国内力量。他一直眼红垄断军事力量的军队，因此小动作不断。在 1938 年一次党卫队高级指挥官会议中，他宣称在战场上冲锋陷阵是党卫队神圣的职责："如果我们不流血牺牲，如果我们不在前线战斗，我们又有什么资格在国内射杀那些逃兵和懦夫。"他充分利用自己的狡猾、与希特勒的关系和政治斡旋的天赋，在与军队争夺地盘的较量中占据了上风。一开始，他希望以新成立的党卫队特别机动部队（Verfügungstruppe）为中心建立一支党卫队，这支机动队建于 1934 年秋，由不同种类的小型军事单位组成。同时，他也在考虑将党卫队看守团派往境外，模糊国内前线与国外前线之间的界限。[144]

随着 20 世纪 30 年代末欧洲战争一触即发，党卫队的军事地位得到了进一步的巩固。其中标志性的事件就是希特勒在 1938 年 8 月 17 日签署的密令。该密令由希姆莱起草，明确表示党卫队可以被派上战场。而骷髅部队则将大规模扩员，作为"党卫队常备军"来"履行具有警察性质的特殊职责"。字里行间还暗示了国内集中营党卫队的部署。但在几个月前，达豪看守团的成员就已首次踏上了国外的领土，在德国军队的指示下于 1938 年 3 月行军进入奥地利。不久之后，又有了一个好机会。1938 年秋天，骷髅部队的四个营参与占领了苏台德地区。他们由特奥多尔·艾克领导，并在他的带领下首次在捷克斯洛伐克的国土上接受了希特勒的检阅。骷髅部队继续参与占领捷克斯洛伐克剩余领土的行动。等到 5 月，希特勒签署了另一道密令，正式承认党卫队骷髅部队的军事地位：在战争时期，一部分集中营党卫队会参加前线战斗。[145]

对于集中营党卫队的军事地位，如果说有谁比希姆莱还高兴，那必然是他的副官特奥多尔·艾克。艾克有时会把自己想象成将军（这也与他在党卫队内的地位相符），现在他能通过集中营党卫队军事化来实现自己的梦想了。根据鲁道夫·霍斯的记述，在 20 世纪 30 年代末，艾克全身心地投入看守团的扩张行动，甚至以集中营为代价。霍斯抱怨说，艾克对看守团展示了"不可思议的慷慨"，总是要求把最先进的设备和最好的营房留给看守团。[146]另一方面，艾克大力推动新人招募，不仅放宽了招募的标准，甚至要求党卫队的"猎头"（他自己如此称呼）去挖入伍的士兵："去酒吧、体育俱乐部、理发店把他们挖过来。要我说，连妓院也别落下。总之无论你在什么地方遇见他们，都给我带回来。"[147]

虽然这一特别的计划或许没起到什么作用，但艾克还是成功吸引了许多新成员。以 1938 年为例，党卫队骷髅部队的人数增加了不止一倍，在 11 月到达了 10441 人。次年夏天，人数继续增长，正规队员已达到 12000～13000 人。[148]同时，党卫队骷髅部队也在囤积武器。根据艾克的说法，他的部队到 1939 年中已经拥有 800 多挺机枪、约 1500 把冲锋手枪和近 20000 把卡宾枪。[149]艾克和他的政治军人们已经为集中营之外的战争做好了准备。

强制劳动

1937 年，当德国一部著名的百科全书收录"党卫队集中营"这一词条时是这样描述的，囚犯在里面"被分成多个小组，按要求进行有意义的劳动"。[150]百科全书不可避免会提到强制劳动，因为它几乎出现在所有关于集中营的官方记载中。某一篇文章、某一场演讲如果没有提到这一点，似乎就是不完整的。虽然这些内容都是为政治宣传服务的，但也在很大程度上道明了真相——劳动在集中营的日常生活和囚犯的内心中占据了主要地位，就像《萨克森豪森之歌》中所唱的那样：

> 铁网后面是我们在工作，
> 弯着酸痛的腰工作，
> 我们变得努力，我们变得坚强，
> 但工作永无止境。[151]

当然，第三帝国并不是强制囚犯劳动的发明者。正如我们所知，这是监狱和劳教所的核心传统，被认为有许多好处。从最基本的层面上说，劳动是保持囚犯忙碌的最有效手段。而且，据说多产的劳动还可以降低拘禁的成本。从更宏观的角度来讲，一些官员将劳动视为改过自新的手段，让不良分子以后可以过上中规中矩的生活。而其他人则将劳动视为惩戒的工具，可以赋予囚犯适度的痛苦，以此作为惩罚或者威慑。[152]

在战后大多数关于集中营的记述当中，劳动主要是一种惩戒的手段。沃尔夫冈·索夫斯基的研究就指出，强制劳动的主要功能是"暴力、恐怖和死亡"。[153]这一结论准确捕捉到了党卫

158

队集中营的主要目标：通过劳动来侮辱和伤害囚犯。但这并非劳动的全部意义。将集中营劳动单纯地视为炫耀绝对权力的手段未免太简单，党卫队的政策背后还掺杂了意识形态、经济等其他许多的实际因素。

工作和惩罚

虽然全面推进强制劳动已经成为集中营体系的基本特征，但它并非建营的一条基本纲领。在早期集中营，劳动并没有占据如此重要的地位。在仓促建立的临时营中，一些官员甚至忽视了这一点。而那些强调劳动重要性的官员却发现在全国上下普遍失业的情况下，劳动的机会少之又少。更重要的是，当时对囚犯是否需要进行强制劳动还存在争议（尤其是关在州立监狱中的保护性拘禁犯）。德国一直以来有将一些政治犯当作荣誉囚犯的传统（希特勒就曾因此受益，他在1924年政变失败后被关进了兰茨贝格监狱，这才有空完成了《我的奋斗》的部分内容）。总之在1933年，囚犯们不劳动并不是什么稀罕事。一些早期集中营的守卫强迫没工作的囚犯进行军事操练。但在其他地方，囚犯们被关在号房、营房和宿舍中无所事事。[154]

1933年的集中营里，强制劳动的内容主要分为两类。第一类是户外劳作，纳粹以此增强对外界的威慑力。囚犯们被派去参与利国利民的大型工程（比如埃姆斯兰的沼泽排水）和当地的基础设施建设，修建小路、公路和运河，或者在丰收时帮忙出力。在布雷斯劳（Breslau），囚犯们甚至要排干泥塘，这样当地人就能在此处修游泳池。第二类是建设和维持集中营，此类强制劳动在大型集中营尤为常见。许多囚犯都要参与新建或是维修各式各样的建筑，在建筑周围安装带刺的铁丝网。其他

159

囚犯则要进行一些必要的劳动，包括打扫房间和走廊，准备食物和分发食物。[155] 在理论上，囚犯的劳动具有实际意义。但在现实中，守卫们把这当作惩罚最惹人讨厌的囚犯的机会。这些囚犯最有可能去做一些毫无意义的工作。比如在霍伊贝格集中营（Heuberg），重要的政治犯不得不用石子装满篮子，然后倒出来再重新装满，循环往复。[156]

随着集中营在 20 世纪 30 年中期开始协调统一，劳动方式也发生了变化。首先，集中营党卫队开始对"闲散"持零容忍的态度，所有人都必须参加强制劳动。特奥多尔·艾克制定的埃斯特尔韦根集中营守则就明确指出："那些拒绝工作、逃避工作或是为了不工作而装病、装残疾的人都是不可救药的，他们必将为自己的行为付出代价。"[157] 与此同时，党卫队停止了户外劳动。为了躲避那些窥探的目光，集中营不再让囚犯为外部社群工作，埃斯特尔韦根开荒工程的中止就是个例子。

20 世纪 30 年代中期，集中营党卫队在考虑囚犯的经济用途时，首先想到的是集中营内部的建设和维护。1936 年至 1939 年间新建的五座集中营（以萨克森豪森集中营为首）均是囚犯们的血汗。在新集中营的最初几周或者几个月总是最难熬的，布痕瓦尔德集中营的幸存者欧根·科贡后来写道："悲惨在不断累积。"1937 年夏天和秋天，第一批来到布痕瓦尔德集中营的囚犯们需要伐木、建营房、挖壕沟、搬运石块和木料。为了建设集中营，他们一天要工作 12 个小时甚至更多。伤病随处可见，跟不上进度的囚犯，比如虚弱的汉斯·利滕，还会被掌掴、踢打甚至遭遇更可怕的对待。此外，囚犯们还得忍受新集中营初期的恶劣条件。一开始，布痕瓦尔德集中营没有床、毯子和自来水。污泥到处都是，粘在囚犯们的鞋、制服和脸上。党卫队的恐怖统治、令人精疲力竭的劳动，再加上恶劣的条件，造成了致命的后果。1937 年 8 月到 12 月间，53 名囚犯在布痕瓦尔德新集中营死去（同期，已经开始运营的萨克森豪森集中营有 14 名囚犯死亡）。当然，在基础设施建好之后重体力劳动并没有停止。没有一座大型集中营是彻底竣工的，党卫队继续剥削囚犯，逼迫他们不停维修和扩建；在战前的岁月里，90% 的布痕瓦尔德囚犯曾为修建集中营出过力。[158]

160　　　除了越来越庞大的营区建设，在 20 世纪 30 年代中期，集中营党卫队很少参与重大的经济活动。希姆莱和党卫队其他领导并没有一个真正的长期战略，也没什么兴趣投身于大规模生产。党卫队在集中营外只经营了一些小而无名的企业，其中一家陶瓷工厂生产腊肠狗和希特勒青年团的俗艳雕像。至于党卫队手上最宝贵的资源——囚犯，一般由当地的指挥官进行调度。[159]

　　　而指挥官往往会将大部分决策权交给看守，后者继续将劳动视为虐待的理由。无论工程进度多么紧迫，他们总能抽出时间折磨囚犯。多年之后，哈里·瑙约克斯依然记得 1936 年的那一天，党卫队队员突然命令他和萨克森豪森集中营的其他囚犯停止手头平整土地的工作，代之以不断加快的速度挖掘深坑。"我们都成了机器人。"瑙约克斯回忆说。在看守们拳打脚踢的驱使下，囚犯们疯狂地挖掘，直到把刚刚整平的土地挖得像月球表面那样坑坑洼洼。"我们之前所有的工作都白干了，一点儿意义都没有。"[160]

　　　总的来说，在 20 世纪 30 年代中期，党卫队为集中营牟取经济利益的野心并不大，但有一处例外——达豪集中营的囚犯车间。这不仅是党卫队最早的盈利买卖，也是战前最重要的一个。一切还要从 1933 年说起，当时集中营党卫队建立了一个车间，为新建立的集中营生产急需品。虽然党卫队参与竞争也曾引起当地企业的抗议，但营区在接下来的几年里迅速扩张，不久之后便开始为党卫队其他部队提供补给。到了 1939 年，有370 名囚犯在这个大型木工车间工作，为党卫队生产床架、桌子、椅子。[161] 当然，在党卫队心中，集中营的震慑作用还是大于经济作用。但强制劳动——达豪集中营的车间成了党卫队战前时期利润最大的生意——证明了剥削囚犯并不影响集中营的正常使命。党卫队领导人意识到高效生产可以和恐怖统治并存。这也为 20 世纪 30 年代后期激进的经济政策做好了铺垫。党卫队内冉冉升起的新星奥斯瓦尔德·波尔就是拥护这一政策的先锋。[162]

奥斯瓦尔德·波尔与党卫队经济

1933 年，希姆莱想寻找一名专业统筹和规划党卫队机构未来发展的管理人才，于是将目光转向了奥斯瓦尔德·波尔，彼时波尔还是一名海军出纳员。就在这一年 5 月，在基尔（Kiel）的海军食堂花园里，两个人第一次见面，希姆莱一下就被比自己大了 8 岁、年届 40、身材高大、仪表堂堂的波尔吸引了。波尔正是希姆莱想找的人，既有专业的管理知识，又有意识形态上的热情。他出身中产家庭，1912 年以出纳实习生的身份加入海军，专攻预算和组织管理。同时，他还是一名极右翼活动家和资深纳粹党员。德国在第一次世界大战战败后，波尔加入了自由军团，随后参与了纳粹初期的运动。他宣称在 1923 年就加入了纳粹，按他后来的说法，是"听从了热血的召唤"。他1926 年加入冲锋队，1933 年荣升为二级突击中队长。希姆莱找到了建立党卫队行政体系的合适人选，并赋予了他极大的自由。

161

波尔欣然抓住了这个机会。身为充满雄心壮志的热血男儿，他自觉被困在了海军的死水中。他热切寻找一个能够发泄自己"工作欲望"的"出口"。与希姆莱见面两天后，他就修书一封，承诺为希姆莱马首是瞻，"直到我倒下"。1934 年 2 月底，波尔走马上任，被提拔为党卫队行政办公室主任。[163]

在接下来几年，波尔的权力越来越大。他的手里集中了党卫队大部分的行政和财务大权，负责跟纳粹党和财政部洽谈预算，并给党卫队分支做审计。波尔还开始涉足本职工作以外的领域，获得了党卫队建造工作的控制权，接手了毫无经验的商业买卖。波尔的晋升速度很快，1939 年，在党卫队经历了管理和运行上的一次重要重组后，波尔被任命为两个主要部门的一把手——行政和商务办公室，以及预算和建筑办公室。[164]波尔对敌人和下属的冷酷无情以及对希姆莱的忠心推动了他的升迁，希姆莱从始至终在背后支持他。[165]

波尔确实对集中营体系产生了影响。他的权力越大，集中营就越被吸入他的轨道。从 1934 年起，他开始频繁参与达豪车间的管理和运行——他生活和工作的场所就在附近（党卫队建设办公室在 1933～1934 年就设在达豪），时常就会去车间巡视一番。等到 20 世纪 30 年代后期，车间就完全在他一人的掌控之下了。当然，他还有其他要务。截至 1938 年，波尔已经控制了集中营和骷髅部队的财政和行政事务，并负责多项建筑工程的内部监督。[166]

波尔对集中营党卫队越来越多的干预使他与特奥多尔·艾克产生了摩擦。在波尔 1937 年初晋升为党卫队地区总队长后，他们在党卫队内的级别相同，彼此之间勉强有一些尊重，在往来的公文中甚至会用更亲密的"你"而非"您"称呼彼此。他们在党卫队内都享有特殊的地位，可以直接向希姆莱进行汇报，也都决心要最大限度地利用手中的权力。就像鲁道夫·霍斯后来写的，两人都是"凶残的人物"，也许他们也意识到彼此是一丘之貉。[167]不过，两人之间的关系并非像一些历史学家所描述的那样亲密。[168]他们在集中营的管理、预算和建筑上都发生过冲突，艾克也曾因波尔利用集中营争功而心生不快。比如，在希姆莱 1939 年 4 月对达豪集中营进行官方视察时，是波尔陪同介绍，而不是艾克。[169]

162

随着希姆莱下令大力发展党卫队经济，波尔的地位在 20 世纪 30 年代末得到了进一步巩固。多年以来一直忽视经济发展的希姆莱突然燃起了热情，在 1938 年监督创办了多个重要的大型党卫队企业。虽然历史学家仍就希姆莱的动机争论不休，但不管怎么说，1938 年都是党卫队经济起步里程碑式的一年。希姆莱很有可能是因为看到了扩张党卫队帝国的另一个好机会才大力发展经济的，虽然这个机会以牺牲民营企业为代价。[170]无论出于何种目的，希姆莱的政策十分明确：集中营的劳动力将成为欣欣向荣的党卫队经济的主要资本，而奥斯瓦尔德·波尔是总经理。1938 年秋天，波尔吹嘘说"给我们集中营里的懒汉们找到工作"是他的职责所在，这一说法受到了希姆莱的赞扬。[171]不过实际上，波尔并非全权负责，各集中营的指挥官和督察组也有自己的发言权。[172]但不可否认，波尔的影响力越来越大，他对党卫队经济的控制是后来战争时期他全面接管集中营系统的关键所在。

到 1938 年为止，党卫队在经济方面最重大的举措就是成立德国土地与采石公司（Deutsche Erd-und Steinwerke GmbH，又称 DESt），这也是波尔治下第一家大型企业。希特勒的一项改造德国城市的宏伟计划催生了这家企业。计划由年轻的建筑师阿尔贝特·施佩尔（Albert Speer）领导，他刚刚被任命为第三帝国首都柏林的建筑总监。在战前，柏林是第三帝国最大的建设工地。由于希特勒的宏伟蓝图需要的大量砖头与石料——据施佩尔估计，每年大约需要20亿块砖头——远远超过德国现有工业的产量，因此党卫队介入了。在1937年底或是1938年初的一次会议中，希特勒、希姆莱和施佩尔三人达成一致，由集中营囚犯来供应建筑所需的大量建材。希姆莱将此视为一个良好的契机，是党卫队迈向大规模生产的第一步，可以提升党卫队的地位。施佩尔还提供了大部分的启动资金，为德国土地与采石公司提供了约1000万德国马克的无息预付款。

早在1937年，党卫队就开始寻找合适的石料和黏土产地，在1938年春天之后更是加快了寻找的速度。同时警方在全国展开突袭，将更多的劳动力拽进集中营。到了1938年夏天，在奥斯瓦尔德·波尔的监督下，德国土地与采石公司承接了好几个项目。囚犯们热火朝天地建起了两座全新的砖厂，小一点的在布痕瓦尔德五英里外，另一座规模大许多的在萨克森豪森集中营附近。在其他地方，囚犯们正在建设两座全新的集中营，新营附近有蓝灰色的花岗岩矿场，可以为建设希特勒梦想中的德国提供原材料。这两座新营就是弗洛森比格集中营和毛特豪森集中营。[173]

163

采石营

1938年3月下旬的某一段时间，奥斯瓦尔德·波尔同特奥多尔·艾克到纳粹德国的南部调研，同行的还有许多党卫队的专家。他们此行的目的是寻找合适的建厂地点。[174]3月24日前后，一行人穿越了靠近捷克斯洛伐克边境，茂林丛生、土壤贫瘠的巴伐利亚东部。此处已经属于德国的边陲之地，被戏称为巴伐利亚的西伯利亚。吸引他们来到这里的是弗洛森比格镇周围的采石场，这些采石场从 19 世纪就开始运营。托第三帝国大兴土木的福，石矿的产量最近有所提升。波尔和艾克一致认为现在是党卫队参与的好时机。随后党卫队调研团又穿过了不久之前还属于奥地利的边境地区，前往林茨附近，考察位于毛特豪森附近的一个花岗岩采石场。这里也符合波尔和艾克的期待。他们没有浪费任何时间，在考察结束之后的几天之内就开始兴建两座新的集中营。[175]

弗洛森比格集中营首先开张，在 1938 年 5 月 3 日接收了第一批囚犯，并在接下来的几个月内不断扩张。党卫队领导们视其为非常重要的项目。希姆莱在 5 月 16 日亲自前来视察，同行的还有奥斯瓦尔德·波尔。特奥多尔·艾克甚至选择在此处度假避暑，还将照片寄给了希姆莱。其中一张照片是一名武装看守注视着一面巨大的党卫队旗帜，旗子黑色的背景上有一颗白色的骷髅。旗帜高高飘扬，底下是一群埋头苦干的囚犯。[176]与此同时，毛特豪森在 1938 年 8 月 8 日接收了第一批囚犯。党卫队一开始强迫他们住进维纳·格拉本（Wiener Graben）采石场的临时住所（德国土地与采石公司刚从维也纳市租借过来的），之后便让他们搬到了石矿山上的固定营房。[177]

党卫队很快给两座新集中营烙上了自己的印记。它们的整体布局依照其他集中营模板，从达豪集中营、萨克森豪森集中营和布痕瓦尔德集中营调来的核心党卫队队员也引入了恐怖的理念和统治方式。[178]但弗洛森比格集中营和毛特豪森集中营还是十分不同：这是第一次由经济因素决定集中营的选址。[179]两座集

中营对采矿的重视甚至影响到了它们的外观——巨大的花岗岩

164 瞭望塔；在毛特豪森集中营，瞭望塔和环绕集中营的花岗岩高
墙连为一体，让它看起来不像集中营，反倒像一座令人叹为观
止的城堡。[180]最开始，弗洛森比格集中营和毛特豪森集中营的囚
犯数量比其他集中营少许多；在 1938 年底，弗洛森比格关押了
1475 人，毛特豪森关押了 994 人。而当时的萨克森豪森集中
营、布痕瓦尔德集中营和达豪集中营的在押囚犯均超过 8000
人。[181]党卫队扩展两座新集中营的计划一直没有取得太大进
展。[182]直到二战时期，这两座集中营的规模才逐渐赶上其他集
中营。

除此之外还有一个明显的不同——弗洛森比格与毛特豪森
的囚犯构成。1938 年，集中营党卫队展开了一次雄心勃勃的尝
试，将同类囚犯关押在同一处。结果，这两座新建的集中营关
押的几乎全部是社会边缘分子，尤其是所谓的职业罪犯。新集
中营甫一投入使用，从三座大集中营筛选和大规模转移囚犯的
工作就随之展开。[183]结果，战前弗洛森比格集中营里几乎全部是
绿三角囚犯。在毛特豪森集中营也是一样，"绿色"在囚犯中
所占人数最多，1939 年从其他集中营转移过来的"反社会分
子"紧随其后，其中有许多吉卜赛人。[184]战前，弗洛森比格集中
营与毛特豪森集中营里有 100 多名所谓的犯罪分子死亡，比其
他三座集中营加起来还多。[185]

为什么党卫队要把"职业罪犯"集中到这两座新营中？强
制在采石场劳动被认为是最具惩罚性的，许多纳粹官员认为最
坏的囚犯应当干最累的工作。当一名党卫队高官在 1938 年底建
议派集中营囚犯前往最为致命的放射性矿场时，希姆莱热切响
应，提议"让那些最坏的罪犯"时刻做好准备。[186]虽然这一特

图上：1933 年 3 月 6 日，大选后一天，一名冲锋队看守在位于柏林弗里德里希大街的
早期集中营里，威胁近期逮捕的政治犯。

图下：1933 年，纳粹针对政敌建立了很多临时集中营，其中一个是在不来梅附近奥奇
坦河上的一条旧拖船。

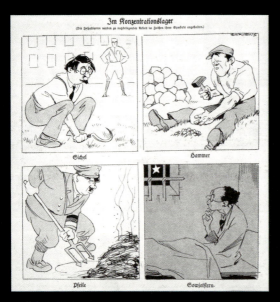

图上:1933 年 4 月 30 日发表在德国讽刺性杂志《喧声》(*Kladderadatsch*)上的漫画
描绘了集中营里的场景:左翼人士拿着象征共产党的镰刀和锤子做苦工,支持民主的准
军事化人员拿着有三支箭头的工具做苦工,还有一个囚犯对着苏联红星沉思。

图下:1933 年 4 月 10 日,纳粹党报《人民观察家报》刊登在头版的照片,记录了重要
的政治犯抵达奥拉宁堡集中营的情景,包括(身着西装,从左起)社会民主党人恩斯特·海
尔曼和弗里德里希·埃伯特。

图上：1933 年 5 月，达豪集中营政治宣传照片《高产的劳动力》。拉着沉重压路机的主要是犹太人和知名左翼人士。

图下：慕尼黑国家检察官文件中的尸检照片，显示的是 1933 年 5 月 16 日在达豪集中营可疑死亡的犹太囚犯路易斯·施洛斯，引发了针对集中营指挥官的法律诉讼程序。

图上：1936年3月，飞扬跋扈的集中营督察官特奥多尔·艾克（中，叼着雪茄）在利赫滕堡视察。

图下：1941年，艾克更为保守的继任者里夏德·格吕克斯（中，拎着公文包）在格罗斯－罗森集中营视察。

图上：1936 年 5 月 8 日，在纳粹政要对"模范营"的一次官方视察中，党卫队领导人海因里希·希姆莱在达豪车间跟一名政治犯面对面站立。

图下：1938 年 6 月 28 日，政治宣传照片记录了重建和扩建后的达豪集中营，囚犯列队沿着主路前进。

图上（左）：将囚犯反手吊在房梁上是党卫队官方最重的刑罚之一。这张图描绘了达豪集中营浴室里的情景，是一名幸存者于 1945 年所画。

图上（右）：这张照片拍摄于 1939~1940 年，拉文斯布吕克集中营墙外，来自一名看守（右）为儿子所做的相册。照片下面写着："妈妈和布瑞塔（她的警犬）在训练。"

图下：1940 年 12 月，指挥官卡尔 · 奥托 · 科赫和妻子伊尔莎以及孩子在布痕瓦尔德办公室外。

图上：1937 年，萨克森豪森集中营，党卫队抓拍工作中的指挥官科赫及其下属，他们正居高临下地俯视一名囚犯。

图下：1934 年，达豪集中营，特奥多尔·艾克（中，叼着雪茄）在主持一场党卫队成员联谊晚会。

图上：1936 年，埃斯特尔韦根集中营外，党卫队队员在新建的泳池嬉戏。

图下：1935 年，埃斯特尔韦根集中营的囚犯在"锻炼"。这张照片出现在党卫队上呈卡尔·奥托·科赫的相册中，添加的说明文字是"加快，不然就会惹麻烦"。

图上：1940 年，党卫队私下拍摄的布痕瓦尔德哨兵，这些年轻人在展示他们的体育能力和同志情谊。

图下：1936 年 12 月，纳粹周刊《插图观察员》（*Illustrierter Beobachter*）头版文章中"政治惯犯"的形象。右一的囚犯是未来集中营营区长卡尔·卡普。

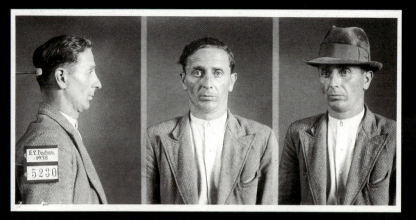

图上：犯轻微罪行的约瑟夫·科拉切克在达豪集中营的存档照片。他是 1938 年 6 月第三帝国内近万名被捕的"反社会人士"之一。

图下：1941 年，在党卫队展出的这张照片里，拉文斯布吕克集中营的女囚在做草鞋。直到战争后期，女性囚犯的人数始终不多。

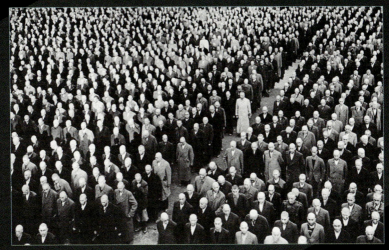

图上：1938 年 11 月，布痕瓦尔德集中营里在点名，大约有 26000 名犹太人在"水晶之夜"种族清洗后被抓入集中营。

图下：1939 年秋天，第二次世界大战爆发后，站在布痕瓦尔德特别营帐篷外的波兰囚犯。几个月后，该营大多数囚犯遇害了。

图上：1940 年，捷克囚犯用基本工具拆除萨克森豪森集中营附近党卫队一处建设失败砖窑的水泥地基。

图下：1941 年 5 月，达豪党卫队队员聚集在亚伯拉罕·博伦施泰因的尸体不远处，他是"试图从集中营种植园逃跑而被枪毙"的犹太囚犯之一。

图上：弗洛森比格党卫队采石场的奴隶劳工，大约拍摄于 1942 年。

图下：1941 年，海因里希·希姆莱（身穿制服的纳粹军官中右起第二个）造访毛特豪森集中营，与一名从采石场扛着石块回来的囚犯擦身而过。

图上：奥地利犹太人爱德华·拉丁格在达豪集中营的存档照片。他于 1942 年"安乐死"计划实施期间遇害。其中一个负责的医生弗里德里希·门内克颠倒黑白地记录说，这名囚犯在集中营里犯罪（盗窃）且行为不端（懒惰）。

图下：1941 年 9 月 3 日，从达豪返回后，门内克医生（右起第三个）和其他参与"安乐死"计划的医生在施塔恩贝格湖景区放松，在杀戮工作中忙里偷闲。

图上：1941 年 6 月，由于斑疹伤寒等传染病席卷整个集中营区，赤身裸体的囚犯们在毛特豪森的院子里接受大范围消毒。

图下：1942 年 7 月 30 日，所谓的"职业罪犯"汉斯·博纳维茨（手推车上）在逃跑后被重新抓获，伴着党卫队令人毛骨悚然的盛大仪式，他被押往毛特豪森绞刑架。

图上：政治宣传照片记录了 1941 年 9 月萨克森豪森集中营的苏联战俘。接下来几个月，党卫队处决了大约 4 万名"人民委员"。

图下：1941 年 9 月至 10 月，萨克森豪森集中营处决了 9000 名苏联战俘，照片里是其中几具尸体。这张照片被一名囚犯偷带出了集中营。

别的计划最终没有下文，但党卫队依然采用了一个类似的原则，那就是派"惯犯和反社会分子"前往工作环境最差的集中营。[187]海因里希·希姆莱毫不掩饰自己对"绿三角"的憎恨。在 1937 年的一次演讲中，他将"绿三角"说成天生危险残暴的罪犯，他们一生中大部分时光都在铁窗之后度过。希姆莱描述了一幅由谋杀犯、强盗和性犯罪者组成的恐怖画面，比如一个有过 63 次犯罪经历的 72 岁恶徒。"如果称他们是禽兽，那是对禽兽的侮辱，"希姆莱愤怒地说，"因为禽兽都做不出他们做的那种事。"[188]于是，当 1938 年春夏采石营启用时，希姆莱和其他党卫队领袖觉得这正是适合此类囚犯的炼狱。[189]

被送进这两个新集中营的囚犯和希姆莱想象中的妖魔相差甚远。大多数佩戴绿三角的囚犯都是小偷小摸，他们来自社会底层，缺衣少食，是不入流的小偷和骗子，要不就是为了生存而乞讨。[190]其中一个人是约瑟夫·科拉切克（Josef Kolacek），一直以来都与父母生活在维也纳的一个工人阶级居住区，家里一贫如洗，父母都靠他来养活。科拉切克身患肺结核，在 1938 年 6 月 14 日，他 30 岁生日的前几天被刑警逮捕。当他来到达豪时，他还穿着前一天被逮捕时穿的廉价夹克和少了扣子的无领上衣。党卫队队员对他胳膊上的文身产生了很大兴趣。虽然在全国突袭中，警察认定他是"不愿工作者"，但他还是被集中营归为"职业罪犯"。然而科拉切克从未犯过重罪。他从青少年时期开始曾经被法院八次判刑，但几乎所有都是轻微的侵犯财产罪，被拘留几天或几周就可以被释放。只有他在 1937 年的最后一次犯罪——企图抢劫——让他在教管所中待了八个月。即便这样，党卫队仍将他视为恶毒的罪犯。1938 年 7 月 1 日，他和其他几十名"职业罪犯"从达豪来到了弗洛森比格集中

165

营。在那里，他面对的是残酷的强制劳动和虐待。几个月后，一名党卫队官员的评价透着不祥的意味，科拉切克"在工作中非常懒惰和散漫，必须一直鞭策才行"。[191]

在弗洛森比格和毛特豪森采石营刚建成的几个月里，囚犯的日子尤其难熬。跟其他刚建成的集中营一样，囚犯必须自己建设基础设施——工作消耗大又危险，临时住所简陋的条件更是雪上加霜。同时，几百名囚犯已经在采石场中辛苦劳作。弗洛森比格的采石工作很早就开始了，1938 年底已经有三座采石场开始运转。毛特豪森也是一样，1938 年有三座采石场开始运营，很快，德国土地与采石公司控制下最大的矿场成了囚犯们最大的噩梦，工作异常艰辛，他们需要用鹤嘴锄和钻子修整地面，搬运巨大的花岗岩石料。[192]阿道夫·古塞科（Adolf Gussak）是一名奥地利吉卜赛人，他在 1939 年 3 月 21 日随着一大批囚犯从达豪来到了毛特豪森集中营。他后来回忆起在维纳·格拉本采石场最初的几天时说："在采石场里我们必须背负沉重的石头。背着它们，我们要爬 180 级台阶（前往营区）。党卫队会打我们。所以总会有推搡，每个人都想躲开党卫队的鞭子。如果有人摔倒，那么他就完了，一颗子弹会从他脖子后面打进去。"[193]

死亡在毛特豪森集中营司空见惯。在 1938 年 8 月至 1939 年 7 月的第一年中，至少 131 名囚犯死亡，所谓犯罪分子与反社会分子死亡的人数几乎相同。[194]鉴于囚犯人数本来就少——在 1939 年 7 月 1 日前只有 1431 人——毛特豪森几乎可以说是同时期致死率最高的集中营。在其他集中营，囚犯开始非常害怕被送到毛特豪森，因为回来的囚犯都将那巨大的采石场描述为人间地狱。[195]弗洛森比格集中营的囚犯活下来的概率比较大：有

55 名囚犯在战争爆发前死亡（其中 80% 是所谓的职业罪犯）。[196]
约瑟夫·科拉切克幸存了下来，他在弗洛森比格待了 9 个多月
之后被释放。[197]

高科技工厂

没有一个项目能像奥拉宁堡新建的巨型砖厂那样代表党卫
队在 20 世纪 30 年代末的经济野心。1938 年夏天，在距离萨克
森豪森集中营约 1 英里、茂林丛生的运河河岸上，党卫队开始
修建世界上最大的砖厂，预计每年生产 1.5 亿块砖，大约是普
通大型砖厂产量的 10 倍。该项计划可能最初由阿尔贝特·施佩
尔提出，他给德国土地与采石公司拨付了足够的启动资金，而
这个项目也被当作显示党卫队经济实力的例子来进行大力宣传。
党卫队为了向纳粹政权展示自己驾驭现代科技的能力，特地选
择了最昂贵和最尖端的设备，也就是所谓的干式冲床，做到速
度和效率兼顾。党卫队管理者们将自己的声誉押在了砖厂未来
的经济成功上。海因里希·希姆莱在 1938 年 7 月 6 日出席了奠
基仪式，并且一直对建设进度保持着高度的关注。[198]

整个项目依靠的是强制劳动。尽管党卫队也雇用了一些平
民合同工，但绝大部分劳动力还是来自萨克森豪森集中营。在
战前的几年里，每天平均有 1500～2000 名囚犯在此工作，是当
时党卫队集中营规模最大的劳动群体。囚犯们清除了该地的树
木后就正式启动建筑工程，他们开凿码头、平整土地、建造工
厂的主体建筑。另外一队人马负责修建运输黏土的铁路，由几
英里外的产地一直修建到工厂。[199]

工厂高端的设计和建筑工地简陋的条件形成了极大的对比。
囚犯们用最基础的工具进行最费力的劳动，有时甚至连工具都

没有。大队的囚犯用自己的制服搬运沙子。他们将制服反着穿，这样制服的背面可以充当围裙。其他人则用摇摇晃晃的木制担架运沙土或是用肩膀扛水泥袋子。在其他地方，囚犯们攀登脚手架，倾倒水泥，这时候他们的木鞋子根本不跟脚。施工过程中发生了许多断肢、骨折之类的事故，但施工速度并没有减缓。设备虽然稀少，但党卫队的凶残一点也不少。举个例子，工地的公厕很简陋，只不过是一条水沟上架一块木板，党卫队喜欢将筋疲力尽的囚犯推进下面的粪池里。[200]

萨克森豪森集中营的囚犯很怕被派到砖厂工作，因为劳动非常严酷。[201]早晨，他们要在党卫队的棍棒和鞭子下走很远的路才能到工地。傍晚，他们抱着病人、伤员和死人一瘸一拐地回到营区。在奥拉宁堡的工地，囚犯们必须在日头下工作一整天；1938 年酷热的夏天之后，他们又迎来了寒冷的冬日，一直以不眠不休的节奏工作。因为异想天开的党卫队管理者们给这个旗舰项目制定了一个几乎不可能完成的极短工期，看守和审头们为了驱使囚犯，手段之凶残即便在集中营也不多见。[202]

疲劳、意外和虐待导致无数囚犯在偏僻的奥拉宁堡工地死去，还有一些囚犯是自杀。[203]最糟糕的时期是 1938 ~ 1939 年的冬天，换了一拨新的党卫队监工，他们为了尽早完工，不断加快进度；与此同时，柏林地区还暴发了大规模的流感。气温几乎连续三个月都在零度以下，而囚犯们的制服太单薄，又没有手套。很多时候，他们午饭的汤都结了冰。[204] 1938 年 12 月到1939 年 3 月之间，萨克森豪森集中营至少有 429 名囚犯在砖厂工地和集中营其他地方死去，比同时期任何集中营都多。[205]大部分死去的人都是所谓的反社会分子，他们是奥拉宁堡工地上人数最多的一类囚犯，常常面临党卫队和审头的"特殊对待"。[206]

其中一名受害者是 55 岁的农民威廉·施瓦茨（Wilhelm Schwarz），他是负责平整土地的 50 人分队中的一员，队里的每个人都像他一样是"反社会分子"，要在砖厂辛苦地劳作。施瓦茨死于 1939 年 3 月 21 日的清晨，在他被当作"不愿工作者"关进萨克森豪森集中营 9 个月后。事后例行问询时，据负责他的审头所说，施瓦茨是从卡车上卸沙子时被压死的。这也许并非全部经过，但不管真相如何，这个政治犯审头对像威廉·施瓦茨这样的因犯毫无同情之心，即使面对他们的死亡时也是一样：他愤恨地抱怨说自己小队的"反社会分子"极度"懒散"和"不负责任"，不愿"为工作付出哪怕一点点努力"。[207] 而党卫队看守对威廉·施瓦茨的死，或是其他发生在奥拉宁堡工地上的意外死亡更是漠不关心。因为因犯数量充足，死人可以立刻被新人替换，所以集中营党卫队更加肆无忌惮地将更多因犯推向死亡，从一开始就展现出他们对强制劳动力那种残忍的冷漠。[208]

但是，即便劳动力的供给源源不断，党卫队的野心还是远远超出了自身能力范围。奥拉宁堡砖厂没能按预期取得成功，而是成了一个巨大的灾难，让人想起了苏联古拉格集中营内那些宏伟却毫无意义的国家工程。1939 年 5 月是决定性的时刻，砖厂终于首次试运营，此时已经比原计划晚了好几个月。党卫队官员们难以置信地亲眼看着他们的梦想化为灰烬：从全新的窑炉中取出的砖头很快便崩裂破碎。由于无知和匆忙，党卫队管理者们犯了一连串低级的错误。其中最严重的就是他们从没想过检查一下当地的黏土是否适用于干式冲床。最终证明完全不适用。让许多人丧命的这间巨大工厂从来没能生产出一块能用的砖头。[209]

168

奥拉宁堡的失败一览无余地反映出党卫队的无能。显然，党卫队没有驾驭大型高科技工厂的能力。[210]而奥斯瓦尔德·波尔的反应也证明了这一点。他不仅没有抑制党卫队的野心，反而继续推进奥拉宁堡的砖块生产，不计代价。障碍无法阻止党卫队，他们必须攻坚克难。为了挽回面子和前途，波尔在 1939 年夏天快速行动，希望能瞒过希姆莱，不让他知道真实的情况和灾难性失败的严重程度。波尔找了私营建筑承包商和倒霉的德国土地与采石公司董事长来当替罪羊，然后将公司交给了几个乐观、积极、懂得现代化管理，还对纳粹满腔热忱的年轻人。不久之后，囚犯们不得不开始拆除他们在奥拉宁堡刚刚建好的设施，爆破窑炉，拆除机器和水泥地基。同时，大规模重建工程又如火如荼地展开了，这次使用的是更加可靠的湿式冲床等新设备。虽然耗费了更多的生命和金钱，但新工厂依然没能给党卫队带来多少收益。1940 年，小规模生产重新开始。砖厂勉强生产了三百万块砖，几乎全部被砖厂自己消化了。虽然产量在接下来几年内有所提高，但跟预设的目标相差甚远。[211]然而，党卫队的野心从未变小，党卫队管理者们仍然固执地相信任何计划都可以成为现实，无论多难实现、多危险。

疾病与死亡

20 世纪 30 年代末的集中营并不都是修罗场。对大部分囚犯来说，生活条件还不算致命，系统性的大屠杀还未被党卫队提上日程。因此，大部分囚犯活了下来，至少在那时幸存了下来。女性囚犯确实如此，在 20 世纪 30 年代末期，很少有女囚死亡。[212]男性的存活概率相对低一些，所幸大多数人还是挺了过来。此时死亡已非特例，不过也还未成为常态。在 1938 年 1 月到 1939 年 8 月间，被关进集中营的 50000 人中有 2268 人死亡。虽然营内的日子越发艰难，但到目前为止，大多数人还是存活了下来。[213]

当然，比起 20 世纪 30 年代中期，集中营的死亡人数增加了不少，特别是 1938 年夏季到 1939 年春季，可谓致死率最高的时期。这在一定程度上反映了当时囚犯人口的整体增长。但死亡率的上涨远比囚犯的增长速度更猛烈。比如在达豪，20 世纪 30 年代末囚犯的数量增长了一倍，但死亡率增长了不止十倍。[214]有几个原因导致了死亡率的上升。每日强制劳动的强度比以前大幅增加，大多数囚犯被迫参与大型工程建设。同时，基本的生存条件因为物资短缺和过度拥挤而进一步恶化。另外一个重要因素就是非常不利于生病和负伤囚犯的医疗条件，这是集中营非常重要的一个方面，值得进一步审视。

集中营党卫队基本忽视了囚犯的健康问题，反而将注意力全部集中在安保、惩罚和强制劳动上。因为没有上层的明确指示，各个集中营的医疗基础设施水平各不相同。虽然各个医务室在 20 世纪 30 年代末期均有所扩大，增加了更多的空间和设备——比如萨克森豪森集中营配备了一间常规的手术室和 X 光室——但总体医疗水平仍严重不足。[215]

最大的障碍还是来自集中营党卫队本身。党卫队的一条基本宗旨便是生病的囚犯依然是危险的敌人。党卫队队员总怀疑生病的囚犯是在装病，因此很少允许他们接受治疗。1937 年的一天，在达豪集中营，一名生病的囚犯鼓起勇气找到营区负责人赫尔曼·巴拉诺夫斯基，求他准许自己去看医生，结果引来了巴拉诺夫斯基狂风骤雨般的激烈回应："病了又怎样！一战时还有人捧着自己的肠子行军好几个小时呢！你必须学会忍受痛苦！我会让你学会的！解散！"[216]而党卫队的医生在特奥多尔·艾克的指示下也积极寻找装病开小差的囚犯。"那些妄图通过小病小痛或者装病来逃脱工作的人，"艾克强调说，"将会被分到'刑罚工作'区。"[217]党卫队医生还是无数恐怖行动的同谋者。他们一直宣称囚犯"适应"被鞭打，拒绝为他们治疗伤口，并通过编造尸检报告和死亡证明来掩盖谋杀囚犯的事实。[218]

党卫队医生非常紧缺，虽然很难一概而论，但似乎沦落到在集中营当医生的往往是一些没有经验或没有能力，甚至两者都不具备的人。与其他骷髅部队的官员不同，这些人几乎没进过大学。当然，那些在魏玛时期闯进大学殴打左翼学生的人除外。许多集中营医生刚获得行医资格，只是把集中营当作职业生涯的跳板，拿囚犯练手。路德维希·埃尔扎姆（Ludwig Ehrsam）是一名年轻的党卫队医师，他还是萨克森豪森集中营医务室的主管。未及而立之年的埃尔扎姆医生很少给病人做检查，他更愿意强迫他们进行体育锻炼，可能是想查看他们是否可以重新开始工作。他的麻木不仁夺去了许多囚犯的生命，萨克森豪森集中营的囚犯因此给他取了个外号：医生杀手。[219]

当然也有一些例外。少数党卫队医生会尝试改善集中营内的医疗条件，甚至偶尔送一些囚犯去正规医院看医生。[220]但大多数情况下，生病的囚犯只能得到糟糕的对待、忽视甚至虐待。如果党卫队想的话，改善现状其实很容易。毕竟囚犯中有许多经验丰富的医师，他们可以像早期集中营时那样在医务室中帮忙。[221]集中营党卫队也知道，这些囚犯往往比党卫队的医生要好得多。[222]但在20世纪30年代末期，党卫队往往拒绝起用囚犯医生，这些人只能在私下里偷偷帮助其他人。[223]党卫队的医生很少屈尊处理医务室的日常事务，所以党卫队会将大部分日常工作交给基本没有医护经验、没接受过医疗培训的因犯审头。这些审头由党卫队勤务兵管理，而勤务兵甚至更无知。[224]

党卫队医生的冷漠威胁到了整个因犯群体的生命健康。糟糕的卫生条件为传染性疾病提供了温床，20 世纪 30 年代末期，多种传染病在集中营蔓延。布痕瓦尔德集中营的情况最严重。1938 年底，伤寒症在拥挤不堪的集中营暴发，废水又污染了附近的小溪，使流行病很快传出了营区。警觉的市政官员将几个村镇隔离起来，同时指责布痕瓦尔德党卫队疏忽大意。党卫队的医疗人员终于采取了行动，他们将患病的囚犯单独隔离，同时禁止使用户外公厕，但为时已晚。流行病在集中营内肆虐了几周，夺走了许多囚犯的生命。[225]

尤拉·索福尔（Jura Soyfer）是一名年轻的诗人和作家，在1938 年春天纳粹占领奥地利之后作为左翼政敌被逮捕，不幸成为此轮疫情的最后一批遇害者。布痕瓦尔德集中营党卫队指派他搬运尸体，他就这样染上了伤寒。尤拉·索福尔于 1939 年 2 月 16 日去世，就在几天之前，他刚欣喜地得知党卫队马上就要释放自己了。许多囚犯都为他默哀，他们曾在营房听过他秘密写的关于党卫队的打油诗并深受鼓舞。当一辆卡车载着他的木棺材离开集中营前往魏玛火葬场时，一名囚犯感叹说："有多少还没写成的诗，有多少还没完成的作品，就这样随着他消逝了。"[226]

尤拉·索福尔是 1938 年 1 月到 1939 年 8 月期间在布痕瓦尔德集中营死去的约 1000 名囚犯之中的一个，那里绝对是当时死亡率最高的集中营。虽然达豪集中营关押的囚犯比布痕瓦尔德还多一些，但同期只有约 400 名囚犯死去。[227]那么布痕瓦尔德死亡率居高不下的原因是什么呢？它是党卫队最新建成的集中

171

营，卫生条件比达豪和萨克森豪森更恶劣，伤寒病的肆虐就是很好的证明。而且，1938 年 5 月党卫队队员阿尔贝特·卡尔魏特的死刺激了其他队员，让他们变得更暴力。但除此之外还有一个因素，也许还是最重要的，那就是布痕瓦尔德是当时关押犹太人最多的集中营，而犹太人是集中营党卫队最喜爱的猎物。在 20 世纪 30 年代末死去的囚犯中，犹太人几乎占了一半，而尤拉·索福尔就是其中之一。[228]

犹太人

"我可不愿意在德国当一个犹太人。"赫尔曼·戈林在 1938 年 11 月 12 日一次以反犹政策为主题的纳粹高层会议上说道。就在几天前，一场由国家支持的毁灭性迫害行动席卷了整个德国，纳粹暴徒夷平了数以千计的犹太会堂、商店和住宅，侮辱、抢劫、攻击了数万名犹太人。在这场残酷的风暴中有几百人死去，有的被杀害，有的则是被迫自杀。[229]这次行动是纳粹长期以来迫害的高潮，体现出犹太人正逐渐被来自上层和下层的激进力量无情地排挤出德国的社会、文化和经济生活。犹太人越来越难在德国生活下去。尽管国外的生活充满了不确定性，纳粹向移民征收重税，获取签证也非常困难，但 50 万犹太人中仍有大约一半在战前排除万难离开了自己的祖国。而剩下的那些无助和贫困的犹太人则被困在第三帝国，面对绝望的未来。[230]

172　　　之前有人写过犹太人在战前纳粹德国时期的历史，但基本上全是在描写集中营之前一笔带过。[231]原因十分简单：除了迫害运动后的一小段时间，其他时候集中营里的犹太人只占很小的一部分。在战前，反犹政策的重点在其他地方——学校、单位、法庭和街道。不过，战前集中营对犹太人的迫害也很值得关注，因为其中一些先锋性的反犹恐怖行动和举措影响了之后在纳粹德国统治下的全部犹太人。[232]

拿种族主义法案来说，纳粹领袖们坚信犹太人和非犹太人之间的性关系是极大的罪孽。虽然早在 1933 年就有过出台官方禁令的说法，但纳粹政权并没有行动。从 1935 年春天开始，德国各地的纳粹恶棍们对政府的态度失望透顶，决定要自己亲手解决问题，于是便开始攻击"混血"夫妇。1935 年夏天，许多"种族亵渎者"被关进集中营。德国法院此时还无法对他们进行惩罚，但警察和党卫队可以。"终结他的肉欲贪婪，"马格德堡的盖世太保在一起案件中这样写道，在案中，一名犹太人被指控与他的"基督教"管家发生了性关系，"绝对有必要将他关进集中营里。"[233] 1935 年 9 月《纽伦堡法案》出台之后，此类案件才开始减少。该法案正式将犹太人降为二等公民，将犹太人与非犹太人间的婚外关系和婚姻视为非法，触犯条例的犹太男人将被投进监狱或是教管所（女人不受此条款的影响）。自此之后，盖世太保已经准备好对那些"亵渎种族"的人实行保护性拘禁，其中大部分是被怀疑犯有"特别严重"罪行的男人，后来还有一些犹太女人（或用一位警官的说法"犹太婊子"）。[234]

集中营在驱逐犹太人出境方面也做出了新的贡献。20 世纪 30 年代末期，强制移民成为纳粹反犹政策的首要目标。[235] 但警察已经在集中营内积累了这方面的许多经验。从 1935 年起，盖世太保不断对那些回到德国的流亡人士实施保护性拘禁，怀疑他们在国外"宣传纳粹暴行"。[236] 其中包括几百名犹太人。他们一般被关押六个月才能重获自由，离开集中营时，盖世太保勒令他们必须离开德国，最好去巴勒斯坦或者更远的地方。不久之后，其他犹太犯人被释放时也被要求移民，此举将更多犹太人逐出德国；若他们再敢踏上德国的土地，就将终身被关进集中营。[237]

战前集中营在很多方面预示了后来对犹太人展开的全面袭击。不仅因为在集中营，纳粹第一次在犹太囚犯的制服上标记了黄色的大卫星，也因为像历史学家于尔根·马托伊斯（Jürgen Matthäus）所说，战前集中营在反犹政策上发挥了"激进马达"的作用，推动着第三帝国的孤立、强制劳动和杀害犹太人。[238]党卫队高官们在德国集中营里协助传播这些举措，以身处最高层的海因里希·希姆莱为首，他不仅掌握着集中营的方向，也帮助推进了许多反犹政策。

统一协调反犹暴行

1938 年之前，很少有犹太人被抓进集中营。虽然《纽伦堡法案》颁布之前对犹太"种族亵渎者"的拘禁就已经开始，但在 20 世纪 30 年代中期，每个集中营关押的犹太人不过几十名。即使像萨克森豪森这样的大型集中营，1937 年初也仅关押了约 50 名犹太人。[239]虽然犹太囚犯的数量少，但他们在集中营党卫队心中占据着重要的位置。党卫队热切盼望着犹太人的到来，跟早期集中营的看守表现一样。[240]

激进的反犹主义是集中营党卫队的核心准则之一，其中混杂了传统偏见、种族狂热、变态幻想和政治妄想。许多党卫队队员早在进入集中营之前便已经有反犹情结，一旦到了集中营里，他们对犹太人的憎恨更是与日俱增，充分体现在他们的言语和行为上。这种思维根深蒂固，乃至一名党卫队看守因参与谋杀犹太囚犯（关在萨克森豪森集中营的律师弗里德里希·魏斯勒）而接受正式询问时也丝毫不掩饰自己的情绪。"三级小队长克里斯蒂安·古特哈特（Christian Guthardt）承认自己是狂热的反犹太主义者，"一位柏林国家检察官在 1937 年审问后写道，"而且宣称在他眼中，犹太人的地位还不如一头牛。"[241]

　　20 世纪 30 年代中期，党卫队看守几乎每天都要折磨犹太人，不仅对他们恶语相向、随意谩骂，还让他们通过耻辱的行为贬低自己，比如唱布痕瓦尔德集中营的《犹太人之歌》：

> 但是如今，德国人终于发现了我们的本性，
> 铁丝网将我们安全置于外界的视野之外。
> 我们是可怕的，是人群中的诽谤者，
> 面对现实，我们一夜之间被击垮。
>
> 如今，犹太人的鼻子悲伤地扭曲着，
> 我们发现仇恨与不和都是徒劳。
> 不能再扒窃，也没有充足的食物。
> 太晚了，我们一遍又一遍地说。[242]

强制劳动再一次成了党卫队施虐的主要方式。看守们讥笑犹太人是懒惰的骗子，决心用劳动教训他们，让他们终生难忘。[243] 跟在早期集中营里一样，犹太囚犯总会被派去干繁重恶心的工作。声名狼藉的公厕小分队——被党卫队普遍戏称为"4711 敢死队"（以德国一款古龙水命名）——总有犹太囚犯的身影。最繁重的劳动小分队也是如此。萨克森豪森的犹太囚犯们不得不一边用重锤击打岩石，一边喊"我是一只老犹太蠢猪"或"我是种族亵渎者，应该去死"这种话。[244]

174

这种工作经常伴以拳打脚踢，党卫队尤其紧盯着犹太囚犯的队伍。比如在萨克森豪森集中营，那些清扫看守营房的犹太人经常"被打断肋骨、打落牙齿，或受到其他身体伤害"，两名幸存者在战后写道。[245]看守们还用毫无意义的工作折磨犹太囚犯，比折磨其他囚犯更过分。在埃斯特尔韦根，党卫队不断逼迫犹太囚犯堆起一座大沙堆。完成之后，他们必须将一个铁板车拉到沙堆顶端，坐进去，一边大喊："同志们，新时代的黎明就要到来，我们要启程去巴勒斯坦！"一边冲下来；铁板车不可避免会翻倒，坐在里面的人也会受重伤。[246]见过这样过分的活动之后，就不奇怪为什么在20世纪30年代中期犹太囚犯比一般囚犯更容易死亡。[247]

即便如此，在这一时期，多数犹太囚犯还是幸存下来。党卫队最坏的一面并没有专门展现给犹太人，他们在对待其他类别的囚犯时一样凶狠。而且，犹太囚犯还能跟其他人一样享受到一些特权，比如可以用家属送来的钱购买额外的商品；少数犹太人还能当上审头，拥有一定的影响力。[248]1936年底，莫林根集中营甚至允许犹太妇女两天不必工作，专心庆祝光明节——点亮光明节烛台，互相交换小礼物，唱赞美诗。[249]这在关押男囚的集中营是无法想象的，相比之下，男子集中营的生活条件恶劣得多，而且很快将继续恶化。

20世纪30年代后半期，党卫队虐待犹太囚犯的方法在整个集中营体系内越来越协调一致。早期折磨人的法子是各地方集中营原创的，如今党卫队领导人尝试由高层统一指导恐怖行动。1936年8月开始，释放保护性拘禁的犹太人需要希姆莱亲自批准，这是希姆莱与希特勒探讨后的结果。[250]1937年2月，一项更重要的举措实施，希姆莱指定达豪集中营为关押男性犹太因犯的主营。[251]纳粹的政策向这个方向推进已经有一段时间了。从 1936 年开始，集中营党卫队就将犹太囚犯更系统地与其他犯人隔离开，形成了单独的犹太营区和劳动分队。如今，隔离进入了下一个阶段。[252]

达豪成为关押犹太人的主营似乎顺理成章。因为它已经是关押犹太囚犯最多的集中营，而且早在 1933 年春天就已经尝试将犹太囚犯隔离，形成专门的"犹太连"。遵照希姆莱的决定，1937 年春天，85 名男性犹太囚犯从其他集中营被运送过来，达豪犹太囚犯的人数由此上升至 150 人左右，到年底进一步增加至约 300 人（大概占达豪囚犯总人数的 12%）。[253]在这里，囚犯们面临着同样的虐待和偶尔降临的死亡——比如 1937 年夏天，一名党卫队分区主管强迫一名被控犯"种族亵渎罪"的犯人钻进正在运行的水泥搅拌车。[254]

达豪的隔离措施使党卫队领导更容易对男性犹太囚犯进行集体惩罚。比如，1937 年 11 月 22 日，海因里希·希姆莱宣布禁止释放达豪集中营的犹太囚犯，这一禁令持续了六个多月。[255]另一项集体惩罚是将犹太囚犯关在他们自己的营房中。1937 年这种强制隔离在达豪至少出现了三次，第一次是在 3 月，也就是其他集中营的犹太囚犯刚刚抵达这里的时候。强制隔离由柏林的集中营督察组统一下令施行，尽管艾克自称是此项举措的发明者，可或许是出自希姆莱本人。[256]

党卫队领导声称实行此类集体惩罚是因为犹太人散布有关集中营"暴行的谎言"，他们固执地认为集中营内的犹太囚犯跟国外的犹太人相互勾结，正在策划不利于集中营的阴谋。许多集中营党卫队的普通士兵也认同这个观点。"那个时候，"鲁道夫·霍斯回忆，"我认为惩罚手中的犹太囚犯是正确的，因为他们的同胞正在传播不利于帝国的恐怖故事。"集中营党卫队将手中的犹太囚犯作为人质——这个想法已经在纳粹领导人心中酝酿了一段时日，在 20 世纪 30 年代末期则变得更加恶毒——希望能够平息国际舆论。[257] 达豪党卫队还逼着犯人给国外报纸写信，抗议"不实的报道"。1937 年 10 月 16 日，汉斯·利滕从布痕瓦尔德来到达豪，1937 年 11 月 27 日他在给母亲的信里写道，他和其他犹太囚犯被隔离惩罚，希望母亲可以试着"说服流亡在外的犹太人……不要再说一些关于集中营的愚蠢谎言，因为达豪集中营里的犹太人会为此付出代价"。当然，党卫队这种粗陋的勒索手段骗不了任何人，很快就被国外媒体曝光了。[258]

这一时期达豪集中营里的犹太囚犯面临的几乎是全封闭式隔离。每一次，他们都会一连数周在其他囚犯的视野里消失。除了短暂的"运动"时间，他们日夜都待在自己的营房里，门被反锁，窗户也被盖住，只能透入些许微光；房间里的空气陈腐潮湿，特别是在炎热的夏季。囚犯们大部分时间都躺在自己的稻草铺上，了无生气、四肢僵硬、饥肠辘辘，因为从食堂领到的食物根本不够填饱肚子。[259] 但对他们来说最糟糕的或许是被切断信件往来，这对集中营外的家属来说也是巨大的打击。1937 年 8 月底，被关押在莫林根集中营的格特鲁德·格洛戈夫斯基（Gertrud Glogowski）徒劳地等待了一个多月，却没有收到身在达豪集中营的丈夫的任何来信，她绝望地恳求集中营当局："到目前为止，他的来信是唯一支持我坚持下去的力量。而如今，因为没有他的任何消息，我已经彻底垮了。"[260]

达豪对犹太囚犯的隔离措施虽然残酷，对他们却有意想不到的好处。由于隔离期间他们不必参加点名和强制劳动，所以暂时避开了党卫队某些最可怕的行为。在营房里，他们作曲、探讨政治、聊天，以此打发时间。汉斯·利滕是其中的活跃人物，通过与其他人畅谈艺术和历史，背诵文学作品和诗歌，他暂时恢复了精神，甚至算得上愉快。但这是利滕最后一段较好的时光。1937 年 12 月末，党卫队解除了最后一次隔离，生活恢复了正常，利滕立即被派往能累垮人的除雪突击队。在纳粹手中待了近五年，他已经憔悴不堪，孱弱萎靡，要像老人一样拄着拐杖走路。他的身上已经看不出年轻人的朝气。1938 年初，他的生命走到了尽头。当犹太审头在牢房里死去后——党卫队怀疑是他在搞阴谋诡计，于是将他折磨致死——利滕被党卫队分队长赫尔曼·巴拉诺夫斯基审问，随后丧失了一切希望。2 月 5 日刚过午夜，他的尸体被发现悬挂在公厕里。他只有 34 岁，却成了 1938 年 1 月至 5 月在达豪死亡的 40 名囚犯中的一员，至少一半的死者都跟汉斯·利滕一样是犹太人。[261]

黑暗岁月

对第三帝国的犹太人来说，1938 年是命运转折的一年。[262]在希特勒和其他纳粹领袖的支持下，政府在 11 月迫害运动之前的几个月发起了一系列针对国内犹太人的袭击。法律上对犹太人的歧视、国家对犹太人生意和财产的劫掠愈演愈烈，对犹太人及其财物的侵犯也进一步增多。同时，德奥合并过程催生的大规模劫掠、暴力和侮辱事件也进一步推动了反犹政策。[263]随着纳粹对犹太人的恐怖行动不断升级，集中营在迫害中开始发挥越来越重要的作用。

随着德国的入侵，奥地利的犹太人最先在 1938 年春天的一波逮捕行动中受到了冲击。刚开始，警察的焦点是政敌和一些名人，他们大多是犹太人的后代。1938 年 4 月 2 日，第一批

177

150 名奥地利囚犯被运到达豪集中营，其中包括 63 名犹太人。[264]
1938 年 4 月，盖世太保在整个德国对"不愿工作者"展开了大规模突袭，受这一行动的鼓舞，奥地利新的纳粹统治者很快将逮捕范围扩展到犹太名人以外。这些突袭并非只针对犹太人，但 1938 年 5 月，政府在奥地利展开了一场专门针对犹太"反社会分子"、"罪犯"和其他"不合群人士"的大规模行动。有了这个不设限的命令，党卫队和警察们在公园、广场和饭馆展开了随机突袭和抓捕，仅仅因为那些人是犹太人。1938 年 5 月底，刚被派往维也纳就职，后来成为帝国保安部官员的阿道夫·艾希曼希望在接下来的几周内能将约 5000 名犹太罪犯（大部分从维也纳抓获）遣送至达豪。虽然事实证明这个目标太夸张，但政府确实安排了三趟前往达豪的专列，在 5 月 31 日到 6 月 25 日间输送了 1521 名犹太人。[265]

在到达达豪之前，奥地利犹太人的苦难就已经开始了。与以往不同，从维也纳发出的列车由达豪的看守押送，而不是警察。身上带有骷髅标志的看守在旅途中不断殴打受害者们。等列车驶进达豪营区时，已经有几名犹太囚犯死亡。大队的党卫队暴徒在站台迎接列车，他们对抵达的囚犯拳打脚踢，还用步枪的枪托对他们进行殴打，直到他们护着头惊慌失措地跑向营内。疯狂的看守们一路追打这些新来的囚犯，下了班的同事们则在自己的营房看着这一幕，兴高采烈地喝彩。一路上都是犹太人慌乱中丢弃的帽子、围巾、衣服和鞋。据党卫队官员估计，每次运输过程中大约有 70% 的囚犯都遭到了殴打，有的人还被严重扎伤。这种行为太暴力，以至于州检察院都派代表前来调查，不过没有任何作用。[266]

1938 年春天被逮捕的奥地利犹太人还在陆陆续续被送往达

豪集中营，而警官们已经开始策划下一轮的大规模逮捕行动了，这次的范围是整个第三帝国。这次行动显然由希特勒亲自提议，也许是受了维也纳突击行动的启发，他在 1938 年 5 月底要求关押"犹太罪犯和反社会分子"。[267] 面对即将到来的大规模逮捕"反社会分子"行动，海德里希迅速在命令里又加了一条特别指示，要求地方刑警长官们对"曾经在监狱内服刑超过一个月"的犹太男性进行预防性拘留。虽然 1938 年 6 月对犹太人和反社会分子的逮捕令相似，但其背后的动机明显不同。拿犹太人来说，当局对强制他们劳动一点兴趣也没有。他们想要的是强迫犹太人放弃财产离开德国。这也是为什么接下来警方明确强调，不必考虑被逮捕的犹太人是否具备劳动能力。唯一重要的是把他们打上罪犯的标签，排挤出德国——这是最长盛不衰的反犹套路。[268]

　　这次行动按计划始于 1938 年 6 月中旬。同时展开的还有针对所谓反社会人士的逮捕行动，警察在犹太人住所以及酒吧、咖啡馆、电影院等公共场所围捕犹太人。许多人虽然只是小偷小摸，但因为触犯了纳粹的反犹法案，被当作十恶不赦的罪犯予以逮捕；在柏林街头，这种逮捕行动总伴随着公开的暴力和破坏。犹太社区的其他成员被深深震惊了，他们从未像现在这样惧怕集中营——他们也确实有惧怕的理由。[269]

　　集中营的犹太囚犯从未像现在这么多。1938 年 6 月的突袭行动将 2300 名左右的犹太人送进集中营，犹太囚犯的总数达到了 4600 人（截至 1938 年 6 月底），自 3 月以来大约增长了十倍。在整个集中营系统中，犹太犯人的比例增加到了 20%。达豪集中营原本被用来专门关押犹太犯人，但因为囚犯数量急剧增加，太拥挤，所以纳粹政府不得不重新启用其他集中营。于

178

是，6 月突袭抓获的最多一批犹太"罪犯"，总共有 1265 人，被送往布痕瓦尔德集中营。几周前这里仅仅关押了 17 名犹太犯人，转眼间，便已经成为对犹太人最为致命的集中营。[270]

1938 年夏天时布痕瓦尔德集中营的条件非常恶劣，对刚被送进来的犹太囚犯来说，情况甚至更糟糕。因为营房不足，党卫队强迫数百名新来的囚犯住羊圈，其中许多囚犯都是从柏林来的犹太人；之后几个月，囚犯们只能睡在铺了干草的地上。尽管新被抓来的"反社会分子"经常被党卫队攻击，但看守们把最恶毒的招数都留给了犹太人。许多集中营看守在第一次遇到大批犹太"敌人"时便火力全开，喊着"总算逮到你们了！你们这群犹太猪。你们都会在这里痛苦地死去"诸如此类的话语。通常情况下，党卫队一旦遇到犹太人，就会停止虐待其他囚犯，转而集中精力对付犹太人。像以往那样，劳动是最可怕的折磨。"犹太人应该学会怎样工作。"布痕瓦尔德的党卫队领导们这样宣布。他们派犹太人去做最苦的工作，比如在采矿场跑步搬运石灰岩，就这样一天干十多个小时。即便病人和老人也必须搬运大石，直到被重量压垮。[271]

布痕瓦尔德集中营的犹太囚犯很快开始大量死亡。在 1938 年 6 月到 8 月间，至少 92 人死亡，犹太人成了所有囚犯中最脆弱的群体。因为死亡人数太多，集中营督察官艾克早在 1938 年 6 月 21 日就建议在布痕瓦尔德集中营建造一座焚化炉，以省去党卫队队员们频繁将尸体运往魏玛市的烦恼。[272]如果不是警察在逮捕后几周内释放了数百名犹太囚犯，布痕瓦尔德的死亡人数还会更多，当然，释放通常是以移民为条件。那些从布痕瓦尔德回来的人无不恐惧崩溃，一份地下报道称："基本上，无论你问他们什么问题，他们都会开始哭泣。"[273]

但并非所有集中营都像布痕瓦尔德集中营。虽然纳粹努力想使反犹恐怖行动协调统一，但各个集中营仍然存在巨大差异。布痕瓦尔德集中营在 1938 年夏天的死亡率出奇地高，但达豪集中营就不是如此，在那里犹太犯人的死亡率只是布痕瓦尔德的十分之一到七分之一。[274] 而布痕瓦尔德集中营也没有保持高致死率的状态。1938 年 9 月，囚犯的数量进一步增加，又从达豪转来了约 2400 名犹太人，这使布痕瓦尔德毋庸置疑地成为纳粹关押犹太囚犯的中心。[275] 1938 年 10 月 4 日，布痕瓦尔德的在押犹太囚犯达到 3124 人（占囚犯总人数的 30%），令原本就人满为患的集中营里的资源更加紧张。[276] 但犹太囚犯的死亡率反而急剧下降，从 7 月份的 48 人下降到 10 月份的 8 人，或许是因为住宿条件得到了改善，像羊圈这样极其简陋的关押地点陆续被弃用。[277] 不过事实证明这只是反犹恐怖行动短暂的中场休息，平静很快又被打破了。

种族清洗

1938 年 11 月 7 日清晨，来自汉诺威市的犹太青年赫舍尔·格林斯潘（Herschel Grynszpan）走进巴黎的德国大使馆，掏出左轮手枪射杀了一名德国外交官。这是一次绝望的抗议行为，格林斯潘的父母和亲人被第三帝国流放到波兰边境，和他们一起的还有 1.8 万名波兰犹太人。这次枪击事件成为种族清洗的导火索。两天后，原本聚集在慕尼黑庆祝希特勒 1923 年啤酒馆政变的纳粹领导人决定利用德国外交官的死，发起一场全国性摧毁犹太人的行动，后人称之为"水晶之夜"（Kristallnacht）。这次行动是 1938 年 11 月 9 日傍晚由约瑟夫·戈培尔煽动发起的，阿道夫·希特勒在背后支持。戈培尔热切地在日记里写道，希特勒也认为让犹太人"感受人民怒火"的时刻已经到来。纳粹高官们疯狂地向全国各地的下属们发出指令，几小时之内，纳粹的暴徒们便开始四处打砸抢烧。[278]

180　　与种族清洗同时进行的还有大规模的逮捕行动，希特勒下令立刻逮捕数万名犹太人。[279]在 11 月 9 日午夜前，盖世太保总部下令逮捕 20000 ~ 30000 名犹太人，尤其是富人。更具体的命令在不到两个小时后紧随而至，这次是赖因哈德·海德里希亲自下令：警官们要在当地尽可能多地逮捕犹太人，尤其是富有、健康、年轻的男性，然后确保迅速送往集中营。[280]

　　1938 年 11 月 9 日之后，几天时间内，超过 30000 名各年龄段、不同背景的犹太人在德国乡村、小镇和城市中被捕。作为协警的党卫队和冲锋队在抓捕期间不断虐待受害者。相反，普通警察普遍表现得更理智。据法兰克福一位名叫尤利乌斯·阿德勒（Julius Adler）的中年医生几周后回忆，警官在 1938 年 11 月 10 日早晨将他从家中带走，他们的举止"并不非常友善，但十分得体"。像许多其他犯人一样，阿德勒医生被关进了一个临时拘留所，也就是法兰克福会展中心的一个大厅。在这里他们必须交出身上值钱的物品，而混在警察之中的党卫队时不时对他们进行骚扰和攻击。[281]在被保护性拘禁几小时或几天之后，几千名犹太人被当局释放，免受集中营之苦，其中包括女人以及一些男人（主要是老人以及老兵）。[282]而其他一些年龄稍大或体弱的犹太男子则必须和青壮年一起被送往达豪、萨克森豪森或布痕瓦尔德。

　　种族清洗行动并没有避讳德国民众，对犹太人的大规模逮捕和遣送就发生在公众视野中。在许多城市，趾高气扬的纳粹分子公开羞辱囚犯；在雷根斯堡（Regensburg），受害者们在登上前往达豪集中营的列车之前需要在城中举着大牌子游街，牌子上写着"流放犹太人"。很难去描述公众的反应，但至少有一些人对囚犯的苦难遭遇表示同情。一名帝国保安部的地区官员抱怨"顽固的民主党人"对失去自由的犹太人表达了极大的同情，并散播了不少关于集中营内死亡和自杀的谣言。当时也有一些对纳粹领导人的匿名抗议，但很少有德国人敢公开发表批评言论，而强硬派则对遣送大加喝彩。[283]

遣送过程非常可怕。11 月 10 日晚，阿德勒医生和其他犹太人被关进停在法兰克福的一辆特殊列车，他们被警告说如果尝试开窗就会被射杀。他们虽然一路上并没有像其他批次的囚犯那样被虐待，但仍然对未来充满担忧。在魏玛火车站，党卫队队员大喊大叫着将他们赶上等在一旁的卡车。到布痕瓦尔德集中营后，囚犯们不得不跑进集中营，因为路上有更多的看守会伺机对他们拳打脚踢。"之后我们必须跑着穿过集中营的操场，"阿德勒医生后来写道，"那些跑得太慢的人会一再被木棍痛打。"在黑暗的 11 月，囚犯们不断拥入布痕瓦尔德的点名广场，他们在那里登记的同时会面对长达数小时的折磨。经过党卫队在门口的"欢迎仪式"，一些囚犯的衣服已经被血浸透，头被打肿，骨头被打断。"我的一只眼睛被打，"一个人后来说，"然后就失明了。"[284]同样的场景也在达豪和萨克森豪森集中营上演。1938 年 11 月中旬，党卫队总共将大约 2.6 万犹太人关进了三大集中营。[285]

几乎一夜之间，党卫队集中营发生了天翻地覆的变化。它们从未关押过这么多囚犯：几天之内，囚犯数量从 2.4 万人翻了一倍多，增加到近 5 万人。[286]整个集中营系统关押的女囚从未这样少过：还没有大批犹太女性被送到利赫滕堡集中营，因此

181

全部集中营内女囚的比例减少到总人数的 2%。[287]集中营也从来没关押过这么多犹太人：1938 年初，犹太人只占囚犯总数的 5%，而现在突然变成了绝大多数。而种族清洗运动后的几周，集中营的死亡人数再创新高。

"水晶之夜"后的集中营

"这是布痕瓦尔德集中营历史上最恐怖血腥的一章"——两名老囚犯如此形容水晶之夜后的时期。[288]党卫队对 1938 年 11 月犹太囚犯的大规模拥入毫无准备，集中营体系变得比 6 月突袭"反社会分子"时更加混乱。在达豪，为犹太人空出来的营房很快就被填满，一些新来的人被迫住在一个巨大的帐篷里。在萨克森豪森集中营，党卫队用上了小营区的临时营房，它们是夏天时为"反社会分子"准备的，但这些营房也很快被填满。[289]不过条件最严酷的还是布痕瓦尔德。

第一批来到布痕瓦尔德的"11 月犹太人"被送到几周前为奥地利囚犯新建的一处简陋营房中。同时，其他囚犯必须加班加点地用薄木板建起另外四座临时营房，没有地板，直接就是泥地。整个新区位于距离点名广场很远的角落，被带刺的铁丝网与其他营区隔开。在夜里，每座营房挤进了近 2000 名囚犯，他们睡在木制的床铺上。床铺没有床垫和毯子，看起来更像个货架子；囚犯一个挨一个挤得紧紧的，一动都不能动。"我们就是这样住的，"尤利乌斯·阿德勒几周后写道，"我们觉得自己像牛一样被关在肮脏的牛棚里。"一天晚上，有两座营房甚至因为装的人太多而坍塌了。[290]

犹太人在布痕瓦尔德集中营的每一天都饥寒交迫，饱受疾病与污垢之苦。党卫队管理下的集中营秩序混乱，食物的发放时间根本不固定，而持续缺水造成囚犯们严重脱水。人们也无法洗漱，无法替换潮湿肮脏的便服。"人们的腿上包裹了厚厚一层污泥，一直延伸到膝盖。"阿德勒医生写道。在营房内，恶臭很快变得令人无法忍受，特别是在暴发了一次大规模痢疾之后。这里没有卫生设施，只有两条充当公厕的水沟，里面的粪便几乎要溢出来，党卫队队员曾试图在这里溺死几名犹太人。布痕瓦尔德的许多犹太囚犯饱受伤病之苦，四肢被冻僵，精神也出现了问题。但党卫队起初拒绝让他们看医生。得病的人全被扔进一间摇摇欲坠、被戏称为"死营"的棚屋——"这间棚子充满了粪便、尿液和脓的臭气。"一名囚犯清晰地回忆说。[291]

集中营党卫队一开始并不知道如何处置"11月犹太人"，从未让他们完全融入日常活动。在布痕瓦尔德和达豪集中营，这些囚犯从未参加过强制劳动，只是看着其他囚犯到营区外劳动。他们一天大部分时间都在坐着、站着，或是围着点名广场跑步，忍受无休无止的演习、检阅与惩罚性的锻炼。只有萨克森豪森集中营在一周后决定让犹太人工作，主要让他们在砖厂工作，那里极易发生意外，而医疗救助几乎为零。"给犹太人，我只签死亡证明。"萨克森豪森集中营的一名医生据说曾经这样感叹。[292]

因为与集中营的其他囚犯，甚至其他犹太人隔离，"11月犹太人"本就特殊的地位变得更加尴尬。尽管党卫队明令禁止，但一些囚犯——既有犹太人也有非犹太人——还是会将食物与水交给那些绝望的新来者，并且会给他们一些在营内生活的实用建议。[293]但对"11月犹太人"来说，这种帮助非常少，不仅是因为提供帮助会招致危险，也是因为其他群体对犹太人长期抱有偏见。"囚犯中也有不少人鄙视犹太人。"一份有关达豪的地下社会民主党报告如是总结。[294]

"11 月犹太人"不得不互相帮助。但团结的道路上有许多不可避免的阻碍，首先他们的处境都很艰难。许多新囚犯还没有适应集中营，被日常的操练搞得晕头转向。而且，虽然在党卫队眼中犹太人都一个样，但在犹太囚犯自己眼中并非如此，他们对彼此之间阶级、宗教、国籍和政治倾向上的差别非常敏感。这些所谓的"11 月犹太人"包括德国人与奥地利人、不信仰宗教的人与东正教徒、年轻人与老人、共产党人与保守党人、知识分子与文盲、被同化的人与犹太复国主义者、中产阶级与无产阶级。通常来说，他们除了同是纳粹狂热种族主义的受害者之外再无共同点。这些鸿沟很难去弥合，特别是在极端艰苦的环境下。[295]不过互帮互助的情况仍然存在，尤其是在那些被抓之前就相互认识的人之间。[296]

但团结只能到这种程度，囚犯们在面对党卫队侵犯时往往毫无办法。虽然在集中营外，纳粹领导人在一天之内就停止了迫害，但集中营内的暴力与洗劫却持续了数周，实际上将迫害行为延续了下来。每当党卫队队员走近，犹太囚犯都害怕会遭到言语攻击，甚至更可怕的虐待。"被骂犹太猪这样的字眼已经是例行公事了，"阿德勒医生回忆说，"而灾难会降临在那些想反抗的人身上。"[297]党卫队队员在羞辱犹太人时无所不用其极，但有些人也不太确定到底应该做到什么程度。在阿德勒医生刚到布痕瓦尔德集中营的时候，一名看守将他的眼镜从脸上打掉了。而当阿德勒找不到眼镜的时候，刚刚打他的党卫队队员又将眼镜捡起来还给了他。也有一些看守毫不犹豫，一有机会便虐待新来的囚犯，白天在点名广场，晚上则在营房。犹太囚犯都明白，所有的暴力行为都表明了纳粹政权的真正企图。"他们已经向我们宣战，”一名布痕瓦尔德囚犯后来写道，“而这些年来我们毫无防备。”[298]

集中营党卫队所做的不仅仅是虐待，他们还大肆洗劫了"11月犹太人"。自集中营建立伊始便存在腐败现象，而且相当普遍，并非个例。比如在早期集中营，官员经常勒索囚犯，告诉他们支付赎金之后才能重获自由。[299]在党卫队统一管理之后，腐败依然存在。看守会强迫囚犯到他们家中做家务，命令囚犯为他们做东西，偷囚犯的钱，或者将党卫队的供给挪到自己的腰包中。很少有党卫队队员在手握极权的情况下能够抵抗诱惑。几乎所有集中营党卫队队员，从底层的文职人员到高层官员都以权谋私、中饱私囊；甚至特奥多尔·艾克也是如此，他时不时便训斥下属不正直，自己却建立了一个秘密账户，任意挥霍。[300]

党卫队的腐败在1938年11月到达了一个新的高度。政府支持下的"盗贼"在种族清洗时还不忘大规模地劫掠。最讽刺的是，政府居然要求国内的犹太人支付十亿德国马克的"赔偿金"，以弥补纳粹暴徒造成的破坏。[301]集中营党卫队也没有放过这个难得的机会，特别是在布痕瓦尔德集中营。那里的党卫队队员要求"11月犹太人"把贵重物品扔在敞开的箱子里，就这样没收了。那些藏了私房钱的囚犯后来也被党卫队用其他方式抢劫一空。看守以天价售卖一些基本用品——比如水、食物、鞋子、毛衣和毯子——同时强迫囚犯"捐款"以免于暴力虐待。布痕瓦尔德集中营的党卫队队员很喜欢炫耀他们的不义之财；就连普通士官在城里都穿着华衣美服，开着豪车。[302]

当集中营党卫队炫耀新得的财富时，犹太囚犯却过得水深火热。到集中营才几天，几乎所有人都受了重伤，这伤既在身体上，也在心灵上。集中营出现了一波自杀潮。几名无法忍受折磨的犹太人冲进了通电围栏，或是穿过了警戒线。在过去，集中营党卫队还阻止过犯人自杀。这次却没有。"随他们去吧。"特奥多尔·艾克如此吩咐部下。[303]

1938 年 11 月和 12 月，至少有 469 名犹太人在集中营死去。布痕瓦尔德集中营是当时最致命的地方，几乎三分之二的死者都出自那里，已知的就有 297 名犹太人。萨克森豪森集中营有 58 起死亡事件，而达豪则有 114 起。这个数字在当时意味着什么呢？在 1933 年到 1937 年的五年间有 108 人（他们来自不同的背景）在达豪集中营死亡，平均每个月不超过两人。[304]

即将到来的屠杀

1938 年 11 月 18 日，被关押八天之后，尤利乌斯·阿德勒医生被布痕瓦尔德集中营释放，他与其他重获自由的犹太人一起走向附近的小村庄。他们饿坏了，于是先去了一家小酒馆，热情好客的店主夫妇给他们提供了充足的咖啡、水和三明治。之后，这些曾经的囚犯驱车前往魏玛，登上了一辆开往法兰克福的特快列车，他们身上还穿着集中营的脏衣服。回家时，阿德勒医生心存感激，因为许多非犹太朋友热烈欢迎自己的归来。但布痕瓦尔德教给了他两件重要的事："第一，想尽一切办法让德国境内或是在集中营内的犹太人尽快离开；第二，任何时候都要提醒自己：所有地方都比集中营要好！"1939 年 1 月份写下这行字的时候，阿德勒医生已经从德国离开了。[305]

其他许多德国犹太人做了相同的事。几乎每个犹太家庭在这次大规模逮捕中都或多或少受到了冲击。虽然不是所有被释放的人都会分享自己的经历——"我丈夫从不提起这件事。"

埃里希·纳索夫（Erich Nathorff）的妻子在 1938 年 12 月 20 日写道，此时纳索夫刚刚从萨克森豪森集中营回来——但所受的磨难都被写在了他们的脸上和身体上。集中营的恐怖以及此次屠杀的威慑促使绝望的犹太人疯狂逃离第三帝国——这正是纳粹领导人希望的。[306]

这次屠杀对纳粹德国的许多犹太人来说是一个转折点。但它也是集中营的转折点吗？答案显而易见。毕竟集中营在 1938 年 11 月发生了巨大的转变，变得比从前更大也更为致命，而暴力与劫掠的行为也将集中营党卫队更紧密地结合起来。集中营也再次证明自己是纳粹恐怖统治的万能工具。在纳粹领袖们的注视下，迅速将数以万计的犹太人关起来、恐吓更多犹太人离开德国，集中营党卫队凭此再次通过了考验，就像四年前清洗罗姆时那样。[307]但人们不应该过分强调种族清洗行动对集中营体系的持续影响。从很多方面来说，它属于战前一个特殊的时刻，集中营很快又恢复到了原来的状态。

首先，犹太人很快不再是囚犯中的大多数。纳粹领袖们想要威慑他们，而不是真的把他们关起来，大部分所谓的"11 月犹太人"很快就被释放了，比原先警察突袭中逮捕的犯人放得更快。大规模释放行动在水晶之夜十天后展开，持续了数周。海德里希的办公室签署了多种多样的释放令，包括释放老、病和残疾人士，还有一战时的老兵。当然，释放是有条件的。一些人必须把自己的生意转让给非犹太人，更多的人则必须离开德国。早在 1938 年 11 月 16 日，海德里希便命令释放"那些即将离开德国"的犹太人——比如像尤利乌斯·阿德勒这样早就准备离开的人。因此移民和释放行动紧密联系起来，被释放的囚犯们纷纷签署离开德国的保证书。在他们离开集中营前，达

豪指挥官洛里茨会问他们："你们之中有不想移民的人吗?"不
管怎样，至少囚犯们被迅速地释放了。在布痕瓦尔德集中营，
"11 月犹太人"的总数从 1938 年 11 月中旬的将近 1 万人下降
到 1939 年 1 月 3 日的 1534 人，而到 1939 年 4 月 19 日就只剩
28 人了。[308]随着这批犹太人被释放，集中营内犹太囚犯的数量
回到了水晶之夜前的水平。从国家的角度看，集中营已经发挥
了应有的作用——迫使犹太人离开德国——现在没有再进行任
何大规模逮捕的必要了。1939 年 1 月到 8 月，只有几百名新犹
太囚犯被送进集中营，像仍然被关在集中营的犹太人一样，他
们大部分是所谓的反社会分子、罪犯或是帝国的政治敌人。1939
年 9 月战争爆发时，纳粹集中营关押的犹太人不到 1500 人，而在
第三帝国境内仍居住着 27 万到 30 万犹太人。[309]简而言之，水晶之
夜并没有将集中营变成大规模永久关押德国犹太人的地方。

　　其次，集中营体系并没有因此得到永久性的扩张。随着大
批"11 月犹太人"离开，种族清洗运动后暴增的囚犯数量又迅
速回落，在 1938 年底降至 3.16 万人左右。[310]在接下来的几个月
这一数字继续下降。警方后来的确有过几次大规模行动——包
括 1939 年夏天在奥地利大规模逮捕吉卜赛人——但都无法与一
年前行动的规模相提并论。总体来说，被送入集中营的新囚犯
数量少了许多。[311]同时，警方还在继续释放囚犯。最让人惊讶的
是，海因里希·希姆莱虽然一度极其反对大规模释放囚犯，但
为了在 1939 年 4 月 20 日庆贺希特勒 50 岁生日，他同意大赦天
下，将释放范围扩大到长期关押的政治犯以及社会边缘分子。
在希姆莱和艾克的指示下，囚犯被告知快要到达"自由之路"
了（不过他们的命运还是由接下来的表现决定）。数千名囚犯
在 1939 年 4 月底重获自由，其中就包括我们之前提到的犯了小

罪的维也纳人约瑟夫·科拉切克和杜伊斯堡的乞丐威廉·米勒。因为这次没有公开报道的大赦，集中营囚犯人数在 1939 年 4 月底下降到 2.2 万人左右，与 1938 年夏天相比略有减少。[312] 这个数字一直保持到 4 个月之后德国开战时；1939 年 9 月 1 日，集中营系统一共关押了大约 2.14 万名囚犯。[313]

集中营看似势不可挡的扩张趋势在开战之前停滞了。这是党卫队和警方领导人没有想到的。1938 年底，希姆莱及其党羽希望借大清洗的势头进一步扩大集中营。他们认为集中营迫切需要推进更多的建设工程，这样才能随时容纳 3.5 万名囚犯。然而建设需要投入 460 万德国马克，遭到了帝国财政部部长什未林·冯·克罗西克（Schwerin von Krosigk）伯爵的严词拒绝，他背后有赫尔曼·戈林的支持。冯·克罗西克伯爵希望控制集中营的肆意扩张。他警告说，每当集中营扩张，警察便会抓更多的囚犯将它们填满，结果集中营又需要进一步扩张，这将形成永无止境的逮捕链。相反，他提议释放数千名不愿工作、对国家不会造成威胁的囚犯。[314] 即使在 20 世纪 30 年代后期，仍然有部分纳粹领导人对希姆莱的恐怖工具抱有疑问，不认为有进一步扩大集中营的必要。

那么党卫队对"11 月犹太人"的攻击给集中营内的生活又带来了怎样的长期影响呢？在战前集中营的历史中，鉴于水晶之夜后数周的死亡人数，那一时期成为集中营迄今为止最血腥的阶段。但这并不像历史学家通常所说的那样，意味着集中营党卫队突然走向极端。[315] 其实从 1938 年夏天开始，一直到 1939 年春天，对除了"11 月犹太人"以外的许多其他囚犯来说，集中营都是致命的魔咒。大清洗之后的数周不过是达到顶峰罢了。

正如我们所见，早在大清洗运动开始前的几个月，即从

示意图3　1939年9月1日，党卫队集中营

达豪
4000名囚犯

萨克森豪森
6500名囚犯

布痕瓦尔德
5300名囚犯

毛特豪森
1500名囚犯

弗洛森比格
1600名囚犯

拉文斯布吕克
2500名囚犯

　　1938年夏天开始，集中营内的恐怖行为就已经逐渐增多，居住环境也愈发恶劣。大规模逮捕"不愿工作"的人之后，整个集中营系统内囚犯的死亡率便开始飙升，从1938年1月到5月间的月均18人，上升到6月至8月间的月均118人。[316]大部分的受害者是"反社会人士"，其中犹太人遭到的伤害最重，有的时候甚至超过了新近被抓进来的"11月犹太人"。[317]对犹太囚犯来说，党卫队的恐怖行动并不是在水晶之夜后突然加剧，而是从之前便开始逐步升级。

　　而且，恐怖活动在种族清洗之后还持续了数月。自1938年底起，囚犯死亡率升到了前所未有的高度。1938年11月到1939年1月，平均每个月有323名囚犯死亡。[318]其中一半是在种族清洗中被抓进来的犹太人。剩下一半来自其他囚犯群体，党卫队凶残程度的升级同样波及了他们，[319]特别是对所谓的反社会分子。[320]集中营内的死亡率直到 1939 年春天都很高，哪怕此时"11 月犹太人"早被尽数释放。[321]死亡率虽然有所下降，但仍保持在高位；1939 年 2 月到 4 月间，平均每个月有 189 人死亡，其中将近三分之二是所谓的反社会分子，党卫队对他们的迫害一直持续到 1939 年。[322]

直到一年之后，集中营的死亡率才显著地下降了。囚犯的死亡数量也比前几个月下降了许多。1939 年夏天是二战开始之前最后一段宁静的时间，集中营中每个月平均有 32 名囚犯死亡。虽然囚犯的数量几乎相差无几，但死亡数比 1938 年夏天少了许多。[323]这也证明了纳粹集中营并不一直是一个死亡的深渊。就像苏联的古拉格一样，一段时间的恐怖之后是一段时间的平和。1939 年夏天的这次转折有着许多内在的原因：天气开始变好了，囚犯营房没有之前那么拥挤，其他基础设施建设也有所进展，比如布痕瓦尔德集中营的供水系统。同时，党卫队也停止了他们一些最为暴力的行为。[324]

在经历了 12 个月的恐怖之后，囚犯们总算在 1939 年夏天松了一口气。"如果我们不是囚犯，"萨克森豪森集中营的营区长哈里·瑙约克斯写道，"人们几乎可以用平和一词来描述我们现在的生活。"[325]但像他这样被关了很久的囚犯并没有被表象欺骗。他们太了解集中营了，知道这种生活随时可能改变，向一种更为致命的方向改变。

其中一名这样的老囚犯就是恩斯特·海尔曼，他在集中营中一次又一次受了很多苦。就像我们之前所了解的，在 1933 年夏天的奥拉宁堡集中营，他遭到多次殴打并被任命为"屎官"。

189

后来，他又在普鲁士州的模范营伯格摩尔集中营被折磨，在那里尝试自杀的时候，他被守卫射伤。这种折磨在达豪和萨克森豪森集中营体系整合之后仍然持续。从 1938 年 9 月起，他被送往为犹太人设立的新营布痕瓦尔德，在那里他被编入运输队，搬运沉重的石块和泥土。在布痕瓦尔德集中营时，一个同为囚犯的老朋友在 11 月种族清洗不久后来到犹太营区看望海尔曼。两人刚认识时，海尔曼还是魏玛地区有名的政客，人生得意。但现在眼前的海尔曼几乎已经认不出来了：他的衣服污秽破旧，脸上布满了皱纹，胡子也没了，手掌开裂，背也驼了，精神也垮了。"他已经不是那个叫海尔曼的人了，"他的熟人后来写道，"他已经崩溃了。"在他们互相交换了一些关于共同朋友和政治方面的消息之后，海尔曼向他诉说了自己被守卫们折磨的情况。在谈到未来时，海尔曼说了一段惊人之语："战争马上就要来了。你们雅利安人仍然还有机会，因为他们还需要你们。但是我们犹太人可能要被全部打死了。"这个让人毛骨悚然的预言很快在海尔曼自己身上得到了印证。二战爆发后的几个月内他便死去了。集中营内的恐怖活动也达到了前所未有的规模。[326]

注　释

1. Röll, *Sozialdemokraten*, 65, 80; Jahn, *Buchenwald!*, 53 – 56; StW, "Mörder Bargatzky zum Tode verurteilt," *Allg. Thüringische Landeszeitung*, May 28, 1938. Bargatzky 的姓名拼法有很多种，我是按照他出生证明上的名字。

2. 有关艾克和逃亡，参见 Broszat, *Kommandant*, 127 – 28; Dienstvorschriften Dachau, October 1, 1933, *IMT*, vol. 26, 296, ND: 778 – PS.

3. Röll, *Sozialdemokraten*, 70 – 73; BArchB, NS 19/1542, Bl. 3 – 4;

Himmler to Gürtner, May 16, 1938; *Deutschland – Berichte*, vol. 5, 869; Moore, "Popular Opinion," 200 – 201.

4. StW, "Mörder Bargatzky zum Tode verurteilt," *Allg. Thüringische Landeszeitung*, May 28, 1938; Röll, *Sozialdemokraten*, 65 – 66, 73 – 74.

5. BArchB, NS 19/1542, Bl. 8: Himmler to Gürtner, May 31, 1938.

6. BwA, 31/450, Bericht E. Frommhold, n. d. (1945), 41 – 42; Schrade, *Elf Jahre*, 146; Berke, *Buchenwald*, 91 – 92; ITS, 1. 1. 5. 3/BARE – BARR/00009874/0009. 外国报道, 参见 Moore, "Popular Opinion," 201。

7. BArchB, NS 19/1542, Eicke to RFSS – Kommandohaus, June 3, 1938; ibid. , Bl. 13: H. Potthast to Dr. Brandt, June 4, 1938; Berke, *Buchenwald*, 91. 1934 年清洗罗姆一派时在达豪被处决的人不是集中营的囚犯。近代早期的处决, 参见 Evans, *Rituals*, 73 – 77。

8. "Er fiel für uns!," *Das schwarze Korps*, May 26, 1938. See also Dillon, "Dachau," 166 – 67; Zeck, *Korps*.

9. Burkhard, *Tanz*, 119; DaA, 9438, A. Hübsch, "Insel des Standrechts" (1961), 82 – 83.

10. Jahn, *Buchenwald!*, 54 – 56; Röll, *Sozialdemokraten*, 68 – 70; BArchB, NS 19/1542, Bl. 3 – 4: Himmler to Gürtner, May 16, 1938; Stein, *Juden*, 16.

11. Stein, *Juden*, 21.

12. *VöB*, May 17, 1938, cited in Gruchmann, *Justiz*, 652.

13. BArchB, NS 19/1542, Bl. 3 – 4: Himmler to Gürtner, May 16, 1938. See also ITS, 1. 1. 5. 3/ BARE – BARR/00009874/0024, Eicke to Himmler, July 5, 1938; Stein, *Juden*, 15; Röll, *Sozialdemokraten*, 70.

14. BwA, Totenbuch. 1938 年, 督察组警告指挥官们会有新的司法机关调查枪击; IKL to KL, July 27, 1938, *NCC*, doc. 132。

15. BArchB, NS 19/4004, Bl. 278 – 351: Rede bei der SS Gruppenführerbesprechung, November 8, 1937, Bl. 293.

16. 数据参见 Gedenkstätte Buchenwald, *Buchenwald*, 698; DaA, ITS, Vorläufige Ermittlung der Lagerstärke (1971); *OdT*, vol. 4, 22; Endlich, "Lichtenburg," 23; Morsch and Ley, *Sachsenhausen*, 54。

17. Drobisch and Wieland, *System*, 289, 337.

18. *OdT*, vol. 3, 33.

19. Neugebauer, "Österreichertransport," quote on 201. See Ungar, "Konzentrationslager," 198 – 99; Kripoleitstelle Vienna, "Transporte von Schutzhäftlingen," April 1, 1938, in Neugebauer and Schwarz, *Stacheldraht*, 17; Wünschmann, "Jewish Prisoners," 173.

20. Riedel, *Ordnungshüter*, 197 – 98; DaA, 9438, A. Hübsch, "Insel des Standrechts" (1961), 113.

21. Röll, *Sozialdemokraten*, 66 – 67, 74 – 79, 80 – 81, quote on 77.

22. Záměčník, *Dachau*, 102; Poller, *Arztschreiber*, 193; Wünschmann, *Before Auschwitz*, chapter 6.

23. Wachsmann, "Policy," 133 – 35.

24. 很多政治犯认为纳粹政权就是通过把他们和社会"异类"关在一起来侮辱诋毁他们（Kogon, *Theory*, 37）。这种说法后来被东德和西德的历史学家接受（Kühnrich, *KZ – Staat*, 58; Richardi, *Schule*, 226 – 27; Baganz, *Erziehung*, 61 – 62, 145 – 46）。编史的决定性调研，参见 Ayaβ, "Schwarze und grüne Winkel"。

25. 1990 年一项针对集中营内不同群体受害者的学术调研仍然遗漏了"反社会人士"和"罪犯"；Feig, "Non – Jewish Victims"。

26. Herbert et al., "Konzentrationslager," 26 – 28; Herbert, "Gegnerbekämpfung"; Orth, *SS*, 148 – 50, 298.

27. 集中营中用来扣留社会边缘人士的不同方法，参见 Hörath, "Terrorinstrument"。

28. "Der neue Geist im Münchner Polizeipräsidium," *VöB*, March 15, 1933.

29. Tuchel, *Konzentrationslager*, 157, 209, 312.

30. Záměčník, *Dachau*, 57; Rubner, "Dachau," 67.

31. Ayaβ, "Asoziale," 19 – 41.

32. 巴伐利亚有 2592 名囚犯［包括 142 名来自雷贝奥夫（Rebdorf）、被关押在达豪的教管所囚犯］，其中 2009 人被指控政治犯罪；数据（主要是 1934 年 4 月 10 日）来自 Tuchel, *Konzentrationslager*, 155 – 56; Drobisch and Wieland, *System*, 105。被分类为不愿工作的雷贝奥夫囚犯，参见 MdI to Ministry of Finance, August 17, 1934, *NCC*, doc. 232。

33. BayHStA, Staatskanzlei 6299/1, Bl. 174 – 77: Reichstatthalter to MPr, March 20, 1934.

34. BayHStA, Staatskanzlei 6299/1, Bl. 132 – 41: MdI to MPr, April 14, 1934, translation in *NCC*, doc. 23.

35. 认为希姆莱在巴伐利亚对社会边缘人士的攻击是例外的观点，参见 *OdT*, vol. 1, 55 – 56。

36. Ayaβ, "Asoziale," 31 – 32, quote on 31; Drobisch and Wieland, *System*, 71; Hörath, "Terrorinstrument," 516 – 18, 525; Harris, "Role," 678; Diercks, "Fuhlsbüttel," 266, 278. "乞丐"拥入集中营，参见 Stokes, "Eutiner," 619 – 20; Wollenberg, "Ahrensbök – Holstendorf," 228。

37. Wachsmann, *Prisons*, 49 – 54, 128 – 37.

38. Quotes in Prussian MdI decree, November 13, 1933, *NCC*, doc. 16. See also Wagner, *Volksgemeinschaft*, 198 – 200; Terhorst, *Vorbeugungshaft*, 74 – 80.

39. Wagner, *Volksgemeinschaft*, 200 – 203; Mette, "Lichtenburg," 141. 1934 年 5 月 25 日，利赫滕堡 439 名囚犯中有 257 人被归为"职业罪犯"。

40. Wagner, *Volksgemeinschaft*, 204 – 209; Roth, "Kriminalpolizei," 332 – 33; *OdT*, vol. 2, 541; Langhammer, "Verhaftungsaktion," 58; BArchB, R 3001/alt R 22/1469, Bl. 24: "Erfolg der Vorbeugungshaft," *Berliner Börsen – Zeitung*, October 24, 1935; ibid. (ehem. BDC), SSO, Loritz, Hans, 21. 12. 1895, Personal – Bericht, Stellungnahme Eicke, July 31, 1935.

41. Langhammer, "Verhaftungsaktion," 58 – 60; Hörath, "Terrorinstrument," 523.

42. Quote in Bavarian Gestapo to KL Dachau, July 10, 1936, *NCC*, doc. 97. See ITS, ARCH/HIST/KL Dachau 4 (200), Bl. 15: KL Dachau to IKL, June 19, 1936; *IMT*, vol. 31, EE by M. Lex, November 16, 1945, ND: 2928 – PS.

43. Police Directorate Bremen, November 23, 1935, *NCC*, doc. 253.

44. 党卫队将另外的 950 名囚犯分为"政治罪犯"和"遣返的犹太移民"; NAL, FO 371/18882, Bl. 386 – 90: Appendix A, Visit to Dachau, July 31, 1935。德国外交部的数据显示，1936 年 11 月 1 日，1067 名"职业罪犯"和其他社会边缘人士被关押在集中营（不包括同性恋者），囚犯总人数中所占比重超过 22%; StANü, Auswärtigs Amt to Missionen et al., December 8, 1936, ND: NG – 4048。

45. Wachsmann, "Dynamics," 24.

46. Wagner, *Volksgemeinschaft*, 235 – 43.

47. Wagner, *Volksgemeinschaft*, 235, 254 – 57, quotes on 254; Langhammer, "Verhaftungsaktion," 60 – 63; Röll, *Sozialdemokraten*, 66. 希姆莱在突袭后第二天, 也就是 1937 年 3 月 10 日与艾克会面; IfZ, F 37/19, Himmler diary。30 名女性以"职业罪犯"的名义被捕并送入莫林根集中营。

48. Wagner, *Volksgemeinschaft*, 254 – 55. 详情参见 Herbert, *Best*, 174 – 75。

49. Speech at SS Gruppenführer conference, November 8, 1937, *NCC*, doc. 94.

50. Hörath, "Experimente," chapters 4 and 8. 学习刑法的现代化学校, 参见 Wachsmann, *Prisons*, 20 – 22。

51. 据了解, 希姆莱想要获得更多的武装力量来建设和扩展集中营 (Wagner, *Volksgemeinschaft*, 255)。这不太可能是主要因素, 因为 1937 年 3 月被捕的人中超过半数被送进了两座集中营 (利赫滕堡和萨克森堡), 这些集中营并没准备要扩张 (同年晚些时候, 这两座男子集中营都关闭了)。数据参见 Langhammer, "Verhaftungsaktion," 62。

52. Tooze, *Wages*, 260 – 68; Schneider, *Hakenkreuz*, 738 – 46.

53. IfZ, Fa 199/20, Sitzung des Ministerrats am 11. 2. 1937.

54. RJM minutes, February 15, 1937, *NCC*, doc. 127. 希姆莱在 1937 年 2 月 11 日和 12 日与艾克见面; IfZ, F 37/19, Himmler diary。

55. Quote, from Himmler's February 23, 1937, decree, in Wagner, *Volksgemeinschaft*, 254.

56. 德国刑事学家长期以来给社会边缘人士和罪犯贴上"不愿工作"的标签 (Hörath, "Experimente," chapters 4 and 8)。这个词在 20 世纪 30 年代后期被赋予了更大的经济意义。

57. RJM minutes, February 15, 1937, *NCC*, doc. 127. 详情参见 Wachsmann, *Prisons*, 173。

58. 过度拥挤的问题, 参见 Drobisch and Wieland, *System*, 286。

59. Langhammer, "Verhaftungsaktion," 73 – 74; NLHStA, 158 Moringen, Acc. 84/82, Nr. 8, Bl. 2; Krack, Aktenvermerk, October 6, 1937; Roth, "Kriminalpolizei," 335.

60. 1937 年 11 月 13 日, 德国警方对 2752 名"职业罪犯和习惯性侵犯者"采取保护性拘禁 (BArchB, R 58/483, Bl. 120 – 21; Mitteilungsblatt

des LKA）。一年后，人数增加到约 4000 人（1938 年 12 月 31 日的数据，指的是 12921 名在预防性拘留所的囚犯，在他们中间，有 8892 名"反社会人士"，剩下的 4029 名囚犯被认为是"罪犯"；Tuchel, *Konzentrationslager*, 313）。

61. Langhammer, "Verhaftungsaktion," 64; ITS, 1. 1. 5. 1/0544 – 0682/0647/0027, Einlieferungsbuch; Röll, *Sozialdemokraten*, 68（n. 163）.

62. Drobisch and Wieland, *System*, 288.

63. 囚犯的遣送，参见 Langhammer, "Verhaftungsaktion," 69。1939 年 9 月战争爆发时，只有 198 名"罪犯"被留在布痕瓦尔德；Stein, "Funktionswandel," 170。

64. Broszat, *Kommandant*, 58 – 61, 73, quotes on 61, 101. 早期集中营内针对"罪犯"的暴行，参见 Langhoff, *Moorsoldaten*, 292 – 304。

65. Report by A. Hübsch, 1961, *NCC*, doc. 240.

66. BArchB, KLuHafta Sachsenburg 2, Kommandantur – Befehl, April 14, 1937.

67. *OdT*, vol. 1, 92, 96.

68. AS, Totenbuch.

69. 这个数据不包括 6 名被分类为预防性拘留的囚犯；BwA, Totenbuch。同一时期——1937 年 8 月到 1938 年 7 月——党卫队记录政治犯中有 37 人死亡。

70. Quote in Kogon, *Theory*, 31. 关于"BVer"，参见 ITS, 1. 1. 6. 0, folder 25, doc. 82095206, *Wahrheit und Recht* 1（May 1946）。苏联的情况，参见 Khlevniuk, *Gulag*, doc. 98; Barnes, "Soviet," 107 – 10。

71. 例子参见 Freund, *Buchenwald!*, 99 – 100, 103 – 105; Seger, "Oranienburg," 34, 47。关于党卫队的观点，参见希姆莱于 1937 年 1 月 15 ~ 23 日在国防军课程上的演讲，*NCC*, doc. 83。

72. See also Orth, "Lagergemeinschaft," 114 – 16.

73. 1937 年 11 月 13 日，2752 名"职业罪犯和习惯性性侵犯者"在预防性拘留所，1679 人被分类为抢劫犯和小偷，522 人被分类为骗子和买卖赃物者。只有约 20% 的人被指控为反人类罪：495 名所谓的性侵犯者（包括同性恋男人）和 56 名抢劫者。BArchB, R 58/483, Bl. 120 – 21; Mitteilungsblatt des LKA。See also Langhammer, "Verhaftungsaktion," 61; Pretzel, "'Umschulung.'"

74. Wagner, "'Vernichtung,'" 104 – 105.

75. 关在同个营房内的"绿色"囚犯, 参见 *NCC*, doc. 220; Naujoks, *Leben*, 52 – 55。

76. 另一种观点, 参见 Neurath, *Gesellschaft*, 97 – 98。

77. 紧张的关系, 参见 report by H. Schwarz, July 1945, *NCC*, doc. 231; Poller, *Arztschreiber*, 150。

78. 1937 年春天展开的逮捕是在国会纵火案的基础之上延伸出来的; Drobisch and Wieland, *System*, 286。1937 年 12 月法令的背景, 参见 Wagner, *Volksgemeinschaft*, 258 – 59。

79. BArchB, R 58/473, Bl. 46 – 49: Erlaβ des Reichs-und Preuβischen MdI, December 14, 1937; partial translation in *NCC*, doc. 99.

80. 杜伊斯堡的警察怀疑米勒是近期一起盗窃事件的犯人, 怀疑他可能犯有其他未提及的罪行; HStAD, BR 1111, Nr. 188, quote on Bl. 43, Krimineller Lebenslauf, n. d. (感谢 Julia Hörath 对这一案件的记录)。

81. Figure in Schmid, "Aktion," 36.

82. Ayaβ, "*Asoziale*," 151 – 59; Wagner, *Volksgemeinschaft*, 280.

83. Schmid, "Aktion," 32 – 34; Ayaβ, "*Asoziale*," 140 – 43. Ayaβ 强调说保护性拘禁的囚犯（被盖世太保逮捕）和预防性拘留的囚犯（被刑事警察逮捕）都可以在集中营里被划分为"反社会人士"; Ayaβ, "*Asoziale*," 170。

84. Ayaβ, "*Gemeinschaftsfremde*," 114 – 15; Wagner, *Volksgemeinschaft*, 292 – 93. 女性"反社会人士", 参见 Schikorra, "Grüne," 108; idem, *Kontinuitäten*, 143; Caplan, "Gender," 89。

85. Barkow et al., *Novemberpogrom*, 46.

86. BArchB, R 58/473, Bl. 63 – 72: Richtlinien zum Erlaβ zur vorbeugenden Verbrechensbekämpfung, April 4, 1938.

87. Ayaβ, "*Asoziale*," 150 – 54; Wagner, *Volksgemeinschaft*, 279, 282 – 84, 288 – 89.

88. Heydrich to Kripo, June 1, 1938, *NCC*, doc. 103. 第三帝国学者对"吉卜赛人"的用法, 参见 Zimmermann, *Rassenutopie*, 17 – 20; Fings, "Dünnes Eis," 25。

89. 据估计, 1933 年有 20000 ~ 26000 名吉卜赛人居住在德国。以上参见 Zimmermann, *Rassenutopie*, 106 – 20; Wachsmann, "Policy," 142 – 43。

See also Lewy, *Nazi Persecution*, 17 – 55.

90. LHASA, MD, Rep. C 29 Anh. 2, Nr. Z 98/1, quote on Bl. 4: Kripolizeistelle Magdeburg, Anordnung, June 16, 1938. 拉宾格在 1939 年 8 月 25 日被释放。感谢 Christian Goeschel 提供记载文档。

91. Herbert, *Best*, 163 – 68, 176 – 77.

92. Wagner, *Volksgemeinschaft*, 280 – 82, 286, 290; Ayaβ, "*Asoziale*," 141, 143 – 46, 156 – 58.

93. 以下著作也强调了这一点: Ayaβ, "*Asoziale*," 160 – 65, and Wagner, *Volksgemeinschaft*, 287 – 89。

94. Hörath, "'Arbeitsscheue Volksgenossen.'"

95. Heydrich to Kripo, June 1, 1938, *NCC*, doc. 103. See also Pingel, *Häftlinge*, 71 – 72.

96. Quotes in Picker, *Tischgespräche*, 600. See also Eicke to Greifelt, August 10, 1938, in Tuchel, *Inspektion*, 56.

97. Ayaβ, "*Asoziale*," 141 – 42, 148 – 49, 163. 1938 年, 希姆莱也展开了另一项举措, 从国家监狱 (*NCC*, doc. 131) 和教管所 (*NCC*, doc. 101) 盗取囚犯。

98. *OdT*, vol. 1, 97. 利赫滕堡女子集中营里的情况不同, 耶和华见证会的信徒人数超过了 "反社会人士"; Schikorra, "*Grüne*," 108。

99. Schmid, "Aktion," 38 – 39.

100. 1939 年 8 月 30 日, 5382 名布痕瓦尔德囚犯中有 2873 人被划分为 "不愿工作者", 包括 "不愿工作的犹太人" (Stein, "Funktionswandel," 170)。1939 年 8 月 31 日, 6573 名萨克森豪森囚犯中有 3313 名被划分为 "不愿工作者" (AS, D 1 A/1024, Bl. 264: Veränderungsmeldung)。其他囚犯的标记, 参见 *OdT*, vol. 1, 94, 97 – 98。

101. 在 1938 年 4 月的突袭中被逮捕的所有男人都被带去了布痕瓦尔德。这座集中营最初也被选定为关押 1938 年 6 月突袭所逮捕囚犯的地点 (Heydrich to Kripo, June 1, 1938, in *NCC*, doc. 103)。

102. Schmid, "Aktion," 36.

103. Broszat, *Kommandant*, 86, 97, quote on 93.

104. Barkow et al., *Novemberpogrom*, 49 – 50, quote on 50; Naujoks, *Leben*, 77 – 78.

105. Naujoks, *Leben*, 78 – 80; *OdT*, vol. 3, 22; Barkow et al.,

Novemberpogrom, 61 - 62.

106. 背景参见 Neurath, *Gesellschaft*, 42 - 44。

107. Pingel, *Häftlinge*, 85 - 86; Schikorra, *Kontinuitäten*, 143 - 44, 207, 210 - 17; Pretzel, "Vorfälle," 125; Ayaβ, "Asoziale," 168 - 69. "反社会人士"一词，参见 ITS, 1.1.6.0, folder 25, doc. 82095206, *Wahrheit und Recht* 1 (May 1946)。"反社会人士"在集中营内的生活，参见 ibid., doc. 82095213, *Wahrheit und Recht* 2 (June 1946)。

108. Poller, *Arztschreiber*, quotes on 187; Naujoks, *Leben*, 81 - 82; Wagner, *Volksgemeinschaft*, 288.

109. Friedlander, *Origins*, 25 - 31; Burleigh, *Death*, 55 - 66.

110. Tuchel, *Konzentrationslager*, 289 - 91, quote on 289; BArchL, B 162/491, Bl. 66 - 79: Vernehmung W. Heyde, October 19, 1961, quote on 70. 还可参见布痕瓦尔德党卫队医生的月报, June 8, 1938, *NCC*, doc. 237; Naujoks, *Leben*, 107; DaA, 9438, A. Hübsch, "Insel des Standrechts" (1961), 109; Hahn, *Grawitz*, 161; Poller, *Arztschreiber*, 116; Schikorra, *Kontinuitäten*, 176。

111. DaA, Häftlingsdatenbank; BwA, Totenbuch; AS, Totenbuch; AGFl, Haftlingsdatenbank; AM, Zugangslisten und Totenbücher. 非常感谢 Albert Knoll、Sabine Stein、Monika Liebscher、Johannes Ibel 和 Andreas Kranebitter 发给我囚犯死亡率的数据，我用在此处和本章其他部分。

112. AS, Totenbuch. 萨克森豪森的"死亡账簿"可能未记录少数意外死亡事故。

113. 同注 111。

114. Quote in Kohlhagen, *Bock*, 24. 数据参见 AS, Totenbuch。

115. 总共有 1232 人已知死亡，包括 169 名"反社会的犹太人"；也可参见注 111。

116. BArchB, NS 19/4014, Bl. 158 - 204: Rede vor Generälen, June 21, 1944, Bl. 170. 详情参见 Wachsmann, *Prisons*, 112, 192 - 94, 210。

117. 针对拘留社会边缘人士有一些早期报道（Moore, "Popular Opinion," 57 - 61），但主流媒体重点关注的是政治反对者。

118. See Moore, "Popular Opinion," 185.

119. "Konzentrationslager Dachau," *Illustrierter Beobachter*, December 3, 1936, 2014 - 17, 2028, partial translation in *NCC*, doc. 270. 一篇 1936 年类

似的文章参见 *NCC*, doc. 268。

120. Broadcast by Himmler, January 29, 1939, *NCC*, doc. 274; "Erfolg der Vorbeugungshaft," *Berliner Börsen – Zeitung*, October 24, 1935.

121. Wachsmann, *Prisons*, 18 – 19, 54 – 58. 详情参见 Peukert, *Nazi Germany*, 222 – 23。

122. Kautsky, *Teufel*, 144. 详情参见 Peukert, *Nazi Germany*, 198 – 99; Noakes, Pridham, *Nazism*, vol. 2, 574; Moore, "Popular Opinion," 207 – 208。

123. "Konzentrationslager Dachau," *Illustrierter Beobachter*, December 3, 1936, *NCC*, doc. 270. See Moore, "Popular Opinion," 184 – 87; Gray, *About Face*. 关于文章中达豪的照片，参见 *Deutschland – Berichte*, vol. 4, 694。

124. Peukert, "Alltag," 56. 纳粹统治下持续的犯罪，参见 Wachsmann, *Prisons*, 69 – 70, 198, 221 – 22。

125. Gellately, *Backing*, 97 – 98; Moore, "Popular Opinion," 209; Kershaw, *Popular Opinion*, 74. 个别媒体报道，参见 Ayaβ, "Asoziale," 157, 164 – 65。

126. *Deutschland – Berichte*, vol. 2, 372; Klemperer, *Zeugnis*, vol. 1, 443.

127. Neurath, *Gesellschaft*, 25 – 26; Christ, "Wehrmachtsoldaten," 819; Steinbacher, *Dachau*, 151 – 52.

128. See Moore, "Popular Opinion," 235, 239.

129. 媒体报道，参见 Milton, "Konzentrationslager," 137 – 38; Moore, "Popular Opinion," 203 – 204。减少报道的命令，参见 *NCC*, docs. 267 and 271。偶尔的提醒，参见 *NCC*, docs. 266, 270, 274。

130. 引自对德国媒体的指示，December 11, 1936, *NCC*, doc. 271。

131. 例子参见 ITS, ARCH/HIST/KL Lichtenburg 2, Bl. 104 – 15: Befehlsblatt SS – TV/ IKL, April 1, 1937。

132. NAL, FO 371/18882, Bl. 386 – 90: Appendix A, Visit to Dachau, July 31, 1935, quote on 390.

133. *Manchester Guardian*, reader's letter, April 7, 1936, *NCC*, doc. 281.

134. Milton, "Konzentrationslager," passim; Drobisch and Wieland, *System*, 240 – 48.

135. Hett, *Crossing*, 228 – 34; Wünschmann, "Jewish prisoners," 41.

136. Quotes in Buck, "Ossietzky," 23 – 27, p. 26; report by C. Burckhardt, November 1935, *NCC*, doc. 279. See Kraiker and Suhr, *Ossietzky*, 106 – 26.

137. Moore, "Popular Opinion," 177 – 78, quote on 178.

138. Milton, "Konzentrationslager," 140.

139. Evans, *Third Reich in Power*, 220 – 32; Gruchmann, *Justiz*, 77 – 78; Fröhlich, *Tagebücher*, I/5, March 3, 1938. 柏林特别法庭认定对尼默勒的指控不足以继续拘留他。

140. IfZ, MA 312, Rede bei der SS Gruppenführerbesprechung, November 8, 1938.

141. Himmler speech at a Wehrmacht course, January 15 – 23, 1937, *IMT*, vol. 29, ND: 1992（A） – PS, especially pages 231 – 32; Kaienburg, *Wirtschaftskomplex*, 37 – 38, 51, 56, 197.

142. Kaienburg, *Wirtschaftskomplex*, 37 – 38. 以前，历史学家通常将这个发展阶段定在 20 世纪 30 年代后期。

143. Kaienburg, *Wirtschaftskomplex*, 38, 56 – 57, 62 – 63, 141 – 46, 169 – 77, 197 – 98; Dillon, "Dachau," 85, 162; Wachsmann, "Dynamics," 33; Merkl, *General*, 79; ITS, ARCH/ HIST/KL Lichtenburg 2, Bl. 104 – 15: Befehlsblatt SS – TV/IKL, April 1, 1937; Hördler, "SS – Kaderschmiede," 105 – 106.

144. Quote in IfZ, MA 312, Rede bei der SS Gruppenführerbesprechung, November 8, 1938. See Wegner, *Soldaten*, 79 – 112; Kaienburg, *Wirtschaftskomplex*, 65.

145. Quote in BArchB, NS 19/1652, Bl. 5 – 15: Geheime Kommandosache, Erlass, August 17, 1938, Bl. 11. See Wegner, *Soldaten*, 112 – 23; Merkl, *General*, 127 – 37; Dillon, "Dachau," 186; Kaienburg, *Wirtschaftskomplex*, 66 – 68; Zámečník, *Dachau*, 101.

146. IfZ, F 13/6, Bl. 369 – 82: R. Höss, "Theodor Eicke," November 1946, Bl. 377. See Segev, *Soldiers*, 129 – 30.

147. Eicke quotes in Segev, *Soldiers*, 130 – 31.

148. 这些数字包括了相对少量的指挥参谋部官员，BArchB, R 2/ 12164, Bl. 25 – 28: Best to RMi Finanzen, November 26, 1938; Kaienburg, *Wirtschaftskomplex*, 71 – 72。据 Charles Sydnor 的研究，历史学家通常采用

更高的数字，将 1939 年中期骷髅部队的人数定为 22033 人（Sydnor, *Soldiers*, 34）。但是，正如 Hermann Kaienburg 指出的那样（参考如上），这个数字可能包括了集中营党卫队后备人员，他们没有被正式部署在集中营里，只是在 1938～1939 年接受过短暂的培训。

149. Sydnor, *Soldiers*, 34.

150. *Brockhaus*, 1937, *NCC*, doc. 272.

151. "Sachsenhausen Song," *NCC*, doc. 224.

152. 相关介绍参见 Morris and Rothman, *Oxford History*。

153. Sofsky, *Ordnung*, 194.

154. Wohlfeld, "Nohra," 115; Ehret, "Schutzhaft," 251; Lechner, "Kuhberg," 94; Meyer and Roth, "Zentrale," 205; Wachsmann, *Prisons*, 95 – 96; Langhoff, *Moorsoldaten*, 40 – 41, 61, 71.

155. Krause – Vilmar, *Breitenau*, 122 – 24; Rudorff, "'Privatlager,'" 162 – 63; Seger, "Oranienburg," 34; Diercks, "Fuhlsbüttel," 280 – 81; Mayer – von Götz, *Terror*, 135 – 36.

156. Kienle, "Heuberg," 54. See Rudorff, "'Privatlager,'" 163.

157. Special camp order by Eicke, August 1, 1934, *NCC*, doc. 149.

158. Quote in Kogon, *Theory*, 27. See also Jahn, *Buchenwald!*, 42 – 45; Stein, *Juden*, 10 – 12; *OdT*, vol. 3, 327 – 29; *NCC*, doc. 88. 死亡率参见 BwA, Totenbuch; AS, Totenbuch。

159. Kaienburg, *Wirtschaft*, 159 – 72, 356, 1017.

160. Naujoks, *Leben*, 36.

161. Ecker, "Hölle," 35; Kaienburg, *Wirtschaft*, 114 – 29; DaA, Nr. 7566, K. Schecher, "Rückblick auf Dachau," n. d. , 74.

162. Kaienburg, *Wirtschaft*, 248 – 49.

163. Quotes in BArchB（ehem. BDC）, SSO Pohl, Oswald, 30. 6. 1892, Lebenslauf, 1932; ibid. , Pohl to Himmler, May 24, 1933. 详情参见 Schulte, *Zwangsarbeit*, 32 – 37, 45; testimony O. Pohl, June 3, 1946, in Mendelsohn, *Holocaust*, vol. 17, 35 – 38。

164. Schulte, *Zwangsarbeit*, 45 – 69, 76 – 91, 148 – 52; Kaienburg, *Wirtschaft*, 107 – 113, 403 – 405; IfZ, F 13/6, Bl. 343 – 54；R. Höss, "Oswald Pohl," November 1946.

165. Schulte, *Zwangsarbeit*, 40 – 44.

166. Schulte, *Zwangsarbeit*, 46 – 48, 69 – 75, 99 – 103; Kaienburg, *Wirtschaft*, 123 – 27; IfZ, F 13/6, Bl. 343 – 54: R. Höss, "Oswald Pohl," November 1946; StANü, EE by H. Karl, June 21, 1947. p. 4, ND: NO – 4007.

167. IfZ, F 13/6, Bl. 343 – 54: R. Höss, "Oswald Pohl," November 1946, quote on 346. See also Schulte, *Zwangsarbeit*, 69.

168. 例子参见 Schulte, *Zwangsarbeit*, 75。

169. BArchB, NS 19/1792, Bl. 226: Minutenprogramm für den 25. 4. 1939; ibid., Film 44564, Vernehmung O. Pohl, January 6, 1947, Bl. 6, 9; extracts of testimony of defendant Pohl, 1947, *TWC*, vol. 5, 559; IfZ, F 13/6, Bl. 343 – 54: R. Höss, "Oswald Pohl," November 1946; ibid., Bl. 369 – 82: R. Höss, "Theodor Eicke," November 1946; StANü, EE by H. Karl, June 21, 1947, p. 4, ND: NO – 4007. 一次类似的冲突参见 *NCC*, doc. 133。

170. Kaienburg, *Wirtschaft*, 25, 356 – 57, 373 – 76, 1091. 另一种解读，即把希姆莱的提议视为以防御为主（旨在维持对集中营劳动力的控制权，尤其是在德国劳动力缺口日益扩大的时期），参见 Schulte, *Zwangsarbeit*, 108 – 11。历史学家认可党卫队早期经济中心转移的重要性；Georg, *Unternehmungen*, 42; Billig, *L'Hitlérisme*, 289 – 90。

171. Quote in Pohl to Hamburg treasurer, September 13, 1938, *NCC*, doc. 141. See also BArchB, NS 19/1919, Bl. 4 – 5: Himmler to Hildebrandt, December 15, 1939; Naasner, *SS – Wirtschaft*, 255 – 56.

172. 例子参见 Kaienburg, *Wirtschaft*, 434。

173. 此段和前一段，参见 Jaskot, *Architecture*, 21 – 25, 36 – 37, 80 – 94; Kaienburg, *Wirtschaft*, 455 – 58, 460 – 61, 603 – 609, 1018; *OdT*, vol. 3, 388 – 89; Schulte, *Zwangsarbeit*, 111 – 19, 125; BArchB, Film 14428, Stabsamt, Besuchs – Vermerk, June 17, 1938。

174. 这趟调研，参见 StANü, EE by H. Karl, June 21, 1947, pp. 6 – 7, ND: NO – 4007, 日期为 1938 年 5 月。关于 3 月的见面，参见 *OdT*, vol. 4, 18 – 19, 293。

175. *OdT*, vol. 4, 17 – 20, 293 – 94.

176. *OdT*, vol. 4, 19 – 22; KZ – Gedenkstätte Flossenbürg, *Flossenbürg*, 35.

177. *OdT*, vol. 4, 294, 298; Fabréguet, "Entwicklung," 194.

178. *OdT*, vol. 4, 19, 21, 296, 298；Hördler，"Ordnung,"93.

179. 警察和党卫队也看到了在最近吞并的奥地利土地上建立集中营的实际优势；*OdT*, vol. 4, 293。

180. Jaskot, *Architecture*, 126 – 35；*OdT*, vol. 4, 20, 29, 299.

181. *OdT*, vol. 4, 26；Maršálek, *Mauthausen*, 123. 最初，警察没有把囚犯直接关入弗洛森比格和毛特豪森，而是从其他集中营调过来的。

182. 这些计划，参见 BArchB, NS 3/415, Bl. 3：Verwaltungschef SS to Bauleitung Flossenbürg, April 5, 1939。

183. Stein, "Funktionswandel," 169 – 70；Maršálek, *Mauthausen*, 27, 109 – 10；*OdT*, vol. 4, 22；Langhammer, "Verhaftungsaktion," 69.

184. Ibel, "Il campo," 235 – 36；Maršálek, *Mauthausen*, 109；*OdT*, vol. 4, 308, 315. 1938 年在毛特豪森的囚犯里似乎就已经有很多吉卜赛人了；A. Hübsch, "Insel des Standrechts"（1961），105 – 106。

185. 到 1939 年 8 月末，总计有 105 名"职业罪犯"死在了弗洛森比格集中营和毛特豪森集中营——其他三大集中营中 82 人死亡（1938 年 1 月～1939 年 8 月）；参见注 111。

186. Quote in K. Wolff to H. Krebs, December 15, 1938, *NCC*, doc. 143. See also H. Krebs to Himmler, November 19, 1938, ibid., doc. 142.

187. USHMM, RG – 11. 001M. 01, reel 17, 500 – 5 – 1, Bl. 98：Heydrich to RSHA et al., January 2, 1941.

188. Speech at a Wehrmacht course, January 15 – 23, 1937, *NCC*, doc. 83.

189. 其他党卫队领袖，参见 Heydrich to Gürtner, June 28, 1938, *NCC*, doc. 131。犹太囚犯的等级在党卫队的观念中比"职业罪犯"还低，他们的人数此时还不足以填满任何一座新集中营。

190. Siegert, "Flossenbürg," 440 – 41.

191. ITS, ARCH/KL Flossenbürg, Indiv. Unterlagen Männer, Josef Kolacek, Bl. 12：KL Flossenbürg to RKPA, November 30, 1938（感谢 Christian Goeschel 提供这些和其他文件）。1938 年 7 月 1 日的遣送，参见 *OdT*, vol. 4, 22。

192. Maršálek, *Mauthausen*, 27, 85；*OdT*, vol. 4, 21, 24 – 27, 301 – 303.

193. Recollections A. Gussak, 1958, *NCC*, doc. 198.

194. Maršálek, *Mauthausen*, 110；AM, Zugangslisten und Totenbücher

（1938 年的数据可能不完整）。战争爆发之前，全部的 67 名"反社会人士"在毛特豪森集中营死亡，57 人在 1939 年 3 月 21 日从达豪集中营来到这里。关于这趟遣送的大部分囚犯如此快就死亡的原因尚不清楚。

195. DaA，9438，A. Hübsch，"Insel des Standrechts"（1961），105 – 106；Fabréguet，"Entwicklung，"196；Maršálek，*Mauthausen*，123.

196. AGFl，Häftlingsdatenbank. 毛特豪森偏高的死亡率与 1939 年 3 月 21 日遣送来的囚犯中不同寻常的高死亡率有部分关联（参见注 194）。

197. ITS，ARCH/KL Flossenbürg，Indiv. Unterlagen Männer，Josef Kolacek.

198. Kaienburg，*Wirtschaft*，647 – 51，656；Allen，*Business*，67 – 71.

199. Kaienburg，*Wirtschaft*，647，649 – 55；Trouvé，"Klinkerwerk，"65 – 67.

200. Trouvé，"Klinkerwerk，"46 – 47，49 – 50，54 – 57；AS，R 42/1，H. Gartsch，"Beiträge zum KZ Sachsenhausen，Klinkerwerk，"n. d.，4 – 5.

201. 另一种观点，强调与萨克森豪森集中营里其他劳动分队的相似性，参见 Trouvé，"Klinkerwerk，"77。

202. Trouvé，"Klinkerwerk，"47，56，64 – 65；AS，R 42/1，H. Gartsch，"Beiträge zum KZ Sachsenhausen，Klinkerwerk，"n. d.，4 – 5；Kaienburg，*Wirtschaft*，650；WL，P. III. h. 758，B. Landau，"Die Hölle von Sachsenhausen，"n. d.，27.

203. 自杀情况，参见 Trouvé，"Klinkerwerk，"58；AS，R 42/1，H. Gartsch，"Beiträge zum KZ Sachsenhausen，Klinkerwerk，"n. d.，5。

204. Naujoks，*Leben*，111；Trouvé，"Klinkerwerk，"57 – 58；Schlaak，"Wetter，"182.

205. AS，Totenbuch. 1938 年 12 月中旬，旷日持久的严寒天气第一阶段的开始与死亡率急剧上升同时发生。

206. 1938 年 12 月到 1939 年 3 月间，在萨克森豪森，"反社会"囚犯在已知死亡人数中占比 82%。AS，Totenbuch. 在砖厂工作的"反社会人士"，参见 Meyer，"Funktionalismus，"85；Trouvé，"Klinkerwerk，"60。

207. LaB，A. Rep. 358 – 02，Nr. 7468，Bl. 5：Erklärung Hermann R.，March 21，1939. See also ibid.，Bl. 1 – 2：StA Berlin，Vermerk，March 21，1939.

208. 关于萨克森豪森党卫队，参见 Meyer，"Funktionalismus，"84；

Trouvé, "Klinkerwerk," 77。

209. Kaienburg, *Wirtschaft*, 655 – 56; Trouvé, "Klinkerwerk," 36 – 45; Allen, *Business*, 70 – 71; Khlevniuk, *Gulag*, 336.

210. Schulte, *Zwangsarbeit*, 122.

211. Kaienburg, *Wirtschaft*, 656 – 83, 762 – 63; Trouvé, "Klinkerwerk," 79 – 98. 工厂到 1943 年仍未完工，损失了数百万德国马克。战时党卫队管理者有不同的重点，参见 Allen, *Business*, 85 – 86; Schulte, *Zwangsarbeit*, 159 – 67。

212. 在利赫滕堡有 2 人确认死亡，在拉文斯布吕克有 4 人（1939 年）；Hesse and Harder, *Zeuginnen*, 117 – 19; Strebel, *Ravensbrück*, 506。

213. 死亡数字参见注 111。

214. 据基本精确的 ITS 数据显示，388 名达豪集中营的囚犯在 1938 年 1 月至 1939 年 8 月间的 20 个月里死亡（实际数据更加接近 415；DaA, Häftlingsdatenbank），相比于前 20 个月死亡的 37 人（1936 年 5 月到 1937 年 12 月）；与此同时，月平均囚犯人数从 2157 人增加至 4845 人。DaA, ITS, Vorläufige Ermittlung der Lagerstärke（1971）.

215. Hahn, *Grawitz*, 155 – 59; Morsch and Ley, *Medizin*, 53 – 54, 78; Naujoks, *Leben*, 110.

216. Quote in LBIJMB, MF 425, L. Bendix, "Konzentrationslager Deutschland," 1937 – 38, vol. 5, 21.

217. Special camp order by Eicke, August 1, 1934, *NCC*, doc. 149.

218. 例子参见 Poller, *Arztschreiber*, 89 – 90, 93 – 94, 98 – 102。

219. Morsch, "Formation," 167 – 69, 172; Boehnert, "SS Officer Corps," 116; Hahn, *Grawitz*, 163; Ley and Morsch, *Medizin*, 182 – 85; Naujoks, *Leben*, 107 – 109; Pukrop, "SS – Karrieren," 76, 86. 苏联当局在 1947 年处决了埃尔扎姆。

220. LBIJMB, MF 425, L. Bendix, "Konzentrationslager Deutschland," 1937 – 38, vol. 5, 37 – 38, 63; Tuchel, *Konzentrationslager*, 287 – 88; Naujoks, *Leben*, 126 – 27.

221. 参见达豪集中营卡茨医生的例子（第 1 章）。

222. *NCC*, doc. 186.

223. Naujoks, *Leben*, 105; Hahn, *Grawitz*, 159 – 60; Freund, *Buchenwald!*, 72.

224. Ley and Morsch, *Medizin*, 69; Poller, *Arztschreiber*, 59, 74, 77; Orth, *SS*, 45 – 46.

225. Schley, *Nachbar*, 64 – 66; Freund, *Buchenwald!*, 95 – 96; *OdT*, vol. 3, 325.

226. Quote in Freund, *Buchenwald!*, 84. See Stein, *Juden*, 57 – 59.

227. DaA, Häftlingsdatenbank; ibid., ITS, Vorläufige Ermittlung der Lagerstärke (1971); BwA, Totenbuch; NMGB, *Buchenwald*, 698.

228. 1938 年 1 月到 1939 年 8 月间，491 名犹太囚犯死于布痕瓦尔德，包括被作为反社会人士和政治反对者而抓捕的犹太人。BwA, Totenbuch.

229. Quote in Besprechung über die Judenfrage, November 12, 1938, *IMT*, vol. 28, 538, ND：1816 – PS. See Steinweis, *Kristallnacht*.

230. 调查参见 Friedländer, *Nazi Germany*; Longerich, *Holocaust*, 29 – 130。

231. 第一部关于此话题的专著即将出版；Wünschmann, *Before Auschwitz*。

232. See Matthäus, "Verfolgung," 66 – 68.

233. Lagebericht Stapostelle Magdeburg, August 5, 1935, in Kulka and Jäckel, *Juden*, doc. 1018. 虽然无法得知 1935 年因 "亵渎种族" 而被关进集中营的犹太人总数，但这绝非无关紧要；仅在布雷斯劳一地，7 月时警察就将 20 名 "亵渎种族" 的犹太男子关进了集中营；Stapostelle Regierungsbezirk Breslau, Bericht für Juli 1935, ibid., doc. 1007。

234. Quotes in BArchB, R 58/264, Bl. 161：Gestapa to Stapostellen, September 1935；Informationen des Gestapa, February 25, 1938, in Boberach, *Regimekritik*, doc. rk 1706. See also Matthäus, "Verfolgung," 72. 盖世太保还以 "亵渎种族" 司法监禁的条款逮捕了一些人；Wachsmann, *Prisons*, 180。详情参见 Friedländer, *Nazi Germany*, 120 – 22, 137 – 43; Longerich, *Holocaust*, 54 – 61。

235. Longerich, *Holocaust*, 67 – 69, 105 – 107, 126 – 27.

236. IfZ, Fa 183/1, Bl. 336：Grauert to Landesregierungen, February 9, 1935；Bavarian Political Police decree, March 7, 1935, *NCC*, doc. 95.

237. Wünschmann, "Cementing," 589 – 94; idem, "Jewish Prisoners," 140 – 42. See Matthäus, "Verfolgung," 76; *OdT*, vol. 1, 95, 103. 有关终身监禁的威胁，参见 *NCC*, doc. 110。希特勒后来承认，此类威胁背后有更

大的目的，就是防止这些"反社会分子"移居者返回德国；Picker,
Tischgespräche, 513 – 14。

238. Matthäus, "Verfolgung," 68 – 77, quote on 80；*OdT*, vol. 1, 98.

239. Wünschmann, "Jewish Prisoners," 65, 156 – 58. See Morsch,
"Formation," 135.

240. 有关一名犹太"再度移民者"的报道，参见 1936, *NCC*,
doc. 243；Lüerβen, "'Wir,'" 204。

241. LaB, A Rep. 358 – 02, Nr. 1540, GStA Berlin to RJM, June 3, 1937.
See Broszat, *Kommandant*, 166.

242. Quote in Kogon, *Theory*, 77. 这是 1939 年夏天布痕瓦尔德指挥官
认可的三首官方集中营之歌中的一首；Stein, *Juden*, 66。详情参见
Lüerβen, "'Wir,'" 204 – 205。

243. *NCC*, doc. 243；Neurath, *Gesellschaft*, 115；Broszat, *Kommandant*,
169.

244. Quotes in Union, *Strafvollzug*, 29. 在埃斯特尔韦根、达豪和布痕瓦
尔德，"4711"一词的使用，参见 Lüerβen, "'Wir,'" 124, 204；Burkhard,
Tanz, 61 – 62；Stein, *Buchenwald*, 78。

245. Quote in Morsch, "Formation," 148. See Naujoks, *Leben*, 40.

246. LG Bonn, Urteil, February 6, 1959, *JNV*, vol. 15, quote on 473. See
Kogon, *Theory*, 83.

247. 数字参见 Wünschmann, "Jewish Prisoners," 162。

248. 此类审头的职责一般仅限于监视其他犹太囚犯（Morsch,
"Formation," 149；Jahnke, "Eschen"），不过也有例外（LBIJMB, MF 425,
L. Bendix, "Konzentrationslager Deutschland," 1937 – 38, vol. 4, 31）。

249. Herz, "Frauenlager," 179 – 80.

250. BArchB, R 58/264, Bl. 263：Politischer Polizeikommandeur to
Politische Polizeien, August 1 [8] 1936；Wünschmann, "Jewish Prisoners,"
141.

251. 鉴于希姆莱对集中营犹太囚犯的狂热兴趣，他一定批准了这项
主要举措，可能是在他 1937 年 2 月 16 日到访达豪时；IfZ, F 37/19,
Himmler diary. 关于该政策的更多细节，参见 BArchB, R 58/264, Bl. 285：
Heydrich to Stapoleitstellen et al., February 17, 1937. 海德里希只提及保护
性拘禁和所谓教育拘禁（也就是返回的移居者）的犹太囚犯，但把犹太

人集中到达豪的新政策想必也适用于预防性拘留的犹太人。

252. Wünschmann, "Cementing," 589.

253. Wünschmann, "Jewish Prisoners," 158, 166. 1938 年 1 月 1 日，达豪集中营关押了 2457 名囚犯；DaA, ITS, Vorläufige Ermittlung der Lagerstärke（1971）。

254. Dillon, "Dachau," 239. See Burkhard, *Tanz*, 95 - 100; *NCC*, docs. 210 and 220.

255. ITS, ARCH/HIST/KL Dachau 4（200），Bl. 43：LK Dachau, Führungsbericht Leo L., July 6, 1938.

256. Wünschmann, "Jewish Prisoners," 164 - 65; Broszat, *Kommandant*, 167; Eicke order of the IKL, March 1, 1937, *NCC*, doc. 155. 达豪党卫队在 1935 年和 1936 年也对犹太人实施了类似的隔离。

257. Quote in Broszat, *Kommandant*, 169. See also ibid., 168; Eicke order of the IKL, March 1, 1937, *NCC*, doc. 155. 关于犹太人质，参见 Burrin, *Hitler*。

258. Quote in Hett, *Crossing*, 226. See also ibid., 220; "Die Erpresser von Dachau," *Neuer Vorwärts*, December 19, 1937; Wünschmann, "Jewish Prisoners," 164.

259. Burkhard, *Tanz*, 89 - 94; DaA, 9394, A. Lomnitz, "Heinz Eschen zum Gedenken," July 3, 1939; Litten, *Mutter*, 226.

260. NLHStA, 158 Moringen, Acc. 105/96, Nr. 104：G. Glogowski to H. Krack, August 26, 1937（感谢 Kim Wünschmann 将这份文件分享给我）。

261. DaA, 9394, A. Lomnitz, "Heinz Eschen zum Gedenken," July 3, 1939; Litten, *Mutter*, 209 - 10, 225 - 29; Jahnke, "Eschen," 29 - 33; Hett, *Crossing*, 221 - 24, 227 - 28, 236 - 45; Königseder, "Regimegegner," 357 - 60; Wünschmann, "Jewish Prisoners," 164. 死亡数字参见 DaA, Häftlingsdatenbank。

262. Barkai, " ' Schicksalsjahr. ' "

263. Evans, *Third Reich in Power*, 574 - 79, 657 - 61; Friedländer, *Nazi Germany*, 241 - 68; Longerich, *Holocaust*, 98 - 109.

264. Wünschmann, "Jewish Prisoners," 173. See Neugebauer, "Österreichertransport," 195 - 98; Riedel, *Ordnungshüter*, 195.

265. Quotes in Riedel, *Ordnungshüter*, 196; Eichmann minute, May 30, 1938, *NCC*, doc. 102. 详情参见 Wünschmann, "Jewish Prisoners," 182 -

83；Cesarani, *Eichmann*, 62 – 64；Schmid, "Aktion," 34。还有几百名奥地利犹太人与其他囚犯一起被遣送至达豪集中营。

266. 到了 1938 年 6 月，2500 名犹太囚犯被关在达豪集中营，塞满了几个新开的营房。以上内容，参见 Wünschmann, "Jewish Prisoners," 174 – 75, 186；A. Hübsch, "Insel des Standrechts"（1961），88 – 93；M. Simon to Führer der Sturmbanne, June 10, 1938, in Merkl, *General*, 119。

267. Quote in Gruner, *Jewish Forced Labor*, 3.

268. Quote in Heydrich to Kripo, June 1, 1938, *NCC*, doc. 103. 详情参见 Wünschmann, "Cementing," 595 – 97；idem., "Jewish Prisoners," 193 – 200, 205；Berkowitz, *Crime*。

269. Barkow et al., *Novemberpogrom*, 46；Stein, *Juden*, 18；Wünschmann, "Jewish Prisoners," 206；Dirks, "'Juni – Aktion.'" 犹太社区，参见 SD – Hauptamt II 112, Lagebericht, October 8, 1938, in Kulka and Jäckel, *Juden*, doc. 2509。未删节的研究，参见 Faludj, "*Juni – Aktion*"。

270. Schmid, "Aktion," 36 – 37；Stein, *Juden*, 15；idem., "Funktionswandel," 169；Wünschmann, "Jewish Prisoners," 193.

271. Quotes in Wünschmann, "Jewish Prisoners," 202；Stein, *Juden*, 22. See ibid., 19 – 24；Barkow et al., *Novemberpogrom*, 43 – 91；Report of the Amsterdam Jewish Central Information Office, July 1938, *NCC*, doc. 246.

272. Report of the Amsterdam Jewish Central Information Office, July 1938, *NCC*, doc. 246；Stein, *Juden*, 24 – 26；idem, "Funktionswandel," 169；BwA, Totenbuch. 尽管犹太人在布痕瓦尔德囚犯总数中的占比不到 20%，但在同时期的遇害者中，犹太人的比例超过 40%。

273. Quote in summary of reports by released prisoners and lawyers, late July 1938, in Barkow et al., *Novemberpogrom*, 77.

274. 在 1938 年夏天，达豪集中营关押的犹太囚犯的数目是布痕瓦尔德的 2 倍之多。在达豪集中营，从 1938 年 6 月到 8 月有 18 ~ 26 名犹太囚犯死亡（这个数据是不确定的），而在布痕瓦尔德至少有 92 人死亡。See DaA, Häftlingsdatenbank；BwA, Totenbuch.

275. 历史学家推测当局决定在苏台德危机时把犹太囚犯移出达豪，是为了给捷克斯洛伐克的囚犯腾出空间。1938 年秋天，《慕尼黑协定》发布后，确有大约 2000 名囚犯从苏台德地区被遣送到达豪集中营。See Wünschmann, "Jewish Prisoners," 189；Stein, *Juden*, 31 – 33.

276. Stein, *Juden*, 33; Neurath, *Gesellschaft*, 43.

277. BwA, Totenbuch; Stein, *Juden*, 26.

278. 我大量参考了 Wachsmann, "Policy," 139 – 40。See Steinweis, *Kristallnacht*, 16 – 17, 36 – 48; Evans, *Third Reich in Power*, 580 – 86. 引用参见 Fröhlich, *Tagebücher*, I/6, November 10, 1938, 180。

279. Fröhlich, *Tagebücher*, I/6, November 10, 1938, 181.

280. Police orders in *IMT*, vol. 25, 377 – 78, ND：374 – PS.

281. "Dr. Adler" quote in WL, B. 216, January 1939；作者的真实姓名无从得知（WL to the author, May 14, 2012）。See also Steinweis, *Kristallnacht*, 92 – 97; Wünschmann, "Jewish Prisoners," 212 – 13. 根据一份估计，多达 36000 名犹太人在清洗行动中以及之后被抓捕；Pollmeier, "Verhaftungen," 168。关于法兰克福会展中心，参见 Gerhardt and Karlauf, *Nie mehr*, 232。

282. Kulka and Jäckel, *Juden*, docs. 2607, 2628, 2633, 2856; Steinweis, *Kristallnacht*, 92 – 93.

283. Quotes in Regierungspräsident Niederbayern und Oberpfalz, Monatsbericht, December 8, 1938, in Kulka and Jäckel, *Juden*, doc. 2582; SD – Unterabschnitt Württemberg – Hohenzollern, Lagebericht, February 1, 1939, ibid., doc. 2778. 其他批评言论，参见 ibid., doc. 2624; *NCC*, doc. 296。支持拘留犹太人，参见 Kulka and Jäckel, *Juden*, docs. 2587, 2631。See Longerich, "*Davon*," 124 – 35; Evans, *Third Reich in Power*, 590 – 91.

284. Quotes in WL, B. 216, anonymous report, January 1939, translation in *NCC*, doc. 249; Stein, *Juden*, 41. See also ibid., 43; Freund, *Buchenwald!*, 36; Barkow et al., *Novemberpogrom*, 574, 608.

285. 约 6000 名犹太人囚犯到达萨克森豪森（1938 年 11 月），9828 人到达布痕瓦尔德（11 月 10 日~14 日），10911 人到达达豪（11 月 10 日~12 月 22 日）。没有犹太男人被送到毛特豪森和弗洛森比格集中营。See Pollmeier, "Verhaftungen," 171; Stein, *Juden*, 41; Riedel, *Ordnungshüter*, 198. 帝国保安部报告称将近 25000 名犹太男人在种族清洗运动之后被带去集中营；SD – Hauptamt II 1, Jahreslagebericht 1938, in Kulka and Jäckel, *Juden*, doc. 2766。

286. 据 Werner Best 所说，集中营在种族清洗运动之前有 24000 名囚犯，但他给出的种族清洗运动后有 60000 名囚犯的数据太高了；BArchB,

R 2/12164, Bl. 25 – 28; Best to RMi Finanzen, November 26, 1938。

287. 1938 年 9 月末的数据参见 Fahrenberg and Hördler, "Lichtenburg," 169。

288. Hackett, *Buchenwald*, 250.

289. *NCC*, doc. 247; *OdT*, vol. 3, 22; Naujoks, *Leben*, 91 – 92.

290. Quote in WL, B. 216, anonymous report, January 1939, translation in *NCC*, doc. 249. See Stein, *Juden*, 43 – 45; Wünschmann, "Jewish Prisoners," 213 – 14; Richarz, *Leben*, 330 – 31; Hackett, *Buchenwald*, 249.

291. Quotes in *NCC*, doc. 249; Freund, *Buchenwald!*, 38, 41. See Stein, *Juden*, 44 – 46, 55 – 56; Richarz, *Leben*, 331 – 32; Barkow et al., *Novemberpogrom*, 523 – 24.

292. Quote in Naujoks, *Leben*, 93. See Wünschmann, "Jewish Prisoners," 216 – 17; Pollmeier, "Verhaftungen," 176; Trouvé, "Klinkerwerk," 75.

293. *NCC*, docs. 247 – 49; Stein, *Juden*, 22, 27; Trouvé, "Klinkerwerk," 75; Stein, *Juden*, 44; Burkhard, *Tanz*, 117。

294. Quote in Sopade report, May 1937, *NCC*, doc. 220. 其他囚犯对犹太囚犯的虐待，参见 Barkow et al., *Novemberpogrom*, 67, 75。

295. Wünschmann, "Cementing," 580 – 81, 588, 592.

296. 例子参见 Stein, *Juden*, 50。

297. WL, B. 216, anonymous report, January 1939, translated in *NCC*, doc. 249.

298. Quoted in Wünschmann, "Konzentrationslagererfahrungen," 53.

299. Stokes, "Das oldenburgische Konzentrationslager," 207; Meyer and Roth, "Zentrale," 210; Rudorff, "Misshandlung," 46 – 47.

300. 艾克的情况，参见 BArchB, Film 44564, Vernehmung O. Pohl, January 6, 1947, p. 6; Tuchel, *Konzentrationslager*, 266; *NCC*, doc. 155。党卫队腐败的其他例子，参见 Internationales Zentrum, *Nazi – Bastille*, 54 – 56; Hackett, *Buchenwald*, 129; Riedel, *Ordnungshüter*, 204 – 14; Decker, "Stadt Prettin," 214。

301. Quote in Verordnung über eine Sühneleistung der Juden, November 12, 1938, in Hirsch et al., *Recht*, 371 – 72. 详情参见 Bajohr, *Parvenüs*, 101 – 20。

302. HLSL, Anklageschrift gegen Koch und andere, 1944, pp. 20 – 24, ND: NO – 2366; BArchB (ehem. BDC), SSO, Morgen, Konrad, 8. 6. 1909,

Bl. 854 - 64：Ermittlungsergebnis，December 5，1943. 种族清洗运动后达豪和萨克森豪森集中营党卫队的腐败，参见 Naujoks，*Leben*，92 - 93；Riedel，*Ordnungshüter*，200 - 202。

303. Quote in Broszat，*Kommandant*，170. See Hackett，*Buchenwald*，248；Stein，*Juden*，46.

304. 1938 年底死在集中营里的犹太囚犯绝大部分都是在种族清洗运动后被抓进来的。在此期间，毛特豪森和弗洛森比格没有犹太人死亡的记录，因为这两个集中营此时都没有关押犹太人（Wünschmann，"Jewish Prisoners，" 189，n. 736）。数字参见注 111 和 KZ - Gedenkstätte Dachau，*Gedenkbuch*。几百名"11 月犹太人"被释放后死于在集中营里所受的伤痛；Wünschmann，"Jewish Prisoners，" 215。

305. WL，B. 216，anonymous report，January 1939，translation in *NCC*，doc. 297.

306. Quote in H. Nathorff，manuscript，1939 - 40，in Gerhardt and Karlauf，*Nie mehr*，206 - 25，p. 225. See Kaplan，*Dignity*，129 - 44；Longerich，*Holocaust*，114 - 17，125 - 27；Distel，"'Warnung，'" 986；Wachsmann，"Policy，" 141.

307. See also Dillon，*Dachau*，chapter 4；Stein，*Juden*，65.

308. Wünschmann，"Jewish Prisoners，" 217 - 20，Heydrich quote on 217；Riedel，*Ordnungshüter*，202 - 203；Loritz quote on 203. See Stein，*Juden*，48 - 50，64 - 65，70；*NCC*，docs. 249，283，301；ITS，ARCH/KL Buchenwald，Ordner 185 A，Bl. 2：Judenaktion vom 10. 11. 38.

309. 数字参见 Wünschmann，*Before Auschwitz*；Friedländer，*Nazi Germany*，241，245，316 - 17（不包括生活在捷克受保护国和苏台德地区的犹太人）。

310. 1938 年末囚犯数目：布痕瓦尔德 11028 人，达豪 8971 人，弗洛森比格 1475 人，利赫滕堡约 800 人（数据取自 1938 年 11 月下旬），毛特豪森 994 人，萨克森豪森 8309 人。See Gedenkstätte Buchenwald，*Buchenwald*，698；Drobisch and Wieland，*System*，266，271 - 72；*OdT*，vol. 4，26；Maršálek，*Mauthausen*，123.

311. 1938 年的前八个月里，11631 名囚犯来到达豪和布痕瓦尔德；在 1939 年的前 8 个月里，4041 名新囚犯到达这两个集中营；NMGB，*Buchenwald*，698；DaA，ITS，Vorläufige Ermittlung der Lagerstärke（1971）。关于奥地利吉卜赛人，

参见 Zimmermann, *Rassenutopie*, 117 – 18；Danckwortt, "Sinti und Roma," 81。

312. Quote in Eicke to LK, March 10, 1939, *NCC*, doc. 162. See Drobisch and Wieland, *System*, 289, 308 – 309；ITS, OuS Archiv, 1.1.6.0, folder 0004/200, Bl. 47：IKL to KL Dachau, April 13, 1939；ibid., Bl. 51：IKL to KL Dachau, April 18, 1939；ibid., Bl. 52：Sipo to KL Dachau, April 18, 1939；BArchB, R 58/264, Bl. 376 – 77：Heydrich to Stapostellen, April 5, 1939；HStAD, BR 1111, Nr. 188.

313. Pohl to Himmler, April 30, 1942, *IMT*, vol. 38, 363, ND：129 – R.

314. BArchB, R 2/12164, Bl. 25 – 28：Best to RM Finanzen, November 26, 1938；ibid., Bl. 29 – 32：Haushalt, December 30, 1938；IfZ, Fa 127/1, Heydrich to Pohl, January 1939；ibid., W. Best, Vermerk, December 3, 1938.

315. 例子参见 Evans, *Third Reich in Power*, 591；Pingel, *Häftlinge*, 94。

316. 参见注 111。90 名囚犯在 1938 年 1 月到 5 月死于集中营，而 1938 年 6 月到 8 月的死亡人数是 354 人。

317. 在布痕瓦尔德，"反社会"犹太人更有可能死在 1938 年 6 月，而不是 1938 年 11 月的犹太人大清洗；Stein, *Juden*, 20, 41；BwA, Totenbuch。当时的囚犯认知，参见 WL, B. 216, anonymous report, January 1939。

318. 数据参见注 111。

319. 几位历史学家暗示说此期间全部，或接近全部的集中营死亡者都是种族清洗运动后被逮捕的犹太人（e.g., Fritzsche, *Life*, 138）。事实上，"11 月犹太人"在死亡人数里所占不到一半，总共有 969 名囚犯在 1938 年 11 月到 1939 年 1 月死在集中营。这其中至多有 453 名是"11 月犹太人"。数据参见注 111。

320. 在萨克森豪森，更多的"反社会"囚犯（141 人）在 1938 年 11 月到 1939 年 1 月间死亡，而不是犹太人（60 人）。数据参见注 111。

321. 相反，卡林·奥尔特假设说释放犹太囚犯导致囚犯死亡率急剧下降；Orth, *System*, 53。

322. 566 名囚犯在 1939 年 2 月到 4 月间死于集中营，369 名被划归为"反社会人士"（他们中有 7 个是犹太人）。数据参见注 111。

323. 数据参见注 111（1939 年的数据涵盖 6 月到 8 月）。

324. Stein, *Konzentrationslager*, 91; Naujoks, *Leben*, 122; Applebaum, *Gulag*, 68.

325. Quote in Naujoks, *Leben*, 122.

326. Poller, *Arztschreiber*, 121 – 24, quotes on 123 – 24; Röll, *Sozialdemokraten*, 94 – 97.

第 4 章 战争

1939 年 9 月 1 日清晨，希特勒穿着一身干练的灰色军装，190
在匆忙召开的国会会议上发表讲话。在不同于以往的紧张气
氛中，他向收音机前的数百万德国人宣布——这些人也包括
在点名广场上排队收听广播的集中营囚犯——德国与波兰的
战争爆发了。在他的演说中，德国俨然是受害者的角色。因
为波兰的挑衅和对德国边境的侵犯，德国不得不采取行动。
他声称在前一夜至少发生了三起严重冲突。"今晚，"希特勒
宣布，"波兰的正规军首次在我们的领土上开火。自凌晨 5 点
45 分起，我们开始反击！"[1]确实，德国与波兰在上西里西亚地
区的边境摩擦由来已久。但是，纳粹把这里当作舞台，自导
自演了一出政治大戏作为开战的借口（无论有多站不住脚），
以实现德国的野心。这出戏的剧本由希特勒和希姆莱撰写、
海德里希执导、纳粹特种兵出演。"没有人会问胜者他说的到
底是真话还是谎话。"几天前，希特勒如此直白地跟军队指挥
官们说。[2]

邪恶的剧本已经酝酿许久。8 月 31 日，预计到德国将在不
久之后展开进攻，海德里希对他在上西里西亚的部下进行了战
前动员。那天傍晚，一支乔装打扮的突击队闯进了德国边境城
镇格莱维茨（Gleiwitz）的一座广播电台。突击队队员们挥舞着
手枪，通过电波宣布这座电台已经被波兰自由战士占领。为了
让效果更逼真，背景声音中还有枪声。晚些时候，一些纳粹特

191 　别突击队队员在德国境内上演了其他几场希特勒后来在国会中提到的"波兰袭击"。参与的党卫队与警察已经在秘密地点训练了几周，他们甚至学会了唱波兰歌曲，留了胡子和鬓角，以求百分之百的逼真。模仿最精细的是发生在霍赫林登（Hochlinden）的"袭击"，一大队人穿着波兰军服，喊着波兰话，攻击并摧毁了一座德国边防站，接着还有另一群扮演德国警卫的人将他们击退。

　　为了让这场闹剧显得更真实，导演们觉得需要留下几具"暴动者"的尸体，于是开始寻找那些可以随便处死的人。最终他们的目光落在了集中营囚犯身上。在1939年仲夏的某一天，盖世太保内务部部长海因里希·米勒（Heinrich Müller）安排了对囚犯（在他口中是"物资"）的最高级保密转移。囚犯们从萨克森豪森、弗洛森比格以及其他几座集中营被送往位于布雷斯劳的监狱中，在那里，他们被单独隔离。1939年8月31日，一些囚犯被带出牢房。一名党卫队医生给他们打了麻药，套上波兰军人的制服，半死不活地塞进一辆开往霍赫林登的带有窗帘的黑色奔驰加长轿车中。袭击开始之后，这些囚犯被扔到边防站中射死。为了掩盖死者的身份，纳粹刽子手们用锤子和斧头将他们的脸打烂。之后他们还拍了现场死者的照片，这些照片被送往柏林，当作波兰攻击的"罪证"。第二天清晨，随着真正的德国陆军侵入波兰领土，特别突击队迅速将这些囚犯的尸体埋在了霍赫林登附近的森林中。[3]

　　可以说第二次世界大战的首批受害者就是集中营囚犯。而随着战争的开始，死亡人数继续增加。长达六年的战争夺走了超过6000万成人和儿童的生命，其中超过170万是集中营囚犯。[4]纳粹领导人对这些囚犯的厌恶由来已久。也许约瑟夫·戈培尔在 1938 年春天的这句话最能代表他们野蛮的想法。他在与希特勒和希姆莱私下谈论集中营之后在日记中写道："集中营里面的都是人渣。为了人民的福祉，这些人必须被消灭。"[5] 这并不是空谈。在第二次世界大战期间，几乎每座集中营都有大批囚犯死亡。尽管其中绝大多数是在战争后期死去的，但集中营体系的致命转变早在 1939 年到 1941 年间就已经开始。

战时的集中营党卫队

"战争来了，"鲁道夫·霍斯在 1947 年初回想纳粹入侵波兰时写道，"集中营内的生活也发生了巨大的转变。"[6] 从某种程度上说，霍斯所言不错。在不到一年的时间里，集中营内的囚犯人数翻了一番，在 1940 年底达到了约 5.3 万人，而且还在持续增长。一年后，截至 1942 年初，大约有 8 万人被关了起来，男女都有，许多人被塞进了新建的集中营。随着囚犯人数的增长，集中营体系也在扩张。1939 年秋天，党卫队控制着 6 座主要的集中营；而到了 1942 年初，增加到了 13 座。[7] 单独来看，集中营体系的扩张似乎是个特例。但集中营体系仍只是纳粹恐怖网络之中的一个结点，而且这个网络在战争最初的几年越来越密；已有的集中营不断翻新，新的集中营四处涌现，这些集中营、牢房、劳改所、犹太人聚居区以及地牢关着数百万男女老少。不过，并不是一切都因战争而改变了；战争并没有推动第三帝国的改革。[8] 就集中营而言，它和以前没有太大区别。党卫队仍然管理着集中营，认为没有必要将其改头换面。在后来的几年中，集中营体系这种适应和吸收改变的能力成了它最让人胆寒的长处之一。

艾克的遗产

在希特勒的设想中，与波兰的战争并不仅仅是一场普通的军事行动。他将波兰人视为种族敌人——斯拉夫人是"次等人类"，只能被奴役或摧毁——这也使得波兰战役成为纳粹的第一场种族战争。[9]这是希姆莱的时代。自 1939 年夏天开始，他的副手赖因哈德·海德里希监督了党卫队特别行动队和警察特种小队的成立，旨在追随军队的脚步与"反德国分子"战斗。[10]在纳粹入侵波兰之后，这些特种小队在德国占领的波兰地区展开了大规模破坏，抓捕政客、官员、牧师以及贵族，当然还有本地的犹太人。其他部队也开始横行霸道。到了 1939 年底，在德国胜利之后数万名波兰平民被杀，其中包括至少 7000 名犹太人。[11]

在新被占领的波兰土地上，最残暴的杀手是党卫队骷髅部队，领导人自然是特奥多尔·艾克。艾克一直视自己为"政治军人"，现在他终于可以从集中营内假想的前线来到真正的前线了。入侵时，他统领着三支党卫队骷髅兵团，从希特勒的装甲列车上向外发号施令。几周内，他的部下将村镇城市变成了废墟，抢劫、拘禁、拷打和谋杀了不少当地人。作为奖励，不知满足的艾克获许成立党卫队骷髅师，这支力量最终从集中营里分离出来，发展出自己的组织结构，艾克也永久性地从后方集中营来到了前线。几千名党卫队看守和几名集中营高级官员加入了骷髅师，占据了几乎所有要职（其中一些人后来回到了集中营）。艾克再一次将他的核心价值观——残暴、种族主义、无情——灌输给部下，他们也确实令他自豪。党卫队骷髅师在战争中犯下了无数罪行，最终成了二战中最让人胆寒的部队。[12]

被艾克骷髅师选中的党卫队队员最初在一个他们非常熟悉

的地方集结受训——达豪。1933 年，艾克作为指挥官在这里开始了他的职业生涯，六年后重回故地，他已经成了将军。1939 年 11 月 4 日，希姆莱亲临此地查看艾克的进度，发现整个营区已经变了样。为了给党卫队留出位置，达豪在 1939 年 9 月底几乎清空了所有因犯。大约有 4700 人被送往毛特豪森、布痕瓦尔德和弗洛森比格。当艾克和党卫队离开这里前往别处训练时，活下来的因犯在 1940 年 1 月又被送回了达豪。[13]

艾克走后，集中营党卫队的暴力学校失去了校长。但艾克的精神仍然长存。他所教导的核心价值已经深入集中营党卫队的骨髓。当然，作为老领导，艾克从未将自己与集中营之间的联系斩断。他的家人仍然住在奥拉宁堡的党卫队家属区。每当休假的时候，他也会到附近的集中营督察组办公室转转，喜不自胜地与他的继任者、集中营督察官里夏德·格吕克斯交流意见。[14]

里夏德·格吕克斯体格健壮，刚过天命之年。他生于 1889 年 4 月 22 日，仅比希特勒晚了两天。格吕克斯成年之后的生活几乎都在军队中度过。第一次世界大战期间，他主要在法国，参与了凡尔登战役与索姆河战役。德国战败之后，他曾短暂加入过自由军团，之后重新加入了规模大减的军队，协助非法重整军备。格吕克斯在 1931 年大萧条期间失去了工作，失业了一段时间。那时他已经是纳粹党的一员。他在 1930 年 3 月入党，1932 年 11 月加入党卫队。这位职业军人从此成了职业党卫队官员。格吕克斯很快便崭露头角，引起了特奥多尔·艾克的注意，后者于 1936 年 4 月 1 日将他任命为自己的参谋长，也就是集中营督察组的二把手。艾克是个很难取悦的人，但格吕克斯正合他的口味，办事高效且充满激情，为上司全心全意奉献自己，这点在一个主要靠人际关系和私人好恶决定前途的组织中非常重要。作为回报，艾克提前提拔他为党卫队区队长。为准备即将开始的战争，艾克的军务越来越多，集中营督察组的日常事务几乎全部由格吕克斯接管。1939 年 10 月，他被正式任命为督察官，管理集中营系统的时间长达五年，甚至比艾克还要久，一直到纳粹德国垮台。

格吕克斯对纳粹意识形态的信仰非常坚定，但他完全没有人格魅力。他似乎注定要一直被笼罩在导师艾克的阴影之中。与在前面带路、独断专行的艾克不同，格吕克斯做事优柔寡断，这在党卫队圈子内是一个严重的缺点。艾克喜欢与部下们打成一片，而格吕克斯则更愿意保持距离。党卫队这种激情澎湃、称兄道弟的世界并不适合他。"我的生活非常朴素，不喝酒，也没什么激情。"他在 1935 年这样写道。一些集中营高级官员对他持怀疑态度，因为他从来没有在集中营内部工作过，认为他只是个坐办公室的文官。他的上司对他更有信心一些，但格吕克斯从没能赶上艾克。虽然他是希姆莱的直接下属，但两人并不亲密，也很少见面。[15]希姆莱并不是因为积极性和领导能力才提拔格吕克斯，而是因为在他身上看到了延续性，他能长期在这个位置干下去，进一步巩固前任所留下的遗产。

任命阿图尔·利布兴切尔（Arthur Liebehenschel）为格吕克斯的副手也是出于同样的考虑。当了格吕克斯十多年的下属，利布兴切尔也是一名职业军人，在德军服役 12 年后于 1931 年作为士官退役。几个月之后，他便被招募进入党卫队；1934 年夏天加入集中营党卫队，并在其中度过了几乎整个第三帝国时期。作为副官，利布兴切尔在利赫滕堡集中营获得了实践经验，之后在 1937 年夏天前往集中营督察组任职。他被任命为政治办公室主任，与格吕克斯密切共事，后者非常欣赏他的管理技巧。不过其他一些同事认为利布兴切尔为人软弱，用"感性""安静""友善"这些字眼形容他。在集中营党卫队尚武的氛围中，这些都是骂人的话。鲁道夫·霍斯曾与利布兴切尔比邻而居，两家一起生活在萨克森豪森环境优美的党卫队家属区中，孩子们也常常一起玩耍。霍斯曾将他形容为"连苍蝇都不忍伤害"的男人。但事实上，利布兴切尔与集中营督察组那些越来越残忍的政策有直接关系。他后来成了奥斯维辛集中营的指挥官，得以一展自己的本性。[16]

在战争初期，集中营的行政事务由格吕克斯与利布兴切尔掌管，两人在艾克的教导下对此驾轻就熟。而延续性也是各个集中营内部的关键词，至少在集中营指挥参谋部是这样。那里的关键岗位，从高级官员到分区主管几乎都由党卫队老队员担任。1939 年到 1942 年，由格吕克斯提拔的 11 名指挥官大多曾在集中营内担任要职，艾克的价值观早已被他们内化于心。[17]比如在新成立的诺因加默集中营（Neuengamme）担任指挥官的马丁·魏斯（Martin Weiss）。他是第一批集中营党卫队队员，在 1933 年 4 月开启了他的职业生涯，那时他 27 岁，在达豪集中营担任看守。之后他被调至指挥参谋部，自 1938 年起担任副官。作为一名电子工程师，魏斯受到的教育比许多同事更好。但他同他们一样在魏玛时期混迹于激进民族主义的圈子，在纳粹运动刚刚起步时便成了积极分子。魏斯代表了一类新群体——他在艾克的教导下成了恐怖活动的技术专家，在二战期间活跃在一线。魏斯视集中营为自己崇高的事业：就像其他人成为军人或警官，他成了集中营指挥官，这让他非常自豪，甚至在私人笔记中都如此称呼自己。[18]在集中营的日常管理工作中，魏斯和

195

其他指挥官一样几乎不需要上面给予什么鼓励。督察官格吕克斯要的不是官员，而是懂规则敢行动的人，他很愿意让他们自治。根据鲁道夫·霍斯的说法，格吕克斯经常回避指挥官们的提问："你们都比我更了解实际情况。"[19]

不过，尽管掌握着巨大的权力，战争早期的集中营指挥官却从未独裁过。格吕克斯和手下的督察组官员们与各个集中营保持着定期联络，在劳动、惩罚、转移、升职、纪律以及其他许多方面下达指令。督察组也更新了艾克原先的集中营规定。[20]一些指挥官抱怨说奥拉宁堡这些坐办公室的下的指令"不切实际"。[21]虽然他们会回避一些核心规定，但大部分时候还是会按照指令行事。指挥官们也源源不断地向督察组送去最新的统计数据，包括每日因犯人数和种类的更新，以及每月因犯的死亡人数和死因。[22]当然，因为各个集中营指挥官文过饰非，督察组并不能从数据中得到一个完整的图景。"集中营的真实情况是无法从这些文件和简报中获知的。"鲁道夫·霍斯曾如是说。[23]但集中营督察组并不只是读读文件。他们会视察集中营，并且定期召集各地官员前往奥拉宁堡。保持这种非正式联络对集中营党卫队非常重要。[24]总的来说，集中营督察组一直密切监控着各个集中营。

其他机构与个人也在影响着集中营。警方继续保有强大的权力，负责逮捕与释放，规定集中营因犯的进出，并积极参与许多内部事务。[25]党卫队其他分支机构也会影响集中营，其中最有力的便是奥斯瓦尔德·波尔繁荣的商业和行政帝国。另外，一些最重要的决策来自纳粹政府的顶层。海因里希·希姆莱的个人权力在战争期间达到了顶峰；在所有借希特勒狐假虎威的人中，希姆莱是第一位的，远胜其他更资深的对手。尽管日程越来越满，希姆莱却仍对自己发明的集中营抱有浓厚的兴趣。他继续在各个层面参与其中，从重要决策到细枝末节，有时甚至越过警方与督察组。[26]事实上，党卫队官员们很难摆脱希姆莱的纠缠；仅在 1940 年，他的行程中安排前往集中营和其他相关场所就至少有九次。[27]集中营仍然是希姆莱的集中营。

更换看守

虽然集中营党卫队的高层一脉相承，但下层的情况发生了很大变化。1939 年秋天，在入侵波兰之后，大量接受过长期军事训练的看守离开了，估计有 6500 ~ 7000 名党卫队队员加入了党卫队骷髅师。[28]留下的空缺由新招募进来的人填上，新人经过短暂的训练便上岗，大部分人被分入看守团当哨兵。[29]老队员们将基本的事务交给他们。去军队走马上任之前，特奥多尔·艾克将萨克森豪森集中营负责训练新人的党卫队队员召集起来。艾克要求他们教会新人对囚犯毫不容情，必须消灭所有的敌人与坏人。[30]党卫队的刊物也在提醒新看守牢记自己的职责，反复写一些看守们尽士兵之责的陈词滥调。[31]后来，随着集中营党卫队不久之后被归到武装党卫队（它包含了党卫队所有的军事组织）的旗下，集中营党卫队和作战部队之间虚构出来的平等关系又多了一份说服力。[32]

战争持续的时间越长，党卫队的组成就越多样化。这种趋势在 1939 年秋天就已经开始。补充来的新人比艾克那些"目光炯炯"的年轻人要老许多。他们原本是普通的党卫队队员，许多人都已经是四五十岁，被认为不适合派往前线。[33]布痕瓦尔德囚犯瓦尔特·波勒（Walter Poller）后来回忆，这些新看守都是"一些年纪大的、身体有些小毛病的党卫队队员"。[34]他们不仅外表不符合理想的党卫队队员形象，许多人也没有战前那批志愿者的热情。尽管他们原先接受过一些短期军事训练，或是在一战时有作战经验，但他们还是经常因为无能被集中营党卫队老兵们批评。[35]一小部分新来的甚至坏了规矩，对囚犯展露出人性的一面。经历了德意志帝国和魏玛共和国，他们有自己的是非观，并没有因为集中营就抛弃原则。[36]比如在达豪集中营，一名年龄偏大的党卫队队员向囚犯们坦白，他为自己的工作感到不齿，一点儿也不想对那些"无助绝望的人"开枪。[37]

可是，新看守们被逼得很紧。集中营督察官格吕克斯在1940年初曾经签署了一份雷霆之令，威胁将对所有"软弱的人道主义者"严惩不贷；新看守们不得不将囚犯作为"国家最危险的敌人"那样对待。[38]此类提醒和警示持续不断。[39]随着时间的推移，该种做法也许有些作用；一些原来无法忍受这份工作的新手很快就适应了。许多新来的看守吸收了集中营党卫队的精神，变得惯于使用暴力，就像占领欧洲大陆后的纳粹杀手小队逐渐习惯了自己血腥的工作一样。[40]在一封私人信件中，一名刚刚来到弗洛森比格的新兵表达了"自豪"之情，因为他在集中营内保护了德国免受"流浪汉和国家公敌"的侵害。[41]

集中营的指挥官们也不断给自己的部下施加压力，不管是新人还是旧人。在战争初期逼得最紧的就是布痕瓦尔德集中营的指挥官卡尔·奥托·科赫，从他在1939年秋冬的一道道指令中就可见一斑。科赫斥责自己的部下懒惰、愚蠢、无能，囚犯们工作不够辛苦。他责骂说，建筑工地肮脏不堪，产出"几乎就是零"，纪律也"败坏"了。[42]囚犯的营房也差不多一个样，因为"麻木不仁"的党卫队分区主管几乎"睡着了"。[43]科赫继续怒斥道，部下一点儿都不主动，把所有工作都推给他。"用不了多久，"他在 1939 年 10 月冷冷地说，"我保证要让你们所有人用鞭子抽自己的屁股。"[44]更糟糕的是一些党卫队队员和囚犯同流合污。有的囚犯去营地禁区搜寻食物，看守们不但不惩罚他们或开枪，反而要求他们给自己带点儿蔬菜回来。"真是个与罪犯套近乎、互利共赢的好办法。"科赫嘲讽道。[45]

科赫从来就没有放下过惩罚的念头，当然，他的主要目标还是囚犯。[46]但一些堕落的党卫队队员也需要严惩，比如进行一些特殊的拉练。[47]科赫一直通过党卫队内部的密探偷偷监视着部下，1939 年 11 月末他做出了一个惊人之举，将所有的分区主管关了两周禁闭。即便是那些生活在营区外的已经成家的党卫队队员也不许离开。[48]而对那些不守规矩的党卫队队员，科赫不止一次提到，他们最终的下场就是沦为集中营的囚犯："那些与囚犯搅和在一起的人也会被当作囚犯对待。"[49]其他集中营官员也做过类似的威胁，偶尔会付诸实践；在萨克森豪森集中营，一名党卫队队员被当众鞭打，原因是他接受了贿赂（来自囚犯家属），给予某些囚犯特殊优待。[50]

科赫的激烈言辞激怒了布痕瓦尔德的许多党卫队队员。对他们来说，指挥官科赫是个表里不一的伪君子，因为他自己腐败至极。与大部分党卫队队员的小偷小摸不同，科赫有更大的野心，他的贪婪如他的残忍一般强烈。在 1938 年的种族清洗之后，他已经对外展示了他的绝情。当时他一步一步地劫掠犹太囚犯，到了战争时期，他表现得更为明目张胆，从囚犯身上聚敛财富，偷偷将数万德国马克转移到秘密账户中，还私藏从死去的囚犯嘴中撬出的黄金。他将赃款花在美酒佳肴和魏玛的情妇们身上，还给自己买了艘游艇，扩建了他的奢华别墅。科赫活得如同党卫队国王一样。他做得最出格的一件事就是 1940 年

198

2月，他在靠近囚犯食堂的地方为自己和妻子建了一座带镜子的室内马术馆。他妻子早晨经常在里面练习，伴着集中营的管弦乐队奏乐助兴。可是，囚犯们为她的享乐付出了生命的代价；在修建这座马术馆时，几十名囚犯因为赶工期而死去。

最终科赫作茧自缚。他疏远了太多营内外的党卫队队员，包括比他更高层的地区党卫队和警方官员。这些官员最终于1941年底下令逮捕科赫［继他之后担任布痕瓦尔德集中营指挥官的是赫尔曼·皮斯特（Hermann Pister），他此前管理过规模较小的辛泽特特别集中营］。但科赫的故事并没有就此结束。作为集中营党卫队的关键成员、艾克的门生，他仍然有许多有权有势的朋友。在希姆莱介入之后，科赫很快便被释放了。[51]在缓刑期间，他于1942年1月被派往纳粹新占领的波兰，管理一座新营。科赫是幸运的，集中营体系在战争期间扩张迅速，给了他再次施行暴力、贪污和虐待囚犯的机会。[52]

新囚犯

希特勒一直认为第二次世界大战有两条战线。在前线，德国人是为了生存而斗争。但在国内还有另一场战争也在进行，德国人必须直面内部敌人。自1918年战败之后，希特勒就对国内战线念念不忘。他（像所有德国人一样）将第一次世界大战的失败归罪于公民道德的败坏以及犹太人、共产党人、社会民主党人、罪犯和其他人"背后捅刀"。[53]吃一堑，长一智，希特勒在国会宣布攻击波兰时发誓说："在德国的历史中，1918年11月的历史绝不会重演！"这个战斗口号他后来在二战期间重复了一次又一次。[54]

国内战线是希姆莱的主场。他的恐怖武器在1939年9月27

日得到了巩固和统一——秘密警察与帝国保安部合二为一，成为帝国中央安全局（RSHA），由海德里希领导。帝国中央安全局很快成为纳粹镇压的主要工具。在接下来的几年中，所有最为激进疯狂的举措都是由帝国中央安全局组织的。这是纳粹又一个无法无天的新机构，里面充满年轻、有野心且受过良好教育的狂热分子。[55]

在战争刚刚爆发时，警察的扫荡就开始了，将更多的德国人赶进了集中营。根据最新的潜在"国家敌人"的名单，盖世太保抓走了几千名政治嫌疑人，主要是德国共产党和社民党的前积极分子。[56]有些人在战前便在集中营待过，现在他们又回到了自己最害怕的地方。[57]同时，刑事警察们借战争的机会清除德国社会的边缘分子。1939 年秋天，他们抓捕了"不愿工作者"、"居无定所的吉卜赛人"和"精神变态的罪犯"，以及男同性恋者和妓女。[58]集中营内的社会边缘分子数量也因此再度逐渐升高，到 1940 年底时稍稍超过两年之前的水平，超过 1.3 万名囚犯处在保护性拘禁中。[59]德国犹太人也在警方的追捕名单上。早在 1937 年 9 月 7 日，刑警便下令从前在集中营内待过的犹太囚犯如果还没有离开德国的实际行动，就应该被再次逮捕。事实上在此时逃离德国已经成为不可能的事。"高效"工作的犹太人可以不被逮捕，年老和生病的犹太人也可以暂时逃过一劫。[60]

关押德国犹太人、政敌以及社会边缘分子延续了战前的做法。战时的新变化是开始大规模逮捕外国公民。随着纳粹德国在欧洲大陆的战事连连告捷——1939 年征服波兰，1940 年 4 月占领丹麦，5 月将荷兰和比利时收入囊中，6 月又攻下了法国和挪威——越来越多的外国人被关进集中营。在第三帝国初期，集中营被认为是针对德国人的武器；十年之后，它们威胁到了所有欧洲人。

自 1939 年秋天起，外国人开始大量进入集中营。首当其冲的是捷克人。战争开始时，纳粹占领区的管理当局逮捕了数百名政客和官员作为"人质"，以威慑残存的抵抗力量。不过捷克人民并没有就此屈服，在布拉格和其他地方的大学内都出现了大规模示威运动。纳粹当局很快击碎了示威行动并将更多的人关进集中营，这明显是希特勒的指示。[61] 最多的一批捷克犯人有 1200 人，他们于 1939 年 11 月被送到萨克森豪森集中营。这批人中包括伊日·沃尔夫（Jiri Volf），他和同学们一起从宿舍被抓走，他后来回忆起党卫队的"欢迎仪式"时说："迎接我们的是劈头盖脸的警棍，我被打掉了四颗牙。"[62]

其他外国政治犯的处境更为糟糕，比如那些在西班牙内战期间支持过行将就木的共和国的人。佛朗哥胜利之后，许多左翼老兵带着家人前往法国寻求政治避难。许多人在那里加入法军，最终落入了纳粹的魔爪。赖因哈德·海德里希下令将这些人关进集中营，于是大部分被送往毛特豪森——当时最为严酷的集中营，成了关押外国政治犯的主营。第一批囚犯在 1940 年 8 月 6 日到达，在此后的一年时间内，超过 6000 人被送进该营。其中有一部分是在国际纵队中服役过的德国人和奥地利人，但绝大多数还是西班牙人，也就是纳粹口中的"红色西班牙人"。[63]

虽然纳粹在侵占的欧洲大陆内四处抓人，但集中营并没有在一夜之间变得国际化；总体来讲，在 1941 年夏天前外国囚犯仍然只占据很小的一部分。只有一个例外——波兰囚犯。就如前文所述，纳粹入侵波兰的过程伴随着极端的暴力，占领国土仅仅只是个开始。在接下来的几个月中，一个残酷的政权被建立起来，旨在摧毁波兰，掠夺其经济资源，奴役其国民。其中一个激进的计划便是在归入德国版图的波兰西部进行种族清洗。到 1940 年底，超过 30 万波兰人从那里迁往所谓的总督府——纳粹控制下的波兰东部，归德国民政管理局管理［该局由汉斯·弗兰克（Hans Frank）领导］。[64]与此同时，占领波兰也令纳粹的反犹政策变得更极端。[65]

德国控制下的波兰笼罩在恐怖的氛围之中。在侵略之前，纳粹就准备好开展大规模逮捕行动。1939 年 8 月底，赖因哈德·海德里希期望他的部队能够将 3 万人关进集中营，这比当时所有集中营的囚犯加起来还多。[66]第一批波兰囚犯于 1939 年秋天抵达集中营，其中有参加抵抗运动的战士以及知识分子，包括 168 名克拉克夫大学的学者。[67]不过来自德占波兰的囚犯数量仍远少于党卫队的预期。

更多的波兰人是 1939 年秋天在原德国境内被逮捕的；警方高层一直想要清除波兰犹太人，制裁那些长年生活在德国和奥地利境内的人。[68]在接下来的一年，随着平民工人大规模拥入，警察针对德国核心区波兰人的恐怖行动进一步扩大。纳粹政权决心要将战争的负担转嫁到别人身上，进一步剥削外国劳工。早年间大部分是波兰人，其中一些是自愿来的，被纳粹承诺的美好生活蒙蔽；更多人则是被逼迁往西部。生活艰难，纪律严厉，警察一直相伴左右。偏见与多疑一直深深植根于警察的脑海里，他们视波兰劳工为潜在的窃贼、恶棍和强奸犯。只要违反了那些严苛的规定——无论是否成文——就将被严厉惩处，尤其容易被送往集中营。[69]

在波兰的大规模逮捕行动也越来越频繁，与希姆莱所期望的一样，数不尽的囚犯在 1940 年春天被送往集中营。在给他们定罪时，盖世太保往往只是走个过场，写一些诸如"属于波兰知识分子阶层，心怀抵抗情绪"的话。仅在达豪一地，便有13337名波兰人在1940年3月到12月间到来，其中大部分来自德占波兰。在达豪被设计成重点关押神职人员的集中营之后，数百名波兰牧师被关了进来。[70]

在一些老一点的男子集中营，波兰囚犯的人数很快就可以和德国囚犯的人数相抗衡。[71]拉文斯布吕克女子集中营也受到了影响；1940年4月，超过70%的新囚犯是波兰人。在接下来的几个月里，越来越多的波兰女人来到拉文斯布吕克，其他囚犯开始怀疑希特勒是不是决定要"将波兰人完全消灭"。[72]

扩张集中营体系

海因里希·希姆莱从不认为他的集中营体系会停滞不前。1938年11月，他对党卫队高层坦白地说，在战争期间现有的集中营体系将"无法满足我们的需求"。毫无疑问，他担心再一次被"背后捅刀"，他的对策非常明确：需要逮捕更多的人，需要更多的地方。[73]希姆莱的愿景很快得以实现，不过就连他也没有预见到自己恐怖武器的规模——几百座肮脏巨大的集中营如雨后春笋般建立起来。

202　　　　最终的浩劫距此时还有几年时间。不过，战争爆发后这种大规模的逮捕很快便造成集中营里拥挤不堪。到了1939年底，集中营的囚犯数量已经升至大约3万人，党卫队领导人四处寻找建立新营的地点。[74]差不多就在这时，海因里希·希姆莱下令调查从战争开始以来究竟建立了多少临时集中营。最初，他想阻止纳粹地方官员像1933年时那样自己经营集中营。"集中营必须在我的授权之下才可以建立。"他在1939年12月时说道。但希姆莱也在考虑将其中一个临时营纳入他的正式集中营编制。[75]

他的几名副手，包括集中营督察官格吕克斯都建议"为东方"建立一个新集中营来关押波兰囚犯。[76]在深思熟虑之后，党卫队选定了波兰边境城市奥斯维辛（Oświęcim），该城位于卡托维兹（Katowice）的东南部。奥斯维辛在 1918 年前属于哈布斯堡帝国的一部分，在二战开始后不久便被占领，并和上西里西亚东部的其他地方一起，在 1939 年 10 月底被纳入德意志帝国版图。而在那之前，占领该地的德军便象征性地重新命名了该城，将它变回之前的德语名字奥斯维辛（Auschwitz）。[77]

奥斯维辛集中营的起源可以追溯到第一次世界大战，当时在城外曾有一处去德国打季工的人口聚居区。后来大部分地面建筑，包括砖房和木制营房被波兰军队占用。直到 1939 年 9 月，这里又被纳粹国防军占据，变成了一座战俘营。不过到了年底便被再次关闭，整座营地人去楼空，当然，空置的时间并没有很久。[78]1940 年初，党卫队专家多次前往该地视察，考虑在该地建立集中营的优势和劣势。在他们眼中这里并不完美，建筑物坍塌，地下水的质量也不好。最糟糕的是索拉河和维斯瓦河在附近交汇，一旦发洪水，这片土地便有被淹的风险，而且潮湿的环境容易滋生各种昆虫。不过，党卫队队员们也记录了几个好处。这里已经建设好，附近就有一座火车站，可以很好地避开外人的视线。最终优点战胜了缺点。1940 年 4 月，地面施工开始了。[79]面对战时的新需要，集中营党卫队随机应变，并没有履行为集中营专门建设新建筑的政策，而是回归老方法——改造现有的建筑结构。

奥斯维辛集中营于 1940 年 6 月 14 日正式投入运营，第一批波兰囚犯来到了这里：728 名来自克拉科夫旁塔尔努夫

（Tarnów）监狱的男犯人，穿越边境来到总督府内。他们中大部分是年轻人，包括学生和士兵，被指控参与各种各样的反德活动。[80]一到奥斯维辛集中营，他们便被党卫队队员和30名来自萨克森豪森集中营的审头殴打，这些审头三星期前就已经来到这里。很快，波兰囚犯的衬衣和外套上便浸满了汗与血。21岁的维斯瓦夫·凯拉（Wiesław Kielar）便在其中，他的囚号是290。他与其他囚犯在点名广场站好，聆听新集中营的一位领导——一级突击中队长卡尔·弗里奇（Karl Fritzsch）的讲话。弗里奇原来驻扎在达豪集中营，现在成了奥斯维辛120名党卫队队员其中的一员。他告诉他们这里可不是疗养院，而是一个德国集中营。"我们很快就知道了，"凯拉后来写道，"到底什么是集中营。"[81]

奥斯维辛集中营指挥官的位置落到了一位资深的集中营党卫队队员身上。在一次对奥斯维辛的视察之后，鲁道夫·霍斯于1940年5月4日正式走马上任（由希姆莱任命）。当上了指挥官，精力旺盛的霍斯迫切想把他在达豪、萨克森豪森的所学应用于实践。对于100多万囚犯来说，奥斯维辛意味着死亡；而对霍斯来说，奥斯维辛是他的生命。当他来到这里时，霍斯憧憬在他的掌管下，这里能成为一座新的模范营。不过他现在接管的这片墙倒屋塌的土地离他的梦想还很远。施工初期，木材和砖头紧缺，霍斯甚至没法在他的营区周围建起围栏："我不得不去拿一些铁丝网所需的材料。"[82]

就连党卫队都承认奥斯维辛是一片荒地，不过这并没有阻挡它扩张成为最大的集中营之一。[83]1940年底，奥斯维辛集中营启用仅半年后就有将近7900名囚犯被转移过来。他们被关在单层或两层的砖头房屋中，这些房屋原来是军队的营房。[84]随着营区面积不断增加，在接下来的几年里更多囚犯相继到来。到了1942 年初，奥斯维辛已经成为除毛特豪森之外最大的集中营，关押了将近 1.2 万人。该营存在的目的主要是与占领地的人民做斗争，营内超过四分之三的囚犯都是波兰人。[85] 今天，奥斯维辛已成为大屠杀的同义词，但在建立初期，其主要是为了在波兰的土地上实行德国统治。[86]

　　除了奥斯维辛，党卫队在 1940 年春天到 1941 年夏末之间还建了另外四座男子营。[87] 第一座是汉堡附近的诺因加默集中营。这里原先是萨克森豪森集中营的卫星营，希姆莱 1940 年 1 月份来视察之后，这里便被升为一座主要的集中营。党卫队从萨克森豪森调来了大批囚犯修建新营。囚犯们每天要在冷雨霜冻中工作 16 个小时。一名囚犯回忆说，刚开始土地完全是冻住的："我们必须为营房打地基，铁锹甚至比我们自己还重。"　204
1940 年 6 月 4 日，幸存的和新来的囚犯被转移到了还没建成的新营区。大约 800 名囚犯被塞进三座还没完工的营房。不过，营区扩张很快，到了 1941 年底，诺因加默集中营的囚犯人数达到了 4500 ~ 4800 人。[88]

　　格罗斯 - 罗森集中营是另外一座主要的新营。它原先也是一座卫星营，坐落在下西里西亚史特里高镇（Striegau）附近的一座小山上。从 1940 年 8 月初开始，这里就成了萨克森豪森的前站。第一批囚犯被关进了用栅栏围起来的两座临时营房。希姆莱在 1940 年 10 月底亲自来这里视察。转年的春天，也就是1941 年 5 月 1 日，格罗斯 - 罗森营被升成主营。最初因为缺乏扩建资金，它的规模相对较小，截至 1941 年 10 月 1 日只容纳了不到 1185 名囚犯。[89] 它成为大规模监禁地和屠杀场的日子还很远。

与格罗斯－罗森集中营同期而建的第三座主营是纳茨维勒集中营（Natzweiler），它坐落在阿尔萨斯孚日山脉（Vosges Mountains）的一座陡峭的小山上，周围是秀美的田园风光。纳茨维勒最开始也是一座小营，首批 300 名囚犯于 1941 年 5 月底来到这里。就像其他新营一样，党卫队在建营期间也需要随机应变。囚犯们起初被关在临时建筑中，党卫队的行政机构则在斯特鲁托夫（Struthof）的旅馆中办公。[90]像格罗斯－罗森集中营一样，纳茨维勒扩建的速度大大落后于党卫队之前的预期；直到 1943 年底，纳茨维勒才达到了容纳 2500 名囚犯的初始目标。[91]

党卫队新建的最后一座集中营坐落于威斯特法仑（Westphalia）的帕德伯恩（Paderborn），源自希姆莱自己的奇思妙想。他崇尚神秘主义，希望建立一座党卫队的精神家园，于是选定了下哈根（Niederhagen）的维威尔斯堡（Wewelsburg），这是一座文艺复兴时期的城堡，从 1934 年起变成了巨大的党卫队神殿。1939 年 5 月，德国出现严重的劳动力短缺，于是希姆莱召集集中营的囚犯帮助他完成这项工程。最开始，这些人被关在城堡对面山上的一个小型劳动营中，那里是萨克森豪森集中营的卫星营之一。但到了 1941 年 9 月 1 日，希姆莱将它变成了一座正规的党卫队集中营。不过因为其特殊的情况，它一直是所有主营中规模最小的。1942 年初，这里只关押了不到 600 名囚犯。虽然人数不多，但它像其他集中营一样致命。一些囚犯死在了采石场里，一些囚犯在修建城堡北塔下的"地窖"（应该是用来朝拜党卫队领袖的场所）时死去。希姆莱诡异的设想直到最后也没有完全实现。到了 1943 年初，德国将越来越多的资源投入战争，即使他也无法推进这项工程。幸存的囚犯们被送往其他

地方，这座主营也在 1943 年 4 月 30 日关闭。总体来看，下哈 205
根集中营存在了不到两年时间。[92]

集中营体系虽然在战争初期迅速扩张，但并没有相互割裂。
没过多久，新营的生活就和老营别无二致。这其中有许多原因，
从宏观来说，所有集中营都在集中营督察组和帝国中央安全局
的统辖之下。从微观来说，集中营间还有着许多个人联系。五
座新集中营的第一批审头都来自萨克森豪森集中营。这些人使
集中营扩张成为可能，很快便融入他们本就熟悉的日常操行。[93]
他们的党卫队主子多年来也一直浸淫于集中营。新任指挥官都
是如霍斯一样有野心的青年官员。党卫队领导人也借此机会给
了那些失败的老人第二次机会，就像卡尔·奥托·科赫那样。
另外一个受益者是格罗斯－罗森集中营的第一任指挥官阿图
尔·勒德尔（Arthur Rödl），他曾经在利赫滕堡集中营、萨克森
堡集中营和布痕瓦尔德集中营担任高级官员。勒德尔无论去哪
里都会冒犯上级；上司们抱怨他没什么能力，字也认不全，根
本不配担任这样的职位。连特奥多尔·艾克都觉得他是个笑话，
但也没办法摆脱他。作为一名参加过 1923 年政变的纳粹坚定分
子，勒德尔被塑造为模范，受希姆莱保护。1941 年升职成为格
罗斯－罗森集中营指挥官是他最后一次证明自己价值的机会。[94]

这些新营为散布战争的恐惧添砖加瓦。如前文所述，奥斯
维辛集中营被设计成打击怀有异见的波兰人民。而其他三座新
营——诺因加默、格罗斯－罗森和纳茨维勒集中营也有政治功
能。三座集中营都建立在德国边境附近，目的是进一步驯服占
领区的人民。诺因加默集中营靠近丹麦和荷兰，成为德国西北
部最重要的集中营。纳茨维勒集中营则建立在新占领的法国领
土上。格罗斯－罗森集中营位于德国东部，位于被占波兰与波

希米亚和摩拉维亚保护国之间，一开始便有约四成囚犯来自波兰和捷克。[95] 不过，战争早期集中营体系的扩张并不仅仅是为了散播恐怖，也是为了强制劳动。随着德军实力越来越强，党卫队的经济野心也在逐步增大。

砖与石

在全面战胜法国之后，阿道夫·希特勒完成了一个夙愿：简短地游览了这个自己与之斗争了二十多年的国家，一血 1918 年德国惨败的前耻。1940 年 6 月 28 日早晨，出访的重头戏到了，希特勒的奔驰车队开进巴黎。法国的首都在夏日的晨光中微微发亮，希特勒仔细地审视他的战利品，像游客一样游览着。在游览过程中，他担任起导游的角色，向随从们讲述他从书本上看到的巴黎历史、艺术和建筑的细节。其中一名阿谀奉承的随从就是阿尔贝特·施佩尔，他被邀请前来分享导师的喜悦。

晚上回到临时指挥所，兴致不减的希特勒命令施佩尔加速推进重建柏林和其他所谓元首城（汉堡、林茨、慕尼黑和纽伦堡）的重大计划。该计划在战争开始之后就陷入停滞。希特勒称之为"德意志帝国最重要的建设计划"，一直持续了十年。不过，希特勒为什么把范围限定在这几座城市呢？希特勒相信，德国人在欧洲的统治将持续千秋万代，所以必须向世界展示出引以为豪的一面。到了 1941 年初，他的计划扩展为改造 20 多座德国城市，他憧憬着新的街道、广场、剧院和高塔。[96]

党卫队像施佩尔一样渴望帮助希特勒梦想成真，在战前便开始与施佩尔的办公室合作，两者的关系变得史无前例地紧密。施佩尔需要建筑材料，于是党卫队希望由自己的德国土地与采石公司来提供。施佩尔非常愿意为其提供资金援助，到 1941 年中期，他至少为德国土地与采石公司提供了超过 1200 万德国马克，助其成长为一家中型公司。[97]而实际的工作则落在了集中营囚犯身上。1940 年 9 月，希姆莱在对党卫队官员的一次演讲中说道，为了元首伟大的建筑，囚犯们"采石烧砖"是非常必要的。[98]

不仅仅是土地与采石公司，整个党卫队的经济版图都在扩张，战争初期是其发展最辉煌的黄金阶段。[99]整个经济仍由奥斯瓦尔德·波尔掌控，他将几名经验丰富的管理者升至顶层，决心将他的草台班子变成专业团队。[100]并不是所有的生意都依赖强制劳动，至少初期还不是。但对囚犯的剥削仍然是党卫队经济发展的基石。此时，由于私人企业还未对集中营产生任何真正的兴趣，党卫队可以随心所欲地支配囚犯。[101]

强迫囚犯劳动刺激了德国设备厂（DAW）的快速发展，这是一家党卫队企业，将许多集中营的作坊都纳入其中，生产从面包到家具等一系列产品。该厂于 1939 年 5 月建立，在战争开始后逐步成形。到了 1940 年夏天，达豪、萨克森豪森、布痕瓦尔德的制造车间都被纳入其中。到了 1941 年初，共有 1220 名囚犯在三座集中营中为德国设备厂工作。在接下来的几年里，设备厂进一步扩大，成了党卫队经济系统内最大的企业。[102]另外一家主要的党卫队企业被冠以德国营养与供给实验所（DVA）的大名。该所于 1939 年 1 月成立，也在战争期间迎来了快速成长。其领军产业就是在达豪农场的园艺和草药种植，并很快成为营内最大的生产队伍之一。到了 1940 年 5 月，大约有 1000 名达豪囚犯每天在园内耕作。[103]而对于奥斯维辛集中营的农业生产计划，党卫队官方有着更大的野心（基本上脱离实验所独立运营）。希姆莱一直密切关注着计划的推进，他希望能在德国东

207

部迎来一个巨大的突破。[104]

希姆莱的注意力很快就转移到了奥斯维辛一项野心更大的计划上——党卫队和私企的合作首次展开。1941 年初，化工巨头法本公司（IG Farben）决定在波兰小镇德沃里（Dwory）建一座巨大的工厂，离奥斯维辛所在的镇子只有数英里的距离。法本公司本来是被当地丰富的资源和便捷的交通吸引，后来对当地集中营的廉价劳动力持欢迎态度（每名囚犯每天的工钱只有 3 或 4 德国马克）。希姆莱立刻抓住了和该企业合作的机会，希望借此提高党卫队的专业性和经济地位。在里夏德·格吕克斯的陪同下，他于 1941 年 3 月 1 日首次到访奥斯维辛集中营。在那之后他下令扩建集中营，其中一部分原因便是给法本公司提供更多工人。不久之后，1941 年 4 月中旬，第一批囚犯工人开始在法本公司新厂的工地周围工作，这里计划要建一座生产合成机油和橡胶的大型工厂综合设施。到了 1941 年 8 月初，超过 800 名奥斯维辛集中营的囚犯在条件恶劣的工地上劳作，而到了秋天，人数又进一步上升。[105]

虽然希姆莱积极推动奥斯维辛化工厂的发展，但在战争早期，他的关注点主要还是砖头与石料。1940 年，每天有 6000～7000 名囚犯在德国土地与采石公司的 6 个工地劳作。希姆莱在 1940～1941 年还亲自视察了这 6 座工地以示重视。[106]在建立新集中营时，是否适合生产建材成了希姆莱和他的党卫队管理者们重点考虑的因素。诺因加默集中营一开始就是为了制砖设立的。1938 年 12 月，它作为一个卫星营开始运行，由土地与采石公司购买的一座废弃砖厂改建而成。不过它的生产在战前一直没有真正展开。当诺因加默集中营升为主营之后，生产开始提高，在德国战胜法国之后又进一步增加。砖块的需求量非常大，尤其是为建造附近的汉堡市的建筑。[107]

在格罗斯－罗森集中营与纳茨维勒集中营，党卫队官员的兴趣点在于花岗岩而不是砖头。在格罗斯－罗森集中营，黑白花岗岩吸引了他们的目光。德国土地与采石公司于 1940 年 5 月买下了采石场，而后来将格罗斯－罗森升级为主营也是主要考虑到可以提高产量。纳茨维勒集中营的情况亦是如此，党卫队从一开始便打算在采石场中剥削囚犯。1940 年 9 月 6 日，希姆莱视察当地的采石场之后，德国土地与采石公司便在该地设厂。显然，阿尔贝特·施佩尔是看中了这里的稀有红色花岗岩，正好适合建造纽伦堡的新德国体育场。[108]

原有的集中营也受到了党卫队建筑热潮的影响，增加了更多的工厂、机器和囚犯来加快德国土地与采石公司的生产。在施佩尔的提议下，奥拉宁堡于 1940 年夏末建立了石材加工厂。而在附近，萨克森豪森的其余囚犯仍然在重建失败的奥拉宁堡砖厂。就像对其他工程一样，希姆莱密切关注着这些项目的进度。他此前承诺给施佩尔提供大量砖料，也因此在 1940～1941 年两次视察问题不断的奥拉宁堡工厂。同时，在弗洛森比格，党卫队效仿毛特豪森集中营，从 1941 年 4 月开始也建立了一座采石场。这里的采石场扩建过几次，特别是在古森（Gusen）建立新的次级营之后（从 1940 年 5 月 25 日开始正式运营）。古森位于毛特豪森西部，只有几英里之遥。因此毛特豪森成了党卫队最大的花岗岩产区，在 1940 年 7 月，平均每天有 3600 名囚犯被派往三个主要采石场生产。[109]

党卫队希望通过囚犯来提升产量，德国土地与采石公司的经理甚至希望给集中营犯人们提供石匠的技能培训。1940 年 9 月 6 日，公司与奥拉宁堡的指挥官们会谈之后，宣布所有为公司工作的囚犯将会得到优待，比如金钱、水果和单独的营房。另外，他们还用自由来诱惑囚犯，声称如果他们做得好，他们将"很有希望"被尽快释放。[110]但这些都是空头支票。实际上，囚犯们得到的福利仅限于香烟和加餐，而且几乎没有囚犯得到过这些福利。到了1941年初，只有不到600名囚犯在各个集中营接受了石匠的训练。[111]尽管如此，这种做法预示了未来事情的走向。确实，这不是集中营党卫队首次为囚犯们提供奖励。但在过去，这种奖励基本上只提供给那些维持秩序和纪律的审头。而在战争期间，意识到强制劳动的重要性之后，党卫队已经准备好为那些生产力高的囚犯提供更好的待遇。

在战争初期，党卫队经济的总体收支情况有喜有忧。除了国家补助和施佩尔的资金注入之外，党卫队还通过使诈获取收益。[112]比如他们的龙头企业德国土地与采石公司，它的采石场主要依赖人工，利润颇丰。毕竟公司的劳动力成本极低，党卫队的企业给每个囚犯的工钱微薄，每人每天不到0.3德国马克。正是这种近乎免费的劳动力才使党卫队的采石场能够盈利。[113]除了这点优势之外，土地与采石公司的其他生意都失败了。尤其在需要更复杂技术的生产上，党卫队一直无法成功，比如奥拉宁堡的砖厂就因此蒙受了前所未有的损失。[114]

从德国整体来看，战争初期党卫队的生意仍然微不足道。确实，他们为希特勒的宏伟建设计划提供了材料。但德国土地与采石公司就像整个党卫队经济一样，从未兑现当初许下的承诺：生产达不到目标，囚犯们的产出只有自由劳动力的一小半，石料的质量也不高。[115]到了1941年夏天，党卫队在经济领域的地位和战争初期相比已是一落千丈。虽然就经济方面而言，党卫队对德国的影响几乎可以忽略不计，但其对铁丝网后面的生活造成了非常严重的影响，给集中营工地和采石场带来了更多的破坏和死亡。

毁灭之路

"如果让我用一个画面体现我们时代的所有邪恶，"普里莫·莱维在他的奥斯维辛回忆录中写道，"我会选择我熟悉的画面：一个形销骨立的男人，低垂着头，佝偻着肩，脸上和眼中见不到一丝思想的光芒。"这些囚犯能动，但他们已经不是活人了，莱维继续说道："神圣的光辉已经随着他们死去。"用不了多久"他们就会消逝于无形，只剩旁边田地里的几捧骨灰"。莱维将这些没有人记得的死者称为"被淹没的人"。[116]在战时的集中营，这些男男女女有别的称呼，比如"残废"、"弃人"或是有着讽刺意味的"犹太人"（jewel）。奥斯维辛和其他几个集中营中最常用的则是这个词——Muselmänner（活死人），对女性有时则用 Muselweiber。[117]

Muselmänner 都是活死人。他们失去了一切，精疲力竭、毫无生气、饥饿难耐。他们的身体只剩下骨头，以及布满了疮与疤的干枯皮肤。他们几乎已经不能行走、思考或是说话，只能用空洞的眼神呆呆地看着前方。其他犯人认为自己最终也会沦为此类，不需要太多——一次感冒、一次殴打甚至脚上的一次疼痛——就能将一名犯人送上这条毁灭之路。起初，对食物的渴望还能让他们有一些活力，后来却成了他们死亡前最后一点生命的征兆。一些人在进食时死亡，手里仍抓着最后一片面包。[118]对活死人来说，生命和集中营里的求生策略都已经失去了意义。操练、洗涮、缝补、交易，同时保持低调——任何一点都已经无法做到。听不见了，他还怎么执行命令？已经糊涂了，

210

他还怎么遵守规矩？已经站不起来了，他还怎么踏步前进？

活死人的形象让人毛骨悚然也让人心碎，在解放后成了集中营内恐怖生活的证据。在人们的印象中，这一形象与大屠杀以及集中营体系的最后阶段紧密联系在一起。[119]但事实上，这些将死之人在很早之前就出现了。从1939年秋天开始，集中营内的条件急剧恶化，使得数千名囚犯丧生。战争初期出现了活死人的称呼。

饥饿与疾病

在党卫队残暴的"欢迎仪式"之后，初来乍到的囚犯最想不到的就是在集中营内能见到花坛。在春夏两季，营房外、党卫队建筑周围以及主干道两边到处是盛开的鲜花和打理整齐的草坪。在战争初期，集中营党卫队仍然维持着秩序与体面，为了来访的人和他们自己，将这里粉饰成一处正常的场所。"有时候，当我想到这帮盖世太保恶棍如此爱护这些花花草草，却视人命如草芥，"一名1939年来到萨克森豪森集中营的囚犯回忆说，"我就觉得非常恼火。"[120]

营房外繁花似锦，营房内苦海无边，再没有比这更强烈的对比了。营内拥挤不堪，每当有新囚犯进来，就立刻会被肮脏、患病的人体淹没。[121]虽然党卫队一直坚持让囚犯们定期清扫营房，这种惩罚性的打扫也是所谓的营内教育的一部分，但这对改变里面可怕的环境并没有什么帮助。

在战争初期，过度拥挤是集中营的一个严重问题。布痕瓦尔德是成长最快的集中营。在四周之内，它的人数增长了一倍，从5397人（1939年9月1日）变成了10046人（1939年10月2日）。[122]而萨克森豪森集中营内的人数在年内也增长了几乎一倍。[123]这给囚犯生活的各个方面都造成了影响。制服、肥皂、床铺还有其他许多东西都短缺。营房被塞得满满当当，已经超过能承受的最大容量的两倍或是三倍。到了1940年底，随着囚犯人数的减少，布痕瓦尔德和萨克森豪森集中营的情况才有所好转；在布痕瓦尔德，囚犯数量在最高峰时达到12775人（1939年10月31日），这一数字直到1943年春天才被超越。[124]新增加的囚犯被其他集中营吸收：重新开张的达豪集中营、扩张的毛特豪森集中营，以及新建的奥斯维辛集中营。这些集中营很快也变得拥挤不堪，囚犯不得不为了睡觉、洗漱和更衣空间而打斗。

211

汤越来越寡淡，面包的分量越来越少，囚犯们面临着饥饿的威胁。这种短缺一方面是因为开战之后物资紧张，另一方面也是因为党卫队故意为难。1939年9月1日，萨克森豪森的党卫队在战争开始时缩减了囚犯们的口粮，这也许是来自上面的命令；战争意味着牺牲，而囚犯们应该是第一批受苦的人。这种思想也解释了纳粹政府为何在1940年1月统一缩减官方配给。集中营囚犯（以及监狱中的囚犯）所获得的肉、油和糖远远少于普通民众，哪怕他们的劳动比普通人繁重得多。[125]更糟糕的是，囚犯们真正得到的比应得的还要少很多，因为党卫队和审头们层层克扣。盛上囚犯餐盘的往往是那些最糟糕的饭菜。上菜时"腐烂的蔬菜味充斥了整个房间"，一名萨克森豪森集中营前囚犯作证说；一些囚犯不停作呕，最终把饭都吐了出来。[126]

饥饿笼罩着营房。许多囚犯只能想到食物，有的人甚至幻想把党卫队队员的狗炖了。囚犯们常常讨论丰盛的大餐、想象中的牛排；有囚犯把不常见的可口菜肴记录下来，最终汇总成了一本食谱。就连夜晚也被饥饿占据着。1939年底的一天晚上，阿尔弗雷德·许布施（Alfred Hübsch，他是从达豪集中营临时转移过来的一名囚犯）躺在弗洛森比格营房的床上。他梦见了家乡的一个肉店，里面有各式各样的香肠，屠夫跟他说："您好好看看，想要什么我都给您。"[127]

囚犯们尽其所能养活自己。黑市非常兴旺，而那些没有资本去交易的囚犯甚至会冒着食物中毒和被党卫队惩处的风险，去捡拾腐烂的蔬菜和厨余垃圾。偷拿集中营物资的囚犯将面临更加残酷的处罚。1941 年在萨克森豪森集中营，一名法国囚犯因为从羊圈里拿了两根胡萝卜，被党卫队分区主管殴打致死。[128]越来越多的囚犯开始互相偷窃食物，甚至包括一些好同志。面包贼越来越多，一些营区长不得不出面主持公道或是在囚犯储物间巡逻，威胁对窃贼施以残酷的惩罚。但饥饿的力量有时甚至超过了被抓的恐惧。[129]

饥饿往往是灭亡的开始。筋疲力尽的囚犯们很快便跟不上工作的进度。党卫队队员们于是将他们视为不愿工作的人进行惩罚，进一步把他们推向坟墓。在弗洛森比格集中营，普通囚犯进餐的时候，所有"懒惰"的囚犯必须远离盛汤的大锅。直到其他人吃完了之后，饥饿难耐的人才被允许靠近。阿尔弗雷德·许布施吓坏了，他看见绝望的人们抢夺着食物残渣，对审头们的拳打脚踢毫无反应："他们用自己的汤勺刮着锅底，用手指去抹锅内最后一点食物。"[130]

消瘦的囚犯们更容易染上疾病。传染病在战争初期的集中营非常流行。囚犯们从劳教所、监狱和强制劳动营来到集中营时，健康状况往往已经很糟糕了。连把这些病人扔在集中营门口的警察都有些于心不忍。在萨克森豪森集中营，被运来的囚犯包括一名 80 岁的塞尔维亚瞎子，他几乎都站不直，却被列为危险的惯犯。[131]不论他们到来时健康与否，几乎所有没有特权的人都得病了。极度的营养不良严重损害了囚犯们的皮肤、组织和器官。营养不良性水肿和大面积溃疡的症状迅速增多。[132]冻伤和感冒也很常见，往往会引发肺炎。营内的状况在 1939～1940 年的寒冬中已经很糟，当时德国一连几个月都被冰雪覆盖。一些营房一点暖气都没有。只要有炉子，囚犯们都会试着去偷（或"组织"，用他们营内的说法）一些木头。其他人则会在囚服内塞一些毯子和纸袋。但无论他们怎么做，都无法从每天的严寒和恐惧中逃离。而集中营党卫队往往还会雪上加霜，扣留或是收回暖和的衣物。[133]

　　传染病也比战争开始前要严重得多。疥疮这样有害的传染病到处都有。1941 年 1 月，萨克森豪森集中营至少有八分之一的囚犯被传染。[134]糟糕的卫生条件导致痢疾大规模暴发，引起恶性腹泻和严重脱水。许多囚犯饱受饥饿性腹泻之苦，每天都会弄脏自己。奥斯维辛第一批囚犯中的麦可·焦乌科夫斯基（Michał Ziółkoswki）回忆说，生病的囚犯夜里在去厕所的路上甚至会忍不住直接便溺在那些睡在地上的人身上。[135]集中营内另外一种流行病是斑疹伤寒，这是一种大规模拘禁的常见病，通过跳蚤传播，而跳蚤在集中营中一直活跃着。[136]

　　面对集中营内越来越凄惨的状况，党卫队的解决办法让人触目惊心。1939 年到 1940 年，他们没有做出任何改善，只允许少部分患病的囚犯前往医务室，大多数生病和将死的囚犯被隔离在单独的地方。[137]患有肺结核、开放性伤口、疥疮和其他传染病的囚犯有单独的营房。囚犯们分别给这些地方起了别称：达豪的腹泻营房被称为"屎区"，病人和残疾人的住处则被唤作"蠢货俱乐部"。[138]许多身体状况比较好的囚犯赞成隔离，因

213

为害怕被传染或被病人打搅睡眠。事实上，他们中的一些人已经自发地采取了类似的措施，强迫生病的犯人去冰冷的洗手间合宿。[139]

即使是集中营的老兵也对隔离区的状况感到震惊，他们基本上避免靠近这些地方。营房里全是骨瘦如柴的犯人，除了床铺或稻草口袋之外什么都没有。他们漫长的日夜偶尔会被审头的暴力虐待打断。最难熬的是噬人的饥饿。1939 年底建立的萨克森豪森病弱营房也被称作"饥饿区"，这并非什么巧合。在这里和其他为生病的人准备的区域，集中营党卫队进一步削减了他们本就很少的口粮，希望能加速病人之中的"自然选择"。[140]

工作与死亡

在亲眼见过魔鬼之后，《神曲》中的但丁最终离开地狱，开始登上通往天堂的阶梯。当然，他首先要经过炼狱，向导维吉尔（Virgil）指给他看一列怪异可怕、几乎已经不像人类的人，背上的巨石几乎将他们的身子压到了地面。就连"看起来最能忍耐的人也哭着说：'我再也受不了了'"。[141]但丁这首中世纪的诗歌经常被集中营内的囚犯引用（甚至还被一些党卫队队员引用）。布痕瓦尔德的囚犯们向解救自己的美国人解释在采石场的痛苦经历时，他们想到的就是这幅在地狱中搬运巨石的图景。一名囚犯回忆道："仅仅是听到采石队这个名字，也能让那些最强壮的人胆战心惊。"[142]

各地的囚犯都害怕采石场。[143]战后，波兰犯人安东尼·格拉迪茨（Antoni Gładysz）仍然清晰地记得他在 1941 年第一次被迫爬下格罗斯－罗森矿场晃晃悠悠梯子的情景。他和其他三名囚犯都穿着不结实的木鞋，拖拽沉重的石块。"那是可怕的一天，"格拉迪茨回忆说，"我们弄伤了手，试着用膝盖支撑自己的身体，当时我整个人都是麻木的，甚至可以说失去了意识，都无力去想这一天何时才会结束。"[144] 当囚犯们最终走回集中营时，他们身上满是采石场的烙印。

集中营党卫队一直将采石视为惩罚性的工作，帝国中央安全局也同意这一点。在希姆莱的授意下，中央安全局将集中营划分为三类（和早期集中营中将囚犯划分等级的体系类似，该体系后来被艾克废弃），关押的囚犯性质各有不同，囚犯的性质由他们的"品格"和"对国家的威胁"决定。"绝对可被改造"的囚犯会被带到 1 类集中营，比如达豪和萨克森豪森（这里没有采石场）。2 类集中营包括布痕瓦尔德、弗洛森比格和诺因加默集中营等，是给那些"误入歧途"，但仍然"可被改造"的人准备的。最差的 3 类集中营留给那些"执迷不悟"的人，特别是"反社会分子和刑事惯犯"，他们"几乎不可能被改造"。最开始只有一座 3 类营——毛特豪森集中营，那里有最大也最为致命的采石场。一名毛特豪森前看守后来承认，实际上，3 类集中营意味着"不打算让囚犯活着出去"。囚犯之间称这座集中营为"死亡豪森"。[145]

在纸面上，党卫队非常重视新的分类方案。[146] 但它的实际影响十分有限。从一开始，集中营的级别就无法代表其真实的情况。比如在 1940 年，萨克森豪森（1 类）的囚犯死亡人数是布痕瓦尔德（2 类）的两倍。[147] 后来这个方案变得毫无参考价值：虽然奥斯维辛被官方列为 1 类或 2 类营，但它的囚犯死亡率在所有集中营里是最高的。[148] 到了后来，其他因素——比如囚服上三角的颜色——比集中营的官方分类更能决定囚犯的命运。

214

不过，建立集中营分类制度的尝试让我们得以一窥党卫队和警察高层在战争初期的想法。面对不断发展的集中营体系，他们首先试图加大不同集中营的区分度。而更让人惊讶的是，他们继续强调要改造囚犯。这并非政治宣传的需要，因为对集中营的分类本身就是机密。官员们不过在自欺欺人罢了：他们仍然想要相信集中营除了恐怖制裁之外还有别的功能。事实上，集中营的教育任务比战前时期还要荒唐。囚犯们所学到的新技能都是为了生存——如何在忍受鞭打的同时还能计数，如何靠一小片面包撑上几天，如何假装努力工作以保存体力。

在战争初期，无论有没有采石场，繁重的体力劳动都是所有集中营的共同特点。建筑工作是最突出的，囚犯们面对着劳累、折磨和死亡的威胁。在奥斯维辛这样的新营里，几乎所有囚犯都被赶进工地，自己给自己建集中营——其中包括自己走的小路、自己站的点名广场、自己住的营房以及将自己与外界隔离开的围栏。[149]当然，施工并不仅限于新集中营。随着囚犯数量的增加，老集中营也开始大刀阔斧地翻建。集中营党卫队一直在不断地新建或翻建，而买单的则是囚犯。1939 年 12 月到 1940 年 4 月间，毛特豪森有约 1800 名囚犯死亡，其中大部分是在建设古森次级营时丧生的。一名古森集中营囚犯在 1940 年 3 月 9 日的秘密日记中写道："没什么特别的。在这里，死人不算新鲜事，每天都会发生。"[150]

在 1940 年的萨克森豪森集中营，每天平均有 2000 人在砖厂工地上干活，这是集中营内最危险的工作。许多囚犯被迫去拆除坏掉的旧工厂，这个大工程导致数百人丧命。其他人则在建设位于奥拉宁堡的新次级营，以省去每天从主营到工地的路程（该营在 1941 年 4 月底投入运营）。更多的囚犯则在几个产砖的窑炉工作。最后是附近的黏土坑，这里被称作"地狱中的地狱"；囚犯们必须在齐膝深的水和泥中站好几个小时，将黏土铲进推车里。德国政治犯阿诺尔德·魏斯－吕特尔（Arnold Weiss－Rüthel）总结说："古代给法老修建金字塔的奴隶待遇都比在奥拉宁堡砖厂的希特勒的奴隶强得多。"[151]

虽然党卫队的经济野心给强制劳动设定了大方向，但并没有令劳动更高效。大部分地方党卫队队员对产量没什么兴趣。在他们眼中，集中营最基本也最重要的功能是与纳粹德国的敌人做斗争。那些为了在工作中折磨囚犯而设立的规矩就是证明。比如在 1939~1940 年的古森集中营，囚犯们在严寒中辛苦工作，不能穿外套也不能戴手套，更不能靠近党卫队队员和审头们的火堆。[152]

有时，囚犯们因为太虚弱、没被分配任务、坏天气或无事可做等没有进行强制劳动，看守对待他们的方式更能说明集中营党卫队的优先次序。因为普通囚犯（除了将死之人）不可以无所事事，所以集中营党卫队就想别的办法让他们忙活起来。在战前，一些看守喜欢让囚犯进行毫无意义的劳动和惩罚性的训练。不过党卫队还发明了新的折磨手段。萨克森豪森集中营在 1939 年秋天引入了所谓的立正突击队，在战前就开始把"立正"作为无工作之人和病人的惩罚手段。几百名囚犯挤进营房中立正站上一整天，只有午饭时才能稍微休息一会儿。"我们像沙丁鱼一样挤在一起。"一名囚犯后来写道。一连八九个小时，他们不能移动、交谈和坐下；他们甚至不能靠在墙上。很快他们身体各个部分就开始疼痛。但不可以有任何移动：囚犯不管是真违规还是被党卫队和审头认定违规，都将立刻受到责罚。[153]

这是战争初期集中营党卫队恐怖行动升级的一部分，死亡

216

的威胁无处不在。在集中营里，跟谋杀联系最紧密的地方是医务室和地堡，那里是集中营暴力的核心地带。但现在，看守已经开始随处杀人，更关键的是他们杀得越来越频繁。从前，党卫队谋杀之后都会收手一段时间。为什么在第二次世界大战爆发之后就肆无忌惮了呢？

处决

1939 年 9 月 7 日午夜，一辆警车停在了萨克森豪森集中营内。在车里面，几名警察押着一名戴手铐的男子。此人体格健壮，有一头粗粗的卷发，名叫约翰·海嫩（Johann Heinen）。他的生命只剩下大约一个小时的时间了。海嫩三十岁了，但看起来要更年轻一点，他这一辈子没交过什么好运。在动荡的魏玛时代，这名娴熟的钢厂工人丢掉了工作。在纳粹时代早期，他因为对共产党抱有同情被抓进监狱。释放之后，他到德绍的容克工厂工作。但二战爆发前不久他又被逮捕了，这次是因为拒绝给德国防空部队挖壕沟。他的抵抗精神让他丢了性命，纳粹领袖们决定杀了他以儆效尤。得到希特勒的亲自首肯之后，希姆莱在 1939 年 9 月 7 日黄昏给海德里希发了一封电报，命令他立刻在萨克森豪森集中营处决"共产党人海嫩"。集中营指挥官迅速将这一消息告知督察官特奥多尔·艾克，后者立刻从奥拉宁堡赶了过来。海嫩来到萨克森豪森后得知了自己的命运。他在生命最后的时光中疯狂地抽烟，并给妻子写了一封诀别信："请一定要勇敢，想想我们的孩子；你必须为他活下来。我觉得时间马上就要到了。请原谅我的语无伦次和毫无章法。我觉得我已经死了。"萨克森豪森时任副官鲁道夫·霍斯领着囚犯来到工厂大院里，退后站好，下令三名士官开枪。海嫩立刻倒了下去，但霍斯还是走近又补了一枪。之后，党卫队队员们走回了办公区。"很奇怪，大家基本上没什么交谈，每个人似乎都在想心事。"霍斯回忆说。[154]

约翰·海嫩的死标志着纳粹开启了一种新程序。几天之前，217 也就是1939年9月3日，法国和英国对德宣战，希特勒公开宣布任何破坏家园前线的人都会被"当作国家的敌人消灭"。[155]同一天，希特勒私下向希姆莱再次强调了这点，让他采取一切必要的手段维护德意志帝国境内的安全。[156]希姆莱很快将元首的心愿变成政策，启动了政府处决计划。集中营作为半官方的男性（后来也包括女性）处决地点，可以不经审判就执行死刑。根据历史学家伊恩·克肖（Ian Kershaw）提出的观点，这是典型的为元首工作的例子。[157]

这项新政策的行政基础是赖因哈德·海德里希在9月3日那天下的一道指令。按照指示，地方盖世太保在逮捕危险的嫌疑人之后，海德里希的办公室可以选择"将这些坏分子残酷地清除"。也就是说，这些受害者一般会被带到最近的集中营处决。[158]但新措施的落实并没有像党卫队领导人期望的那样。四天之后，海德里希向地方盖世太保官员发出了一封紧急电报，要求处决更多的犯人。12个小时之后，约翰·海嫩便死在了萨克森豪森集中营。不过海德里希仍不满意。两周之后，他再次发出电报，坚持说所有做出危险举动的人——比如搞破坏或参与共产主义运动——必须被"毫不留情地清除（也就是说被处决）"。这也是海德里希又一次直白地给下属们下命令。后来，随着纳粹杀害的人数不断增多，官员们也开始在内部文件中用暗语来掩盖自己的血腥行径。[159]

党卫队在1939年9月处决了约翰·海嫩和其他两人，引起了德意志帝国司法部的警觉。他们是通过报纸才得知处决的消息，比如一些标题为《颠覆分子被枪决：社会绝不容忍这样的人》的文章。[160]这样的法外处决挑战了司法部门在死刑上的绝对权威，帝国司法部部长居特纳请求希特勒改变主意，他认为正规的司法系统完全可以给予罪犯恰当的处罚，不需要党卫队来插手（确实，司法部门判处的死刑数量在战争期间急剧增长，在 1941 年达到 1292 人）。[161]但居特纳的抗议适得其反。当总理府秘书长汉斯·海因里希·拉默斯（Hans Heinrich Lammers）在 1939 年 10 月 13 日提出这个问题时，希特勒不仅揽下了集中营内早期几起处决的责任，还要求处决两名在司法审判中被判十年监禁的银行劫匪。[162]党卫队行刑的权力就这样被确定下来。随着战争越来越残酷，希特勒再次要求处决了几十名犯强奸、偷盗、诈骗和纵火罪的德国人。[163]

218　　集中营内登记在案的犯人也没逃过新政策的魔爪。萨克森豪森集中营再一次成了实验田。第一个受害者名叫奥古斯特·迪克曼（August Dickmann），是一名 29 岁的耶和华见证会信徒，也是一名老囚犯了。当年他因为拒绝应征入伍而被捕。当他的情况被纳粹领导人知道后，在希特勒的首肯下，希姆莱下令将他处决。1939 年 9 月 15 日傍晚，所有囚犯在点名广场集合，指挥官宣布迪克曼死刑，然后冲他吼道："转身，你这头猪。"一名党卫队队长冲迪克曼背后开了一枪，然后鲁道夫·霍斯给了他致命一击。如党卫队所愿，其他囚犯都吓坏了，其中包括迪克曼的兄弟，他还要负责将尸体收殓进棺材。但希姆莱还想震慑更多人，于是又将这次处决通过德国的报纸和电台广而告之。[164]

　　希姆莱在走访集中营时也会处决囚犯，就像他 1939 年 11

月 22 日巡视萨克森豪森集中营时那样。在那天早上视察了地堡之后，他要求守卫处决一名和他短暂交谈过的囚犯——奥地利少年海因里希·佩茨（Heinrich Petz）。佩茨涉嫌参与了几起骇人听闻的汽车抢劫谋杀案。14 岁的他因为未成年所以未被起诉，最近刚被关进萨克森豪森集中营。当地的党卫队立刻行动，他们把佩茨带到地堡前的空地上，要求他往围栏那里走，然后在他走的过程中从背后枪毙了他。因为这并不合法，所以党卫队队员便将少年的尸体挂在铁丝网上，"假装这是一起未成功的越狱"。其中一名参与谋杀的队员后来如此承认。[165]

起初，一些集中营党卫队队员抱怨说处决囚犯会脏了自己的手。但没过多久，在希姆莱和帝国中央安全局的命令下，执行死刑成了家常便饭，鲁道夫·霍斯夸张地称萨克森豪森的行刑队"几乎每天都一字排开，枪决死囚"。[166]集中营内的处决十分频繁，以至于党卫队专门制定和分发了处决指南，用文字详细叙述了处决的标准流程。[167]一般来说，囚犯们要被带到人们视线之外处决，通常是在靶场、地堡或是医务室。在个别情况下，如果党卫队想要震慑其他囚犯，就要强迫所有囚犯观看行刑的过程。[168]刽子手自古以来都是不光彩的职业，由一些专门挑选出来的囚犯担任，这些人时而会得到香烟、咖啡、酒或者食物作为酬劳。[169]

当纳粹领导层决定将集中营作为执行死刑的场所之后，这个政策很快得到了进一步扩展。从 1940 年起，集中营党卫队一批批地处决德国人和外国人，有时一次会杀死数十人。[170]几座集中营还会进行联合处决。这样凶残的杀戮第一次发生在 1940 年 11 月，在海德里希和希姆莱的命令下，几百名波兰人在萨克森豪森、毛特豪森和奥斯维辛被处决。他们中有的是常规囚犯，

219

其余的则是为了处决特地送到集中营的。这场疯狂屠杀的原因我们不得而知，但显然和德占波兰的政策有紧密联系——从公开谋害反对派转为更隐蔽的处决。[171]受害者之一是著名的医生约瑟夫·马尔琴斯基（Józef Marczyński），他曾经担任华沙市医院的副院长。在德国占领波兰之后他加入了抵抗组织，在盖世太保一次针对知识分子的突袭中被逮捕。1940 年 5 月，他从华沙的帕维尔克（Pawiak）监狱转移到萨克森豪森集中营。六个月后，就在 11 月 9 日早上，他被带出营房，跟其他 32 名从帕维尔克转移过来的波兰人会合。他们以为自己将被释放，但结果恰恰相反。党卫队队员在他们的脑门写下囚号以便认尸，然后将他们驱逐到附近的工厂空地上；他们在半脱光衣服之后就被枪决了。当天晚上，萨克森豪森的波兰囚犯展开了一场追悼仪式，牧师们领着大家唱赞歌，只不过都是在心中默唱，以免被看守发现。[172]

在接下来的数月甚至数年间，集中营内一直有大规模处决波兰人的情况。[173]一些囚犯是作为"人质"被处决的，因为党卫队怀疑波兰人民在搞破坏。[174]其他人则是被警方即决法庭判了死刑，来时就已经注定了死亡。所谓的即决法庭自 1939 年起出现在德占波兰，虽有其名，但实际上是警方在法律之外的仲裁机构，每一次都判嫌疑人死刑。[175]这种即决法庭和集中营党卫队展开了密切合作，特别是在奥斯维辛，审判程序最终移到了集中营之内，这样党卫队就可以在荒唐的审判之后直接将被告处决。[176]

集中营党卫队杀手

处决政策给地方集中营带来了深远的影响。随着国家的处决命令不断增多，第一线的党卫队队员们感觉自己有义务伸张正义。他们的道德观已经扭曲了，一旦纳粹领导人开了法外处决犯人的先例，当地集中营党卫队队员自发的谋杀行为几乎是不可避免的。当然，因为党卫队领导人想将集中营控制在自己手中，所以这种未经许可的处决在官方层面上是被禁止的。[177]但"正确"谋杀和"错误"谋杀之间的界限是模糊的。

一些指挥官身先士卒，冲在最前面的就是布痕瓦尔德的卡尔·奥托·科赫，他在 1939 年秋天监督了第一场未经上级授权的大规模处决。导火索是 11 月 8 日发生的一起针对希特勒的暗杀。在慕尼黑的贝格勃劳凯勒啤酒馆，一名抵抗者只身引爆了炸弹，造成七人当场死亡，但希特勒逃过了一劫，也使他更坚定了自己的神圣使命 [1945 年，嫌疑人格奥尔格·埃尔泽（Georg Elser）在达豪集中营被处决]。[178]希特勒当时深得民心，许多德国人都被暗杀事件吓坏了。[179]没有人比集中营党卫队更坚决地要复仇，他们对犹太囚犯展开了凶残的攻击。据传犹太人是这次袭击的幕后黑手，这个传言连纳粹宣传部都觉得太牵强，但对那些极端反犹主义者来说已经足够，他们再次对犹太人展开了疯狂的报复，此时距 1938 年的水晶之夜刚好一年。在萨克森豪森集中营，党卫队队员在 11 月 9 日折磨了犹太人一整夜；而在拉文斯布吕克集中营，犹太女人被锁在她们的营房整整一个月，看守她们的是一个尤为恶毒的女看守。"只要她一出现，我们的心就不停地跳。"一位囚犯后来作证说。[180]

这些都无法跟布痕瓦尔德的情况相提并论，那里犹太人的生活在战前本就已经十分艰难。1939 年 11 月 9 日早上，所有囚犯像往常一样在点名广场集合。但很快他们就发现今日与往常不同，党卫队将他们赶回了营房，接着要求犹太人重新返回广

220

场。党卫队在他们之中选中了一群德国人和奥地利人，大部分在 20 岁到 30 岁之间。其他人则再次被遣回营房，关在里面长达数天，不见天日，也没有食物和水。同时，被选中的囚犯被带到集中营大门前焦虑地等待着未知的命运。而党卫队看守们则在一起庆祝 1923 年纳粹政变的周年纪念日，其中一些人前一晚的酒还没有醒。在一场小规模的游行之后，党卫队返回大门处立刻行动。在指挥官科赫的命令下，21 名犹太人从集中营走到采石场。当他们来到一片开阔的平地时，党卫队队员们掏出了枪，从后面枪毙了他们；试图逃跑的人也很快被抓住杀掉。[181]

这次屠杀是史无前例的。地方党卫队此前从未在没有上级指令的情况下，在光天化日之下处决这么多人。也许狂热的科赫认为自己有权力进行报复，因为他的营区负责人勒德尔在贝格勃劳凯勒啤酒馆爆炸案中受了轻伤。无论科赫的动机是什么，他没费什么劲儿就在布痕瓦尔德的部下中找到了志愿行刑人。[182]尽管上级们对他编造的托词有所怀疑——这些犹太囚犯是在一次大规模越狱行动中被击毙的——但内部调查最终不了了之。科赫逃脱了谋杀的罪名。[183]

陶醉在权力之中的指挥官科赫很快就变得无法自拔，越来越频繁地下令枪毙囚犯。有几十名新来的囚犯不巧被他看到，结果都丢了性命。其中一个人被杀仅仅是因为科赫曾经在别的集中营见过他。"现在这只小鸟没法儿再跟着我了。"科赫开玩笑说。其他人被杀，有的是因为触犯了纪律，有的是因为知道了太多党卫队腐败的内情。被判死刑的人会被带到布痕瓦尔德的地堡，这里由二级小队长马丁·佐默（Martin Sommer）管理。佐默会成为集中营非官方的行刑人其实一点儿都不奇怪。作为资深纳粹积极分子（他在 1931 年便加入纳粹党，那时他只有 16 岁），佐默是一个极度凶残的人。他不仅负责执行正规的鞭刑，还参与那些私下的虐待行为，不给囚犯食物，掐他们的脖子，对他们实施性虐待，打碎他们的头盖骨；他后来承认，有时在地堡里殴打囚犯能达到 2000 多下。虽然佐默并不是唯一一个从施虐狂上升成刽子手的集中营看守，但他的冷血即使在党卫队队员中也是罕见的；杀人之后，他有时会睡在办公室里，将囚犯的尸体塞在床底下。[184]

死在佐默手中的有一些是非常知名的囚犯。其中最著名的或许就是恩斯特·海尔曼，曾经的普鲁士州社民党领袖。不出他所料，在战争开始之后不久他的苦难就以可怕的形式结束了。1940 年 3 月 31 日，在集中营关了将近 7 年之后，海尔曼被叫到布痕瓦尔德的地堡，几天后在这里遇害身亡。海尔曼的一些同志怀疑他是被一名囚犯揭发了违规行为所以才遇害的，于是他们后来一起杀死了这个叛徒为他复仇。集中营内囚犯间的气氛也变得越来越沉重。[185]

有了这么多正式和非正式的处决，杀戮的氛围感染了许多当地的集中营党卫队队员。从 1940 年起，越来越多的党卫队队员变成了谋杀犯。集中营官员鲁道夫·霍斯就是其中一个。1939 年 9 月在萨克森豪森集中营参与执行死刑之后，他很快就开始亲自下手。1940 年 1 月 18 日，一个寒冷的冬日，霍斯下令立正突击队全员集合并在室外列队站好，囚犯超过 800 人。点名广场上寒风肆虐，几个小时后，集中营老囚犯哈里·瑙约克斯向霍斯求饶。在他的自传中，瑙约克斯描述了他用规范的军队用语说："报告集中营长官，请求解散（囚犯）。"但霍斯没有回应，于是瑙约克斯用更紧迫的语气又说了一遍："集中营长官，人都要不行了。"霍斯回复说："这里没有人，只有囚犯。"

终于解散后，瑟瑟发抖的囚犯在营里的火炉前挤作一团。有一些人被送到了医务室。留在被雪覆盖的广场上的则是死尸，更多虚弱的人在之后几天相继死去。[186]集中营党卫队一直将这些病弱者视为累赘，但霍斯此举是他在战前想都不敢想的。他也并非特例。当集中营里的谋杀变得越来越随便和频繁之后，在其他地方，党卫队队员也开始通过注射毒药或其他方式系统性地杀害生病的囚犯。[187]

萨克森豪森行刑队

正是在二战开始后的几个月内，28 岁的萨克森豪森副考勤主管古斯塔夫·佐尔格（Gustav Sorge）蜕变为一名刽子手。佐尔格以前杀过人，1934 年底他加入埃斯特尔韦根集中营后就第一次参加了枪毙囚犯的处决，那时他刚加入集中营党卫队不久。接下来的几年，他在集中营这所暴力学校里继续修行，不过在战争爆发后他才开始大规模杀人。与其他的看守不同，佐尔格并不是个一事无成的人。他在学校成绩很好，并且成了一名钢铁工人。波兰在一战后占领了他的老家西里西亚，于是佐尔格像不少纳粹杀手一样成了在国外长大的德意志裔人。在青少年时期，他脑子里充满了极端的德国民族主义思想，最终于 1930 年前往德国。在那里，他因为失业变得更加极端。佐尔格全身心投入纳粹事业，在 1931 年 19 岁时加入了纳粹党和冲锋队，于次年加入了党卫队。虽然他的外形并不高大，身形矮小且声音尖细，但他在魏玛共和国末期成了街头一个让人闻风丧胆的人物。在一次与共产党的斗殴之后，他得到了"铁人古斯塔夫"的外号（借用了当时一位德国名人的名字），这一"荣誉徽章"后来被他带到了集中营。[188]

222

战争初期，古斯塔夫·佐尔格在萨克森豪森领导了一小队党卫队杀手，组成了一支非官方的行刑队。一名逃脱的囚犯向英国情报员形容佐尔格是执掌生死的"判官"，"他的帮凶和助理们经常通过不道德、残忍的手段相互竞争"。这群人大部分由负责监视囚犯营房和劳动分队的分区主管组成，只有那些行径凶残的党卫队队员能够成为分区主管。剩下的人则被佐尔格这样的上司点评为"太软弱"或"太懒散"，被调往边缘岗位或是去担任守卫了；1941 年初，一名萨克森豪森分区主管因为做了太多坏事而噩梦缠身，甚至被送进了精神病病房。[189]

加入萨克森豪森队行刑队的途径有很多。队里大概有十几人，大部分是 20 多岁的士官。最年轻的是威廉·舒伯特（Wilhelm Schubert），他在 1931 年 14 岁时加入希特勒青年团；在 1936 年志愿作为集中营党卫队队员在利赫滕堡集中营服役，并于 1938 年春天进入萨克森豪森指挥参谋部，到了次年夏天，22 岁的舒伯特成了分区主管。党卫队同事们嘲笑他不成熟不稳重，但他通过公开展示自己的凶残很快获得了大家的认可。舒伯特总能很快掏出武器，所以囚犯给他起外号为"快枪舒伯特"。他在 1941 年被提拔为二级小队长，他一如既往地通过随意殴打囚犯和朝囚犯营房开枪来庆祝。[190]

行刑队中最让人畏惧的角色可能要数里夏德·布格达勒（Richard Bugdalle），囚犯们称他为"凶残达勒"。1937 年，29 岁的布格达勒成为分区主管，比其他人当上主管的年龄稍微大一些。但像其他人一样，布格达勒从骨子里就是一名纳粹积极分子，他在 1931 年 10 月加入党卫队，并在集中营工作多年。在萨克森豪森集中营，布格达勒领导着臭名昭著的惩罚连。不同于舒伯特在折磨囚犯时情绪激动，凶狠的布格达勒非常镇定

223

冷静。他的特长是用拳头击打囚犯：作为一名业余拳击手，他能精确地瞄准肋骨和胃部，几拳就可以把囚犯打死。"如果要除掉囚犯，"古斯塔夫·佐尔格后来作证说，"舒伯特和我总会带上布格达勒。"[191]

行刑队的人有时会根据上级的指令行事，但有时自己也充当法官和刽子手，以各种"罪名"判囚犯死刑。当佐尔格一伙决定升级"欢迎仪式"之后，有几名新来的囚犯刚到就被杀死了；其他人则在接下来的几周内被盯上了，因为党卫队"打算慢慢消灭（他们）"，正如佐尔格在战后承认的那样。[192]一些被杀的新囚犯涉嫌性犯罪或是同性恋。[193]重要的政治犯和其他政敌也被当作目标。1939 年 11 月 15 日，奥地利检察官卡尔·塔皮（Karl Tuppy）被送到了萨克森豪森集中营，他曾经在 1934 年奥地利总理陶尔斐斯（Dollfuss）遇刺案中审讯过纳粹杀手。他一到营内，党卫队立刻开始了疯狂的报复。塔皮被关在政治办公室中殴打了 20 多分钟。名叫鲁道夫·文德利希（Rudolf Wunderlich）的囚犯被叫来将塔皮拖走，他后来回忆说："我从来没见过这样的情况。他的脸已经被打变形了，只是一块不成形的肉，上面满是血和伤痕，眼睛全肿得凸了出来。"文德利希将塔皮运到大门口，佐尔格和舒伯特两人继续轮流殴打他。塔皮在当天晚些时候就死了。[194]

行刑队不仅看囚犯们的身份，还看他们在萨克森豪森的行为，稍有差池就立刻处决。1940 年的一段时间内，佐尔格杀了一个没有立刻问候他的囚犯，杀了一个跌倒的囚犯，杀了一个在信上留下墨渍的囚犯（党卫队怀疑是某种暗语）。任何胆敢冒犯党卫队的人——大部分是不知轻重的新来者——都会落入险境。当著名的前工会官员洛塔尔·埃德曼（Lothar Erdmann）

在 1939 年秋天来到集中营时，他对这里的暴力程度感到震惊。当被威廉·舒伯特殴打时，他大胆回嘴说："干什么？你打我？我在一战时是一名普鲁士军官，现在还有两个儿子在前线。"结果，埃德曼成了重点关注对象，被戏称为"长官"。他被殴打了几天，尤其是舒伯特和佐尔格，一直打到他不能动为止。他在 1939 年 9 月 18 日死去了，此时距他来到集中营仅有两周左右。[195]

虽然萨克森豪森看守的暴力行为在战前就已经存在了，但这种谋杀运动真正进入高潮是在战争开始之后。1939 年 10 月，党卫队建立了自己的形式法庭，让集中营党卫队完全逃脱了司法部门的监管，这极大地鼓舞了看守。[196]此外，饥饿和传染病让囚犯们不成人形，这样党卫队可以更自然地将他们当作"人渣中的人渣"来对待，一名萨克森豪森分区主管这样形容。[197]但更重要的是党卫队的升级处决政策。看守们知道他们的上司想要囚犯的命，那他们还有什么可顾忌的呢？

最后，在战争的大环境下，暴力整体爆发出来。希特勒关于种族灭绝的言论和德国在 1939 年秋天残酷的战事都清晰地表明新时代已经开始了，看守们也不能免俗。囚犯们猜测可能是远方频频传来的捷报让集中营党卫队越发野蛮。当德军在国外消灭敌人时，看守感到他们也应该在"内部前线"做相同的事。[198]这也呼应了一些历史学家的观点——纳粹领导人对胜利的狂喜催生了第三帝国的灭绝政策。[199]一些集中营党卫队队员因为觉得第三帝国坚不可摧而随意杀人，另一些人则是在战事不利之后大开杀戒；而更令人惊讶的是，一些人是为了"报复"那些子虚乌有的对德国人的袭击而拿起了屠刀。

没过多久，像古斯塔夫·佐尔格这样的地方党卫队队员就

要求得到自由处决权。虽然他们明知公开杀人需要得到上级的
许可，但这些杀人犯相信自己的所作所为是正义的，就像佐尔
格后来在法庭作证时说的："当我们虐待和杀死囚犯时，我们认
为是在帮助国家和领袖们。"[200]从某种程度上讲，这一言论是自
欺欺人。毕竟党卫队队员有时候只是用酷刑找乐子。[201]无论如
何，杀手们确实感受到了上层的意思，就像佐尔格后来解释的
那样："就我个人而言，我现在坚信之所以下达行动的命令，是
225　为了让下级官员们朝着一个方向做事，让他们出于自己的意愿
去努力，去迎合最高层的愿望。"[202]这样，党卫队杀手们相信他
们是在为领袖们办事。[203]这最终造成了一个致命的结果：自上而
下的处决命令和下面自发的谋杀行动相互促进，让集中营变成
了毁灭的漩涡。

苦难无边

　　囚犯的存活概率在战争初期大为下降。有的日子里，集中
营工厂的囚犯们除了棺材什么也不生产，就是为了能跟上死人
的速度。[204]1938 年是战前死亡人数最多的一年，大约有 1300 名
囚犯在集中营内死去。[205]到了 1940 年，至少 14000 名囚犯失去
了生命。据了解，有 3846 人在毛特豪森集中营死去（大约占其
囚犯总人口的三分之一），这也让毛特豪森成了当时最为致命的
集中营。[206]饥饿与疾病是死亡的主要原因——大部分死者都十分
消瘦、憔悴、眼球深陷——第二个原因就是党卫队的暴力虐待
和处决。[207]囚犯的自杀率提升了。在萨克森豪森集中营，仅在
1940 年 4 月就有 26 名囚犯自杀身亡。其中一些人是因为一时绝
望，一头冲向了电网。有些人则是详细设计好自杀的方式。其
他囚犯很快就对死亡司空见惯。有时候，他们在上厕所的时候

甚至会对脚下的尸体视而不见。同情在战争初期的集中营已经越来越少见。[208]

集中营党卫队的官员们对堆积如山的尸体有些担心。不过困扰他们的并不是自己的良心，而是怎么处理这些尸体。在战前，囚犯们的尸体一般被运往附近的停尸房火化。但现在已经不现实了。不仅仅是因为储存和运输尸体太耗费时间，而且党卫队也不打算将集中营的致命性广而告之。解决的方法非常简单——党卫队在集中营内设立自己的焚化炉。虽然这个计划以前就讨论过，但直到 1939 年底在两家私人承包商——海因里希·科里股份有限公司（Heinrich Kori GmbH）和托普夫父子公司（Topf & Sons）——的合作下才得以实现。到了 1940 年夏天，所有在战前建立的男子集中营都装上了焚化炉。而新建立的集中营也安装了类似的设施。奥斯维辛的火化场在 1940 年 8 月投入运行。[209]其他一些必要的措施也相继出台。比如从 1941 年开始，集中营内成立了登记办公室，这样一来死亡事件就由党卫队队员记录，而不是外面的正规公务员。党卫队官员们自然而然地将所有死去的囚犯都记作自然死亡或是意外死亡。[210]

战时的集中营内没有一条生存的坦途，却有数不尽的道路通向死亡。不过，一些群体所面临的危险比其他人大得多。集中营内的苦难从来都具有歧视性，而囚犯之间的区别在战争初期变得更大。纳粹领袖指定的政治和种族等级非常关键。总的来说，波兰人比德国人更容易死亡，犹太人的情况比波兰人更糟。[211]性别也很重要，集中营体系仍然以针对男性为主。1940 年底，女性囚犯只占囚犯总数的十二分之一，而这 4300 名女性囚犯的命运仍然和男性囚犯有着很大的差别。[212]

226

拉文斯布吕克女子集中营

当玛格丽特·布伯－诺伊曼（Margarete Buber – Neumann）在 1940 年 8 月 2 日来到拉文斯布吕克集中营时，她为期六个月的艰苦旅程也宣告结束。她是从 3000 多英里外卡拉干达（Karaganda）的古拉格而来。1901 年，她生于德国一个中产阶级家庭，在青年时期加入了德国共产党。到了 20 世纪 20 年代末，她已经开始全身心投入这项事业，在共产国际杂志的柏林办公室工作。她在这里遇见了自己的丈夫——海因茨·诺伊曼（Heinz Neumann），一名怀揣雄心壮志的报纸编辑，为富有煽动性的报纸《红旗》（Rote Fahne）工作。在 20 世纪 30 年代初的一次党内斗争之后，海因茨·诺伊曼身败名裂，玛格丽特跟着他流亡国外。他们像难民一样从一个欧洲城市转移到另一个，最终于 1935 年初夏来到莫斯科。此时肃反行动已经展开。斯大林怀疑党内充满了间谍和反动派，因而展开"大清洗"。这场运动在 1937～1938 年导致无数人丧命，包括数千名德国共产党员。诺伊曼夫妇虽然成功从纳粹手中逃了出来，却在苏联遭迫害。海因茨·诺伊曼被监禁、折磨并最终在 1937 年底被处决。几个月后，他的妻子也被逮捕了。玛格丽特·布伯－诺伊曼被判五年有期徒刑，被关进了哈萨克大草原的卡拉干达——苏联最大的劳改营之一，里面 3.5 万名犯人每天都要在恶劣的条件下辛勤劳动。1940 年初，她突然被带回莫斯科，之后一路西行。在 1939 年 11 月到 1941 年 5 月间，即《苏德互不侵犯条约》生效期间，共有约 350 名像她一样的犯人被移交。纳粹从这些人口中问出情报之后就把许多人释放了。但布伯－诺伊曼并不在其中。盖世太保指控她犯了严重的叛国罪，将她置于保护性拘禁之中。[213]

玛格丽特·布伯－诺伊曼立刻就发现了这里与古拉格的显著区别。卡拉干达是在一片中型欧洲国家大小的广袤土地上散落的巨大营区。而拉文斯布吕克集中营则更集中，在 20 多个营房中关了 3200 名囚犯，周围环绕着高墙和电网。另外，因为党卫队系统此时仍对男女有严格的区分隔离，所以拉文斯布吕克集中营只关押女犯人。布伯－诺伊曼也被党卫队的操练震惊了，她觉得所有事情都体现出一丝不苟的普鲁士风格。虽然十分痛苦，但这样严格的规章制度也有好处。新建的营房里面有床铺、桌子、储物柜、毯子、厕所和盥洗室，和脏乱的卡拉干达相比"简直就像天堂"。[214]

玛格丽特·布伯－诺伊曼不知道的是，拉文斯布吕克集中营与当时其他的党卫队集中营也不一样。因为党卫队领袖一直坚持要区别对待，所以在战争初期，恐怖活动像战前时期一样并没有降临到女犯人的头上。海因里希·希姆莱认为女犯人不像男犯人那样危险，更容易被改造。[215]虽然热衷于体罚，但希姆莱多次强调对待女犯人最严厉的惩罚止于鞭打。他最终要求所有的鞭刑需要直接向他汇报。[216]这种介入与其说是个例不如说是整体传达了一个信息：女人作为"弱势的性别"，应该得到更温和的对待。

在战争初期，拉文斯布吕克集中营的生活条件比其他集中营要好很多。在 1940 年，衣服和床单都会定期更换，食物也相对充足。比如玛格丽特·布伯－诺伊曼就对自己在集中营的第一餐的分量非常惊讶，其中包括水果粥、面包、香肠、人造黄油和猪油。在医疗方面，重病的囚犯仍然会被送去外面的医院救治，有些人甚至直接被释放了。[217]

在强制劳动方面，拉文斯布吕克集中营也与男子集中营不同，劳动虽艰辛但不致命。也有很多女人在工地工作，但并不是在夺走众多男囚性命的砖厂或采石场。拉文斯布吕克党卫队更重视营内大批量生产制服的大裁缝工作坊，因为女人"最适合干这种活"，一名党卫队经理如是记录道。前期生产于1939年底展开，在希姆莱的敦促下，到了1940年夏天，这些裁缝坊被纳入新成立的党卫队企业——织物与皮革应用公司（Texled）。因犯们的工作效率几乎赶上了平民，又因为女劳力比男劳力更廉价，所以织物与皮革应用公司可能是党卫队唯一一家初始便盈利的公司。拉文斯布吕克集中营的裁缝坊在1940年7月到1941年3月间，生产了7.3万件囚犯衬衫以及其他服装。在很长一段时间里，织物与皮革应用公司一直是拉文斯布吕克集中营最大的雇主。截至1940年10月1日，几乎17%的囚犯在为这家公司工作，到了1942年9月则达到空前的60%。女人们害怕党卫队监工，工作也很辛苦，但和筋疲力尽的建筑作业相比简直微不足道。裁缝坊配备有缝纫机，部分生产是机械化的，囚犯们也在室内工作。[218]

更重要的是和男子集中营相比，拉文斯布吕克集中营内的暴力行为没那么频繁，也没那么致命，看守们的行为也远没有那么凶残。最高级的职位仍由党卫队男队员占据，比如严厉的指挥官马克斯·克格尔（Max Koegel）。作为一名老兵和右翼极端主义者，克格尔于1933年4月成为达豪集中营看守，自此一往无前。在拉文斯布吕克开营之前，他就要求在新营建立一大片号房，以便像他说的那样，挫败"那些歇斯底里的女人"的傲劲儿。[219]拉文斯布吕克集中营的女官员却与他截然不同。集中营高级监督员约翰娜·朗格费尔德（Johanna Langefeld）直到

1937 年快 40 岁时才加入纳粹党。她来自一个虔诚的宗教家庭，在社会福利部门和监狱署工作过，1938 年加入利赫滕堡集中营。与克格尔不同，朗格费尔德真正将再教育视为一个重要的目标，并且拒绝克格尔的一些暴力倡议。这非常重要，因为朗格费尔德为集中营内的氛围定下了基调，没有过分驱使女看守们。[220] 尽管大多数新来的女看守很快就习惯了扇犯人巴掌，甚至踢她们，但在战争初期看守们很少有更进一步的举动。[221] 国家现行的处决政策显然影响了她们的举止，也使得男子集中营里暴力横行，但这种暴力最开始并没有扩展到拉文斯布吕克集中营。直到 1941 年 2 月才首次出现处决女囚的情况，到了 1942 年这种处决才变为常态。[222]

因为这样，几乎所有拉文斯布吕克集中营的女囚在战争初期都活了下来。在两年时间里（1940～1941 年）约有 100 名女囚死亡，不到女囚总人数的 2%，和男子集中营相比更是九牛一毛。直到 1943 年，拉文斯布吕克集中营的党卫队才觉得有必要建一座自己的焚化炉。这种性别差异即便在拉文斯布吕克集中营内也显而易见。从 1941 年 4 月开始，这里又建起了一座独立的男子营区，以便为扩建集中营提供劳动力。这本身就是一个变化。接下来，越来越多的集中营将男女兼收，不过男囚犯和女囚犯的营区还是会隔离开。到了 1941 年底，1000 多名男囚犯来到了新建的拉文斯布吕克集中营次级营，这里的条件很快就变得和其他男子营一样。1941 年的最后三个月里，超过 50 名男囚犯死亡。对比下来，拉文斯布吕克集中营一个月内死去的男囚犯比过去两年死去的女囚犯还要多。[223]

在很多方面，拉文斯布吕克女子集中营仍停留在战前状态。对囚犯们而言，真正的转变发生在 1942 年而不是 1939 年。但这并不代表该集中营没有受外界变化的影响。生活条件在开战之后逐渐恶化。食物缩减加上极端的严寒，造成了第一年冬天集中营内疾病肆虐。约 6400 名囚犯在 1940 年到 1941 年间来到集中营，使得营内拥挤不堪。[224]除此之外，囚犯们每天还要面对艰苦的生活和羞辱。当地的党卫队策划出一套对新来者的侮辱仪式，所有女人必须脱光衣服、洗澡，然后被检查身体；许多人还被剃了光头。"我们不得不放弃一切试图维持端庄体面的尝试。"布伯－诺伊曼写道。"头被剃光之后，我们看起来就像男人。"另一名囚犯在日记中写道。这种对女性身体和女性特征的伤害在战前并不常见。这种伤痛因为党卫队男队员的在场而进一步加深，他们色眯眯地盯着裸体的女囚们，淫荡地评论或是扇她们巴掌。[225]

跟其他集中营一样，拉文斯布吕克集中营里也有许多的苦难。德国政治犯可以享受一些优待，比如营房没那么拥挤。同时，波兰女人在 1941 年代替"反社会分子"成为最大的囚犯群体，她们从一开始便受到歧视。在医务室中，一些党卫队医生拒绝给不会说德语的人看病。[226]而（1939 ~ 1942 年）占囚犯人口约 10% 的犹太女人依然处在食物链的最底层，受最严酷的虐待，进行最繁重的劳动。[227]随着战争初期整个集中营体系对波兰人和犹太人迫害升级，拉文斯布吕克集中营至少在这方面与党卫队的政策保持一致。

战争与报复

在二战开始的最初几周，第三帝国到处流传着有关波兰暴行的谣言。纳粹原本就将开战的责任赖在波兰头上，现在又指控波兰在战争中犯下了可怕的罪行，再次颠倒黑白。从侵略第一天开始，德国士兵们就捏造了被"狙击手"袭击的报道。经过纳粹领导人之手，这类谣言很快便甚嚣尘上。[228]纳粹的宣传部门尤其抓住发生在波兰城市比得哥什（Bydgoszcz）的事件不放。1939 年 9 月初，几百名德意志裔人在与波兰部队的冲突中被杀（包括两个骷髅营在内的德国部队之后屠杀了大量当地波兰人）。连续几天，纳粹报纸都发表了令人毛骨悚然的文章，其中甚至还有想象出来的行刑仪式。据 9 月 10 日《人民观察家报》的报道，波兰人"割下了一位老妇人的左乳，将她的心挖出来扔进了盛血的碗里"；类似的文章都配有被肢解的人体部位的照片。[229]几天之后，希特勒还亲自火上浇油。9 月 19 日，他在刚占领的但泽（格但斯克）发表了一篇疯狂的演讲，宣称波兰敌人"就像杀动物一样"宰杀了数千名德意志裔人，其中包括女人和孩子，除此之外还用残忍的手段把数不尽的德国俘虏弄残，"残忍地把他们的眼睛挖了出来"。[230]

许多德国人都相信了关于波兰暴行的宣传，要求立即展开报复行动。[231]被关进集中营的波兰人充分感受到了公众的愤怒。1939 年 9 月 13 日，当 534 名波兰犹太人在柏林火车站集合前往萨克森豪森集中营时，一名暴民吼叫着要"比得哥什的杀人犯们"流血（事实上这些囚犯都是柏林市民）；在奥拉宁堡车站有更多的民众等着他们，朝他们扔石头和粪便。[232]更糟的还在后面，集中营党卫队队员们摩拳擦掌，准备等波兰人一到就展开残酷的报复。

在战争初期，集中营系统的暴力中心位于萨克森豪森和布痕瓦尔德，绝大多数波兰囚犯被关在那里。就像在 1938 年种族清洗之后那样，布痕瓦尔德的党卫队开始即兴发挥，将新来的波兰人和波兰犹太人关进点名广场旁的营房，在四周围上带刺

230

的铁丝网。这个所谓的特别营，或者说迷你营，是在 1939 年 9
月底建立的，它成了苦难极度深重之地。第一批囚犯是 110 名
波兰人，随着德军的推进，他们从边境地区被抓到这里。其中
几名真正来自比得哥什的人成了整批囚犯的催命符。党卫队给
他们贴上"狙击手"的标签，将他们关在由木板和铁丝网制成
的小笼子里，任由他们慢慢饿死。到了圣诞节，笼子里的 110
人只有 2 个还活着。[233]

　　布痕瓦尔德特别营的其他囚犯也在为生存斗争。由于天气
寒冷，几百名波兰人和在波兰出生的犹太人在木制营房和 4 个
帐篷里瑟瑟发抖。最开始，囚犯们还必须到采石场工作。在维
也纳被逮捕的雅各布·伊尔（Jakob Ihr）仍然记得："我们是如
此绝望，仅仅过了几个小时，有一些人就承受不住了，恳求党
卫队队员将自己射死。"[234] 1939 年 10 月底，因为特别营中闹痢
疾，强制劳动被停止了。"囚犯们纷纷死去。"另一位目击者在
战后说。那些想要逃去更安全的主营区的人会遭到党卫队的鞭
打。[235] 管理特别营的两名党卫队队员组成了恐怖二人组。一级小
231　队长布兰克（Blank）是一名集中营老队员，有着冷血行刑官的
称号。而他的同事，另一名一级小队长欣克尔曼（Hinkelmann）
则是一个暴虐的酒鬼，喜欢将精力用在变着花样虐待囚犯上。
他特别喜欢在发汤时殴打那些饥饿的囚犯。有时候，欣克尔曼
和布兰克还会给犯人们断食。[236]

　　布痕瓦尔德特别营最终在 1940 年初关闭。到那时，里面大
约三分之二的囚犯都死了。[237] 当最后活下来的人在 1940 年 1 月
和 2 月陆续回到主营区时，即使是像恩斯特·弗罗姆霍尔德
（Ernst Frommhold）这样长期待在集中营的囚犯都震惊了："17
岁的男孩只有五六十磅重，身上一丁点儿脂肪也没有，只有皮

包骨。即使到了今天，我也想不出来这么瘦的人是怎么活下来的，但他们就是活了下来。"[238] 总共有超过 500 名波兰犹太人和 300 名波兰人死在了特别营。[239]

在战争初期的萨克森豪森集中营，波兰犹太人的处境也是最糟糕的。在 1939 年 9 月到 12 月间，约有 1000 人来到这里，其中一些是波兰人，但大多数是德国人。其中大约有一半是 1939 年 9 月 13 日第一批从柏林车站出发的，那时正值全民激愤的时候。莱昂·沙莱特（Leon Szalet）便是这批囚犯中的一个，他是一名中年房地产代理人，在华沙长大，自 1921 年开始便在柏林生活。他在战争爆发前冒险一搏，于 8 月 27 日在没有签证的情况下登上了一架前往伦敦的飞机，但到了伦敦之后却被一丝不苟的英国移民官赶了回来。两周之后，他就落入了萨克森豪森集中营一帮尖叫的党卫队队员的手中。他们"像野兽一样扑向了我们"，沙莱特被一名分区主管打得不省人事。第一天的傍晚，在经过数小时的折磨之后，他和其他新来的囚犯倒在营房中的稻草堆上。但几乎无人入睡：在前几个小时的惊悚经历之后，对未来的恐惧使得他们中大部分人失眠了。

莱昂·沙莱特和其他波兰犹太人被关在萨克森豪森的迷你营中，这里建成于 1938 年夏天，最开始是为"反社会分子"准备的。作为一种特殊的惩罚手段，党卫队将营房的窗户用木板钉上，这种特别的隔离形式在战前的达豪就已经盛行。没有光也不通风。"一些人几乎要窒息而死，"沙莱特回忆说，"有人真的活活渴死了。"党卫队队员逼着那些讨水喝的囚犯喝自己的尿。这种情况直到 9 月 29 日华沙投降才结束，到这时已经有 35 人死去了。[240] 活下来的人在接下来的几个月继续遭受折磨。最开始，波兰犹太人只是去点名广场"运动"，剩下的时间则

232 待在营房中，任由审头和党卫队分区主管"快枪舒伯特"摆布，后者经常在晚上对营房突然袭击。他们发明了许多邪恶的游戏，党卫队队员会迫使囚犯们为了面包决斗，那些拒绝的人会遭到殴打甚至被杀。[241] 后来许多囚犯开始被强迫劳动。他们的第一站就是奥拉宁堡砖厂。沙莱特写道："我们每天的生活就是挨冻、被追打、用衣服兜着雪或沙子、踉跄而行、跌倒、再次被追打。"[242]

大屠杀之前

很快，集中营内所有犹太囚犯都面临致命的危险。在二战开始后的头几个月，党卫队仍然有所区别，将最大的愤怒发泄在波兰犹太人身上。但这种区分很快就消失了，警察将指控的对象扩大到了德国犹太人身上——怀疑他们里通外敌——集中营党卫队随即将恐怖行动也扩大到他们身上。"与犹太人的斗争是一场种族斗争。"萨克森豪森行刑队队长古斯塔夫·佐尔格在战后承认说。[243] 即使一些被认为有人性的看守在面对犹太人时也变得铁石心肠。比如拉文斯布吕克集中营监督员约翰娜·朗格费尔德就是狂热的反犹主义者，她让犹太犯人们真切地感受到了她的仇恨。[244]

1940 年 3 月 9 日是个关键的日子，海因里希·希姆莱当天下令禁止释放任何犹太人。只有那些持有效签证，并且能在 4 月底前完成移民的犹太人可以重获自由。[245] 犹太人的释放情况从少变为更少，最终完全消失。[246] 在最后一刻逃脱魔爪的幸运儿就有莱昂·沙莱特，多亏了他永不言弃的女儿。作为鳏夫，他独自抚养女儿长大。1940 年初，集中营内波兰犹太囚犯的情绪在希望与绝望之间来回切换。当沙莱特听说自己可能被释放时，一些狱友无法掩饰他们的嫉妒。当他又可能不会获释时，一名幸灾乐祸的犯人还改编了一首当时的流行歌曲："船要出发去上海，上面没有沙莱特。"[247]但在 1940 年 5 月 7 日，他真的被释放了，连管理营区的党卫队队员都很震惊。在萨克森豪森集中营待了 8 个月后，他又病又饿又沮丧，也从来没有真正从这段阴影中走出来。[248]但至少他逃离了党卫队接下来更凶残的折磨。那些被留下来的犹太人现在面对的几乎是必死的命运。

萨克森豪森和布痕瓦尔德集中营是在战争初期执行反犹恐怖行动的先行者，要了许多犹太人的命。在布痕瓦尔德集中营，1940 年有将近 700 名犹太囚犯死亡。[249]那些被指控与"雅利安"女人有亲密关系的人最容易被攻击，他们的档案与囚服上都标明了"种族亵渎者"的身份，这种结合了性与种族两种要素的囚犯是党卫队最无法容忍的。比如在 1940 年 5 月 3 日，古斯塔夫·佐尔格就将一名刚到萨克森豪森集中营的犹太老人生生打死了。佐尔格在打断受害者骨头时喊道："你这头猪，你是犹太人却操了我们基督教的女人。"[250]就像这位囚犯一样，许多犹太男人在刚到的几天或几周内便死去了。那些活得稍微长一些的人身上则留下了被党卫队折磨的深重痕迹。压垮人的强制劳动伴随极端的暴力虐待，摧毁了众多囚犯，有好几个人甚至同属一个家族。集中营党卫队也在继续减少口粮，时常开展"禁食日"，让犹太人一点儿食物都吃不到，有时还会禁止犹太人进入医务室。年轻力壮的人很快变得苍老瘦弱，即使是最坚强的人也陷入了绝望。"在萨克森豪森集中营，我甚至不知道自己还算不算一个人，"波兰出生的拳击手兼技师，外号"霸王"的塞勒姆·肖特（Salem Schott）回忆说，"我除了饥饿之外再没有其他感觉。"[251]

233

在其他集中营，犹太人也失去了全部希望。在达豪，最可怕的地方是新近扩建的农场，被称为自由地二号，从1941年春天开始投入生产。[252]卡雷尔·卡沙克（Karel Kašák）是一名受优待的捷克囚犯，以插画家的身份在农场工作（党卫队准备出版一本植物图谱），他秘密记录了当时的情景："（1941年）3月21日。小队长佐伊斯（Seuss）命令犹太囚犯把在医务室包扎好的绷带立刻解开，让他裸露着绷带下可怕的伤口在潮湿泥泞的土地上工作。集中营内200名犹太人都遭到了虐待，极度痛苦，精疲力竭，骨瘦如柴；90%的人连站起来都十分困难。"[253]几乎每一天，农场里都有谋杀或是强迫自杀的情况发生，以下摘自卡沙克的记录：

（1941年）5月9日。又一名囚犯在自由地二号被杀。他开始奔跑。看守告诉我们虽然按照规定他不必做出警告就可以开枪，但他还是警告了两次。囚犯停下来解释："我想去那里。"可两枪之后他就倒在了地上……他们再一次将失去生命和失去意识的犹太人一起装在推车上。人类的肉体，上帝之子的身体就像木头一样堆在一起，胳膊与腿软绵绵地摆动着——这是我们每天都会见到的骇人景象……

5月14日。下午他们又在自由地二号射杀了一名犹太人……

5月15日。又一名犹太人被射杀。他们将他的帽子扔到警戒线后面，审头用警棍逼他去捡。体力枯竭使他们（犹太囚犯）视线不清，就像被催眠了似的，目光呆滞……

5 月 16 日。早上 9 点，两名犹太囚犯在自由地二号被射杀。他们将这两个筋疲力尽的人扔到水里，按住他俩的头直到他们几乎失去意识，肯定也失去了思维能力。审头扎梅廷格尔（Sammetinger）用铲子殴打他们，逼他们越过警戒线，刚越过警戒线就把他们击毙了。[254]

234

达豪已经如此可怕，但毛特豪森集中营更甚。这座集中营在战前并没有关押过犹太人，从战争初期开始，犹太人源源不断地被送来，在 1940 年到 1941 年间达到了将近 1000 人，其中大部分人都死在了这里。[255]大部分被送来的因犯是在德占荷兰被捕的犹太人，第一大批在 1941 年 2 月抵达：此前，德国政府及其当地的盟友在迫害荷兰犹太人时遭遇了激烈的抵抗，为了报复，希姆莱下令大规模逮捕犹太人。他们最初的目的地是布痕瓦尔德集中营。1941 年 2 月 28 日，389 名犹太人作为"人质"抵达那里。[256]"环境很快就变得越来越无法忍受。"其中一名犹太人后来作证说。到了 1941 年 5 月 22 日，已经有 40 多人死去。在集中营督察组的命令下，341 名幸存者登上了前往毛特豪森的列车。党卫队高层应该已决定除掉这帮人了。[257]因犯们在午夜时分到达毛特豪森，党卫队看守直接让他们去了工地。三个月之内就有超过一半的人死去。他们大多都死在采石场，被石头砸死，被看守打死，或是被逼着跨过警戒线。还有一些人是自杀，手拉手走向死亡。比如 1941 年 10 月 14 日，党卫队记录了 16 名犹太人因"跳下矿井"而死亡。无论他们是自杀还是被人推下去的，党卫队队员都难辞其咎，不过他们并不在意。当接下来的几批犹太人抵达毛特豪森时，党卫队官员们戏称欢迎"新伞兵队"的到来。[258]

到了 1941 年，集中营已经成为犹太人的死亡陷阱。死亡率和战前相比急剧升高，这主要是因为底层看守们无法无天的行为。但他们的上司也参与其中。几名囚犯作证称集中营指挥官曾明确下达过杀死犹太囚犯的指令。[259] 显然，集中营党卫队受到了纳粹反犹政策的影响，整体大环境在 1939 到 1941 年之间变得越发狠毒，而党卫队则"身先士卒"。集中营内早就开始了系统性的谋杀，比纳粹整体政策的转变要早许多。虽然在 1941 年初夏的时候纳粹还未决定是否要消灭欧洲的犹太人，但集中营内犹太人的命运几乎已经成为定局。

不过，这并不是说纳粹的最终解决方案开始得比我们所想的要早。虽然有零星的纳粹积极分子呼吁将所有犹太人关进集中营，但集中营在战争初期的纳粹反犹政策中只是边缘手段。[260] 官方在大规模拘禁方面依赖的主要是其他地点，纳粹在波兰、德国和其他地方建立了数百座强制劳动营和犹太人聚居区。1941 年 3 月，华沙最大的犹太人聚居区关押了 44.5 万名犹太人，他们承受着大规模的饥饿、传染病和死亡。[261] 相比之下，集中营专门为特定的犹太人准备，收押的都是些被视为极度危险的罪犯和恐怖分子。党卫队关押这些人是为了惩罚和震慑他们，就像之前党卫队对荷兰犹太人的围剿，关于他们的命运，整个荷兰犹太群体尽人皆知。[262] 不过此时，如果犹太男人、女人和小孩的"罪过"只是因为自己是犹太人，那他们更可能是在别的地方受苦，而不是集中营。

攻击波兰囚犯

1940 年 8 月 13 日，毛特豪森的日常生活被打破了。两名中年波兰囚犯维克托·卢考夫斯基（Victor Lukawski）与弗兰克·卡派基（Franc Kapacki）从古森次级营逃跑了。逃跑在当时十分罕见，当看守们发现两人不见后，他们怒不可遏。作为集体惩罚，两人所在工作队的全体囚犯（一共有 800 人，几乎都是波兰人）被迫以跑步的速度在采石场搬运沉重的石块；那些累倒的人会被审头和党卫队队员殴打。当他们回到集中营时，所有人不得不立正站一整夜，还没有饭吃。这一整天的虐待结果十分惊人：古森有 14 名波兰囚犯当天就死亡了。而两名逃犯的命运也十分凄惨。几天之后他们被抓了回来，被看守们殴打致死。[263]

新建的古森次级营从一开始便被设定为波兰囚犯的"改造营"。第一批 1084 名波兰囚犯在 1940 年 5 月 25 日正式开营时抵达，之后囚犯们被陆续分批转移过来。1940 年春夏两季总共约有 8000 名波兰人被送来，其中许多都是知识分子。他们大多是从达豪和萨克森豪森等集中营转移过来的。到了 1940 年末，超过 1500 人在古森集中营丢了性命，这里每月的平均死亡率达到了 5%。[264]这座人间炼狱由党卫队的卡尔·赫梅莱夫斯基（Karl Chmielewski）领导。他原是黑森一名技艺娴熟的木匠，在大萧条期间失去了自己的作坊，之后在 1932 年加入党卫队。在进入希姆莱的办公室之后，他开始飞黄腾达。1935 年夏天，31 岁的他请缨加入集中营党卫队；他先是在哥伦比亚屋接受凶残大师卡尔·奥托·科赫的训练，之后几年在萨克森豪森集中营为升官打好了基础。赫梅莱夫斯基的机会在 1940 年到来，他被调到古森集中营，成为 60 多名党卫队队员的指挥官。到他任期结束时，也就是 1942 年底，囚犯死亡率高达 50%。身高体壮的赫梅莱夫斯基以身作则，向部下展示应该怎么去拳

236

打、脚踢、鞭抽和杀死囚犯。这给他的上司留下了深刻的印象，毛特豪森指挥官弗朗茨·齐赖斯就曾经称赞他"公认的强硬作风"。[265]

随着囚犯数量在 1940 年到 1941 年激增，针对波兰人的致命虐待也在其他集中营扩散。在萨克森豪森集中营，波兰人被隔离到迷你营中。之前的犹太人已经被清走，如今这里成了"波兰检疫营"，他们像原来的犹太人一样备受折磨。[266] 极度的恐怖也是小营的特质。1941 年夏天，当一名囚犯从弗洛森比格集中营逃脱之后，当地的集中营党卫队让剩下的波兰囚犯连续立正站了三天三夜，也不给他们食物。这也许是集中营历史上最长的一次点名了；一些失去意识的囚犯摔倒后就被审头杀了，审头会把一个有水的高压水管塞进他们的喉咙。[267]

不过对波兰人最凶狠的还是奥斯维辛集中营，1940 年到 1941 年，波兰囚犯成了奥斯维辛集中营的绝对主体。自该营建立之后，囚犯的人数就不断增加，死亡人数也在不断飙升。这里的生活和其他集中营并没有什么不同：暴力、无休止的劳动、点名、饥饿、疾病和肮脏。"我们在集中营的生活就是一天又一天，只为了明天还能活着。"维斯瓦夫·凯拉回忆说。[268] 在开营第一年里，数千人死在奥斯维辛，而情况只会越来越糟。根据党卫队官员的记录，在 1941 年 10 月 7 日到 12 月 31 日 12 周的时间里，一共有 2915 具尸体从主营区的停尸房被送进焚化炉。[269]

除了波兰人和犹太人，党卫队的愤怒也扩大到其他囚犯群体。说德语的吉卜赛人在战争早期也经常是被攻击的对象，部分原因是党卫队队员根深蒂固的偏见（鲁道夫·霍斯就是一个，他深信小时候曾经有吉卜赛人想把他拐走）。1939 年秋天，大约有 600 名罗姆人从达豪转移到布痕瓦尔德集中营。他们将面对极度的艰苦和饥饿，约有 200 人没能挺过第一个冬天。许多人肢体被冻伤，不得不去医务室截肢；党卫队的医生毫不犹豫地给一些囚犯直接注射毒药。"我朋友都不想去医务室，因为没人从那里回来，"一名年轻的囚犯跟他的狱友说，"我觉得咱们吉卜赛人肯定会死在布痕瓦尔德里。"[270]

党卫队也会选出一些政敌来"特殊对待"。1941 年上半年，古森次级营的大部分新囚犯都是西班牙内战时期的老兵。这群人在囚犯中间很快就博得了勇敢和坚强的美名。这正应了党卫队的担心，他们认为这些老兵是久经考验的敌人，所以要单独隔离出来进行最严酷的惩罚。1941 年，近 60% 被归类为"红色西班牙人"（或"西班牙人"）的囚犯都死了；在 3046 名遇难者中，许多人都死在采石场。囚犯每天必须背着巨大的花岗岩石块攀登一条陡峭的石阶，就像"长长的送葬队伍"，一名幸存者后来写道。[271]

囚犯间的关系

随着条件不断恶化，不同囚犯群体之间的关系也越发紧张。集中营的基本规则本就会让他们互相敌对，而他们的背景、信仰和经历也差异太大，没法令他们联合起来与党卫队对抗。比如许多波兰囚犯就对德国囚犯充满敌意，因为他们是敌国人。这种仇恨甚至延伸到与纳粹政权为敌的德国人身上，比如德国共产党人。许多波兰人都蔑视德国共产党人，因为共产党人不仅是无神论者，还是苏联的朋友。在臭名昭著的《苏德互不侵犯协定》下，苏联在 1939 年 9 月中旬入侵了波兰东部，数万波兰公民和士兵被逮捕、流放或是处决。[272]

德国囚犯也没有免于纳粹种族主义的思想，也就是长久以来针对斯拉夫人的沙文主义。在诺因加默集中营，一名德国审头警告新来的人提防波兰人："我们都知道这帮流氓：懒惰、肮脏，大部分人都是鸡鸣狗盗之徒。"[273] 犹太人也会遭到一些德国囚犯的欺辱。在萨克森豪森集中营，莱昂·沙莱特曾经在惩罚连跟政治犯短暂相处过。他们干的是工地上的重活，48 岁的沙莱特不太熟悉这份新工作，没能跟上进度："我的工作伙伴利用这点疯狂地羞辱我。他们大叫着说我跟所有犹太人一样懒惰。"之后，他们还殴打沙莱特，直到他失去意识。[274]

当然，并不是所有德国囚犯都被种族主义蒙了心神。沙莱特就称赞了萨克森豪森集中营的老囚犯哈里·瑙约克斯，后者曾尽一切可能帮助自己。沙莱特也对另一名营区的老囚犯，一位勇敢的左翼德国政治犯充满钦佩。[275] 其他波兰人和犹太人也得到过德国囚犯的帮助。在集中营内的残酷世界里，滴水之恩都重如泰山，许多人几十年之后仍然铭记于心。[276] 不过随着战争愈发激烈，囚犯群体之间的摩擦也越来越频繁。

238　　　囚犯之间的紧张关系因为党卫队给一部分德国囚犯特殊优待而进一步加剧。[277] 在集中营系统中，囚犯们梦寐以求的审头岗位大多落在德国囚犯身上。这批囚犯和其他人的待遇有天壤之别。在 1939 年到 1940 年的寒冬，数百名萨克森豪森的囚犯在室外和冰冷的营房中死去。与此同时，像埃米尔·比格一样受优待的囚犯却能以职员的身份坐在温暖的办公室里工作。和其他德国的囚犯办事员一样，比格能够享受额外的三明治、牛奶和香烟，并且在庆祝同事生日时还吃到了蛋糕和咖啡，这是大部分囚犯只能在梦中实现的奢求。[278]

德国审头不仅能享受特殊的待遇，他们往往还掌握着外国囚犯和犹太人的命运。约翰·布吕根（Johann Brüggen）就是一个例子，他是一名德国政治犯，一直对犹太人怀有强烈的复仇心态。1940 年时他管理着达豪工地上的 200 多名囚犯，大家都十分害怕他。遭到布吕根虐待的有一个叫格哈德·勃兰特（Gerhard Brandt）的人，是一名 27 岁的平面设计师，1940 年 5 月 24 日来到达豪，在几天后加入了布吕根的小队。每当勃兰特进度落后，审头布吕根就会边对他拳打脚踢边喊着"脏犹太"、"犹太猪"，还有"你根本连人都不是"。1940 年 6 月 5 日，这名重伤的囚犯被送到达豪医务室，他在那里详细地描述了自己遭受的折磨："当我倒下时，布吕根会在我的身上踏。他每天都会用木棍打我的脸和头，有时也用拳头打我的脸，所以我总是会流很多鼻血。手帕都浸透了血，我根本无法用它再擦干任何东西。"他说完这些话之后过了几小时就死了。[279]

审头布吕根并非特例，数百名德国审头在战争初期也是施暴者。但其他囚犯并不认为审头的暴力行为都是错的。相反，当时有一个流传甚广的协定，如果囚犯越界就应该被殴打惩戒。埃米尔·比格就记录了这样一件发生在 1939 年至 1940 年冬天的事。一天夜里，一名波兰囚犯呻吟着求些水喝，还将营房中其他犯人的被子拿走。担任营区勤务员的囚犯最终忍无可忍，用警棍打了他。"我们都觉得打得好，"比格写道，"这名囚犯很快就'懂事'了，不再打扰我们。"事实上，这名囚犯后来死了。在黑暗的夜里，没人意识到他并不是一个捣蛋鬼，而是一个将死之人。[280]

这位不知名的波兰囚犯是战争初期数千名在集中营内丧命的受害者之一，此时正是集中营体系发生变化的阶段。战时集中营的许多特质在早期便显露出来：更大的营区，在德国核心区之外的新营，大量外国囚犯，致命的生存条件，每天恶毒的

239 暴力虐待以及有计划的处决。恐怖行动在后来的几年愈演愈烈，但在战争初期就已露狰容。不过在这个时期，即使最糟糕的时候，受害者的人数仍然只以十为单位，而不是成百上千。直到1941 年春夏，才发生了从囚犯的大规模死亡向大规模灭绝的转变，纳粹领导人也在大屠杀的道路上更进了一步。

注 释

1. Quote in Domarus, *Hitler*, vol. 3, 1315. See also ibid., 1311 – 14, 1318. 希特勒的计时是错的：德国是凌晨 4 点 45 分开战的。集中营的囚犯，参见 Naujoks, *Leben*, 139；Schrade, *Elf Jahre*, 197。

2. Speech to commanders in chief, August 22, 1939, in *Akten*, D/7, p. 172, ND: 1014 – PS. See also Baumgart, "Ansprache"；LaB, B Rep. 057 – 01, Nr. 3865, Bl. 171 – 80：Vernehmung E. Schäfer, September 14, 1965.

3. 此段和前一段，参见 LaB, B Rep. 057 – 01, Nr. 3870, Bl. 1051 – 65：Vernehmung K. Hoffmann, August 15, 1969；ibid., Bl. 1072 – 1101：OStA Düsseldorf, Verfügung, August 26, 1969；M. Crombach, Lebenslauf, 1953, in AS, Projektordner Sender Gleiwitz；Runzheimer, "Grenzzwischenfälle"；Schrade, *Elf Jahre*, 194 – 96。Müller quote in "'Grossmutter Gestorben,'" 72 – 73. 对格莱维茨的伪造袭击中，至少留下了一具尸体；这名遇害者不是集中营囚犯，而是当地一名波兰事业的支持者。

4. 数字参见附录表 1；Beevor, *World War*, 946。

5. Fröhlich, *Tagebücher*, I/5, May 30, 1938, 325.

6. Broszat, *Kommandant*, 104.

7. 新的主要集中营有奥斯维辛、格罗斯－罗森、马伊达内克、纳茨维勒、诺因加默、下哈根和施图特霍夫。囚犯人数参见附录图 1。

8. 另一种不同的观点，参见 Gellately, *Backing*, 261。

9. Rossino, *Hitler*, 227 – 29.

10. Wildt, *Generation*, 421 – 28, quote on 426；Rossino, *Hitler*, 53 – 57.

11. Rossino, *Hitler*; Böhler, *Auftakt*; Mallmann and Musial, *Genesis*. 对犹太人的暴行, 参见 Pohl, "Judenpolitik," 22 – 25。

12. Sydnor, *Soldiers*, 37 – 63, 87 – 312; idem, "Theodor Eicke," 155; Merkl, *General*, 137 – 43; Kaienburg, *Wirtschaftskomplex*, 74 – 77, 89; Kárný, "Waffen – SS," 242; Orth, *SS*, 157; Leleu, *Waffen – SS*, 541 – 677. 艾克死后, 党卫队骷髅师的指挥官换成了马克斯·西蒙 (Max Simon), 他也是一名战前集中营党卫队的老成员; Merkl, *General*。

13. Merkl, *General*, 159 – 60; Zámečník, *Dachau*, 113 – 15.

14. Orth, *SS*, 163, 171 – 72.

15. 此 段 和 前 一 段, 参 见 BArchB (ehem. BDC), SSO, Glücks, Richard, 22. 4. 1889; ibid., RS (ehem. BDC), B 5195, quote on Bl. 2748: Glücks to Rasse – und Siedlungshauptamt, November 19, 1935; Tuchel, *Inspektion*, 58; idem., *Konzentrationslager*, 339; IfZ, F 13/7, Bl. 383 – 88: R. Höss, "Richard Glücks," November 1946; Hördler, "Ordnung," 49; Moors and Pfeiffer, *Taschenkalender*, 375。格吕克斯在 1939 年 10 月接到任命 (Kaienburg, *Wirtschaftskomplex*, 77), 1939 年 11 月 15 日正式生效。他直接从属于希姆莱, 直到 1941 年 12 月 31 日 (因人事调动, IKL 正式归属于 1940 年 8 月 15 日成立的党卫队领导层总办事处); Tuchel, *Konzentrationslager*, 228。

16. Quotes in IfZ, F 13/7, Bl. 389 – 92: R. Höss, "Arthur Liebehenschel," November 1946; BArchB (ehem. BDC), SSO, Liebehenschel, Arthur, 25. 11. 01, R. Baer, Stellungnahme, July 3, 1944. See also ibid., R. u. S. Fragebogen, August 28, 1944; ibid., Film 44837, Vernehmung A. Liebehenschel, September 18, 1946; Tuchel, *Konzentrationslager*, 382; Cherish, *Kommandant*, 28. 关于格吕克斯的观点, 参见 BArchB (ehem. BDC), SSO, Höss, Rudolf, 25. 11. 1900, Glücks to Wander, January 14, 1941。在 20 世纪 30 年代中期, 利布兴切尔曾在利赫滕堡担任了两年多的副官; Hördler, "SS – Kaderschmiede," 92。

17. Orth, *SS*, 60, 81; Sofsky, *Ordnung*, 121.

18. Orth, *SS*, 95 – 96, 99, 136 – 37, 181 – 89, 233 – 40.

19. Quote in IfZ, F 13/7, Bl. 387: Rudolf Höss, "Richard Glücks," November 1946. See Orth, *SS*, 164. 奥尔特暗示说格吕克斯几乎不干涉其他指挥官, 进一步证实了这一点。

20. 1940 年 2 月先是初稿在集中营里流传，一年以后颁布了完整版；显然，对艾克在战前的规则只有少数修订。BArchB，NS 4/Ma 1，Bl. 2：Glücks to LK，February 22，1940；Himmler，DV für KL，1941，ND：011 – USSR，*IMT*，vol. 39，pp. 262 – 64（extracts）；Tuchel，*Inspektion*，100.

21. Quote in IfZ，F 13/7，Bl. 389：R. Höss，"Arthur Liebehenschel,"November 1946.

22. Schulte，"London"；BArchB，NS 3/391，Bl. 4 – 22：Aufgabengebiete in einem KL，n. d. （1942），Bl. 5 – 6，15.

23. Quote in Broszat，*Kommandant*，204.

24. 关于会议，参见 BArchB，NS 4/Na 103，Bl. 57：Glücks to LK，September 7，1940。关于非正式聚会，参见 StAAu，StA Augsburg，KS 22/50，Vernehmung I. Koch，April 29，1949，p. 11。

25. 从 1940 年起，保护性拘禁的指令完全由地区盖世太保办公室来发布，而不是柏林中央；Wildt，*Generation*，348。

26. 例子参见 BArchB，NS 3/425，Bl. 56：Glücks to LK，February 3，1942；Heiber，*Reichsführer!*，docs. 109a，184，227；Longerich，*Himmler*，511。

27. Moors and Pfeiffer，*Taschenkalender*，172 – 73，229，232，244，325，330，366，394；Schulte，"Konzentrationslager,"144.

28. Kárný，"Waffen – SS,"248；Kaienburg，*Wirtschaftskomplex*，82.

29. IfZ，Fa 127/3，Bl. 418：SS – Hauptamt to TS et al.，September 2，1939；Kaienburg，*Wirtschaftskomplex*，210.

30. Broszat，*Kommandant*，104 – 105.

31. *Das Schwarze Korps*，December 21，1939，in Overesch et al.，*Dritte Reich*，CD – Rom，doc. 220.

32. Wegner，*Soldaten*，124 – 29；Buchheim，"SS,"178；Tuchel，"Wachmannschaften,"139；Maršálek，*Mauthausen*，190. 即便是集中营党卫队官员的私人信件也被官方分类为战报，好似他们是在前线奋战一样。

33. Buchheim，"SS,"178；idem，"Befehl,"269；Kaienburg，*Wirtschaftskomplex*，73，80 – 81，210. See IfZ，Fa 127/1，Bl. 165 – 70：T. Eicke，Einberufung der Verstärkung der TS，August 30，1939；Tuchel，"Wachmannschaften,"138 – 40，144 – 45.

34. Poller，*Arztschreiber*，208.

35. Riedle, *Angehörigen*, 75; IfZ, F 13/6, Bl. 369 – 82; R. Höss, "Theodor Eicke," November 1946, Bl. 380; Kaienburg, *Wirtschaftskomplex*, 178 – 79.

36. Poller, *Arztschreiber*, 210. See also Gostner, *1000 Tage*, 137 – 38.

37. Quote in Zámeoník, "Aufzeichnungen," 175.

38. Quotes in BArchB, NS 31/372, Bl. 116; Glücks to TS, January 22, 1940. See BArchB, R 187/598, Erklärung E. Hinz, September 6, 1940.

39. 例子参见 BArchB, NS 4/Na 9, Bl. 88 – 89; KB, September 5, 1941。

40. Mailänder Koslov, *Gewalt*, 140; Browning, "One Day," 179.

41. K. Heimann to Herr Dostert, November 22, 1939, in Schnabel, *Macht*, 158, 165.

42. BArchB, NS 4/Bu 33, Sonderbefehl, August 31, 1939.

43. Ibid., KB, Nr. 130, November 22, 1939; ibid., KB, Nr. 128, November 9, 1939.

44. Ibid., KB, Nr. 124, October 20, 1939. See also ibid., Sonderbefehl, August 31, 1939.

45. Ibid., KB, Nr. 128, November 9, 1939.

46. Ibid., KB, Nr. 124, October 20, 1939; ibid., KB, Nr. 128, November 9, 1939.

47. Ibid., KB, Nr. 128, November 9, 1939; ibid., Sonderbefehl, August 31, 1939.

48. Ibid., KB, Nr. 130, November 22, 1939. 关于科赫利用密探，参见 BArchB (ehem. BDC), SSO, Morgen, Konrad, 8. 6. 1909, Bl. 854 – 64; Ermittlungsergebnis, December 5, 1943。

49. BArchB, NS 4/Bu 33, KB, Nr. 128, November 9, 1939. See also ibid., KB, Nr. 126, October 31, 1939.

50. LG Bonn, Urteil, February 6, 1959, *JNV*, vol. 15, 600 – 601.

51. 此段和前一段，参见 HLSL, Anklageschrift gegen Koch und andere, 1944, ND: NO – 2366; BArchB (ehem. BDC), SSO, Morgen, Konrad, 8. 6. 1909, Bl. 854 – 64; Ermittlungsergebnis, December 5, 1943。See Kogon, *SS – Staat* (1947), 268 – 69; Stein and Stein, *Buchenwald*, 52 – 55. 关于皮斯特，参见 Orth, *SS*, 191 – 97。

52. 科赫后来成了马伊达内克集中营的指挥官（见下文）。

53. Wachsmann, *Prisons*, 192 – 94.

54. Cited in Domarus, *Hitler*, vol. 3, 1316.

55. Wildt, *Generation*, passim.

56. Tuchel and Schattenfroh, *Zentrale*, 125 – 30; Röll, *Sozialdemokraten*, 124 – 34.

57. 在布痕瓦尔德，大约七分之一的政治犯在战争前两年被归为"再犯"；*OdT*, vol. 3, 313。

58. Quotes in IfZ, Dc 17. 02, Bl. 136: RKPA to Kripoleitstellen, July 7, 1939; ibid., Bl. 147: RdI to Landesregierungen et al., September 12, 1939; ibid., Bl. 157: RSHA to Kripoleitstellen, October 18, 1939. See Wagner, *Volksgemeinschaft*, 333 – 34.

59. Wagner, *Volksgemeinschaft*, 333.

60. IfZ, Dc 17. 02, Bl. 143: RKPA to Kripoleitstellen, September 7, 1939.

61. Záměčník, *Dachau*, 116; Sládek, "Standrecht," 327; Jochmann, *Monologe*, 197.

62. Van Dam and Giordano, *KZ – Verbrechen*, quote on 215 – 16; *OdT*, vol. 3, 34 – 35; Pingel, *Häftlinge*, 100, 267. 虽然有残忍暴行，但捷克囚犯起初也享受过一些特权，或许是因为种族；最重要的是，他们不必被要求强制劳动。

63. Ruppert, "Spanier"; Landauer, "Spanienkämpfer"; Maršálek, *Mauthausen*, 111 – 13.

64. Borodziej, *Geschichte*, 191 – 201; Noakes and Pridham, *Nazism*, vol. 3, 323 – 36.

65. Longerich, *Politik*, 251 – 92.

66. Rossino, *Hitler*, 21 – 22. 几个月后，奥斯瓦尔德·波尔希望能有 4 万名波兰囚犯在德国境内劳动；Niederschrift über die Besprechung beim Reichsstatthalter am 23. 1. 1940, in Johe, *Neuengamme*, 52 – 53。

67. August, "*Sonderaktion*," 7.

68. Broszat, "Konzentrationslager," 404; BArchB, R 58/825, Bl. 1 – 2: Amtschefbesprechung am 7. 9. 1939; Külow, "Jüdische Häftlinge," 180.

69. Herbert, *Fremdarbeiter*, 67 – 95. See Wachsmann, *Prisons*, 205 – 206.

70. Quote in AdsD, KE, E. Büge, Bericht, n. d. (1945 – 46), 75. See

Kosmala, "Häftlinge," 96; Záme&ník, *Dachau*, 172 – 73; Escher, "Geistliche," 302 – 303; Eisenblätter, "Grundlinien," 173.

71. 到了 1940 年 8 月，萨克森豪森集中营里有三分之一的囚犯是波兰人（AdsD, KE, E. Büge, Bericht, n. d. [1945 – 46], 112）。1941 年春天，诺因加默集中营里波兰囚犯的人数甚至超过了德国人（Kaienburg, "Vernichtung," 155）。

72. Quote in Buber – Neumann, *Dictators*, 209. See Strebel, *Ravensbrück*, 139.

73. BArchB, NS 19/4004, Bl. 278 – 351; Rede bei der SS Gruppenführerbesprechung, November 8, 1938, Bl. 293.

74. IfZ, Heiβmeyer, Vorschlag für endgültige Standortfestlegung, n. d. (November 1939), ND; NO – 1995.

75. Quote in BArchB, NS 19/1919, Bl. 4 – 5; Himmler to Hildebrandt, December 1939. See also ibid., Bl. 1; Glücks to Wolff, December 16, 1939; ibid., Bl. 10; Himmler to Heiβmeyer, January 15, 1940; IfZ, Fa 183, Bl. 42; Himmler to Heydrich, Glücks, February 26, 1940. See Orth, *System*, 68 – 69.

76. Quote in BArchB, Film 14429, Glücks to Himmler, January 30, 1940.

77. Steinbacher, "*Musterstadt*," 26 – 28, 66 – 78; Dwork and Van Pelt, *Auschwitz*, 17 – 65; BArchB, NS 19/1919, Bl. 25 – 27; Glücks to Himmler, February 21, 1940; IfZ, Fa 183, Bl. 46; Heiβmeyer to Himmler, January 25, 1940.

78. Steinbacher, "*Musterstadt*," 28, 68 – 69. 这个地方并没有被完全弃用（正如先前提到的那样）。1940 年 2 月，隶属于德国军队的一家建筑公司依然驻扎在此；BArchB, NS 19/1919, Bl. 25 – 27; Glücks to Himmler, February 21, 1940。

79. Steinbacher, *Auschwitz*, 22 – 23. See USHMM, RG – 11. 001M. 03, reel 32, 502 – 1 – 192, Neubauleitung Auschwitz to Hauptamt Haushalt u. Bauten, June 7, 1941; ibid., Erläuterungsbericht, November 19, 1940. 对卡托维兹的德国警察来说，兴建奥斯维辛集中营的决定是个好消息，因为他们一直在游说兴建一座集中营来缓解当地监狱人口过多的情况；Konieczny, "Bemerkungen"。

80. Strzelecka, "Polen," 21 – 24; Wildt, *Generation*, 483 – 84.

81. Quote in Kielar, *Anus Mundi*, 17. See Strzelecka, "Polen," 11, 26 –

27; Lasik, "Organizational," 199 – 200.

82. Broszat, *Kommandant*, 135 – 36, 268 – 69, quote on 141. See Orth, *SS*, 177; Rees, *Auschwitz*, 48.

83. 关于党卫队的评估，参见 USHMM, RG – 11.001M.03, reel 34, 502 – 1 – 218, Erläuterungsbericht, August 11, 1941。

84. Czech, *Kalendarium*, 68; Strzelecka and Setkiewicz, "Construction," 63 – 67.

85. Schulte, "London," 220 – 26 （奥斯维辛的数字，1942 年 1 月 6 日）。毛特豪森集中营（包括古森集中营）总共有超过 15000 名囚犯; Maršálek, *Mauthausen*, 126。

86. 在这些波兰囚犯中，有一些犹太人是因为违反了纳粹数不清的规章制度而被捕; Fulbrook, *Small Town*, 164 – 65, 171 – 72, 217 – 18。

87. 此处并未包括辛泽特集中营。这座集中营起初是为在齐格菲防线惩戒德国工人而建（1938 年 5 月德国西部边境防御工事），但很快就被归入集中营系统的轨道。1939 年 10 月，它被指定为党卫队特别集中营，希姆莱在 1940 年 7 月将它置于 IKL 的监管下; 看守换成骷髅部队的成员，更多的外国政治犯陆续到来。虽然辛泽特在一些层面上效仿其他集中营（这座小规模地区性特别营平均关押着大概 800 名囚犯），但它从未真正变成一座党卫队集中营。鉴于它的特殊地位，它通常被排除在 IKL 和集中营之间的通信之外。See *OdT*, vol. 5, 17 – 42; Orth, *System*, 94 – 95.

88. Kaienburg, "*Vernichtung*," 152 – 56, quote on 153; Schulte, "Konzentrationslager," 146.

89. Sprenger, *Groß – Rosen*, 44 – 46, 88 – 89, 100 – 103; Konieczny, "Groß – Rosen," 309 – 12; Moors and Pfeiffer, *Taschenkalender*, 366.

90. Steegmann, *Struthof*, 44 – 45, 323. See BArchB, NS 4/Na 9, Bl. 75 – 76: KB, April 28, 1941. 从 1940 年 8 月起，纳茨维勒就不再是萨克森豪森集中营的卫星营了（cf. Orth, *System*, 85）。

91. BArchB, NS 3/1346, Bl. 56 – 76: DESt Geschäftsbericht 1940, Bl. 71; Steegmann, *Struthof*, 64 （1943 年 12 月 31 日有 2428 名囚犯）。

92. John – Stucke, "Niederhagen." 下哈根主营关闭后，几十名囚犯被留下，成了布痕瓦尔德卫星营突击队队员。See Schulte, *SS*; idem, "London," 224.

93. 三座主要的集中营（格罗斯 – 罗森、诺因加默和下哈根）起初是萨克森豪森集中营的卫星营,另外两座(奥斯维辛和纳茨维勒)也切断了联系。

94. Tuchel, *Konzentrationslager*, 197 – 99; 389 – 90. 诺因加默的新指挥官艾斯费尔德(Eisfeld)也处在和勒德尔相似的境地; Broszat, *Kommandant*, 132, 261; Kaienburg, "*Vernichtung*," 152 – 53。

95. 起初,囚犯是从老集中营里被调来的。只有到 1940 年底时,诺因加默才变成了教学营(Einweisungslager,从警方手中直接接手囚犯),而格罗斯 – 罗森是在 1941 年初,纳茨维勒是在 1942 年 8 月; Kaienburg, *Neuengamme*, 155; idem, "Funktionswandel," 259; Konieczny, "Groβ – Rosen," 312; Orth, *System*, 85。

96. Quote in Hitler order, June 25, 1940, in Dülffer et al. , *Hitlers Städte*, 36(据施佩尔而言,这项指令是在 6 月 28 日签发,倒填的日期)。此段和前一段,参见 Speer to Reichsschatzmeister, February 19, 1941, in ibid. , 64 – 79; ibid, 22 – 24; Speer, *Erinnerungen*, 185 – 88; Kershaw, *Nemesis*, 299 – 300; Van der Vat, *Nazi*, 94 – 95。

97. Kaienburg, *Wirtschaft*, 763, 768. See BArchB, NS 3/1346, Bl. 56 – 76: DESt Geschäftsbericht 1940, Bl. 73.

98. Ansprache an das Offizierskorps der Leibstandarte – SS, September 7, 1940, *IMT*, vol. 29, 98 – 110, quote on 108, ND: 1919 – PS.

99. Kaienburg, *Wirtschaft*, 26 – 27; Schulte, *Zwangsarbeit*, 176 – 78.

100. Schulte, *Zwangsarbeit*, 159 – 67.

101. BArchB, NS 4/Bu 31, Bl. 13: IKL to LK, April 19, 1941; Kaienburg, *Wirtschaft*, 27.

102. Kaienburg, *Wirtschaft*, 857 – 78; Schulte, *Zwangsarbeit*, 125 – 31.

103. Seidl, "*Himmel*"; Kaienburg, *Wirtschaft*, 771 – 92.

104. Kaienburg, *Wirtschaft*, 840 – 55. See BArchB(ehem. BDC), SSO, Höss, Rudolf, 25. 11. 1900, Glücks to Wander, January 14, 1941.

105. Wagner, *IG Auschwitz*, 37 – 73; Hayes, *Industry*, xii – xvi, 347 – 54; Schmaltz, "IG Farben-industrie."Wagner 和 Hayes 不认为法本公司是因为集中营现成可用的劳动力才决定在附近建工厂。

106. BArchB, NS 3/1346, Bl. 56 – 76: DESt Geschäftsbericht 1940; Moors and Pfeiffer, *Taschenkalender*, 173, 229, 232, 325, 366; Kaienburg, *Wirtschaft*, 660; Maršálek, *Mauthausen*, 248; Witte et al. , *Dienstkalender*,

165.

107. Kaienburg, "*Vernichtung*," 97 – 112, 149 – 56, 190 – 99.

108. BArchB, NS 3/1346, Bl. 56 – 76: DESt Geschäftsbericht 1940; Sprenger, *Groβ – Rosen*, 41 – 44, 88 – 89; Kaienburg, *Wirtschaft*, 695 – 96, 715 – 18; Jaskot, *Architecture*, 69 – 70; Moors and Pfeiffer, *Taschenkalender*, 330.

109. BArchB, NS 3/1346, Bl. 56 – 76: DESt Geschäftsbericht 1940; Kaienburg, *Wirtschaft*, 616, 626, 635, 660, 664, 671, 727 – 45; Maršálek, *Gusen*, 3 – 5. Lungitz 砖厂也归属于古森。

110. Quote in BArchB, NS 4/Na 103, Bl. 58: "Ein Weg zur Freiheit," n. d. （1940）. See also ibid., Bl. 57: Glücks to LK, September 7, 1940; ibid., NS 3/1346, Bl. 56 – 76: DESt Geschäftsbericht 1940, Bl. 60.

111. Kaienburg, *Wirtschaft*, 672, 1060.

112. 例如，DAW 的创立有望带来意外之财；Kaienburg, *Wirtschaft*, 858, 867 – 70。

113. StANü, Chef Amt D II, Häftlingssätze, February 24, 1944, ND: NO – 576. See also Schulte, *Zwangsarbeit*, 117 – 19.

114. BArchB, NS 3/1346, Bl. 56 – 76: DESt Geschäftsbericht 1940; Kaienburg, *Wirtschaft*, 633, 681; Schulte, *Zwangsarbeit*, 440; Allen, *Business*, 85 – 86.

115. Kaienburg, *Wirtschaft*, 613, 637; Schulte, *Zwangsarbeit*, 119; Fabréguet, *Mauthausen*, 272 – 73.

116. Quotes in Levi, *If*, 95 – 96.

117. Quotes in Marszałek, *Majdanek*, 105; Caplan, "Gender," 95. Muselmann 是指穆斯林的德语词，普遍用于 19 世纪（*Herders Conversations – Lexikon* [1809 – 11], in Directmedia, *Lexika*, 51214; *Pierer's Universal – Lexikon* [1857 – 65], ibid., 212659）。对于为什么用这个词来形容集中营里的活死人，有不同的说法；Wesołowska, *Wörter*, 115 – 21。关于 Muselweiber 这个词，参见 ibid., 120; Kremer, "Tagebuch," 219。

118. Ryn and Kłodziński, "Grenze."

119. 关于战后的表述，参见 Körte, "Stummer Zeuge"。一个突出的例子参见 Agamben, *Remnants*, 82。

120. Quote in Szalet, *Barracke*, 97. See Naujoks, *Leben*, 262; Maršálek,

Mauthausen, 67.

121. 关于气味，参见 Gigliotti, *Train Journey*, 156 – 57。

122. BArchB, NS 4/Bu 18, Bl. 21, 34, 37. 10 月的统计数据包括了 2200 名来自临时关闭的达豪集中营的囚犯。布痕瓦尔德的数据没有包括不参与点名的劳动分队的囚犯。

123. 由 6536 名囚犯（1939 年 8 月末）增长到 12168 人（1939 年末）；AS, R 214, M 58。

124. NMGB, *Buchenwald*, 698 – 99.

125. BArchB, R 3001/alt R 22/1442, Bl. 125：RM Ernährung u. Landwirtschaft to Landesregierungen et al., January 16, 1940；Naujoks, *Leben*, 139；Kaienburg, "Systematisierung," 63（n. 19）.

126. Quote in IfZ, statement P. Wauer, May 21, 1945, ND：NO – 1504. See Maršálek, *Mauthausen*, 57 – 58.

127. DaA, 9438, A. Hübsch, "Insel des Standrechts"（1961）, 222. See August, "*Sonderaktion*," 244.

128. LG Cologne, Urteil, April 20, 1970, *JNV*, vol. 33, p. 701. 类似的例子参见 LG Bonn, Urteil, February 6, 1959, *JNV*, vol. 15, 586, 596。

129. Zámečník, *Dachau*, 147；Naujoks, *Leben*, 161 – 62；DaA, 9438, A. Hübsch, "Insel des Standrechts"（1961）, 228.

130. DaA, 9438, A. Hübsch, "Insel des Standrechts"（1961）, 185.

131. AdsD, KE, E. Büge, Bericht, n. d.（1945 – 46）, 77.

132. 总体情况参见 Helweg – Larsen et al., *Famine*。

133. Naujoks, *Leben*, 159 – 67；Schlaak, "Wetter," 180. IKL 最终允许囚犯接收家里寄来的衣服，但对许多人来说已经太迟；BArchB, NS 3/425, Bl. 34：IKL to LK, September 24, 1941。

134. AdsD, KE, E. Büge, Bericht, n. d.（1945 – 46）, 112, 138.

135. Ziołkowski, *Anfang*, 27. See Szalet, *Baracke*, 322；Helweg – Larsen et al., *Famine*, 124 – 60；DaA, 9438, A. Hübsch, "Insel des Standrechts"（1961）, 220 – 21.

136. 例子参见 AdsD, KE, E. Büge, Bericht, n. d.（1945 – 46）, 138。See Süβ, "*Volkskörper*," 223 – 24, 233. 在战争初期，最大的集中营毛特豪森至少两次流行过斑疹伤寒；Maršálek, *Mauthausen*, 47。

137. 1940 年 12 月，不到 4% 的布痕瓦尔德囚犯在医务室里；BArchB,

NS 4/Bu 143, Schutzhaftlager – Rapport, December 2, 1940。显然，集中营党卫队对能进入医务室的囚犯有名额限制。萨克森豪森的一名党卫队医生在 1940 年夏天曾试图改变这种做法，结果无功而返，很快便离开了集中营；Naujoks, *Leben*, 162, 209 - 10。

138. Quotes in DaA, 9438, A. Hübsch, "Insel des Standrechts" (1961), 259, 282.

139. Urbańczyk, "Sachsenhausen," 221 - 22.

140. Hohmann and Wieland, *Konzentrationslager*, 45 - 46; Naujoks, *Leben*, 162 - 64; Zámečník, *Dachau*, 162 - 66.

141. Dante, *Divine Comedy*, 241 - 42.

142. Quote in "The Stone Quarry," 1945, in Hackett, *Buchenwald*, 184. See also ibid, 51. 囚犯和党卫队提及但丁，参见 Levi, *If*, 115 - 21; SMAB, *Inmitten*, 263; Świebocki, *Resistance*, 260; Kremer, "Tagebuch," 211。

143. 党卫队在格罗斯 - 罗森一处采石场的公开案例研究，参见 Kaienburg, *Wirtschaft*, 708 - 15。

144. Ibid. , 713.

145. Quotes in USHMM, RG - 11. 001M. 01, reel 17, 500 - 5 - 1, Bl. 98：Chef Sipo und SD to RSHA et al. , January 2, 1941; YUL, MG 1832, Series II - Trials, 1945 - 2001, box 10, folder 50, Bl. 1320 - 23：statement J. Niedermayer, February 6, 1946. See Pingel, *Häftlinge*, 81, 260（n. 74）; Dillon, *Dachau*, chapter 4; Maršálek, *Mauthausen*, 35; Kaienburg, "*Vernichtung*," 41 - 42. 关于"死亡豪森"，参见 Gross, *Zweitausend*, 298。女性囚犯不受分类的影响，因为战争初期只有一座女子集中营；BArchB, NS 4/Bu 31, Bl. 3：RSHA to Sipo, July 30, 1942。

146. 囚犯文件按理说应该包括分类（BArchB, NS 4/Na 6, Bl. 12 - 13：Glücks to LK, July 7, 1942; ibid. , Bl. 14：Liebehenschel to LK, September 4, 1942）。久而久之，更多的集中营被加了进来，一些集中营的等级也有所改变。比如，另一座有致命采石场的集中营格罗斯 - 罗森后来从 2 类被升为了 3 类（BArchB, NS 4/Bu 31, Bl. 1：IKL to LK, n. d. , autumn 1942）。

147. 在萨克森豪森有 3809 人登记死亡，布痕瓦尔德有 1772 人；StANü, Pohl to Himmler, September 30, 1943, Anlage, ND：PS - 1469; *OdT*, vol. 3, 347。

148. 1941 年初，奥斯维辛 I 营被归为 1 类营，II 营被归为 2 类营

（USHMM，RG - 11. 001M. 01，reel 17，500 - 5 - 1，Bl. 98：Chef Sipo und SD to RSHA et al.，January 2，1941）。这令人困惑，因为直到 1943 年秋天，奥斯维辛才正式被分为独立的营（参见第 7 章）。无论如何，在 1942 年秋天，奥斯维辛集中营整体被正式划归为 2 类（BArchB，NS 4/Bu 31，Bl. 1：IKL to LK，n. d. ）。在战争后半程，更普遍的分类，参见 StANü，testimony O. Pohl，June 13，1946，pp. 13 - 14，ND：NO - 4728。

149. Piper，"Exploitation，" 80 - 88；Strzelecka and Setkiewicz，"Construction，" 67.

150. LG Cologne，Urteil，October 30，1967，*JNV*，vol. 26，751 - 61，quote on 756. 数字参见 AM Datenbank（感谢 Andreas Kranebitter 为我提供本章用到的有关毛特豪森囚犯数据库的详细信息）。

151. Weiss - Rüthel，*Nacht*，65 - 67，quote on 66；Kaienburg，*Wirtschaftskomplex*，301 - 20；Trouvé，"Klinkerwerk，" 122 - 35；LG Cologne，Urteil，April 20，1970，*JNV*，vol. 33，708 - 709.

152. 关于古森，参见 LG Cologne，Urteil，October 30，1967，*JNV*，vol. 26，752。

153. Quote in AS，62/1，"Sachsenhausen. Mahnung und Verpflichtung，" n. d.，160. See Naujoks，*Leben*，166 - 67；AdsD，KE，E. Büge，Bericht，n. d.（1945 - 46），26.

154. Quotes in Vermerk H. Müller，September 8，1939，in Engelmann，"*Sie blieben*，" 76；Heinen to his wife，ibid.，127 - 28；Broszat，*Kommandant*，107. See also ibid. 106；Morsch，*Mord*，153 - 55；Wysocki，"Lizenz，" 238；Gürtner note，October 14，1939，in Broszat，"Perversion，" 411.

155. Hitler Proklamation，September 3，1939，in Domarus，*Hitler*，vol. 3，1341.

156. Gruchmann，*Justiz*，676. See Gürtner note，September 28，1939，in Broszat，"Perversion，" 408 - 409，ND：NG - 190.

157. Kershaw，"Working." 希特勒给希姆莱的最初指令可能相当概括；Gürtner note，October 14，1939，in Broszat，"Perversion，" 411。

158. Quote in BArchB，R 58/243，Bl. 202 - 204：Chef der Sipo to Stapo(leit)stellen，September 3，1939. See IfZ，Himmler，Durchführungsbestimmungen für Exekutionen，January 6，1943，ND：NO - 4631；Broszat，*Kommandant*，105.

159. BArchB，R 58/243，Bl. 209 and 215：Heydrich to Stapo（leit）stellen，

September 7, 1939, and September 20, 1939.

160. Morsch, *Mord*, 158 – 61, quote on 158.

161. Gürtner note, September 28, 1939, in Broszat, "Perversion," 408 – 409, ND: NG – 190; Gruchmann, *Justiz*, 677 – 78; Wachsmann, *Prisons*, 401 – 403. 关于死刑，参见 Evans, *Rituals*, 689 – 737。

162. Gruchmann, *Justiz*, 679 – 81; Gürtner note, October 14, 1939, in Broszat, "Perversion," 411.

163. Broszat, "Perversion," 400, 412 – 15; Gruchmann, *Justiz*, 686, 689.

164. Morsch, *Mord*, 79 – 85, quote on 83; IfZ, statement P. Wauer, May 21, 1945, ND: NO – 1504; Naujoks, *Leben*, 142 – 43; Hohmann and Wieland, *Konzentrationslager*, 22.

165. Quote in USHMM, RG – 06. 025 * 26, File 1551, Bl. 249 – 67: Interrogation K. Eccarius, December 20, 1946, Bl. 263. See AS, J SU 1/61, Anklageschrift UDSSR, October 19, 1947; ibid., D 30A, Bd. 8/2 A, Bl. 126 – 29: E. Eggert, "Meine Erlebnisse im Zellenbau Sachsenhausen," n. d.; ibid., D 1 A/1024, Bl. 387: Veränderungsmeldung; LG Munich, Urteil, December 22, 1969, *JNV*, vol. 33, 309 – 45; ITS, ARCH/HIST/KL Dachau 4 (200), Bl. 59: Glücks to LK, February 25, 1939; BArchB, R 3001/alt R 22/ 1467, Bl. 314 – 17: Besprechung mit den GStA am 23. 1. 1939.

166. Broszat, *Kommandant*, 107 – 109, quote on 107. 关于集中营党卫队的处决秘密统计，参见 Glücks to 1. Lagerarzte, December 28, 1942, in NMGB, *Buchenwald*, 257 – 58。

167. 第一个详细的规定显然是 1940 年 10 月 17 日通过的；IfZ, H. Müller to HSSPF, January 14, 1943, ND: NO – 4631。

168. 集中营党卫队行刑者偶尔会在集中营外执行死刑。例如，1942年 8 月，弗洛森比格党卫队跋涉三个巴伐利亚城镇去处决波兰强制劳工；NAL, HW 16/11, Flossenbürg to IKL, August 24, 1942; StAAm, StA Weiden Nr. 81/8, Bl. 1624 – 29: LG Weiden, Beschluss, July 15, 1955。

169. IfZ, Himmler, Durchführungsbestimmungen für Exekutionen, January 6, 1943, ND: NO – 4631; ibid., MA 414, Bl. 6117: WVHA – D to LK, June 27, 1942; JVL, JAO, Review of Proceedings, *United States v. Prince zu Waldeck*, November 15, 1947, 58; Evans, *Rituals*, passim.

170. 例子参见 AdsD, KE, E. Büge, Bericht, n. d. (1945 – 46), 125。

171. 在死亡的人中, 有 33 名波兰人于 11 月 9 日在萨克森豪森被处决, 128 人甚至更多的囚犯在毛特豪森被处决 (11 月 12 ~ 25 日的六次行动中), 40 人于 11 月 22 日在奥斯维辛被处决; AdsD, KE, E. Büge, Bericht, n. d. (1945 – 46), 123; LG Cologne, Urteil, October 30, 1967, *JNV*, vol. 26, 691; KL Auschwitz to IKL, November 22, 1940, in *HvA* 2 (1959), 131。详情参见 Broszat, *Polenpolitik*, passim。

172. Morsch, *Mord*, 93 – 95; Naujoks, *Leben*, 214 – 17; AdsD, KE, E. Büge, Bericht, n. d. (1945/6), 123, 150; AS, J D2/43, Bl. 86 – 98: Vernehmung G. Sorge, April 26, 1957; ibid., Ordner Nr. 10, Vernehmung R. Rychter, November 14, 1946.

173. 在弗洛森比格, 184 名波兰囚犯 "依党卫队全国领袖的指令" 被处决 (1941 年 2 月 6 日至 9 月 8 日); StAAm, StA Weiden Nr. 81/1, Bl. 185 – 87, 192 – 97: Augenscheinprotokoll, September 15 and 24, 1953。

174. 背景参见 Madajczyk, *Okkupationspolitik*, 187 – 89; Majer, "*Non – Germans*," 453 – 54; Broszat, *Kommandant*, 154。

175. Majer, "*Non – Germans*," 449 – 69, 512 – 19; Strebel, *Ravensbrück*, 284. 在被侵占的领土, 即决法庭在 1940 ~ 1942 年暂时闭庭了。

176. Steinbacher, "'Mord,'" 274 – 80. 奥斯维辛法庭第一次记录的开庭是 1943 年 1 月 25 日; Piper, *Mass Murder*, 46。

177. 关于最后一点, 参见 NAL, HW 16/11, Glücks to Hinzert, September 1, 1942; BArchL, B 162/7999, Bl. 768 – 937: StA Koblenz, EV, July 25, 1974, Bl. 906。

178. Kershaw, *Nemesis*, 271 – 75; Domarus, *Hitler*, vol. 3, 1415.

179. Kershaw, "*Myth*," 146.

180. Apel, *Frauen*, 143 – 44, quote on 144; Szalet, *Baracke*, 193 – 99; LG Cologne, May 28, 1965, *JNV*, vol. 21, 113.

181. Kautsky, *Teufel*, 36; Hackett, *Buchenwald*, 252 – 53; Poller, *Arztschreiber*, 133 – 34; HLSL, Anklageschrift gegen Koch, ND: NO – 2366, pp. 53 – 54; Stein, *Juden*, 93 – 95; LG Frankfurt a. M., Urteil, February 27, 1970, *JNV*, vol. 22, 785 – 87.

182. LG Frankfurt a. M., Urteil, February 27, 1970, *JNV*, vol. 22, 785. "志愿行刑人" 一词因 Goldhagen 的 *Executioners* 变得通俗。

183. HLSL, Anklageschrift gegen Koch, 1944, ND: NO - 2366, pp. 53 -
54; LG Frankfurt a. M., Urteil, February 27, 1970, *JNV*, vol. 22, 787 - 88;
BArchB, NS 4/Bu 18, Bl. 56.

184. Quote in HLSL, Anklageschrift gegen Koch, 1944, ND: NO - 2366,
p. 53. See also Hackett, *Buchenwald*, 170 - 71, 196 - 204; LG Bayreuth,
Urteil, July 3, 1958, *JNV*, vol. 14, 809 - 16; Anklage gegen Sommer, in Van
Dam and Giordano, *KZ - Verbrechen*, 21 - 27.

185. Röll, *Sozialdemokraten*, 89 - 102; LG Nürnberg - Fürth, Urteil,
October 21, 1953, *JNV*, vol. 11, 455 - 63.

186. Naujoks, *Leben*, 176 - 79. 680 名萨克森豪森的囚犯死于 1940 年 1
月，大约 160 人在 1 月 18 ~ 20 日死亡，其中许多是霍斯行动的牺牲者
［AdsD, KE, E. Büge, Bericht, n. d.（1945 - 46），111; AS, Totenbuch;
StANü, Pohl to Himmler, September 30, 1943, Anlage, ND: PS - 1469］。

187. 在毛特豪森，死亡注射大概始于 1939 年秋天到 1940 年夏天；
Maršálek, *Mauthausen*, 162; Hördler, "Ordnung," 108 - 109。

188. Riedle, *Angehörigen*, 163 - 79; LG Bonn, Urteil, February 6, 1959,
JNV, vol. 15, 416 - 21, 653 - 54; IfZ, statement P. Wauer, May 21, 1945,
ND: NO - 1504, p. 7. 详情参见 Mann, *Dark Side*, 212 - 39; Orth, *SS*, 87 -
90。货车司机古斯塔夫·赫尔曼（Gustav Hermann）在 20 世纪 20 年代因
为一路从波兰开到巴黎而被称为"铁人古斯塔夫"；他的功绩还给了 Hans
Fallada 灵感，写出了一本小说 *Der eiserne Gustav*（Berlin, 1938）。

189. Prisoner quote in NAL, WO 208/3596, CSDIC, SIR Nr. 727, August
11, 1944; Sorge quotes in LG Cologne, Urteil, April 20, 1970, *JNV*, vol. 33,
628. See also LG Cologne, Urteil, May 28, 1965, *JNV*, vol. 21, 93 - 94;
Kogon, *Theory*, 52; BArchB, NS 3/391, Bl. 4 - 22: Aufgabengebiete in einem
KL, n. d.（1942）, Bl. 20 - 21.

190. Riedle, *Angehörigen*, 204 - 14, quote on 208; LG Bonn, Urteil,
February 6, 1959, *JNV*, vol. 15, 421 - 22, 655 - 56; AdsD, KE, E. Büge,
Bericht, n. d.（1945 - 46）, 87.

191. Quote in Naujoks, *Leben*, 179. See also LG Munich, Urteil, January
20, 1960, *JNV*, vol. 16, 277 - 85; Trouvé, "Bugdalle."

192. AS, J D2/43, Bl. 146 - 54: Vernehmung G. Sorge, May 6, 1957,
quote on 147.

193. 例子参见 AdsD, KE, E. Büge, Bericht, n. d. (1945 – 46), 97 – 98。

194. Quote in Hohmann and Wieland, *Konzentrationslager*, 26. See LG Bonn, Urteil, February 6, 1959, *JNV*, vol. 15, 474 – 75.

195. LG Bonn, Urteil, February 6, 1959, *JNV*, vol. 15, 535, 538, 601 – 602, quote on 571.

196. 党卫队的法庭系统，参见 Vieregge, *Gerichtsbarkeit*, 6 – 17, 247 – 48；Longerich, *Himmler*, 501 – 505；Gruchmann, *Justiz*, 654 – 58。理论上，常规法庭保留亲自对集中营囚犯起诉的权力。实际上，此类起诉十分罕见。一些例外参见 Eiber, "Kriminalakte," 32 – 33。

197. Quote in LG Cologne, Urteil, April 20, 1970, *JNV*, vol. 33, 626.

198. Kautsky, *Teufel*, 35 – 36；DaA, 9438, A. Hübsch, "Insel des Standrechts" (1961), 248.

199. Browning, *Origins*, 309 – 30.

200. Quote in LG Cologne, Urteil, April 20, 1970, *JNV*, vol. 33, 627.

201. 关于佐尔格，参见 Riedle, *Angehörigen*, 184。

202. AS, J D2/43, Bl. 146 – 54：Vernehmung G. Sorge, May 6, 1957, quote on 152.

203. Kershaw, "Working."

204. DaA, 9438, A. Hübsch, "Insel des Standrechts" (1961), 245.

205. 死亡人数：布痕瓦尔德 802 人（BwA, Totenbuch），达豪 243 人（DaA, Häftlingsdatenbank）弗洛森比格 12 人，（AGFl, Häftlingsdatenbank），毛特豪森 15 人（AM, Zugangslisten und Totenbücher），萨克森豪森 243 人（AS, Totenbuch），利赫滕堡 0 人（Fahrenberg and Hördler, "Lichtenburg," 173）。

206. 死亡人数：布痕瓦尔德 1838 人（BwA, Totenbuch），达豪至少 1574 人（DaA, Gedenkbuch, 19），弗洛森比格 242 人（StAAm, StA Weiden Nr. 81/1, Bl. 185 – 87），毛特豪森 – 古森 3846 人（Maršálek, *Mauthausen*, 146），诺因加默 430 人（Kaienburg, "Vernichtung," 473），拉文斯布吕克 36 人（Strebel, *Ravensbrück*, 506），萨克森豪森 3809 人（StANü, Pohl to Himmler, September 30, 1943, Anlage, ND：PS – 1469）；奥斯维辛没有确切数据，合理猜测为 2500 人。毛特豪森的比例，参见 Kranebitter, *Zahlen*。

207. 关于瘦骨嶙峋的尸体，参见 NMGB, *Buchenwald*, 177 – 78。集中

营内死因概述，参见 Buggeln，*Arbeit*，200 – 203。

208. AdsD，KE，E. Büge，Bericht，n. d.（1945 – 46），128 – 29，139 – 40；HLSL，Anklageschrift gegen Koch，1944，ND：NO – 2366，p. 51；Kamieński，"Erinnerung，" 130。

209. Pressac，*Krematorien*，4 – 15；*OdT*，vol. 4，30。

210. 在毛特豪森和奥斯维辛等更大的集中营里，1941 年设立登记办公室（Lasik，"Structure，" 180；Maršálek，*Mauthausen*，150）。在死亡率更低、较小的一些集中营里，直到 1942 年底才设立登记办公室（StAAm，StA Weiden Nr. 81/1，Bl. 192 – 97：Augenscheinprotokoll，September 24，1953；Sprenger，*Groβ – Rosen*，221）。

211. Pingel，*Häftlinge*，99 – 100；Fabréguet，*Mauthausen*，168。

212. Strebel，*Ravensbrück*，180。

213. Wachsmann，"Introduction，" in Buber – Neumann，*Dictators*，vii – xxii。

214. Buber，*Dictators*，186 – 93，quote on 192。

215. 关于改造，参见 IfZ，Himmler to Pohl，November 15，1942，ND：PS – 1583。

216. Ibid.；BArchB，NS 3/426，Bl. 16：Glücks to LK，January 20，1943。

217. Strebel，*Ravensbrück*，189 – 93，250；Buber，*Dictators*，190。

218. IfZ，Geschäftsbericht Texled，June 28，1941，ND：NO – 1221，quote on 11；Kaienburg，*Wirtschaft*，939 – 77；Allen，*Business*，72 – 78；Strebel，*Ravensbrück*，213 – 28. 党卫队支付给没有技能的女工每日 10 芬尼，男工 30 芬尼。

219. Quote in Koegel to Eicke，March 14，1939，*NCC*，doc. 258. See Strebel，*Ravensbrück*，56 – 65；Segev，*Soldiers*，232 – 36。

220. Heike，"Langefeld，" 10 – 16；Buber – Neumann，*Flamme*，30 – 43；Buber，*Dictators*，263 – 65；Strebel，*Ravensbrück*，67 – 68。

221. Mailänder Koslov，*Gewalt*，157，483。

222. Strebel，*Ravensbrück*，283 – 84. 起初，几乎所有死者都是被即决法庭指控犯有抵抗罪的波兰女性。

223. 估算基于 Strebel，*Ravensbrück*，180，293，506，509。Strebel 争辩说，男囚非比寻常的高死亡率是因为直到 1942 年底，次级营都被划归为惩罚营（Strebel，"'Unterschiede，'" 120）。然而，其死亡率事实上比其他一些集中营要低。关于焚化炉，参见 *OdT*，vol. 4，476。

224. Strebel, *Ravensbrück*, 105 – 108, 185, 250; Buchmann, *Frauen*, 8 – 9.

225. Quotes in Buber – Neumann, *Dictators*, 164; Rózsa, "Solange," 186 (referring to Auschwitz in 1944). See Amesberger et al., *Gewalt*, 70 – 85; Caplan, "Gender," 93 – 94; Strebel, *Ravensbrück*, 269 – 71; Suderland, *Extremfall*, 298.

226. Strebel, *Ravensbrück*, 140, 251; Buchmann, *Frauen*, 9.

227. Apel, *Frauen*, 47 – 48, 138 – 52, 339 – 44.

228. Böhler, *Auftakt*, 158.

229. Kees, "'Greuel,'" 87 – 126, quote on 106 (n. 69); Krzoska, "'Blutsonntag'"; Wildt, *Generation*, 432 – 47; Weckbecker, *Freispruch*, 442 – 45; Sydnor, *Soldiers*, 40.

230. Quotes in Domarus, *Hitler*, vol. 3, 1360.

231. *Deutschland – Berichte*, vol. 6, 1031 – 32.

232. Szalet, *Baracke*, 28 – 31; Külow, "Jüdische," 180 – 82.

233. Stein, *Juden*, 83 – 84. See also BArchB, NS 4/Bu 18, Bl. 48.

234. Quote in BwA, 5244 – 16, Bericht J. Ihr, n. d., 1. See Stein, *Juden*, 83 – 88.

235. Quote in WL, P. III. g. No. 998, F. Rausch, "Allen Gewalten zum Trotz," 1959, 3. See BArchB, NS 4/Bu 18, Bl. 53 – 54.

236. Hackett, *Buchenwald*, 184 – 86, 271 – 76.

237. Gedenkstätte Buchenwald, *Buchenwald*, 118.

238. BwA, 31/450, Bericht E. Frommhold, n. d. (1945), 71 – 72.

239. Stein, *Juden*, 88.

240. 此段和前一段，参见 Szalet, *Baracke*, especially pages 31 – 42, quotes on 31, 64; Meyer, "Nachwort"; Külow, "Häftlinge," 182 – 83, 198; LG Cologne, Urteil, May 28, 1965, *JNV*, vol. 21, 113。沙莱特的文件保存在纽约利奥·贝克研究所（Leo Baeck Institute），AR 10587。

241. LG Cologne, Urteil, April 20, 1970, *JNV*, vol. 33, 658; LG Bonn, Urteil, February 6, 1959, *JNV*, vol. 15, 563; Szalet, *Baracke*, 222.

242. Szalet, *Baracke*, 320. See Külow, "Häftlinge," 191 – 92.

243. Quote in LG Cologne, Urteil, April 20, 1970, *JNV*, vol. 33, 627. See Wünschmann, *Before Auschwitz*, chapter 6.

244. Buber, *Dictators*, 265; Heike, "Langefeld," 15. See also Záменík, "Aufzeichnungen," 181.

245. BArchB, R 58/1027, Bl. 128; RSHA, Vermerk, April 23, 1940.

246. 1940 年 4 月以后的释放情况，参见 Strebel, *Ravensbrück*, 175; Stein, *Juden*, 65。

247. Szalet, *Baracke*, quote on 417.

248. Ibid; Meyer, "Nachwort."沙莱特及其女儿在 1940 年 5 月 10 日前往上海，后来定居美国。

249. Stein, *Juden*, 82.

250. Quote in LG Bonn, Urteil, February, 6, 1959, *JNV*, vol. 15, 482. See Sprenger, *Groß - Rosen*, 125; OdT, vol. 1, 105; YVA, O - 51/64.

251. Quote in Kwiet, "'Leben,'" 236. 详情参见 Stein, *Juden*, 74 - 82; Naujoks, *Leben*, 210; AdsD, KE, E. Büge, Bericht, n. d. （1945 - 46）, 139; LG Bonn, Urteil, February 6, 1959, *JNV*, vol. 15, 564 - 65, 578 - 79, 588 - 89。

252. Seidl, "*Himmel*," 169 - 70; Záменík, *Dachau*, 120 - 24. Záменík于 1941 年在自由地二号工作。

253. Quote in Záменík, "Aufzeichnungen," 173.

254. Quote in ibid., 175 - 76.

255. AM Datenbank. 根据党卫队的统计，1939 ～ 1942 年，2064 名犹太人被送入该集中营；到 1942 年底，1985 人死亡；BArchB, NS 19/1570, Bl. 12 - 28: Inspekteur für Statistik, Endlösung der Judenfrage （1943）, Bl. 24。

256. Browning, *Origins*, 203; Hilberg, *Vernichtung*, vol. 2, 610; Moore, *Victims*, 71 - 72; Stein, *Juden*, 96. "人质"一词的使用，参见 Befehlshaber Sipo und SD, Meldungen aus den Niederlanden, Jahresbericht 1942, in Boberach, *Regimekritik*, doc. rk 1593, Bl. 420673。

257. Testimony M. Nebig, 1945, in Hackett, *Buchenwald*, 250 - 51 （Nebig 是少数留在布痕瓦尔德集中营的犹太人之一）。See also Perz, "'Vernichtung,'" 97; Stein, *Juden*, 99 - 100; ITS, KL Buchenwald GCC 2/193, Ordner 168, KL Buchenwald to Hauptamt Haushalt und Bauten, May 21, 1941; ibid., KL Buchenwald to Deutsche Reichsbahn, May 16, 1941.

258. Quotes in AM, Totenbuch （感谢 Andreas Kranebitter 提供给我的复印件）; testimony A. Kuszinsky and L. Neumeier, 1945, in Hackett,

Buchenwald, 251 – 52。See also AM, Datenbank; Maršálek, *Mauthausen*, 85 (1941 年 6 月 14 日的日期有误)。

259. 例子参见 August, "*Sonderaktion*," 269; Hackett, *Buchenwald*, 251。

260. 这种零星的呼吁, 参见 NSDAP Kreisleitung Kitzingen – Gerolzhofen, Stimmungs – Bericht, September 4 and 11, 1939, in Kulka and Jäckel, *Juden*, docs. 2986, 2988。

261. Pohl, *Forced Labor*; Corni, *Ghettos*.

262. Moore, *Victims*, 82 – 83; NAL, FO 371/26683 – 0033, Memorandum for Political Intelligence Department, Holland, December 16, 1941; LG Munich, Urteil, February 24, 1967, *JNV*, vol. 25.

263. Maršálek, *Mauthausen*, 219, 260 – 61, 275 (两名逃犯的名字并不清楚)。1940 年, 只有七名囚犯逃离了毛特豪森。

264. Maršálek, *Mauthausen*, 145 – 47, 218 – 19, 303 – 304; idem, *Gusen*, 5 – 6, 14, 39; Fabréguet, *Mauthausen*, 167 – 69; *OdT*, vol. 4, 371 – 72. 即 1940 年 4 月至 1941 年 6 月间的每月平均死亡率。

265. Quote in BArchB (ehem. BDC), SSO, Chmielewski, Karl, 16. 7. 1903, Personalbericht 1940. See also ibid., Lebenslauf, n. d.; LG Ansbach, Urteil, April 11, 1961, *JNV*, vol. 17, 153 – 231; *OdT*, vol. 4, 373.

266. Naujoks, *Leben*, 192 – 95.

267. Siegert, "Flossenbürg," 458; JVL, DJAO, RaR, *United States v. E. Ziehmer*, January 16, 1948.

268. Kielar, *Anus Mundi*, 99. See Strzelecka, "Polen."

269. Piper, *Zahl*, 153 – 54. 这一数据既不包括直接被送去焚化的囚犯尸体, 也不包括此期间死亡的苏联战俘 (参见第 5 章)。

270. Quote in Gedenkstätte Buchenwald, *Buchenwald*, 76. Ibid., 74; Zimmermann, *Rassenutopie*, 121 – 22; Broszat, *Kommandant*, 31; BwA, 31/450, Bericht E. Frommhold, n. d. (1945), 67.

271. Quote in "Der Steinbruch." See AM Datenbank; Kranebitter, *Zahlen*; Maršálek, *Mauthausen*, 305; idem, *Gusen*, 15; Pingel, *Häftlinge*, 101 – 102; Fabréguet, *Mauthausen*, 169; Sofsky, *Ordnung*, 142. 详情参见 Pike, *Spaniards*。

272. Snyder, *Bloodlands*, 123 – 41, 150 – 51; Maršálek, *Mauthausen*, 304 – 305; Pingel, *Häftlinge*, 98; Naujoks, *Leben*, 196 – 97, 201 – 203.

273. Quote in Kupfer – Koberwitz, *Häftling*, 273. See Maršálek, *Mauthausen*, 309.

274. Szalet, *Baracke*, 95, 285, quote on 388.

275. Ibid., 120 – 21, 125, 198, 290, 349, 351.

276. August, "*Sonderaktion*," 137.

277. 在毛特豪森，条件优良的医务室只面向德国囚犯，而外国囚犯则在所谓的特别病房（Sonderrevier）等死；Maršálek, *Mauthausen*, 159 – 62。

278. AdsD, KE, E. Büge, Bericht, n. d. （1945 – 46）, 31, 37.

279. Quote in StAMü, StA Nr. 34398, KL Dachau, Vernehmung G. Brandt, June 10, 1940. See also ibid., LG Munich, Vernehmung P. Höferle, June 10, 1940; ibid., LG Munich, Urteil, November 4, 1940. 一般来说，死在其他囚犯手中的遇害者没有上报司法系统；原因至今不明，不过布吕根的案子是个例外，慕尼黑地区法庭指控凶手过失杀人，判处他在监狱服刑八年。背景参见 Eiber, "Kriminalakte," 20 – 21, 32。

280. AdsD, KE, E. Büge, Bericht, n. d. （1945 – 46）, 98 – 99.

第 5 章　大规模灭绝

1941 年 4 月 4 日是一个周五，清晨有两名德国医生到达奥 拉宁堡火车站，他们是 36 岁衣冠楚楚的弗里德里希·门内克
（Friedrich Mennecke）和 43 岁又矮又胖的特奥多尔·施泰因迈
尔（Theodor Steinmeyer），后者留着希特勒式的胡须。两人的目
的地是附近的萨克森豪森集中营。除了外表之外，两名精神科
医生有着许多共同点。他们冷酷无情且野心勃勃，推崇极端的
种族优生理论，而且都从很早开始便投身于纳粹事业（施泰因
迈尔与门内克分别在 1929 年和 1932 年加入纳粹党），两人年纪
轻轻便被培养为第三帝国的救济院总管。日后成为挚友的两人
也许在从车站走到集中营的这半小时路程中聊起了前一天第一
次来这里的经历，当时他们的上级维尔纳·海德教授赋予了他
们一项秘密任务：给大约 400 名囚犯做身体检查，这些人是集
中营党卫队从 1.2 万名萨克森豪森集中营囚犯中挑选出来的。[1]

到了集中营之后，门内克医生与施泰因迈尔医生便开始在
医务室为这些被选出来的囚犯做检查。两名医师工作了一整天，
只有中午在党卫队官员食堂吃饭时休息了一会儿。他们下午 6
点钟的时候结束了工作，这一天他们各自检查了几十名囚犯。
下班后，施泰因迈尔回到了柏林的酒店，而门内克则回了他在
奥拉宁堡艾勒斯酒店的豪华双人间。他按捺不住激动的心情，
火速给妻子写了一封信。"我们的工作非常非常有趣。"他如此
对她说。第二天上午 9 点，经过了一夜好眠和一顿丰盛的早餐

之后，门内克医生与施泰因迈尔医生在奥拉宁堡车站会合，接着到萨克森豪森集中营检查更多囚犯，他们在午饭时分开去过周末。周一早晨，两人重新展开了工作，一位名叫奥托·黑博尔德（Otto Hebold）的心理医生加入了他们的行列。第二天，也就是 1941 年 4 月 8 日星期二，他们加快了进度，在检查完剩下的 84 名囚犯之后圆满完成了任务。[2]

医生们忽然之间便离开了萨克森豪森集中营，就像来时一样匆忙，那些接受过检查的囚犯仍留在营中。其中大部分人瘦得只剩皮包骨。"他们太虚弱了，几乎站不直。"黑博尔德医生后来回忆说。很多人都丧失了劳动能力，已经在医务室待了一段时间，饱受一系列疾病的困扰。其他人则是被党卫队从营房中选出来的。其中就有从柏林来的西格贝特·弗伦克尔（Siegbert Fraenkel），他是一名体面的艺术品与书籍交易商，57 岁。弗伦克尔在折磨人的立正突击队内结交了不少犹太朋友，通过与他们谈论艺术、文学、哲学来打发没完没了的日子。"是他的演讲让我们找回了一些人类的尊严，生活的尊严。"一名囚犯后来回忆说。颇为肥胖的弗伦克尔在集中营里待了五个月之后仍然很健康。但党卫队仍然让他在 1941 年春天接受了医生的检查，也许是因为他弯曲的脊椎。[3]

医生们在萨克森豪森集中营的检查对囚犯来说是一次短暂但揪心的折磨。在几分钟内，他们询问了每名囚犯的背景、健康和家庭情况；集中营党卫队的官员还常常插嘴，增添一些他们行为不端、工作表现差劲的评价。而最糟的是囚犯们不知道医生的意图。在集中营的极端环境下，囚犯们总是无时无刻不在猜测党卫队的意思，想从队员们的一举一动中看出端倪，医生们在 1941 年 4 月初的这次访问也是一样。当时流传最广的传言是医生们将选择一些体弱的囚犯去达豪集中营做些更轻松的工作，党卫队队员们也为这个说法推波助澜。其他囚犯则怀疑有什么更加不可告人的企图，但没人能说得准。几周后并没有任何动静，许多囚犯肯定已经忘了这些神秘医生的检查。他们没能想到自己的命运已经注定了。[4]

　　门内克、施泰因迈尔、黑博尔德三名医生并不是普通的医生。他们是"安乐死"行动的资深参与者，这是纳粹一项大规模谋杀残疾人的计划。这些医生早早便打破了他们立下的希波克拉底誓言，他们来到萨克森豪森集中营并不是为了救人，而是为了杀人；他们判定接受检查的犯人大多数是"不配生存的生命"，医生们就是这样称呼他们的，并将他们的情况上报给"安乐死"计划总部。[5]那边审阅过这些文件后，一份最终的名单被送回萨克森豪森集中营。1941 年 6 月 3 日一早，距离施泰因迈尔和门内克首次到访整整两个月之后，党卫队将第一批 95 名囚犯召集到医务室。在那里，囚犯们先被注射了镇静剂，然后被装进了一辆盖着油布的大卡车。几天后又有 174 名囚犯被分成两批运走。犹太商人西格贝特·弗伦克尔也在其中。在 6 月 5 日离开萨克森豪森集中营前不久，他曾经跟集中营老囚犯哈里·瑙约克斯说："很显然我们已经被当作必死之人了。"弗伦克尔是对的。卡车将他和其他人运到萨克森州的索嫩施泰因（Sonnenstein）收容所。他们一到那里便遇害了。[6]

　　这次谋杀并不是一次性的。在 1941 年 4 月来萨克森豪森集中营时，门内克医生就知道这次出差只是他集中营死亡服务的开始。两个月后，当西格贝特·弗伦克尔和其他萨克森豪森囚犯被杀时，门内克已经完成了新一轮的检查，这次是在奥斯维辛。在接下来的几个月内，他还要前往布痕瓦尔德、达豪、拉

242

文斯布吕克、格罗斯－罗森、弗洛森比格和诺因加默。[7]几千名
囚犯因为他的检查结果而死。

1941 年是集中营从大规模死亡向大规模灭绝转变的一年。
从初秋开始，虽然是否要杀死体弱的囚犯仍未有定论，但集中
营党卫队已经展开了一项更加激进的计划——杀死数万名苏联
战俘。集中营变成了修罗场，毁灭成了行凶者们生活的主要内
容，集中营因此进入了一个全新的时代：有史以来第一次，集
中营党卫队队员们联合起来大规模屠杀囚犯。

杀死弱者

纳粹的"安乐死"行动在第二次世界大战爆发前便已经成
形，当时希特勒批准了一项处决残疾人的秘密计划。该计划由
希特勒的私人医生卡尔·勃兰特（Karl Brandt）和元首个人事
务办公厅主任菲利普·鲍赫勒（Philipp Bouhler）负责。作为纳
粹政权的一个边缘人物，鲍赫勒将大规模谋杀视为平步青云的
好机会，并将日常的管理工作交给了自己的副手维克托·布拉
克（Viktor Brack）。这些行凶者很快就建立了一个高效的机构，
总部设在柏林动物园街 4 号（Tiergartenstrasse 4）的一栋别墅里
（"安乐死"计划的代号"T－4 行动"也因此而来）。德国的救
济院需要向他们提交特殊的表格，里面详细描述了病人的情况。
这些表格会被送到如门内克和施泰因迈尔这样特聘的医生手中，
由他们初步决定病人的命运，然后由海德教授这样的高级医师
草草审核一遍。他们主要关注病人是否能工作：被认为丧失劳
动能力的人都要被杀掉。但怎么杀呢？

行凶者们考虑过几种方式。最开始他们想到的是致命性注
射。但很快另一种方法博得了他们的青睐，取代了注射。他们

最终决定用毒气处死残疾人，希特勒显然支持这一方案。在1939 年底到 1940 年初，党卫队在柏林市外一座废弃的监狱中建立了一间毒气实验室。几名残疾人被锁在充满一氧化碳的封闭房间里，在"安乐死"行动高层领导们的密切监控下死亡。不久之后，新招聘的 T‑4 员工就运营起几座杀戮中心（大部分由救济院改建而成），每个都配有一间毒气室。德国上下大规模毒杀病人的行为直到 1941 年夏天才在希特勒的命令下停止，因为该项计划已经成为一个公开的秘密，引起了公众对杀戮的广泛忧虑（谋杀行为继续存在于地方救济院中，只不过更加隐秘）。此时已经有七万到八万人在毒气室中被杀。借用历史学家亨利·弗里德伦德（Henry Friedlander）的话，这种"纳粹德国独一无二的发明"后来成了纳粹对欧洲犹太人实施种族灭绝行动的核心。不过，它的首批受害者是救济院中的病人，很快就延伸到了集中营的囚犯。[8]

"安乐死"与集中营

当海因里希·希姆莱于 1941 年 1 月 20 日踏进达豪集中营时，他肯定被吓坏了。这里已经与九个月前他带领一队党卫队高官和荷兰纳粹来参观时大不相同。[9] 每当他来视察时，集中营党卫队官员们都会忙于掩盖集中营内的种种问题，但这一次希姆莱最心爱的集中营已经陷入重大的危机，无论怎样也掩盖不了了。对当地集中营党卫队而言，问题早在几个月前就开始出现了。集中营督察官里夏德·格吕克斯面对越来越多的病弱囚犯，决定将达豪变成一座"活死人"集中营。以往各个集中营都会辟出一个区域专门隔离病弱的囚犯。现在，格吕克斯为了减轻其他集中营的负担，下令将情况最糟糕的所有囚犯移交达豪集中营统一关押。[10]自他下令后，从 1940 年夏末起，数以千计的病弱囚犯拥入达豪。仅在 8 月 28 日到 9 月 16 日这段时间就有约 4000 名病弱囚犯（大多数来自立正突击队）从萨克森豪森集中营分四批来到达豪。作为交换，达豪党卫队向对方送出了大约 3000 名健康一些的囚犯。[11]也有来自其他集中营的小批囚犯。比如 1940 年 10 月 24 日，布痕瓦尔德党卫队就向达豪发出了一辆特别列车，上面载着 371 名被党卫队形容为"不适合工作的病人和残废"。[12]

达豪集中营很快变成了一场噩梦。那些死在输送途中的"活死人"被丢弃在火车站。挺到集中营的人被摆在点名广场上，或是躺在特地腾空的营房中。他们骨瘦如柴，大多数人手脚都被冻伤，身上满是跳蚤和水肿，伤口化脓；每当这些半死的人显露出生命迹象时，路过的党卫队看守便会非常讶异。他们哭泣、低语、讨饶，或是在有人撕开他们和痂粘在一起的衣服时惨叫。许多人都饱受恶性痢疾之苦，达豪集中营内很快充满了地狱般的恶臭。囚犯阿尔弗雷德·许布施清晰地记得，1940 年 9 月初，从萨克森豪森集中营"运来一批恐怖的人"："我们看到十几个（新囚犯），粪便从他们的裤子中流出来。他们的手上也都是粪便，他们尖叫着把脏手在脸上蹭来蹭去。他们肮脏、干枯的脸上，颧骨高高凸起来，看上去触目惊心。"许多人因为太虚弱已经无法行走和进食，被送到达豪集中营只是等死。[13]

1940 年 9 月到 12 月间死去的犯人超过了 1000 人。在这地狱般的 4 个月里，死去的人数是整个战前时期达豪死亡人数总和的 2 倍。情况越来越糟。1941 年 1 月，也就是希姆莱视察的时候，达豪死亡人数达到了新高——至少有 463 名囚犯死亡。[14]

与此同时，集中营内暴发了疥疮。据估计在 1941 年有四五千名囚犯被感染，几乎达到了总人数的一半。许多人得不到医疗救助，直接被隔离起来，留给他们的仅有一点食物和睡觉用的稻草席。被关起来的波兰红衣主教亚当·科兹洛维柯基（Adam Kozlowiecki）曾见到那些患病的囚犯去洗澡，他们每周能有一次打理自己的机会，他在秘密日记中记下了那些人的外貌："他们如黄色皮肤包裹的骷髅，眼睛巨大而悲伤。他们看着我们。一些眼神在寻求帮助，一些则是彻底的冷漠。"[15]

希姆莱 1941 年 1 月 20 日到达豪集中营视察时，即便下属们没有让他见到最糟糕的一面，但眼前肮脏不堪、疾病横行的景象已经摧毁了希姆莱理想中的集中营形象。希姆莱想要的是井然有序、干净整洁的集中营，肮脏的无用之人在那里没有立锥之地；他们的存在既是对资源的浪费、对健康的威胁，更是沉重的经济负担。许多党卫队队员都赞同希姆莱的观点。其中一个人在 1941 年初解释说，所有"不能工作的人"和"残废"给集中营造成了"天大的负担"。[16]到了这时，党卫队领导们一定认识到把达豪集中营变成病弱犯人坟场的决定弄巧成拙了。这座老牌模范营因此变成了垃圾场，而其他集中营的情况却没有得到太大的改善。确实，囚犯们的死亡率在病弱囚犯被送往达豪之后有过短暂的下降。[17]但死者人数很快再次升高，到了 1941 年初，所有男子集中营又被濒死的囚犯填满。[18]是时候采取一些行动了。

大约就在视察达豪期间，海因里希·希姆莱选定了一个激进的方案：系统性地消灭病弱的犯人。[19]大规模屠杀在当时已经出现。在第三帝国及新占领的土地上，纳粹领袖和追随者们已经习惯用谋杀解决各式各样的"问题"，从政治反抗到精神疾病。而对于病弱的集中营犯人，许多党卫队队员很乐意让他们去死。据一名曾经的犯人所言，1940 年达豪党卫队领导们对病弱囚犯的态度可以总结如下："让他们呻吟吧——我们很快就能摆脱他们了。"[20] 事实上，就像我们之前提到的，一些地方集中营的党卫队已经开始更进一步、自发地杀害一些病弱囚犯。这又是一个"累积式激进"的例子，希姆莱要捍卫自己作为生死判官的权威；与此同时，过度狂热的地方党卫队队员未经许可的随机谋杀，一定程度上进一步促成了处决体弱囚犯的中央政策。[21]

为了落实自己的计划，希姆莱找到了 T–4 的杀人专家。自1940 年起，"安乐死"行动将扩展到集中营的传闻已经在德国流传开来。[22] 但实际上直到 1941 年初与元首个人事务办公厅的鲍赫勒和布拉克讨论之后，希姆莱才真正下定决心。[23] 对希姆莱来说，与"安乐死"行动合作是一个便利之选。这是一个运转顺畅的机器，已经收割了数万人的生命。而且希姆莱知道自己可以信任 T–4 的官员们，他们中许多人都是资深党卫队队员（其中还包括几名 1939 年底从萨克森豪森和布痕瓦尔德调到 T–4行动的前集中营党卫队队员）。有些人与他还有私交：维克托·布拉克曾经是希姆莱的司机，维尔纳·海德曾经在战前集中营负责囚犯绝育计划。[24] 希姆莱下定决心之后便立刻行动。在 1941年 3 月 28 日和布拉克第二次会晤之后——也许是获得了希特勒的最终许可——行动便开始了，一周之后，门内克医生和施泰因迈尔医生前往萨克森豪森集中营开始工作。[25]

希姆莱决定将第一次大规模灭绝计划外包给 T–4 杀手们，而不是留给集中营党卫队，这点非常耐人寻味。我们只能猜测他的动机。也许希姆莱想让他的党卫队队员们在亲自动手之前

先向 T - 4 的专家们学习。又或许他担心在集中营内开展大规模 246
屠杀会引起囚犯暴动，将谋杀放在遥远的"安乐死"中心也许
可以把其余的囚犯蒙在鼓里，让他们对党卫队政策的血腥转变
一无所知。[26]

筛选

起初，地方集中营党卫队官员应上级的要求参与这个计划，
上级告诉他们希姆莱要求杀掉患病和体弱的囚犯。虽然地方党
卫队队员们不是刽子手，但他们也扮演着一个残酷的角色：为
T - 4 医生筛选囚犯。集中营督察组强调，最重要的任务是把
"那些不能工作的人"挑出来（这与"安乐死"计划的目标相
同）；一名奥斯维辛的高级官员回忆说，那些被重点关注的人是
"残疾"、"无药可救"和"有传染病的囚犯"。[27]

虽然集中营督察组布置了交给 T - 4 医生处理的囚犯名额，
但地方集中营党卫队在初选时有相当大的发挥余地。比如在达
豪集中营，党卫队要求所有劳动队的囚犯在点名广场集合；领
导们记下那些特别瘦弱的人，以及缺胳膊少腿或跛足的残疾人
的名字。达豪党卫队还从所谓的病弱营区和医务室挑出更多的
囚犯，逼着审头们进行配合。在达豪肺结核区当值的囚犯瓦尔
特·内夫（Walter Neff）后来承认，自己曾挑出那些卧床不起
的囚犯交给党卫队。[28]

党卫队准备得当后，T - 4 医生们就会出发前往集中营，有
时几人一起，有时独自一人。在 1941 年 4 月首次前往萨克森豪
森集中营之后，医生们去了更多的集中营，包括奥斯维辛
（1941 年 5 月）、布痕瓦尔德（1941 年 6 月和 11 ~ 12 月）、毛特
豪森（1941 年 6 ~ 7 月）、达豪（1941 年 9 月）、拉文斯布吕克

（1941 年 11 月和 1942 年 1 月）、格罗斯－罗森（1942 年 1 月）、弗洛森比格（1942 年 3 月）和诺因加默（1942 年 4 月）。[29]总共有十多名 T－4 医生参与其中。[30]他们由"安乐死"计划资深医学专家维尔纳·海德教授与赫尔曼·尼切（Hermann Nitsche）教授领导，有时教授们也会亲自参与筛选。其他人大多数是 T－4 计划的老成员。以前，门内克医生和施泰因迈尔医生等人去精神病院挑选要杀的病人。现在他们来到了集中营。[31]

247 　　一到集中营，T－4 医生们就会同当地集中营党卫队的高层官员见面——指挥官、他的副官和集中营的医师——后者会给医生简单介绍营内的准备情况。[32]T－4 医生们可以在集中营里自由走动，有时会要求看看更多的因犯。医生的权力有可能同当地集中营党卫队领导的产生冲突。[33]但事实上他们的关系大体还算密切。他们一起工作，有时还会一起社交，比如在党卫队官员食堂吃完午餐后一起围着营区散步消食。[34]

　　在筛选的过程中，T－4 医生们会简单浏览因犯们的档案，然后给每位因犯填一份登记表，表格由党卫队准备，内容依照"安乐死"计划制定的标准。大部分问题都与因犯们的身体状况有关，问一些"诊断"、"主要症状"和"身体残疾"方面的问题。[35]医生们通常会扫一眼因犯，就像门内克医生和施泰因迈尔医生在萨克森豪森集中营所做的那样。因犯们通常需要脱光衣服一个一个地排好队走过来，医生们就像阅兵似的；那些无法走路的人则被抱过来。医生们会在表格上潦草地写几笔；偶尔，他们也会问问因犯们的出身。[36]然后医生又开始检查下一个受害者。

　　筛选的过程很快——好似"传送带"，门内克医生在达豪记录道——随着医生们经验逐渐丰富，速度也越来越快。到了

1941 年 11 月，门内克只需要不到 3 分钟就可以判定一名囚犯，而在 4 月时，他的平均判断时间是 8 分钟。"工作进展非常顺利。"他告诉妻子。[37] 显然，T-4 医生们只饶过了很小一部分接受检查的囚犯。影响他们评判的因素不得而知，不过其中一些参加过第一次世界大战的老兵暂时逃过了一劫。[38] 门内克和他的同事们会在表格左下角写下最终的判断。[39] 囚犯们的命运就被钢笔这轻轻一画决定："+"意味着死，"-"意味着生。[40]

　　柏林 T-4 总部的官员们会对这些表格进行审核，确定最终的受害者名单。[41] 这份名单被送往一个"安乐死"中心〔一共有三个，分别是哈特海姆（Hartheim）、贝恩堡（Bernburg）和索嫩施泰因〕，由承办中心联系相应的集中营组织囚犯运输工作。[42] 到了运输的那天——从选择囚犯到运输之间大约有几个月的时间——集中营党卫队护送囚犯们来到杀戮中心；毛特豪森集中营党卫队就用一辆奔驰大巴和两辆黄色邮政公交车将受害者们送上不归路。[43] 囚犯们启程的消息会用电报发至奥拉宁堡的集中营督察组，督察组会持续跟进整个行动。[44]

　　当这些输送队伍抵达杀戮中心时，车上许多囚犯都起了疑心，恐惧不已。而周围空气中弥漫的肉体烤焦的味道更提高了他们的警觉。在中心员工与党卫队队员进行交接和检查文件时，有些囚犯谎报自己的健康状况和身份背景，以期能改变自己的命运。还有少部分人尝试逃跑，不过都被党卫队队员按在了地上。他们无路可逃。不久之后这些囚犯便被带走，他们以为是去洗澡。在脱光衣服进入毒气室后，T-4 员工们便将门锁上，将毒气抽送进去。这些装在钢罐里的一氧化碳都是由法本公司提供的。一些人开始呕吐、颤抖、尖叫，拼命想呼吸空气。几分钟之后，最后一个人也失去了意识。又过了几分钟，所有人

248

就全死了。过了一阵之后，T－4 员工们打开毒气室的通风设备，将尸体拖出去。他们把尸体投入附近的焚化炉，不过在此之前要把金牙拔走（有金牙的囚犯在进毒气室前会被特别标记出来）。这些金子被装在一起送到 T－4 总部，由总部统一熔化售卖。据一名曾经的官员透露，这大概能覆盖杀人的开销。通过用囚犯的钱杀囚犯，这台谋杀机器在经济上实现了自给自足。[45]

杀人犯医生

跟其他 T－4 医生一样，弗里德里希·门内克陶醉于自己的身份。有人曾经提出，像门内克这样狂热的纳粹爪牙在执行恐怖行动的时候都过着双面人生。他们既是集中营里的杀手也是家中贴心的丈夫，据说他们已经在工作与生活之间树起了一座不可逾越的围墙。[46]然而，从门内克的身上和他内容丰富多彩的海量通信中我们可以看出，这种观点绝对是胡扯。每当门内克出差时，他都会用书信和明信片轰炸妻子；他偏执地记录着自己的生活，从早上如厕到晚饭之后选餐后甜酒，事无巨细。[47]从他在集中营工作时的信件可以看出，门内克这位一级突击中队长没有任何必要对妻子有所隐瞒，因为她也是一名狂热的纳粹党员。门内克甚至拿自己的杀人工作开玩笑："开始下一场愉快的狩猎！"这是 1941 年 11 月的一个早晨，他前往布痕瓦尔德集中营之前写下的话。[48]门内克不仅没有明确地区分工作与生活，还邀请妻子加入自己——她也欣然接受，不止一次陪他前往布痕瓦尔德、拉文斯布吕克和格罗斯－罗森集中营。[49]

弗里德里希·门内克对自己的工作很自豪，这份工作让他可以和著名的医生以及党卫队高官打交道。每当上司表扬他的时候他都会很自豪地告诉妻子。[50]门内克的好胜心很强，每当比其他同事完成了更多表格的时候，他都会欢欣鼓舞（"那些高效工作的人可以节省时间！"）。在集中营工作的时候，门内克没有一点儿良心上的不安，吃得香睡得好。给那些饥肠辘辘的囚犯做检查还能刺激他的食欲。"这天上午我们又特别忙。"他这样记录 1941 年 11 月 29 日在布痕瓦尔德的工作。到 11 点时，他已经完成了 70 份表格，感觉肚子很饿。他走到党卫队食堂，吃掉了"一个巨大的肉饺子（不是汉堡包），还有拌了酱的咸土豆和卷心菜"。[51]

除了唠叨之外，门内克医生和其他 T－4 医师没什么不同。这些人对大规模谋杀没什么心理负担。其他人跟门内克医生一样把杀人当作一次机会——这既是第三帝国重要的一步，也是他们自己职业生涯重要的一步。另外，他们很快就可以从一个集中营到下一个集中营，因为他们所判的死刑也不需要自己亲自执行。行程的总体气氛十分轻松，大家互相做伴。T－4 医生们通常住在同一家酒店，一同社交，然后将花费记在差旅费上。外人看来，他们一定看起来像是正在出差的销售员。这个印象并不算全错，只不过这些"销售员"的生意是死亡。

T－4 医生们的兴致在 1941 年 9 月初尤为高涨，他们齐聚慕尼黑，准备在附近的达豪集中营展开有史以来最大的任务。营里的情况跟希姆莱 1 月份来时没什么两样：集中营系统内所有老弱病残的囚犯都云集在这里。这也是为什么整个行动开始之后，达豪集中营成了最后的目标。[52]1941 年夏末，达豪集中营党卫队选出了 2000 多名囚犯供 T－4 医生们检查；其中的许多人是"病弱专车"从其他集中营送来的。为了尽快消灭这批囚犯，T－4 项目的管理层至少派出了 7 名医师，由海德教授和尼

249

切教授亲自带队；后者想借此机会一览德国南部风光，还带上了自己的妻子和女儿，他们一家一起前往阿尔卑斯山远足。同时，T－4官员们在1941年9月3日前往达豪进行准备工作。因为党卫队还没有完成文书工作，医生们待了一小会儿便解散了。门内克医生、尼切教授还有其他几个人一起前往附近的施塔恩贝格湖景区，一边沿湖散步一边享受阳光。晚餐前他们还在慕尼黑游览了一番。后来这个旅游团解散；大部分医生去看电影，而门内克则和好友施泰因迈尔一起去一间有名的酒吧对饮。第二天清晨，大家重新集合前往达豪，开始筛选工作。[53]

250 　在达豪集中营内，T－4医生们表现得非常专业，以符合他们纳粹科学家的形象。为了向囚犯隐瞒其最终的命运，医生们开始演戏，就像此前在其他集中营里所做的一样。他们故意与集中营党卫队形成鲜明对比，平静且礼貌地接近囚犯。其中一名T－4官员甚至因为一名年轻的达豪分区主管太凶狠而斥责了他，这让围观的囚犯们十分诧异。这名医生举止"非常奇怪且前所未见"，卡雷尔·卡沙克1941年9月在秘密日记中写道。他猜测也许这是囚犯们生活变好的开始。[54]当T－4医生跟选中的囚犯承诺，他们将被送去条件更好、工作更轻的集中营时，囚犯们的期望进一步升高了。[55]集中营党卫队队员也在旁边搭腔，向犯人们描绘出一幅美好的愿景：他们将被送往疗养院、医院和康复营。[56]一切谎言都是为了让将死的囚犯们乖乖地服从安排。跟"安乐死"行动时一样，囚犯们在临死之前仍被蒙在鼓里；就连毒气室也被伪装成盥洗室，里面还有毛巾、长椅和淋浴喷头。[57]

　并不是只有囚犯们被蒙在鼓里。"安乐死"计划之所以被中断就是因为当时的舆论压力，为了防止再出现这样的情况，整个行动都在秘密中进行。[58]为了达到隐秘的效果，门内克这样的 T－4 医生们大部分都是当面或通过电话接受指示。[59]同时，集中营官员们必须签署一份保密协议。[60]跟 1939 年 9 月第一次在集中营实施大规模处决不同，内部通信中也没有公开提过这次杀戮。当谈到大批处决病弱囚犯时，官员们会用代号 14f13 称呼此次行动（知道内情的人立刻能理解代号的重要含义：集中营党卫队的公文中，前缀 "14f" 通常暗指囚犯的死亡）。[61]自然，对受害者的家属也要保密。集中营党卫队的医生有时会在给家属的信中编造治疗细节，为突如其来的死亡向他们表示哀悼，并保证已经为挽救死者的性命竭尽全力（如果是犹太囚犯就不会费心编这种故事了，一纸简单的死亡告知书就已足够）。[62]

虽然做了这么多准备，但 14f13 行动的展开并不像杀手们预期的那样顺利，出现了许多突发情况，也引发了很多困惑，比如在拉文斯布吕克集中营的筛选。1941 年 11 月 19 日下午，被 T－4 领导当作集中营专家的弗里德里希·门内克医生来到营地附近的菲尔斯滕贝格。他是从柏林直接过来的，在那里他与海德和尼切两位教授确定了接下来几周的行程。在当地酒店放下行李之后，门内克走到集中营与副官们简短地交谈了一番。副官告诉他，党卫队挑出了 259 名囚犯准备送去灭绝。接着门内克与指挥官马克斯·克格尔一起在党卫队食堂就着啤酒和咖啡讨论了接下来的步骤。然后门内克便踱步回到了镇上。

第二天一早，门内克给身在柏林的海德教授打电话，告诉他自己一人就可以完成这次任务，不需要别的 T－4 医生前来协助。接着他回到拉文斯布吕克集中营，检查了第一批 95 名女囚，她们必须在他面前脱得精光。他还与克格尔和营区医生又进行了一次会面，让他们再送六七十名囚犯过来。一切似乎都按计划进行，门内克回酒店时甚至比往常还要开心。但当天晚上，他惊讶地发现两名同事来到了酒店，还带来了柏林方面的新指示：维克托·布拉克下令让拉文斯布吕克集中营选出 2000名囚犯接受检查——这相当于每四个人中就要检查一个。门内克立刻给妻子写了一封信抱怨这种行政上的混乱。"没人在乎是不是真有这么多（囚犯）符合被检查的条件！"他愤怒地写道。

第三天上午，三名医师到拉文斯布吕克集中营与指挥官商谈，传达了柏林方面的新指令。但是，在大规模检查开始之前，海德教授又给刚到这里的两名医生打电话，命令他们立刻返回柏林总部。两个医生气坏了，而门内克则要孤军奋战，他对"柏林的高度无能"感到非常气愤。一天后，也就是 1941 年 11月 22 日，门内克又接到了总部的另一通电话，通知他海德教授现在希望拉文斯布吕克集中营能够在 12 月中旬前准备好 1200~1500 名囚犯的文件，这是三天之内的第四个目标数字。1941 年 11 月 24 日，门内克在周一最后一次会面时尽责地将这个信息告诉了指挥官克格尔，然后便动身前往布痕瓦尔德集中营。截至此时，门内克已经检验了近 300 名女性。当拉文斯布吕克党卫队选好了追加的囚犯后（其中包括了当地次级营的男囚），门内克于 1942 年 1 月 5 日回到这里完成工作。他又选了几百名囚犯赴死，在一周多一点儿的时间内完成了 850 份表格。在下个月，第一批囚犯启程，可能前往的是贝恩堡的杀戮中心。[63]

门内克在拉文斯布吕克集中营执行任务时充分体现了 14f13行动的随机性。同时，这也意味着女囚待遇的巨大转变。以往，拉文斯布吕克的女囚能够免受党卫队最致命的折磨。但现在她们也被纳入集中营的灭绝政策，不过男女之间仍然有一些区别。拉文斯布吕克党卫队交给医生检查的男囚数量比女囚更多，也许是因为男囚犯居住的营区条件恶劣。这也显示了这项谋杀计划的另一个重要因素：它对不同囚犯群体的冲击是不同的，集中营内的苦难并不平等。[64]

252

扩展 14f13 行动

1941 年 7 月中旬，当费迪南德·伊茨克维奇（Ferdinand Itzkewitsch）和其他 92 名布痕瓦尔德囚犯登上卡车时，他是否知道自己的生命只剩下最后几小时了？伊茨克维奇是一名 49 岁的俄国犹太人，一战后定居在德国，成了一名鞋匠。他从 1938 年起就被关进了布痕瓦尔德，罪名是"种族亵渎"（因为他与自己的德国伴侣长期保持关系）。他曾经希望获得释放并移民，但都落空了，一直在集中营里忍受着难以言喻的磨难。但在 1941 年 6 月 29 日的一封信中，他仍然努力保持乐观。他告诉自己年少的儿子，"就健康而言，我保持得还不错"，并且希望儿子迅速回信。也许伊茨克维奇认为自己马上就能离开集中营了。两周前，他和其他 200 多名囚犯一起被 T–4 医生选中（伊茨克维奇被选中也许是因为他身体上的残疾）。在 T–4 医生博多·戈加斯（Bodo Gorgass）没有按剧本行事之后，许多布痕瓦尔德囚犯开始对这类体检有所警觉。门内克医生几个月之后再来到这里时写道，他那粗心的同事"据说看起来不像个医生，更像个屠夫，损害了整个行动的声誉"。为了安抚囚犯，布痕瓦尔德的党卫队队员们向他们保证没什么可害怕的，被选中的人将会被送到康复营。并非所有囚犯都被蒙蔽，但仍有不少人愿意相信这个谎言。囚犯们越虚弱，就越容易相信党卫队编织的童话。

1941 年 7 月中旬布痕瓦尔德送出的两批囚犯中，一定仍有许多人心存希望，以为自己将获救。但所有人，包括费迪南德·伊茨克维奇，都在索嫩施泰因被毒气处决了。[65]

随着 14f13 行动继续进行，集中营内谎言的高墙开始崩塌。一些囚犯从嘴巴不严的党卫队队员那里听说了这些谋杀。[66]一些审头也通过党卫队队员带回来的受害者的遗物明白了真相。费迪南德·伊茨克维奇那批人在索嫩施泰因被杀之后不久，布痕瓦尔德医务室的囚犯职员鲁道夫·戈特沙尔克（Rudolf Gottschalk）就看到党卫队队员带回了受害者们的假牙、眼睛和拐杖。之后戈特沙尔克被命令为所有离开的人开具死亡证明。当他问到这些人的死因时，集中营党卫队医生递给他一本医学词典说："你自己随便挑吧。"在伊茨克维奇的证明上，他选择了"肺炎"。[67]同其他集中营的情况一样，在第一批囚犯走后，他们真实的遭遇很快传遍了布痕瓦尔德。许多囚犯非常震惊。他们感到集中营党卫队跨过了一条界线。他们虽然知道这些人穷凶极恶，能够犯下恶毒的罪行，但很少能想到这些罪行会演变成大规模系统性的谋杀。[68]从现在起，没有人再像过去那样自愿报名前往所谓的疗养院。那些被选中的人也使出浑身解数想要从名单上去掉自己的名字，但成功的希望很小。[69]

囚犯们对 14f13 行动的了解不断增多，T-4 的筛选范围也在不断扩大。根据希姆莱最初的命令，筛选的主要对象是病弱残疾的囚犯，这些人都被划为丧失生产力的人。因为各座集中营里囚犯人口的构成不同，所以受害人的国籍背景也不尽相同。比如在古森集中营，1941 年夏天 T-4 工作组来到这里时，囚犯大多是波兰人和西班牙人，因此几乎所有受害者都是波兰人或西班牙人。[70]而达豪仍然关押着大量的德国人，所以 1941 年 9

月 T-4 医生挑选出来杀死的人中几乎一半都是德国人。[71]

虽然所有体弱的囚犯都被 14f13 行动威胁，但其中一些人更容易成为被杀的目标。病弱的"反社会分子"和"罪犯"是首要目标，也许是因为党卫队队员认为没有劳动能力再次证明了他们"不愿工作"的天性。[72] 罪犯在官方表格中也占了大多数，而 T-4 医生们在早期为"安乐死"计划筛选时将反社会视为一个重要的参考因素，如今在集中营里也采用了类似的规则。[73] 门内克医生对 1941 年 4 月在萨克森豪森集中营选出的囚犯们的整体印象，就像他跟妻子说的那样：毫无例外，他们都是"反社会分子"——还是程度最高的那种。[74]

针对病弱囚犯的狩猎冲击着集中营最底层的囚犯，因为他们的健康状况本就最差。对社会边缘分子来说是如此，对犹太人来说更是如此，他们都是集中营的弃儿。自战争爆发以来，在集中营里遇害的人中犹太人占了大部分，到了 1941 年只有很少的犹太人没有受伤、生病或挨饿。随着希姆莱的 14f13 行动启动，身体虚弱和残疾的囚犯（如费迪南德·伊茨克维奇和西格贝特·弗伦克尔）的末日也到来了。[75] 他们并非仅仅因为身体状况而显眼。在"安乐死"计划期间，T-4 医生们已经习惯于大规模种族谋杀，监督消灭所有的犹太病人。在集中营里筛选老弱病残时，首当其冲的是有犹太背景的人。[76] 因此，在遇害者中犹太人占据了相当大的比例；虽然犹太人仅占布痕瓦尔德集中营人口的 17%，但和费迪南德·伊茨克维奇一同在 1941 年 7月中旬被送到索嫩施泰因用毒气杀死的 187 名囚犯中，45% 都是犹太人。[77]

不过，在 1941 年春夏，当集中营内的 T-4 筛选刚刚开始时，囚犯的健康状况比意识形态更为重要。而囚犯所佩戴的黄

254

色、绿色或黑色三角——代表他们是犹太人、罪犯或反社会分子——只是一个附加因素。最重要的标准还是他们的健康状况。正如我们在 1941 年布痕瓦尔德集中营所看到的那样：虽然犹太人比其他囚犯群体更容易被选中，但 T-4 医生们只挑出了一小部分犹太人——占所有犹太人的约 6%，其中大部分是老人——处死。[78]而其他犹太人还没有被这个杀人计划波及，当然这情形并没有维持太久。

1941 年秋天的某一时刻，14f13 行动的领导们决定提高对犹太囚犯的清除力度：从现在起，集中营内所有的犹太囚犯都要接受 T-4 医生的评估。[79]这一新举措无疑跟纳粹最近升级的全面反犹政策有关；1941 年夏天，希姆莱的党卫队与警方开始在占领的东欧地区谋杀数以万计的犹太男人、女人和儿童，很快就要将毒手伸向其他地方的犹太人。[80]作为回应，对集中营内犹太犯人的恐怖行动也开始升级。在纳粹政权开始大规模系统性屠杀欧洲犹太人之前的几个月，几乎所有集中营内的犹太人都被当作了 T-4 毒气室的候选人。

T-4 医生们在 1941 年 11 月重返布痕瓦尔德集中营进行第二轮筛选，也展现了新的侧重点。[81]他们 5 个月之前第一次来时仅仅检查了一小部分因犯。而这一次，门内克医生在 11 月 26 日告诉妻子，一切都不同了。除了常规的筛选外，医生们还将决定1200 名犹太人的命运——布痕瓦尔德集中营里超过85%的犹太囚犯。[82]为了节省时间，医生们不再对每个人进行单独检查。门内克解释说"他们没有一个人会被'检查'"，他只会根据因犯们的档案做出判断。[83]最终，384 名布痕瓦尔德囚犯在 1942 年 3 月 2 日到 14 日间被带到贝恩堡毒气室。这些全部是犹太人；在不到两周的时间内，布痕瓦尔德集中营里超过四分之一的犹太人都被杀死了，这也成了未来 T–4 筛选的标准。[84]

1941 年底至 1942 年初，门内克和其他 T–4 医生是怎样挑选犹太受害者的呢？身体状况仍然很重要：许多囚犯是老年人或是体弱多病者。[85]但 T–4 医生们还选了一些可以工作的犹太人。[86]在这些例子中，医师们被其他标准左右。门内克在战后承认，他判过一些身体健康的犹太囚犯死刑；选他们并不是出于健康原因，而是因为当时激进的种族政策。[87]

根据门内克医生留在囚犯相片背后的笔记，我们可以重新推理出他的思想（他当时正策划出版一本有关纳粹种族科学的著作）。这本相册在战后被找到，所有相片的主角都是集中营内的囚犯，其中很多是在 T–4 的毒气室中死去的。[88]门内克的笔记里没有一句是关于他们的健康状况的，反而大量记下了他们的反纳粹观点，尤其是那些外国人；"极度不礼貌，说了许多德国的坏话"，他在其中一个案例中写道。门内克对"反社会"行为更加不齿，特别是那些他认为属于道德败坏的表现。在他的照片集中，许多犹太女人都是因为跟德国男人有性关系而被选出的（"与德国士兵滥交，严重地亵渎种族，跟公交车似的"），其中几乎一半的人被他打上了娼妓的标签（"纯种的犹太婊子，还有性传染病"）。他戴着色情与憎恶的有色眼镜，记录下她们所谓的淫乱与堕落（"性冲动、永不满足的犹太女人"）。门内克也将他的道德评判标准用在男人身上。在布痕瓦尔德集中营，几乎所有被怀疑是同性恋的男人都被送进了毒气室。[89]最后，门内克还会记下集中营党卫队关于囚犯言行的结论。比如来自维也纳的 34 岁裁缝助手爱德华·拉丁格（Eduard Radinger），他被指控"赌博、懒惰、不礼貌"。正是这一评价促成了他的死亡，让门内克毫不犹豫地在他的名字旁边画上了

255

"＋"。拉丁格一开始被关进集中营的罪名是"不愿工作的犹太人"，之后又成了一名"保护性拘禁"的犹太人。在集中营待了将近三年之后，他和其他 104 名犹太男人于 1942 年 3 月 12 日从布痕瓦尔德集中营被送往贝恩堡疗养院，在那里被毒气处决。[90]

集中营党卫队接手

14f13 行动在 1941 年底扩展了不久，纳粹当局便将其缩减。门内克和其他 T-4 医生的最后一趟集中营之行于 1942 年春天在弗洛森比格和诺因加默收官；1942 年 6 月，最后一批受害者从诺因加默被送往贝恩堡杀戮中心。这标志着 14f13 行动初始形态的完结，自西格贝特·弗伦克尔等第一批从萨克森豪森集中营来的囚犯被谋杀到现在，已经过去了 12 个月的时间。[91] 在一年之内，大约有 6500 名甚至更多的囚犯死在了 T-4 毒气室中。[92]

256　　　1942 年 3 月 26 日，一则秘密通信告知各位指挥官 14f13 行动将被缩减。集中营督察组的阿图尔·利布兴切尔宣布屠杀（他称之为"特殊待遇"）的规模必须缩减。他声称这项计划的基本规则已经被漠视，党卫队交给 T-4 工作组的囚犯太多了。利布兴切尔强调，从现在开始只有那些永远丧失劳动能力的人才会被处死。而其他人——包括那些可以康复的人——将被留下继续完成"上面交付给集中营的工作"。[93] 乍一看，政策的突然反复似乎是党卫队工作重心的转移引起的；1942 年春天，海因里希·希姆莱要求集中营为德国的战争事业做出更大的贡献（见第 8 章），于是利布兴切尔等集中营管理者争相贯彻领导的指令。

但实际上，14f13 行动的终止和经济没有半点关系，[94] 而是因为集中营党卫队和 T－4 的"联姻"走到了尽头。T－4 组织的重点已经转向了一个更大的灭绝计划——纳粹种族大屠杀。到了 1942 年春天，许多官员已经转移到东欧新建的死亡营——贝乌热茨（Belzec）、索比堡（Sobibor）和特雷布林卡，这里急需他们的加入。相比之下，德国境内处决集中营囚犯的"安乐死"杀戮中心就显得无足轻重了。

同时，集中营党卫队也不再需要 T－4 的杀手了。党卫队队员在最近几个月里已经证明，他们自己也可以成为职业屠杀者，而活死人就是他们主要的屠杀对象。在 1941 年下半年，当几千名病弱囚犯被挑选进入 T－4 毒气室时，当地的集中营党卫队也开始当场处决更多的囚犯。[95] 从前，党卫队在集中营内只会零零星星谋杀老弱病残的囚犯。但现在成了系统性的工作，并且很快超过了 14f13 行动的规模。虽然 1942 年时还有一些囚犯被送往外部的 T－4 毒气室（在那些毒气室被关闭之前），但大部分的杀戮行为已经转移到了集中营内。[96]

为什么在 T－4 计划进行的同时，集中营党卫队队员还要对病弱囚犯进行大规模谋杀呢？一方面是因为他们可以这么做。14f13 行动中的经验告诉他们，将处决转移到集中营之内是安全的。此前所担忧的囚犯暴动也没有发生；虽然越来越多的囚犯明白了谋杀的真相，但 T－4 的筛选一直毫无阻碍地继续进行。另一方面，地方集中营党卫队也发现了其中的实际好处：将活死人都杀死就意味着没有医生工作组和遣送，也不会浪费时间。党卫队队员也认为自己有杀人的权利。当希姆莱批准了 14f13 大规模谋杀行动之后，地方集中营党卫队也就觉得没有任何收敛的理由了。类似的情况在 1939 年秋天也发生过。当希姆莱下达了中央的执行政策后，地方上兴起了一波杀人行为。党卫队

257

高层的激进行动再一次引发了底层的热烈回应，集中营内恐怖的气氛再次弥漫开来。

集中营里对活死人的第一次屠杀发生在布痕瓦尔德集中营。1941 年 7 月，在接收了两批从达豪而来的囚犯后，布痕瓦尔德党卫队队员认为病弱的囚犯太多，担心新来的人会携带传染病。当地的党卫队决定自己杀掉病弱囚犯，而不是等 T-4 工作组回来。几百名筋疲力尽的囚犯被关在医务室中，他们被怀疑携带了肺结核病毒。党卫队医生给他们施行了注射死刑。[97]

其他集中营在 1941 年下半年跟上了布痕瓦尔德的步伐。不同集中营的党卫队队员开发了不同的处决方式。就杀人方法而言，党卫队非常具有探索精神。比如在古森集中营，几百名病残囚犯在所谓的"洗澡行动"中被杀。在恐怖的集中营领导卡尔·赫梅莱夫斯基的领导下，古森党卫队强迫囚犯在刺骨的淋浴下待上三十分钟甚至更久，一些人被积水溺死，其他则被冻死，濒死者绝望的号叫回响在整个集中营。[98]其他地方的集中营党卫队采取别的方法杀死病弱囚犯。注射毒剂成了党卫队的最爱，或是通过静脉注射，或是直接扎入心脏。主要毒剂是苯酚；如果没有的话，党卫队医生通常会代之注射空气。据拉文斯布吕克集中营的医生罗尔夫·罗森塔尔（Rolf Rosenthal）回忆，他 1942 年 1 月初来这里时亲眼看见了一名女犯人接受注射死刑。别人告诉他："这是处理重病难愈的囚犯的惯常做法。"[99]

到了 1942 年，系统性地杀死病弱囚犯已经成了集中营的固有特色。有时，地方党卫队官员在囚犯刚到达没几天便开始挑选受害者。[100]一般情况下，病弱的囚犯在医务室例行检查时就会被拉出来。医生在这里扮演了重要角色，就像在 14f13 行动中那样；不过这次送囚犯上路的成了集中营医师，而不是像门内克医生这样的外人。[101]

　　虽然对活死人的大规模谋杀不是集中进行的，但这种行为是集中营督察组的高官们允许甚至鼓励的。奥拉宁堡的官员们原来一直坚持执掌此类谋杀行动——就像在 14f13 行动时那样。但随着患病的囚犯越来越多，他们一定觉得管理所有的谋杀是不可行的，因此放松了规定。据一份党卫队的内部文件记载，集中营医生如今有权"根据自己的判断"杀死那些"重病难愈"、"患有传染病"或"可能患有某种传染病"的囚犯。[102]

　　为了维系中央控制，集中营管理者们在 1942 年 10 月重拾将达豪变成"身体虚弱、不再具备利用价值的囚犯"集中地的计划。这一次，所有囚犯都将被处决。[103] 在接下来的一段时间里，许多其他集中营的活死人被送到达豪处死。[104] 一些人中途就死去了。[105] 最骇人的一次运输是在 1942 年 11 月 19 日，几百名囚犯几天前从施图特霍夫集中营（Stutthof）出发，被塞进运牲口的车里，自上车后几乎就没吃到任何食物。当他们抵达达豪集中营，车门终于被打开时，车里已经躺了数十具尸体。死者被丢在了集中营里，勉强活着的人也进了营，一些人被饿得肩胛骨像翅膀一样凸了出来。即使最冷酷的党卫队分区主管也"不忍直视"，卡雷尔·卡沙克在笔记中这样写道。据说这批新来的人中有几十个在几小时内就死了；其中至少有一个是被党卫队看守杀死的，后者踩在他的喉咙上直到他窒息而死。[106]

　　这些 1942 年被运到达豪的病弱大队中很少有人能多活几天。那些熬过疾病、饥饿和忽视的人在接受党卫队筛选后也会被注射毒剂死去。[107] 达豪党卫队也考虑采取另外一种屠杀方式——毒气。毒气室的建设从 1942 年春天就已经开始，它首要的目标就是处决病弱囚犯。不过至今仍不清楚这间毒气室是否

258

启用过。[108]达豪不是第一个用毒气室杀死病弱囚犯的集中营，在1942 年秋天，其他几座集中营的党卫队队员已经开始这样做了。[109]不过那些毒气实验的对象并不是活死人，而是苏联战俘。自 1941 年夏末起，数千苏联战俘陆陆续续被送进了集中营。

处决苏联战俘

1941 年 6 月 22 日，德国陆军入侵苏联——巴巴罗萨计划由此展开，这是史上最大且最残酷的军事行动。超过 300 万德军在战争开始时势如破竹，所过之处留下的是敌人的尸体和城市的废墟。[110]希特勒梦想这一刻很久了，认为此次与"犹太 – 布尔什维克"的终极对决将决定德国的命运。在入侵前两个月，他就让将军们做好全方位灭绝战的准备。[111]从 1941 年 6 月开始，德国军队在经过特训的党卫队和警察杀手部队，比如特种部队等半军事化力量的协助下完成了希特勒的命令。同时，德国政府也在着手制订长期占领苏联的计划，规模宏大，意在将整个种族灭绝，把数以百万计的民众活活饿死。[112]

德国政府对苏联士兵也将毫不留情。希特勒觉得他们和动物没什么两样——愚蠢、危险、堕落——德军最高统帅部（German Army High Command）在入侵前就决定不用约定俗成的战争规则对待他们（与西线的战俘形成了鲜明的对比）。[113]被俘虏的苏联军人全死在了德国人手中。"这些囚犯死得越多，对我们就越有利。"一些纳粹高官得意地说。1941 年 10 月到 12 月间，每月估计有 30 万到 50 万苏联战俘死去。大部分人死在战俘营中，在临时帐篷和泥洞中冻饿而死。其他苏联士兵则死在了别的地方，在纳粹的灭绝战争也进入集中营系统以后，有的苏联士兵死在了集中营内。[114]

259

寻找"人民委员"

希特勒和他的将领们对苏联人民委员非常执着；他们认为，潜藏在东方的所有敌人中，人民委员是最凶恶的那个，几乎跟神话中的怪物一样。纳粹领袖们坚持认为凶残疯狂的人民委员是"犹太－布尔什维主义"的化身，会迫使自己的军队战斗到底，还会残忍迫害德国士兵。为了避免这种暴行，也为了击破苏联的抵抗，德军最高统帅部在 1941 年 6 月 6 日下令处决所有与德军作对的"政治委员"。这一命令在德国激烈的反布尔什维克官员集团中得到了广泛的支持和响应，无论在战场还是后方，无论对抗的是敌军还是俘虏，这个命令都得到了贯彻落实。这也使得前线和占领区的界限变得模糊起来。[115]

希姆莱的警察和党卫队机器密切参与了处决。为了确保没有人民委员漏网，帝国中央安全局派出了特种警察部队在战俘营和劳动营中搜寻"不能被接受"的苏联囚犯。嫌疑人的名单又长又模糊，其中不仅包括所谓的人民委员和党政官员，还有"狂热的共产主义者"、"苏俄知识分子"和"所有犹太人"。赖因哈德·海德里希在 1941 年 7 月中旬下令，必须将这些敌人在各个战俘营中找出来，然后处死。[116]

得到海德里希的命令之后，警察突击队在各个战俘营进行了地毯式搜索。警察简短地审问了嫌疑人的身份和经历。如果没有得到真实的答案，警官会对囚犯进行暴力折磨。另外，他们还会利用那些想要活命的告密者提供的情报。比如格里戈里·叶菲莫维奇·拉迪克（Grigorij Efimovitsch Ladik）就是被一位同志背叛的。拉迪克被拷问时承认自己撒了谎："在个人信息上我说了假话，因为我害怕自己会被当作一个政治领袖枪毙（他后

260

来很快就被处决了）。"不过这样的坦白很少。更多情况下，海德里希的警察依靠的是自己的猜测和偏见。他们中许多人甚至不理解"知识分子"的含义。但他们确实知道怎样虐待和侮辱受害者。比如，被怀疑是犹太人的士兵要脱光衣服，看看是否割过包皮，这样便决定了许多犹太人和活死人的命运。[117]当警察在一座战俘营中完成了筛选之后，他们请求处决所有的嫌疑人，有时嫌疑人的数量会超过总人数的20%。而犹太战俘，普遍被当成人民委员的同义词，比非犹太人更容易被杀。[118]

行凶者们会将准备处决的人隔离起来，等候下一步指令。[119]大部分受害者都是年轻人，只有二十几岁，背景出身五花八门。绝大部分人是普通士兵，还包括农民和工人，他们和纳粹想象中魔鬼般的人民委员有天壤之别。[120]举例来说：要被处决的410名战俘中，盖世太保只把其中3人描述为"干部和官员"。剩下的都是普通人：25人被标记为"犹太人"，69人被归类为"知识分子"，146人是"狂热的共产党员"，85人是"煽动者、闹事者和小偷"，35人是"越狱犯"，还有47人"病入膏肓"。[121]

对于在东部占领区处决"人民委员"（我会称这些都是"不能被接受的人"），帝国中央安全局相当随意。已经发生了这么多屠杀，再多几个也没什么差别。唯一的要求就是要在远离战俘营的偏僻处实施处决。[122]但在第三帝国内，情况就完全不同了，政府已经建起了更多的战俘营和劳动营。为了不让德国大众知晓，盖世太保首长海因里希·米勒在1941年7月21日下令，被选出来的囚犯应在"最近的集中营里秘密"处决。[123]党卫队延续了对屠杀计划加以掩饰的一贯做法，将这次的行动代号定为14f14。

　　1941 年初秋，第一批苏联战俘抵达集中营。大多数输送队伍的规模都较小，一次 20 名囚犯左右，不过也有规模相对较大的时候，能达到数百人。很多受害者甚至没能活到集中营。在德军战俘营中遭受了数周或数月的折磨，又在运输车里被长时间铐在一起，有的人便没能撑下来。还有的人死在从火车站到集中营的途中。[124]在萨克森豪森集中营，致死率最高的一次运输发生在 1941 年 10 月 11 日，从 200 英里外的波美拉尼亚战俘营被送来的 600 多名"人民委员"中，有 63 人死在路上。[125]

　　运输过程中的死亡引发了集中营党卫队的担忧。1941 年秋天，几名指挥官向盖世太保首长米勒抱怨称，有 5% ~ 10% 的苏联战俘在到达集中营时已经死亡或濒死。指挥官们担心战俘这种半公开的死亡会损害党卫队在当地的声誉。[126]这种担忧并非杞人忧天，公众的反应和 1939 年秋天时对波兰"狙击手"的喊打喊杀已经相当不同。一些德国民众对苏联战俘遭受的非人待遇感到非常震惊。1941 年 11 月，一名德国教师在日记中写下了他所听到的苏联战俘抵达诺因加默集中营的传言："他们饿得手脚无力，一些人甚至从卡车上摔下来，毫无生气地踉跄着朝营房走去。"[127]因为担心公众舆论，海因里希·米勒下令停止运输那些"反正马上就要死掉"（这是他的原话）的苏联战俘。[128]这当然没能救下那些"人民委员"。他们已经被判了死刑。唯一的问题是在哪儿死——在战俘营，在路上，还是在集中营。

　　大部分挺到集中营的苏联"人民委员"在几天内就被处决。跟其他新囚犯不同，他们甚至没有被正式登记。因为在集中营党卫队的眼里他们已经是死人了，没有登记的必要。大部分集中营从 1941 年秋天开始实施大规模屠杀，一直持续到次年春夏，直到德国官方出于战术原因正式撤销了处决"人民委员"的命令，并且缩减了在战俘营里的筛选工作。截至此时，已有4万名甚至更多的苏联"人民委员"被送进集中营处死。[129]

262 几乎所有人都是男子，拉文斯布吕克女子集中营是少数没有被波及的集中营。[130]对于苏联"人民委员"的系统性谋杀是集中营史上一个灾难性的时刻，令之前所有的杀戮行动都相形见绌。集中营党卫队首次展开大规模处决行动。萨克森豪森集中营是屠杀的中心：在1941年9月和10月这段疯狂时间内，党卫队处决了约9000名苏联战俘，比其他任何集中营都多。[131]

萨克森豪森集中营内的死亡

1941年8月的某一天，萨克森豪森集中营的一群党卫队领导在任期时间最长的指挥官汉斯·洛里茨的办公室碰头，参加了一次秘密会议。参会的有汉斯·洛里茨和他的手下，以及集中营督察组的督察官里夏德·格吕克斯和他的参谋长阿图尔·利布兴切尔，后者负责做会议记录。但所有人的目光都聚集在一位特殊来宾的身上——特奥多尔·艾克。[132]作为骷髅师的指挥官，艾克在德国入侵苏联时参与了激烈的战斗。在1941年7月6日晚到7日凌晨之间，艾克乘坐的车在拉脱维亚碾到了一颗地雷，他因此负伤。[133]此时艾克正在自己位于奥拉宁堡党卫队地盘上的别墅中疗养，所以回萨克森豪森很方便。他现在成了战功赫赫的指挥官，曾经的下属们对他更加崇拜，热烈欢迎他的到来。他们也知道艾克现在仍然能与希姆莱直接对话。党卫队全国领袖将他视为"最忠实的朋友"之一，屠杀苏联"人民委员"的行动期间，还于1941年夏末两次与他会面。事实上，也许正是希姆莱授权艾克，让他去动员萨克森豪森党卫队的。[134]

1941 年 8 月的这次萨克森豪森会议上，艾克公布了屠杀苏联战俘的计划。跟以往一样，艾克将第三帝国描述为受害者，面对凶残的敌人，在别无选择的情况下展开反击。萨克森豪森行刑队队长古斯塔夫·佐尔格后来这样总结艾克的演讲："为了报复苏联人枪杀德军俘虏，元首同意了德军最高统帅部的请求，决定展开报复……通过射杀俘虏，也就是那些所谓的人民委员和苏共的支持者。"因为提到了元首，还有艾克在东线受的仍然可见的伤，这番话被增添了不小的分量。[135]

艾克简单介绍之后，大家开始探讨实际问题。集中营党卫队领导们讨论了许多种大规模屠杀方法，都想通过更巧妙的提议胜过其他人。[136]最终他们选择了一种新方式，这种方式需要建一座特殊的行刑室，由分区主管具体执行。参会的每个人似乎都参与了这个计划，大家之后还一起喝酒来庆祝。[137]屠杀的前期准备工作很快就在萨克森豪森集中营展开。木工工坊的囚犯在党卫队的监督下将工厂空地上的一个谷仓改建成了一间行刑营房，依照的是指挥官洛里茨的方案。[138]建好之后党卫队试用了两次，小规模杀死了一些苏联囚犯。[139]随后行刑室便完全投入运营。

1941 年 8 月 31 日，第一批苏联"人民委员"从哈默施泰因战俘营（Hammerstein）被运到了萨克森豪森（艾克当天还与希姆莱会面）。这一批总共有近 500 名囚犯，大部分来自明斯克，其中还有数量众多的犹太人。在接下来的几周还有数千人会被送来。[140]新来的囚犯既困惑又害怕；远离家乡来到敌人的领土，他们不知道自己在哪里，也不知道会发生什么。虽然这些战俘都很年轻，有的甚至还不超过 15 岁，但看起来已经油尽灯枯。他们衣衫破烂，身上沾染着污泥，裤子用一根带子系起来，伤口上是肮脏的绷带。没有鞋子，许多人用破布裹脚或是打着赤脚。[141]

一些萨克森豪森看守将种种苦难视作囚犯野蛮天性的证明。党卫队官员甚至照了相片以做宣传（从战前集中营时就开始这样做了）；一些照片还被再次刊登在党卫队的出版物《次等人》（*The Subhuman*）上，书中指出"可怕的面孔，是噩梦的现实写照"。[142]事实上，党卫队队员才是真正的野蛮人。分区主管残忍地殴打囚犯，将他们锁在两座单独的营房内，铁丝网将这里与营区内的其他地方隔离开。为了进一步隔离，窗户也被油漆涂上。[143]

新囚犯在隔离营房中会度过一段严酷的时光。不过这时光一般只有几天，然后分区主管就会把他们召集起来，一般是一小批几十人。这些人乘坐盖有帆布的卡车被送往刑房，木栅栏将刑房和其他地方隔开。有了 14f13 行动的经验，集中营党卫队直到最后仍将囚犯们蒙在鼓里。经过医疗检查之后，党卫队员告诉囚犯们，他们将被送到条件更好的地方。事实却是这些囚犯直接走向死亡。刑房内有一间大房间，党卫队让囚犯们在这里脱光衣服，然后第一名囚犯被带到隔壁一间更小的、像医生办公室的房间里。这里就像一个舞台布景一样，有医疗工具和解剖图。一名穿白大褂的党卫队队员扮成医生等在这里。他假装为囚犯进行简单的体检，其实是在检查囚犯有没有金牙，如果有的话就在囚犯身上做一个十字标记（这是另一个从"安乐死"计划得来的经验）。然后囚犯会被带到隔壁一个更小的房间里，这里就像一个淋浴间，天花板上还有一个莲蓬头。一名党卫队队员命令囚犯背靠一根固定在墙上的测量杆上。杆子上有一条小缝隙，藏在隔壁的另一名党卫队队员从中将枪对准囚犯的脖子。囚犯到位之后，杀手会得到信号然后扣下扳机。根据受害者头部的弹孔推测，党卫队用的是一种特殊的达姆子弹。

当尸体倒在地上后，另一扇门开了。火化队的审头出来将尸体拖入刑房的最后一间屋子——临时搭建的停尸房。审头们戴着橡胶手套，将死者的金牙拔下来。还有生命迹象的囚犯会被分区主管了结。之后审头会将尸体扔进停在营房外面的一个移动焚化炉内。而在刑房之内，凶手们用水管冲掉地上和墙上的血迹、机体组织和骨头碎渣。接着第二名囚犯被带进来。一些人感觉到自己会死。其他许多人则还不清楚自己的命运。疾病与疲劳让他们的思维变得迟钝，被党卫队骗得团团转。党卫队还掩盖了枪声。不仅杀手所在的隔间是隔音的，另一个赤裸之人等待着的更衣室里还有一架留声机在播放音乐。欢快的曲调弥漫在刑房里，这也是苏联士兵们被杀前听到的最后的声音。[144]

萨克森豪森党卫队很快就习惯了这种流水线式杀人。1941年11月中旬，行动因斑疹伤寒的暴发而暂停，在此之前，这类处决可以在一周内进行数次。根据一位前分区主管回忆，行动从清晨一直进行到深夜，每两三分钟就有一名囚犯被杀，一天总共有 300 ~ 350 人被杀。[145]审头们也忙个不停，每小时起码要在焚化炉内烧掉 25 具尸体。[146]焚化产生的烟雾和臭气很快就传到了营区之外，让奥拉宁堡当地人产生了警觉。私下里有许多关于谋杀的议论，还有胆大的孩子会接近经过的党卫队队员，询问下一个俄罗斯人什么时候会被烧死。[147]

1941 年 9 月中旬的一天傍晚，射脖子行动开展了大约两周后，萨克森豪森党卫队自豪地向 20 多名党卫队大人物展示了行刑的过程。[148]访客被带到刑房观看几名苏联战俘被射杀，然后尸体"被粗暴地扔到一堆"，其中一名官员后来作证说。访客中包括督察官格吕克斯和他的下属，这些人还用酒精给这个残酷的发明喝彩。一起前来的还有恩斯特·格拉维茨（Ernst Grawitz），他是一名长期参与纳粹屠杀的党卫队医师。更重要的人物当属特奥多尔·艾克，他在回东线战场之前再次来到这里，使集中营党卫队队员们感到无比荣幸。艾克临走时向萨克森豪森的党卫队发表讲话，鼓励他们将这项恐怖的事业继续下去。党卫队队员们用欢呼声和礼物给他们的英雄饯行，其中包括三个蛋糕和一张写给"艾克老爹"的贺卡。[149]

在回到东线前，艾克抽时间去见了海因里希·希姆莱，两人在 1941 年 9 月 15 日傍晚会面。希姆莱在几个小时前刚刚见过格拉维茨。几乎可以肯定的是，党卫队全国领袖当天在跟进萨克森豪森屠杀的最新情况。[150]毕竟，党卫队领导们都知道希姆莱正在迫切地寻求屠杀的新方法。在占领的苏联地区，每日将犹太人排队射死在万人坑中的行动显示，并不是所有纳粹杀手都能接受血流成河的景象，能忍受伤者刺耳的惨叫声和那些排队等死之人的哭喊声。[151]这迫使希姆莱寻找一种更加人道的屠杀方式——当然是对凶手来说更加人道。格拉维茨或者艾克一定向他汇报了萨克森豪森的新方式，也许两人都推荐了，这种方式跟传统枪决相比具备一些"优势"。毕竟凶手不需要看到受害者便可以扣下扳机，大部分受害者在毫无察觉中死去，不会有反抗和恐慌。

大规模谋杀的实验

1941 年 9 月中旬受邀前来参观萨克森豪森射脖式处决的党

卫队官员中就有毛特豪森集中营的指挥官弗朗茨·齐赖斯。集中营督察组邀请他和其他指挥官来这里学习"如何消灭红军政治指导员（Politruk）和俄国人民委员"，他后来供述说。此行让齐赖斯印象极深。他回到毛特豪森后便在自己的地盘督促建起了一处相似的场所，1941 年 10 月 21 日处决了第一批苏联军官。[152]齐赖斯并不是唯一受到萨克森豪森同事启发的指挥官。在布痕瓦尔德，卡尔·奥托·科赫也修建了一座和萨克森豪森非常相似的刑房。[153]不过其他人则尝试了不同的方式。督察官格吕克斯仍然非常重视大家的主观能动性，允许指挥官们选择自己喜爱的方法。因此，集中营在 1941 年秋冬时期变成了大规模处决方式的实验场。

跟萨克森豪森一样，达豪也从 1941 年 9 月初开始处决苏联"人民委员"。不过他们并没有尝试最新的形式，而是采取了一种被其他纳粹杀手遗弃的方法——公开枪决。一开始，达豪党卫队像以往一样在地堡外枪杀苏联战俘，不过随着处决人数的增加，他们将刑场移到了约 1.5 英里外的黑伯茨豪森（Hebertshausen）靶场。集中营党卫队队员在这里逼苏联战俘们脱光衣服排队站好。一切发生在转瞬之间。党卫队队员扑向第一排囚犯，5 名队员各拖着一个俘虏，将他们拖进靶场，铐在靶子的位置上。之后党卫队便会开火，朝着受害者无情地扫射。剩下的战俘们非常清楚自己的命运；他们听到了枪声，看到了越堆越多的尸体。有的人被吓瘫，有的哭泣，有的挣扎，有的尖叫，有的双手画十字祷告，有的在求情。但枪声只有在所有战俘都被处决之后才停止。然后，杀手们会用从营内带来的热水和毛巾擦掉身上的血迹和污泥。[154]

28 岁的伊格纳特·普罗霍洛维奇·巴比奇（Ignat

266

Prochorowitsch Babitsch）是 4400 名在 1941 年 9 月到 1942 年 6 月间于达豪被杀的苏联战俘之一。他来自乌克兰北部的一个小镇，已婚。巴比奇中尉曾在一个陆军师中服役，于 1941 年 7 月在别尔基切夫（Berdychiv）附近被俘虏。他最初被关在德国东部占领区扎莫希奇（Zamosc）的 325 号战俘营里，然后被转移到德国的哈默尔堡集中营（Hammelburg）。1942 年 3 月中旬到达这里时，他拍了张存档照片，照片中的他被剃光了头，面容清秀，表情迷惑。两周之后盖世太保工作组将他选出来准备处决，也许是因为巴比奇当过老师，所以被当作知识分子。帝国中央安全局在 1942 年 4 月 10 日批准了他的死刑。几天后他就被送往达豪，在靶场中被处决。[155]

像伊格纳特·巴比奇这样在黑伯茨豪森死亡的苏联战俘，他们的尸体会被带回达豪集中营焚化。当一名审头询问集中营分区主管埃贡·齐尔（Egon Zill）在哪里存放骨灰时，他被告知"把这些布尔什维克猪的灰尘倒掉"。[156]达豪集中营领导本可以采用萨克森豪森和布痕瓦尔德集中营里那些更干脆的方式，却仍然延续这种传统的屠杀方法，其中的原因不得而知。也许是因为他们太骄傲，不屑于跟随其他集中营的脚步——毕竟达豪是党卫队集中营系统内第一座模范营。也许他们想要显示自己足够坚强，能够不加遮掩地直面杀戮，用这种恐怖的方式展示集中营内流传的男子气概。

并不是只有达豪党卫队喜爱集体枪决。在弗洛森比格，党卫队队员从 1941 年 9 月起也是在靶场消灭苏联"人民委员"。不过这种枪决在几个月后戛然而止，因为附近的河流将血液和尸块冲到了弗洛森比格的村子里，引起了当地人的抗议。格罗斯-罗森集中营也发生了类似的事，当地四起的流言给集体枪决画上了句号，那里的枪决最初是在火化场旁的空地上进行。集中营党卫队强迫其他囚犯用最大的力气高声歌唱，但这并没能盖住枪声。[157]

弗洛森比格和格罗斯－罗森集中营的党卫队均用注射死刑替代了枪决。党卫队队员让苏联"人民委员"参加一场假体检，给他们测量身高体重，然后注射致死的毒剂。杀手们尝试了各种不同的毒药，包括氰酸、石炭酸和汽油。[158]这种杀人的方式被证明更有效率，虽然并不是什么新方法。正如我们之前提到的，集中营党卫队谋杀活死人的时候就已经开始用注射死刑。结果，弗洛森比格和格罗斯－罗森集中营在杀戮中的作用因此遭到了限制。但远在东方的一座集中营在处决苏联战俘中发挥了巨大作用。在那里，1941 年秋天的实验产生了毁灭性的结果，也将对纳粹大规模处决产生本质性的影响。那里就是奥斯维辛集中营。

发明奥斯维辛毒气室

1941 年 9 月初的一天——可能是 9 月 5 日——一列从下西里西亚纽汉麦战俘营（Neuhammer）开来的列车抵达奥斯维辛。数百名囚犯从车内出来，他们都是被盖世太保认定为"人民委员"的苏联战俘。[159]他们穿过奥斯维辛营区时天已经黑了。警犬的吠声，党卫队队员的抽鞭子、殴打和咒骂声，被打囚犯的惨叫声打破了夜晚的宁静。营房内已经睡着的囚犯们有的被噪声吵醒。他们不顾党卫队的严格规定，从窗户偷偷往外看。借着探照灯的强光，他们看到一列列战俘消失在 11 号营房。在奥斯维辛的所有地方中，那里是最可怕的。那是地堡，党卫队实施酷刑和谋杀的中心。囚犯们称之为"死亡营房"，而集中营党卫队也将那里和死亡联系在一起，这也是为什么他们将那里改造成一间临时毒气室来处理苏联战俘。[160]奥斯维辛党卫队即将在营内第一次用毒气进行大规模屠杀。[161]

受到早期在 T-4 毒气室中杀死囚犯的启发（即 14f13 行动期间），奥斯维辛党卫队官员们决定也展开毒气实验。[162]他们选择了氰酸，也就是市面上常说的齐克隆 B，集中营曾用这种药剂熏闹虫害的建筑。党卫队勤务兵们认真学习过如何使用这种杀虫剂，明白它有多危险；又因为它比 T-4 杀戮中心所使用的一氧化碳更方便，不用安装管道和气罐，杀手们只用将齐克隆 B 晶体放进密封的房间就行。[163]第一次杀人实验大概在 1941 年 8 月底进行，奥斯维辛党卫队用这种方法处决了一小队苏联战俘。该行动由集中营营区负责人卡尔·弗里奇监督，他在集中营中工作多年，后来还向同事们吹嘘是自己发明了奥斯维辛的毒气室。[164]很快，指挥官鲁道夫·霍斯就同意进行更大规模的实验。作为前期准备，党卫队清空了整个地堡；门被密封好，地窖的窗户也用水泥砌上。

地堡由一个个小格子间和走廊组成。在 1941 年 9 月初这个决定命运的夜晚，奥斯维辛党卫队领着苏联"人民委员"来到这里。战俘们被赶下楼梯后发现地上还蜷缩着 250 名囚犯，这些人是医务室送来的病弱犯人，被选中和战俘们一起死。当最后一名苏联战俘被塞进地窖之后，党卫队将齐克隆 B 晶体扔进去后锁上了门。甫一接触到温热的空气和俘房的身体，剧毒的氰酸立刻被释放，绝望的尖叫声也就此响起，连隔壁的营房都听得到。毒气很快破坏了受害者的黏膜并进入血液，使他们由内而外窒息而死。一些快死的人用布掩住口鼻想挡住毒气，但没有一个人生还。[165]

和其他党卫队队员一起在门外的指挥官鲁道夫·霍斯摘下防毒面具，为自己喝彩；党卫队队员没有使用一颗子弹便杀死了几百名囚犯。[166] 不过想法实际的霍斯仍然觉得还有可以改进的地方。首先，11 号营房离奥斯维辛的火化场太远，运送尸体需要经过整个营区。另外，11 号营房没有换气系统。整个建筑必须通风很长一段时间才能派其他囚犯进来收尸。到了那时，尸体已经肿胀、扭曲、僵硬，开始腐烂，很难移动。一名目击者——波兰犯人亚当·扎哈尔斯基（Adam Zacharski）目睹了整个过程："这一幕太过恐怖，因为可以看出来这些人在死前陷入了疯狂，抓咬其他人，许多人的制服被撕烂……虽然我已经习惯在集中营内看到一些毛骨悚然的画面，但看到这些被杀的人时我真的恶心了，呕吐得厉害。"[167]

为了让屠杀更有效率，奥斯维辛党卫队将毒气室搬到了火化场的停尸房里。这里在营区之外，可以避免被普通囚犯看到。停尸房可以容纳数百人，已经装有一个高效的通风系统，很方便就能改成一间毒气室。门换成了密封门，天花板上被开了一个个小洞，方便党卫队从屋顶投放齐克隆 B。事后，尸体可以扔进旁边的焚化炉内火化。奥斯维辛的党卫队无意中创造了死亡工厂的雏形。[168]

新毒气室的第一次实验是在 1941 年 9 月中旬，党卫队在奥斯维辛火化场里毒杀了 900 名苏联战俘。[169] 囚犯刚来到这里，党卫队就以除虱为名要求他们脱光衣服，将他们赶进停尸房。之后党卫队队员关上门，将毒气丸扔进来。指挥官鲁道夫·霍斯再一次到场监督："放入毒气丸后，一些人大喊'毒气'，哀号声四起，囚犯们拼命撞门。不过门很坚固。"花了好几天才将所有尸体烧完，他补充说。[170]

269

霍斯坚信这是奥斯维辛党卫队的重要发明。他的下属虽然还在使用其他杀人方式，[171]但当需要大规模屠杀时，比起枪决，霍斯更喜欢毒气，因为这对党卫队来说压力更小。"现在我真的松了一口气，"他后来写道，"我们所有人都不用再沾血了。"霍斯还称毒气对受害者也更为人道，完全忽视了毒气室里遇难者在死前的可怕挣扎。[172]

自奥斯维辛党卫队首次在集中营使用毒气后，其他集中营也纷纷效仿，就像模仿萨克森豪森集中营射脖式枪决一样。集中营官员们已经对毒气的使用规则很熟悉（从 T－4 杀戮中心学来的），他们很愿意尝试最新的屠杀方式。毛特豪森集中营指挥官弗朗茨·齐赖斯再一次迫不及待了。1941 年秋末，他监督着将营内临近火化场的一间地窖改造成毒气室。毛特豪森第一次大规模毒杀发生在 1942 年 5 月，231 名苏联俘虏死于齐克隆 B。[173]同时，毛特豪森集中营的党卫队医生还要求添置一台毒气车，这种车由帝国刑事警察局的刑事技术研究所（KTI）制造。毛特豪森党卫队从 1942 年春天起开始用这种货车处决了数百名囚犯，其中包括生病的囚犯和苏联战俘。[174]

可移动的毒气车原本是为了让纳粹更有效率地在苏联消灭犹太人而发明的。不过，这种车在投放到东部占领区之前，刑事技术研究所于 1941 年秋天首先在德国境内展开实验。实验的地点是萨克森豪森集中营，实验的对象是苏联战俘，他们被毒气处决而不是枪决。集中营党卫队队员强迫裸体的囚犯上车，这种车经过改造，可以将一氧化碳从引擎抽入车厢。车随后便开动了。当它停在火化场门口时，车内的囚犯已经全死了，身体因为毒烟变成粉色。[175]这些实验肯定引起了萨克森豪森不少官员的兴趣，不过直到 1943 年夏天，萨克森豪森才建起了第一座固定的毒气室，第一批受害者依然是苏联战俘。[176]另外几座集中营追随奥斯维辛的脚步，在 1942～1943 年添置了毒气室。比如诺因加默集中营就在 1942 年秋天，通过往改造过的地堡里投放齐克隆 B 药丸，毒杀了约 450 名苏联战俘。[177]

虽然许多集中营都在使用毒气，但它从未是集中营党卫队的主要选择：毒气只是他们武器库中的一件兵器。奥斯维辛是个例外，死在此处毒气室的受害者很快就超过了 10 万。[178]奥斯维辛之所以与众不同，是因为它在 1942 年转型成了大屠杀灭绝营。指挥官霍斯曾亲自向帝国中央安全局的阿道夫·艾希曼介绍了齐克隆 B 的实验，两人一致同意将其用于对犹太人的大屠杀。奥斯维辛第一次使用毒气处决后不到一年，每月从欧洲大陆各处被送来处死的犹太人就达到了数千名之多。[179]不过，虽然奥斯维辛的毒气室已经成了大屠杀的同义词，但毒气室其实起源于别处。[180]

党卫队行刑人

1941～1942 年针对苏联战俘的大规模屠杀把数百名集中营党卫队队员变成了职业杀手。[181]他们中大多数都是指挥参谋部的低级员工，自战前就在集中营内工作，很早就习惯了恐怖与暴力。[182]比如在萨克森豪森集中营，一些行刑队的队员就被提拔成分区主管。而像威廉·舒伯特这样的人早在射苏联俘虏脖子之前就已经是杀手了。[183]但对战俘的大规模屠杀开创了新局面，即使最有经验的党卫队队员也从没经历过。他们从前是偶尔杀人，现在却是连续杀人。组织大规模谋杀成了这些人的日常工作。

许多集中营党卫队队员都根据新要求与时俱进。他们自诩的政治军人形象——这是他们集体身份的根基——帮助他们将杀死手无寸铁的人美化为与"犹太－布尔什维克"敌人英勇作

271　战；在铁丝网内继续纳粹的灭绝行动，这就是他们为东线战争做出的贡献。关于苏联暴行的传闻也进一步鼓励了这样的想法。巴巴罗萨计划开始之后，纳粹就开始在国内图文并茂地宣传布尔什维克犯下的野蛮罪行。集中营党卫队的官员也告诉自己的部下，苏联"人民委员"是凶残顽固的反抗分子，对德国士兵犯下了十恶不赦的罪行，同时表扬党卫队刽子手为祖国做出巨大的贡献。[184]纳粹领导层能放心将这么重要的任务交给自己，这种想法一定让集中营党卫队的许多杀手充满了骄傲和使命感。[185]

　　除了思想上的因素之外，在集中营这间恐怖戏院中，处决行动给了党卫队刽子手们一个向同事们展示自己的舞台。参与大规模屠杀被一些党卫队队员简单看成"射击比赛"，甚至被视为性格测验。那些一往无前通过测试的人会得到同僚的尊重和上司的赞扬。就像德国空军飞行员向其他士兵吹嘘自己击落过多少架敌机一样，集中营党卫队队员也会炫耀自己杀死了多少"人民委员"。[186]一些党卫队队员还通过嘲笑死者，侮辱他们的尸体来展示自己的冷血。党卫队的幽默毫无道德底线。在达豪的靶场上，曾有一名党卫队队员一边用长木棍指着一名被杀的苏联囚犯的生殖器，一边朝他的同事喊道："瞧这儿，还立着呢！"[187]

　　不过，还有一些集中营党卫队队员对屠杀不大适应。有的人害怕感染，因为许多人怀疑苏联"人民委员"携带可怕的病菌。党卫队那些射脖子的刽子手都会穿上防化服，戴上塑料面罩。不过即使有这么多的防护措施，许多人还是感染了从战俘营传来的斑疹伤寒。一名分区主管甚至因此丧命。[188]许多党卫队队员对整个行动是否正义心存怀疑。一名没直接参与屠杀的萨克森豪森官员警告说，红军将会处决德国士兵以示报复（国防军官员们都有这样的担心）。纳粹集中营内的屠杀是错误的，他在 1941 年秋天对老囚犯哈里·瑙约克斯说，屠杀意味着德国已经输掉了战争，至少在道德层面上。而在靶场和刑房，一些杀手因受不了屠杀的场面而晕倒、崩溃（东部占领区的特别部队也发生了同样的情况）。其他人则不愿意参与屠杀，甚至试图抽身。当上司宣布下一轮处决的杀手名单后，这些人不是迟到就是在行刑队集结时溜号。[189]

但做正确的事很难。集中营是个颠倒的世界，那些勇于挑战屠杀现状的人被视为懦夫。几名不情愿行刑的人在狂热同事们的压力下屈从，这种团结将集中营党卫队逐渐变成一个庞大的犯罪集团。队员的任何一丝犹豫都会被其他人逮住。在萨克森豪森集中营，威廉·舒伯特就曾经公开嘲笑另一名党卫队分区主管是个"湿毯子"（扫兴的人），因为后者杀的俘虏较少。那些想要完全逃避杀戮的党卫队队员会遭到更严重的讥讽，被嘲笑不是男人，这些人最后往往会屈服。他们对于耻辱的恐惧战胜了杀人的恐惧。没有人想被视作"软老二"，一名萨克森豪森杀手后来说道（他使用了这个叫法）。[190]如果社交的压力不能使人屈服的话，党卫队官员们还会用其他方式迫使不愿杀戮的队员屈服。[191]只有极少数人能顶住压力，却将面临惩罚。[192]二级小队长卡尔·芒德莱恩（Karl Minderlein）自 1933 年起便是达豪党卫队的一员，他坚持拒绝参与行刑。与指挥官激烈对峙之后，党卫队法庭判处这名不服从命令的党卫队队员监禁；他在达豪被隔离监禁了几个月，然后于 1942 年夏天被调到东部前线的犯人连。[193]

集中营党卫队的高官们很清楚，许多杀手对杀人十分纠结，党卫队全国领袖海因里希·希姆莱就担心部下可能会在处决犯

272

人时"受到伤害"。[194]屠杀苏联"人民委员"时，党卫队领导本可以将任务交给少数职业的剑子手（就像他们后来在奥斯维辛毒气室所做的那样），但他们尽可能多地让指挥参谋部成员参与。"几乎所有分区主管都参与其中。"一名萨克森豪森党卫队队员在战后承认说，他们会轮流前往刑房执行射脖子的任务。另外一名杀手作证："每个分区主管都参与了，每次他们扮演的角色都不同，有时候通过细缝开枪杀人，有时扮成医生，有时清扫血迹或是干别的。"[195]通过这种方式，杀人的负担被分散了，许多集中营党卫队队员的手上都沾了血。这种同谋经历让杀手们更紧密地团结在一起，也让脱离这个团体变得更加困难。

为了让杀手们忘却这些毛骨悚然的经历，集中营党卫队领导们会定期举行晚间活动。在萨克森豪森集中营，一天漫长的屠杀结束之后，领导们会说："来吧，咱们一起找点儿吃的。"然后直奔党卫队食堂。食堂已经准备好了如炸猪排配炸土豆这样的美食。[196]免费的杜松子酒和啤酒则更受欢迎。[197]酒精从最开始就是集中营内暴行的帮凶。这里的美酒总是喝不完，尤其是那些年轻人和没结婚的底层人员，他们在食堂中度过了许多闲暇时光。在工作日，午餐和晚餐（直到深夜）都有酒，周日则是全天供应。[198]酒精不仅助长了暴力，也排解了暴行之后的烦忧。跟东部前线的纳粹杀手们一样，屠杀苏联战俘的集中营党卫队队员也靠酒精来麻痹自己的良心。[199]但一些杀手无论怎样努力仍然无法泯灭自己的良知。萨克森豪森分区主管马克斯·霍曼（Max Hohmann）就是一位不大情愿的杀手，在一次喝醉之后，他曾经问一名政治犯自己看起来像不像个谋杀犯。当囚犯回答说不像时，霍曼却说："但我就是！"并坦白了自己杀人的事。[200]

为了鼓舞行刑者们的士气，集中营党卫队的领导向他们许诺了金钱和荣誉。为了表示祖国对他们的感谢，集中营督察组在 1941 年 11 月下拨了一笔一次性的奖金。比如，格罗斯－罗森集中营的杀手们就平分了一笔 600 德国马克的奖金。同一个月，集中营督察组还向各个集中营询问所有"参与处决的党卫队队员"的名字，给他们颁发军事勋章。在海因里希·希姆莱眼中，那些射苏联战俘脖子、执行毒气或注射死刑的人都应该因他们的勇气而受到嘉奖。他们被授予二级战功佩剑骑士十字勋章，这一荣誉原先只有集中营指挥官才能获得。[201]

刽子手们得到的最高奖励是去国外度假，这对大部分党卫队队员来说是无法想象的奢侈行为。他们的目的地是意大利。1942 年春天，20 多名萨克森豪森的杀手启程去南部旅游；几个月后，达豪的杀手们也走了同样的线路，前往卡普里岛。杀手们用党卫队的方式庆贺；一些萨克森豪森的看守喝醉之后将酒店的房间糟蹋得不成样子，造成了相当大的破坏。而在小城索伦托（Sorrento），这些人抽出时间为一本德国杂志当了模特，其中一幅照片后来还上了杂志的封面：一位意大利女郎跳着塔朗特舞，背景是几名萨克森豪森分区主管放松地瘫坐在柳条椅上。这些人穿着全套制服，戴着帽子和黑色皮手套，还挂着装饰性的佩剑。不过，即便是阳光明媚的假日也不能让所有杀手忘掉烦恼。在回程的路上，至少有一名萨克森豪森杀手向同事承认，自己仍然被噩梦困扰，梦见被杀掉的战俘。[202]最终事实证明，大规模屠杀远比一些党卫队队员想象的难。在与无助、裸体的受害者们面对面时，他们发现自己很难成为毫不留情的政治军人。[203]

即便如此，谋杀行动大体上仍按计划进行。党卫队队员偶

274

尔的疑虑和普通囚犯对谋杀不断增多的了解都没有造成真正的阻碍。几周之内，消息灵通的囚犯就知道发生了什么。集中营洗衣房的审头们接到了一车车的苏联军人的衬衫、大衣和制服；而在火化场帮忙烧尸体的审头则在骨灰中发现了苏联勋章和硬币。[204]屠杀很快成了集中营内公开的秘密。"我们都被这些大规模屠杀搅得心烦意乱，据说已经死了一千多（红军士兵），"萨克森豪森的政治犯于 1941 年 9 月 19 日在一份秘密记录中写道，"我们现在没有任何办法帮助他们。"[205]囚犯们又一次发现自己无能为力。他们也为自己的命运担心。现在党卫队已经开始在集中营内实施大规模谋杀，下一个会轮到谁呢？萨克森豪森的共产党审头鲁道夫·文德利希后来回忆，没过多久，所有囚犯都"感到愤怒和无力，同时也被恐惧和抑郁笼罩"。[206]与此同时，集中营党卫队的领导们把对大规模灭绝的首次尝试视为一次胜利，很快便展开了规模更大的暴力与屠杀计划。

致命的乌托邦

第二次世界大战结束之后的一段时间里，历史学家对希特勒的世界观没什么真正的兴趣。希特勒被写成一个疯子和机会主义者，没有人关注他的核心信念。虽然希特勒写过一些杂乱无章的文章，发表过许多演讲，还在午餐和晚餐时滔滔不绝地发表长篇大论，但从没形成系统性的思想。至于他的观点究竟在何种程度上影响了第三帝国，如今学界仍在争论。不管怎样，希特勒显然有强大的政治信仰，引导他塑造理想中的新德国。[207]

希特勒的世界观里除了对犹太人和布尔什维克疯狂的仇恨之外，还有一个非常核心的信念——德国必须争取更多的生存空间，否则将无法生存。希特勒在 20 世纪 20 年代中期就已经下定决心，那时他只不过是政坛里的一个无名小卒。他坚信德国需要扩张，德国的未来在东方，特别是在苏联，因为那里有广袤的土地和丰富的农业资源。希特勒一生中都未曾放弃过这一目标。即使在 1945 年 4 月自杀前不久，躲在被轰炸的帝国总理府花园下的地堡里，希特勒依旧狂热地谈论着在东方获取生存空间的任务。[208]

回到 1941 年夏天，巴巴罗萨计划开始后不久，希特勒的梦想似乎已经近在咫尺。德国已经要取得对苏联的全面胜利，至少看起来是这样；在一个月内，国防军已经渡过了第聂伯河，攻下斯摩棱斯克，基辅也已经触手可及。在 1941 年 7 月 16 日的一次最高级会议上，希特勒描绘了他的愿景。苏联在欧洲的全部领土都将在德国的掌控之中。他说："我们必须将新获得的东部领土变成伊甸园。"[209]在接下来的一段时间内，希特勒一次又一次地幻想着德国在东方的辉煌未来。他的脑海中一直在规划这片新的疆土，畅想他要修建的乡镇城池。希特勒想象在未来三百年内，这片广袤无垠的空旷土地将会变成花团锦簇的风景。德国统治者住在富丽堂皇的宫殿中，奴役着留下的斯拉夫人，巨大的交通网络贯穿全境。希特勒在 1941 年 9 月私下里叹息说："如果我能说服德国人民，让他们明白这个空间对未来意味着什么就好了。"[210]

开拓东部

有一个人不需要希特勒说服，那就是海因里希·希姆莱，他也沉迷于生存空间的想法。在 1939 年秋天德国战胜波兰后不久，他便与朋友汉斯·约斯特（Hanns Johst）一同游览了这片新攻下的领土。汉斯·约斯特后来写道，这位党卫队全国领袖年轻时曾学过农业，他跳出车子，望着田野，捧起了一把泥土。"我们现在像古代的农民一样站在这里，朝对方笑着眨了眨眼睛。现在这些都是德国的领土了！"[211] 希姆莱把殖民这片土地当成自己的工作。希特勒在 1939 年秋天要求他通过大规模转移人口来"建设新的德国定居点"，用德国人替换危险的"外国族裔"。[212] 希姆莱谨遵希特勒的指示，在一个新的大型组织的支持下，他监督着将数十万波兰人和波兰犹太人野蛮地遣送到东部，同时往波兰西部占领区注入了大量的德意志裔人。[213]

德国入侵苏联之后，希姆莱立刻在占领区开始宣告自己的主权。作为纳粹恐怖机器的首脑，希姆莱负责这片新占领区的警务工作。[214] 而作为德意志民族强化委员会的帝国委员，他努力用纳粹的种族主义思想改造这片土地。1941 年 6 月 24 日，德国入侵仅仅两天之后，希姆莱就要求他的总设计师康拉德·迈尔（Konrad Meyer）教授为"东部的新定居点"绘制蓝图。[215] 希姆莱的部下们开始实施所谓的"东部整体规划"，该计划在接下来的几个月里变得无比宏大。其目标是改变整个东欧的面貌。党卫队设计者们并不是想美化，而是彻底地屠戮，将整座城市夷为平地，将广大地区德国化，将数千万平民流放、奴役和杀害。[216]

德国未来的殖民计划需要巨量的建设工作。这简直是为奥斯瓦尔德·波尔带领下不断扩张的党卫队经济量身定做的任务。到 1942 年初，希姆莱已经让波尔负责东部所有和平时期的建设项目，这是一项宏大的任务，包括在曾经属于苏联的土地上建立几十座新基地。[217] 时间回到 1941 年 12 月中旬，波尔向希姆莱递交了战后在德国境内和欧洲占领区的整体建筑规划方案。预估的成本高达 130 亿德国马克，其中近一半的预算是为了在苏联之前的领地上建立党卫队和警察的设施。但在 1942 年 1 月，希姆莱否决了这些计划。不是因为项目太荒谬，而是因为太保守了。思维还要更远大，希姆莱教育波尔，要创建"庞大的殖民地，我们要用这些把东方变成德国的"。在希姆莱的坚持下，纳粹的建设计划在接下来几个月被修改得越来越庞大。[218]

预计大部分的建设工作由集中营犯人承担。在党卫队领导们的脑中，这在经济上十分划算。希姆莱提醒波尔，战争给德国经济造成了巨大的压力，国家在战胜之后需要精打细算。不过，党卫队的计划也不能拖延。希姆莱的解决方案很简单：提高集中营采石场和砖厂的产量以供新项目使用，成本就可以降下来。[219]这种预期是殖民狂喜和种族灭绝的乌托邦主义相结合的产物，党卫队从最高层到基层士兵都是这样想的，比如毛特豪森的一级小队长就命令囚犯们给一座克里米亚的城堡画详细的蓝图。[220]像所有狂热分子一样，党卫队信徒们希望尽快将他们的梦想变成现实。虽然他们最有野心的计划在战后才开始，但这些人觉得建设工作应该立刻展开。毕竟他们认为胜利已经近在眼前。因为囚犯是计划的关键，所以党卫队开始改造集中营体系。

毫无疑问，党卫队领导对强制劳动越来越重视。首先，他们展开了对集中营劳动体系的阶段性调整。1941 年 9 月底，碌碌无为的囚犯劳动局——这是一年前由波尔领导的党卫队预算和建筑办公室设立的，连带着办公室派驻各集中营的地方代表，也就是所谓的劳务长（Arbeitseinsatzführer），都被直接纳入了集中营督察组。虽然这项举措并没有立竿见影的效果，但就像督察官里夏德·格吕克斯说的，它体现了集中营党卫队越来越具备"重大的远见，肩负起关键的经济和战争任务"。[221]

277

党卫队领袖主要关注的不是组织形式，而是囚犯本身。希姆莱开始对他们的培训上心。党卫队此前教授囚犯们技能的计划并不太成功。现在希姆莱想要组建一支囚犯工匠大军。1941年12月初，他命令波尔将至少15000名集中营的囚犯培训成石匠和砖匠。希姆莱还补充说要在战争结束前完成这项任务，如此一来囚犯就可以参与"即将展开的大规模建筑工程"，比如希特勒宏伟建城的计划，从20世纪30年代末期开始，它就一直是党卫队经济的主要推动力。[222]不过希姆莱的目光已经从重新建设德国移到在东部占领区扩张，而后者需要更多的囚犯劳动力。因此训练囚犯成了希姆莱和其他管理者脑海中的第一要务。一名集中营督察组的高官在1941年底称："任何一名健康的囚犯都必须成为一名有一技之长的工人。"[223]就像希姆莱其他心爱的计划一样，这个计划最终也成了一场白日梦。培训需要良好的待遇、充足的食物，以及合理的居住环境，而这些跟集中营的情况简直是天渊之别。如果希姆莱的计划能够实现，那集中营就不是集中营了，没有一位党卫队管理者愿意考虑这一点。无论如何，单单对囚犯展开培训远无法满足党卫队建设计划的需要。党卫队领导真正想要的是大量的新奴工。

成为奴隶的苏联人

当设计师们在重新绘制欧洲的蓝图，将各个国家都翻个底朝天时，海因里希·希姆莱在强制劳动的问题上也没有克制。他畅想自己的大集中营里装满了奴隶，以此实现他宏大的愿景；东部的新殖民地将建在集中营囚犯用血汗浇灌的土壤上。1941年9月时希姆莱有了一个主推的想法，他的目光落在了苏联战俘身上。[224]当时，苏联囚犯的供应源源不断，似乎永远不会枯竭。许多人已经落到了德国人的手中，还有更多人即将被捕获（到 1941 年 10 月中旬，国防军俘虏了 300 多万人），希姆莱将他们视为取之不尽的资源。纳粹领袖原先禁止让这些人投入德国的军需生产，所以他们通常闲置在国防军手中。等到 1941 年夏末，对于苏联战俘的隔离政策有所松动时，希姆莱看到了机会：为什么不挑些人关进集中营，把他们当作强制劳工压榨呢?[225]

278

在希特勒的支持下，希姆莱迅速行动起来。[226] 1941 年 9 月 15 日，希姆莱与最亲密的心腹赖因哈德·海德里希以及奥斯瓦尔德·波尔讨论了自己的计划；当天他或许还把计划告诉了集中营的教父特奥多尔·艾克。第二天早晨，他又给波尔打了个电话；我们无从得知他们对话的具体内容，但希姆莱的笔记透露了计划的规模："将 10 万俄罗斯人收进集中营。"[227] 这个数字十分可观，但希姆莱很快又将它翻了一番。在党卫队的栏板上，一个激进的计划往往很快就被另一个更激进的计划取代。到了 1941 年 9 月 22 日，当希姆莱与集中营督察官格吕克斯会面时（格吕克斯在几天前被简单告知了这项计划），希姆莱想要集中营接收 20 万战俘。[228] 与德军最高统帅部的谈判已经在进行中，双方很快就达成了协议：9 月底，军队同意给希姆莱 10 万苏联战俘。[229] 看起来，党卫队全国领袖轻而易举便以极快的速度完成了自己的最初目标。

在和军队的谈判结束前，集中营党卫队就已经开始为苏联士兵的拥入做准备。希姆莱决定让一些现有的集中营吸纳部分囚犯。1941 年 9 月 15 日，就是他同海德里希、波尔、艾克谈话的同一天，集中营督察组给各集中营的指挥官发了一封紧急电报，询问各自的集中营可以容纳多少战俘。原计划是将战俘安置在简陋的新营房中，但为了加快速度，地方党卫队也腾出了一些其他囚犯住的老营房。到了 1941 年 10 月，诺因加默、布痕瓦尔德、弗洛森比格、格罗斯－罗森、萨克森豪森、达豪、毛特豪森都匆匆为战俘们划定了特殊区域，跟营区内其他地方隔开，挂有类似"战争劳动营囚犯"的标识。其中，毛特豪森的规模在战前德国的边境内算是最大的。[230]

不过，大部分苏联战俘有别的去处。党卫队设计师们决定在波兰占领区建两座新的大型集中营。第一座建在卢布林（Lublin），位于华沙东南约 100 英里外，后来被称为马伊达内克集中营［以北边的迈丹塔塔尔斯基地区（Majdan Tatarski）命名］。马伊达内克集中营是波兰总督府的第一座集中营。在占领波兰的初期，纳粹领袖们不同意在这里建集中营。就像总督汉斯·弗兰克在 1940 年 5 月跟德国警方高官们说的那样，这是多此一举："我们地盘上的嫌疑人都会被就地正法。"但在 1942 年 7 月 20 日，希姆莱在巡视时选择在卢布林建立一座新的大集中营，以便将该地尽快转变成德国殖民地的前哨。不过，希姆莱的命令并没有立刻得到贯彻，也许是因为那时还不清楚囚犯们从哪里来。直到两个月后，希姆莱开口索取苏联战俘之后，党卫队才开始推进这项计划。1941 年 9 月 22 日，汉斯·卡姆勒（Hans Kammler）博士下令在卢布林的郊区开工建营，他刚刚被任命为波尔领导的党卫队预算和建筑办公室的建设办主任。这座新营从 1941 年 10 月 7 日开工，预计可以容纳 5 万名囚犯；但马伊达内克的蓝图在画出来时就已经过时了。随着希姆莱对苏联战俘的胃口不断增长，马伊达内克预计要容纳的囚犯数量也在不断增长。到了 1941 年 11 月初，卡姆勒博士已经预计将有 12.5 万名战俘到来，而到 12 月初时这个数字已经上升到了 15 万。[231]

279

　　波兰占领区的第二座大型新营建在集中营党卫队掌控的地盘上。1941 年 9 月 26 日，建立马伊达内克集中营的指令刚公布没几天，卡姆勒博士便下令在奥斯维辛集中营附近开工建设一座巨大的新营。1941 年 10 月 2 日视察时，卡姆勒选定了奥斯维辛主营以西两英里处的一个地方作为建设新战俘营的地点。几天后，在指挥官霍斯的坚持下，选址稍有改动：新营将建在党卫队利益区中一个名为比克瑙的村子，这里所有的居民几个月前已经被迁走。1941 年 10 月 15 日开始施工，跟建马伊达内克一样，党卫队设计师们的目标很高。1941 年 9 月底，党卫队预计这里将有 5 万名囚犯，几周后上升为 10 万。[232]到目前为止，没有任何迹象显示比克瑙将会成为未来种族屠杀的中心。[233]这座新的次级营并不是为了谋杀犹太人而建，而是为了剥削数量巨大的苏联战俘、给德国争取生存空间而建。党卫队在一定程度上希望将奥斯维辛建设为一个殖民地的范本。更重要的是，为设立其他殖民地做准备。跟随着传说中条顿骑士团的脚步，党卫队将已经建成的最靠东的奥斯维辛集中营作为扩张的基地。[234]

　　出于相同的考虑，1941 年底第三座新营在东欧占领区开建，地点在但泽附近一个名为施图特霍夫的小镇旁边。与马伊达内克和奥斯维辛－比克瑙不同的是，这里的营地已经建好了。德国入侵波兰后，施图特霍夫营由一支地方党卫队于 1939 年 9 月 2 日建立，以威慑当地民众。营地周围有茂密的森林、沼泽和运河。1940 年初，党卫队曾短暂考虑过将该处变成一座集中营。经过一番讨论之后，希姆莱没有同意。但在 1941 年秋天，他又改了主意。1941 年 11 月 23 日星期日，希姆莱来这里视察，最终决定应该建立一座集中营。1942 年初，他正式下达命令。[235]按照设计，这座新营将为但泽和西普鲁士地区的德国殖民

280

地提供劳动力。因为该方案远没有马伊达内克和比克瑙那么庞大，所以希姆莱打算送来的苏联战俘数量也比另外两座集中营少；1941 年底，他提议送 2 万人。这座新营区的设计方案在柏林如期制订完成，并于 1942 年 3 月初送至施图特霍夫，此时比克瑙和马伊达内克已经开始动工了。[236]

希姆莱针对苏联战俘的宏伟计划值得我们深思。他在 1941 年秋天的提议是自 20 世纪 30 年代中期以来对集中营体系最为深远的一次改变。希姆莱期望囚犯数量能有一个巨大的增长。当时整个集中营系统总共关押了不到 8 万囚犯，而他想要再关 20 万甚至更多人进来。这些人中绝大多数将会在巨大的新营里工作，这些新营区将比现有的集中营大很多。奥斯维辛的主营区（关押了 1 万人，是当时最大的集中营之一）和比克瑙的附属营区相比黯然失色。[237]而随着大量苏联战俘被送往波兰占领区的新营，整个集中营体系的天平也迅速向东方倾斜。对东方的重视也点明了集中营的一个新作用：为新的生存空间而殖民。让囚犯们进行生产劳动并不是什么新鲜事，让他们在建筑工地上工作也不是。但 1941 年秋天的计划却是相当不同的。希姆莱希望能在党卫队的监管下，强制大量囚犯劳动，完成纳粹一项重要的建设计划。集中营将会发展，党卫队经济将会发展，德国将会发展。希姆莱觉得自己再一次为党卫队和国家做了一件好事。

集中营坟场

1941 年 10 月 7 日，一列货运火车驶入奥斯维辛主营附近的车站，并慢慢停了下来。车内装的是 2014 名男人，他们是第一批被派往集中营进行强制劳动的苏联战俘。车门被打开了，脏兮兮、茫然不知所措的囚犯们蹒跚走出闷热的车厢，来到灯光下，迫不及待地大口呼吸着。其中包括来自莫斯科的 28 岁陆军中尉尼古拉·瓦西尔尤（Nikolaj Wassiljew）。"我们不知道自己到了哪里，"他后来说，"也不知道这是个什么营。"党卫队的看守很快就给了他们答案：棍棒像雨点一样落在瓦西尔尤和其他人的身上，随之而来的还有党卫队的吼叫。一些人担心他们会被直接枪决。但党卫队要求他们脱光衣服跳到一个盛满消毒剂的大桶里。瓦西尔尤回忆那些"不愿意跳进去的人被棍打脚踢，逼着跳了进去"。消毒之后，骨瘦如柴的苏联战俘被迫赤着身子蹲在地上。[238]

新来的囚犯们还来不及喘口气，就在奥斯维辛看守的命令下徒步走向集中营。此时已经是寒冷的深秋时节，屋顶上都结了霜，地上还有残雪。苏联战士们走进营区时因为寒冷不停地打着哆嗦，更多的党卫队队员正等着他们。一些人拿相机对准战俘，拍照以作战利品。其他人则开始殴打囚犯，然后命令他们列队站好。然后是进一步的消毒，以及更多的暴力。但因为处理不当，反而使疾病滋生。"之后我们被赶到营房中。"尼古拉·瓦西尔尤回忆道。奥斯维辛新的战俘营区包括 9 座空荡荡的营房。"我们一直赤身裸体地过了好几天，"瓦西尔尤补充说，"我们总是裸着。"为了保持体温，囚犯们集体抱在一起。最虚弱的囚犯只能靠着墙，或是躺在水泥地上。[239]

接下来的几天有更多的囚犯来到这里，狭小的战俘区很快便人满为患。1941 年 10 月 7 日到 25 日，几乎有 1 万名苏联战俘被塞进来，18 天内就使奥斯维辛的人口翻了一番。[240]这一切都是希姆莱与军队协商的结果。9 月底达成协议后，德军最高统帅部开始履行他们移交战俘的承诺。1941 年 10 月 2 日，军方

281

将 2.5 万名战俘送到第三帝国境内充当劳工；几天之后军方开始向集中营输送囚犯，其中大部分是送到奥斯维辛集中营。整个输送工作在月底完成了。还有另外 2000 名苏联战俘被送往位于波兰总督府的马伊达内克集中营。[241]

迎接这些苏联囚犯的是炼狱般的环境。不仅在奥斯维辛，在萨克森豪森，他们也被塞进了空荡荡的营房。这里"没有床，没有铺，没有椅子和桌子，没有毯子"，本杰明·列别杰夫（Benjamin Lebedev）回忆道，他跟其他 1800 名苏联士兵在 1941 年 10 月 18 日被送进了萨克森豪森。"我们睡在地上，只能枕着我们的木鞋。"[242] 在格罗斯－罗森集中营，第一批到来的苏联战俘甚至不能住进营房，不得不在室外待了几天。第一晚据说就有 200～300 人死亡。[243] 在马伊达内克集中营，因为没有足够的营房，一些苏联战俘也不得不睡在室外。为了能有个蔽体的遮挡，一些绝望的囚犯甚至在坚硬的土地上挖洞。[244]

按照希姆莱的计划，集中营党卫队很快强迫一部分战俘开始劳动。在奥斯维辛集中营，苏联囚犯从 1941 年秋天起开始投入比克瑙新营区的建设工作。他们伐木、挖沟、拆除破旧的农房，将拆下来的砖头用于建造新营。俘房们在滴水成冰的气温下徒手劳作，许多人都支撑不住死去了。"他们都冻僵了。"一名波兰地下党战士在秘密日记中写道。有的战俘在工作时被枪杀或殴打致死。当幸存者们拖着疲惫的身体从比克瑙工地回到主营区时，总会跟着一辆两轮马车，上面载着同伴的尸体。[245]

绝大多数苏联战俘都极度虚弱，完全不能工作。在弗洛森比格，1941 年 10 月中旬来的 1700 名苏联战俘养了几个月才能出去工作。[246] 在格罗斯－罗森集中营，2500 名苏联战俘中只有 150 人被派往采石场，而这 150 人也几乎什么都没有生产出来。

德国土地与采石公司驻当地的办事人员在 1941 年 12 月中旬的时候抱怨说："这些俄罗斯人身体状况太糟，几乎什么活儿都没法干。他们比最糟糕的因犯还要糟糕。"[247]苏联战士们在德军的手中已经饱受折磨，来到集中营之前身体状况就已经很差了。"我到这里的时候已经生病了，"尼古拉·瓦西尔尤回忆说，"我有肾脏感染、肺炎和痢疾。"在奥斯维辛挨过一周后，他被转移到一间为苏联战俘设立的医务室中，那里说是医院，但更像个停尸房。在这里几乎没有治愈的希望，囚犯护理员们甚至用厕纸当绷带给病人们包扎伤口。[248]

大部分苏联战俘都在逐渐走向死亡——所有集中营里都是如此。许多人是被饿死的，因为集中营党卫队将他们的口粮削减得比普通囚犯更少，几乎没给他们留下什么吃的。也许是集中营史上第一次，一些绝望的犯人开始吃人。在奥斯维辛，指挥官鲁道夫·霍斯以人类学家的眼光看待苏联士兵的垂死挣扎，就像此事与他毫不相干。"他们已经不再是人类，"他 1946 年写道，"他们成了动物，只关心怎样猎取食物。"一些集中营党卫队队员为了消遣，往战俘营里扔面包，看那些发狂的因犯为每一块面包屑打到你死我活。[249]饥饿很快就引发了更多的疾病。[250]传染病也十分猖獗。到了 1941 年 11 月底，马伊达内克集中营里半数的苏联士兵都饱受斑疹伤寒及并发症之苦。[251]

集中营党卫队在杀死生病、感染和体弱的苏联士兵时毫不犹豫，也许他们明白希姆莱同意这么做，以解决传染病和物资短缺的问题。[252]在奥斯维辛集中营，尼古拉·瓦西尔尤病好之后就留在医务室工作。他目睹了党卫队在 1942 年初大规模筛选战俘的过程。党卫队队员坐在一张桌子后面，囚犯们必须脱光衣服，从党卫队面前跑过去。后者会把身体最虚弱的战俘挑出来。　283

然后，受害者们一个接一个被带到手术室，接受注射死刑。[253] 在其他集中营，党卫队也会定期杀害生病的战俘（他们也开始杀掉其他所谓的伤残囚犯）。比如 1941 年秋冬在马伊达内克集中营和毛特豪森集中营，党卫队队员应对斑疹伤寒的对策就是杀死大量苏联士兵；谋杀被视作控制疾病传播的最有效手段。[254]

即使这些苏联战俘都是来充当苦力的，集中营党卫队队员也会因政治因素处决他们。帝国中央安全局仍执迷于"人民委员"的威胁。1941 年 10 月，战俘们刚被送进集中营几周，中央安全局便派盖世太保工作组到各个集中营，揪出隐藏在新来者中的假想敌。在奥斯维辛集中营，盖世太保检查了所有苏联奴工，选出了 1000 名"狂热的共产党员"和"政治上不能接受的（分子）"处死。集中营党卫队在 1941 年底将这些人或枪决或送进毒气室。[255]

被送进集中营当苦力的苏联战俘和被送来处决的苏联战俘之间的界限越来越模糊。1941 年 11 月，海因里希·希姆莱甚至同意暂时免除"人民委员"死刑，不过前提是这些人能够工作。从此时开始，地方党卫队可以从被送来处决的战俘中挑出身强力壮的人去采石场工作。这些人不久之后也会死，但党卫队要在他们死前榨干他们最后一点儿力气。[256] 这是"劳动灭绝"概念的早期表现，党卫队也考虑用相同的办法对待犹太人，最终导致在接下来的几年中集中营内无数囚犯丧命。[257]

但这是后话。回到 1941 年秋冬两季，集中营党卫队几乎没从集中营的苏联奴工身上榨取什么价值。但死亡人数触目惊心。在马伊达内克集中营，到 1942 年 1 月中旬，2000 名苏联战俘中几乎无人生还。[258] 在奥斯维辛集中营，指挥官鲁道夫·霍斯写道："年轻人像苍蝇一样死去。"大约 80% 的人——约 7900 名甚至更多囚犯——在 1942 年 1 月前死亡，这时距他们刚到奥斯维辛仅仅过去了不到三个月。最严重的一天是 1941 年 11 月 4 日，奥斯维辛一天之内有 352 名苏联战俘死亡。[259] 1941 年底苏联战俘的大规模死亡并不局限于东部占领区的集中营。在萨克森豪森集中营，据说将近 30% 的战俘在刚来的第一个月内就死了（其中不包括被射脖子处决的"人民委员"）。[260] 在格罗斯－罗森集中营，2500 名苏联战俘中只有 89 人到 1942 年 1 月 25 日时还活着。[261]

　　当时，地方的集中营党卫队更多地将前所未有的高死亡数字视为一个后勤问题。奥斯维辛集中营就是如此，这里死去的苏联奴工数量比其他任何集中营都多。一开始，奥斯维辛党卫队很难识别死者的身份，因为军队标牌在混乱的战俘营中经常遗失，而写在身上的标号也很快模糊得无法辨识。为了避免搞错身份，党卫队采取了一个新办法。从 1941 年 11 月起，苏联奴工的编号被烙在他们的皮肤上。党卫队把一个特别的金属印章烙在囚犯的胸口上，然后把墨水抹到伤口上，渗入皮肤。因犯们因为身体太虚弱，根本站不住，党卫队便把他们抵在墙上，唯恐他们在烙章的时候瘫倒。臭名昭著的奥斯维辛刺青就此诞生，后来这一举措被广泛用在集中营内大部分因犯的身上（虽然有的集中营曾经用过油墨印章，但没有任何一座集中营使用刺青）。[262]

　　奥斯维辛党卫队还找到了处理尸体的新方法。主营内现有的火化场无法烧掉所有的战俘尸体，整个营里到处都有尸体，还越堆越高，结果腐烂后的尸臭传遍了整个集中营，并开始向外散发。1941 年 11 月 11 日，新上任的奥斯维辛建设办公室主任卡尔·比朔夫（Karl Bischoff）给德国的集中营熔炉供应商去

284

了一封电报："急需第三座焚化炉。"因为新炉还需要几个月才能装好，所以党卫队决定将尸体丢在比克瑙新挖的壕沟中，而挖沟的是还活着的战俘。比克瑙成了埋葬苏联士兵的巨大坟场。[263]

希姆莱的挫败

1941年秋冬时节，在希姆莱狂妄的计划和集中营里的现实之间出现了一道巨大的鸿沟，希姆莱设想通过剥削大批苏联战俘，为德国建立庞大的殖民地；但集中营里只有死亡。就连一些党卫队队员也发现了党卫队政策的矛盾之处。萨克森豪森一位官员的提问更是很好地总结了所有人的困惑："所以这些人到底是来这里送死还是工作？"[264]作为"劳动灭绝"的提倡者，希姆莱的回答可能是"两者都有"。但对于1941年10月作为奴工来到集中营的苏联战俘来说，党卫队只做到了其中的一点；战俘们确实被消灭了，但大多数人死的时候并没有被压榨殆尽。帝国中央安全局警告集中营党卫队不要混淆来"做苦役"的战俘和要被"处决"的战俘。[265]但并非所有的地方党卫队都能分清其中的区别，毕竟纳粹的宣传早已将苏联战俘定义成危险的次种人类。[266]

285　　因此苏联战俘们的死亡还在继续。萨克森豪森集中营分区主管马丁·克尼特勒（Martin Knittler）是射脖刑房出身的经验丰富的刽子手，1941年11月的一天，他得知有9名苏联奴工在当天死亡，他的反应是："什么？今天才9个？我们得加把劲儿。"然后，克尼特勒命令其余刚刚洗完澡的苏联士兵到营房外面，在冰天雪地中站了几个小时。第二天有37人死亡。[267]像克尼特勒这样的党卫队队员认为谋杀对经济有好处。按照纳粹的社会达尔文主义思想，党卫队在集中营创造的恶劣条件正是为了优胜劣汰；那些活下来的苏联士兵肯定是最合适也最皮实的劳动力。[268]

奥拉宁堡的党卫队领袖们很清楚针对苏联奴工的屠杀。但里夏德·格吕克斯和他的部下既不惊讶也不阻止。[269]事实上，他们还加剧了集中营内的死亡氛围。在准备建设新营时，阿图尔·利布兴切尔从一开始便非常凶残。他在 1941 年 9 月中旬宣布，苏联战俘必须住在"最原始的环境里"。[270]他话中的意思在 1941 年 10 月中旬绘制完成的比克瑙新营的方案中得到了明确的体现。疾病和死亡也被设计到了方案之中，12.5 万名苏联战俘将被塞进 174 座营房里，每名囚犯占有的空间面积大约只有棺材那么大。7000 名囚犯共用一个厕所，7800 名囚犯共享一个盥洗房。这些配比标准跟集中营的常规设计标准比起来差多了。但在那些和希姆莱一样将苏联战俘看作"人类动物"的党卫队设计师眼中，这标准刚刚好。[271]

乍一看，苏联战俘在 1941 年底的遭遇令人困惑：为什么这么多来到集中营当奴工的人却被推进坟墓？但从党卫队的角度来看，这没什么好奇怪的。只有苏联奴工的生命有价值的时候，死亡才会引发担心。但他们的生命没有价值。集中营党卫队对战俘的忽视和谋杀背后存在这样一种观念——1941 年 10 月来到集中营的 2.7 万名苏联士兵只是先头部队；更多的苏联战俘会相继而来，接替死去的人。带着纳粹特有的那种自大，集中营党卫队以为苏联战俘是取之不尽用之不竭的。[272]

但后补梯队并没有到来。在党卫队向军队索要苏联战俘后不久，希特勒果断介入了。面对越来越严重的劳动力短缺问题，他在 1941 年 10 月 31 日下令，要求将大批的苏联战俘投入军需生产。很快，在国家和私营企业的迫切需求面前，党卫队只好靠边站。另外，新俘虏的人数远比预期少。国防军再也没有能像巴巴罗萨计划初期时一样捕获那么多的俘虏。希特勒那些自命不凡的将军所预言的闪电战最终变成了无止境的消耗战。德军止步于莫斯科之外，苏联随后在 1941 年 12 月展开了第一次大规模反击。到了那时，拜国防军战俘营恶劣的环境和对"人民委员"无情的猎杀所赐，大部分苏联俘虏已经死亡或是濒临死亡。[273] 希姆莱想象中汹涌的苏联俘虏大潮从未冲到集中营。

因此，希姆莱扩张集中营系统的宏图伟愿——把比克瑙和马伊达内克的新集中营作为关押苏联士兵的主要基地——没能实现，至少和他预期的不同。1941 年 12 月 19 日，党卫队建设办主任汉斯·卡姆勒给希姆莱去了一封信，客观地向他汇报比克瑙和马伊达内克两座集中营的建设进度。卡姆勒虽然尽量保持乐观，但还是承认两座预计各容纳 15 万人的集中营，其建设进度已经远远落后于原计划。目前马伊达内克集中营只建起了 26 座营房，而比克瑙只有 14 座。除了零度以下的气温和缺少建筑材料以外，最大的问题是缺少劳动力。根据 1941 年秋天的计划，建设项目主要依赖大量拥入的苏联战俘。但目前为止，到手的战俘对党卫队毫无用处。卡姆勒承认，让战俘给自己建营房的计划必须放弃，因为因犯们的"身体状况非常糟糕，现在让他们做任何劳动都是不可能的"。[274]

最终，马伊达内克集中营从未发展成强制劳动的中心。临时营区到 1942 年夏天时距离完工依然遥遥无期。那里只有 2 座给党卫队看守住的营房，瞭望塔也没建好，营区内四处散落着建筑材料。[275] 马伊达内克也远没有达到预期的规模，大多数时候，它关押的因犯数量在 1 万到 1.5 万之间，这里面没有一个人为德国在东方的殖民地打基础。[276] 比克瑙的进度也很慢。直到工程启动半年之后，也就是 1942 年 3 月，比克瑙才初步落成，幸存下来的苏联战俘才从奥斯维辛主营区被转移到这里。这些苏联士兵的数量还不到 1000 人，其中大部分人很快就死了。1942 年 4 月中旬，一名刚刚从斯洛伐克（此时是德国的傀儡国）被送到这里的年轻犹太人看到最后残存的苏联士兵"处于极度被忽视的状况"，住在"没完工的工地上，没有任何遮风挡雨的东西，正在快速走向死亡"。[277]

　　海因里希·希姆莱第一次尝试使用苏联奴工的努力最终惨淡收场。集中营没有成为一个巨大的劳动力蓄水池，反倒因为苏联战俘的到来兴起了新一轮的屠杀。1942 年春天，剩余的大部分战俘营区被关闭，剩下的人被正式归为集中营的囚犯。此时，1941 年秋天来集中营服苦役的 2.7 万苏联战俘中只剩下不到 5000 人。[278]其中一名幸存者正是尼古拉·瓦西尔尤，他在 1942 年 3 月从奥斯维辛集中营被转移到了比克瑙。当战后被问到其他同志的下落时，瓦西尔尤直白地回答："被枪毙了。在工作时被杀。饿死了。病死了。"[279]

盘点

　　回顾 1941 年底到 1942 年初的集中营，二战的爆发让很多事情都发生了变化。虽然它们还是集中营，但整个系统在其间发生了巨大的转变。在 1942 年初有 13 座主营，而不是此前的 6 座，其中有 4 座建立在纳粹新占领的欧洲土地上：奥斯维辛集中营、马伊达内克集中营、施图特霍夫集中营和纳茨维勒集中营。[280]囚犯数量也大幅提升，从 2 万多人增长到 8 万人左右。大部分新增的囚犯都来自德国刚刚占领的欧洲国家，其中以波兰和苏联为主。1939 年时，集中营的囚犯们也许已经以为情况不能更糟了，但很快就越来越糟。纳粹的恐怖在战争期间进一步升级，无论是在集中营内还是营外。营内居高不下的死亡率和党卫队部署的武器就是最好的证明。到了1942年，集中营党卫队已经实践过几乎所有能想到的杀人方式：打死、吊死、枪杀、饿死、淹死，还有用毒气和毒药毒死。

1941年是关键的一年，集中营从战争初期的恶劣条件转变为大规模灭绝，开发了双重功能。从前，集中营党卫队是剥削、虐待和杀死个别因犯。但现在集中营成了系统性谋杀的地点，核心的计划是杀死病弱因犯和苏联"人民委员"。以萨克森豪森集中营这座党卫队的模范营为例。1941年间，平均有1万名囚犯被关押在这里。这里的每一天对他们都是折磨——强制劳动、操练、拥挤不堪的营房、饥饿、疾病和极端的暴力。死于营养不良和疾病无比寻常，尤其是对犹太人和波兰人来说。不过，集中营党卫队并没有计划杀死所有的因犯，大部分人仍活了下来。[281] 但对于数万名苏联"人民委员"来说正好相反，他们在1941年9月到11月间被送进集中营，很少有人能活过几天；萨克森豪森集中营就是针对这些人的灭绝营。

随着种族大屠杀进入集中营系统，系统性的大规模谋杀在1942年变成了种族灭绝。但这个改变并非凭空出现。令人惊讶的是，在党卫队跨过最终的门槛，展开种族屠杀之前，大屠杀的许多结构性元素已经逐渐出现在了集中营里。这些元素包括直接将受害者们送去处决；紧凑的运输时间表；用假的淋浴间和假的医生办公室掩饰大规模谋杀；使用包括齐克隆B在内的毒气；建立新的火化场，并不断改建、维修、扩大，以跟上处理死人的需求；不断清除因犯中"不适合工作的"人；在受害者死后冒犯他们的尸体，拔下金牙。所有这一切在纳粹大屠杀开始之前就已经产生。甚至对抵达的囚犯进行筛选——将体弱的人直接杀掉，剩下的人送去劳动，直到被折磨死——也在1941 年秋天，在苏联"人民委员"身上试过了。简单来说，大屠杀的核心机制在 1941 年底就已经建立——像奥斯维辛这样的集中营已经做好了屠杀欧洲犹太人的准备。

　　但是，对于病弱囚犯和苏联战俘的大规模谋杀并不是种族大屠杀的预演。如果这样解读，就成了由后往前倒推历史。这些杀戮的背后有各自可怕的逻辑，那时还没有考虑专门谋杀犹太人。确实，当早期谋杀计划于 1941 年春夏开始的时候，纳粹政权还没决定要立刻消灭欧洲犹太人，并将此当作一项国家政策。1942 年前，没有一座集中营被指定为大规模杀死犹太人的地点。直到纳粹领袖们做出那个引领党卫队集中营和第三帝国进入历史新阶段的重大决定之后，集中营向大屠杀中心的转变才全面展开。

注　释

1. Mennecke to his wife, letters of April 2, 4, 5, and 6, 1941, in Chroust, *Mennecke*, 183 – 85, 192；ibid., 1 – 14；Kersting, *Anstaltsärzte*, 286 – 96；Ley and Morsch, *Medizin*, 309 – 10；Klee, "*Euthanasie*," 226；idem, *Was sie taten*, 301（n.19）；Burleigh, *Death*, 222；StANü, Pohl to Himmler, September 30, 1943, ND：1469 – PS.

2. Quotes in Mennecke to his wife, April 4, 1941, in Chroust, *Mennecke*, 185. See also ibid., 185, 191 – 96；Hohmann and Wieland, *Konzentrationslager*, 27. 1965 年，德意志民主共和国法庭判处黑博尔德终身监禁，他于 1975 年死在狱中；Klee, *Personenlexikon*, 234 – 35。

3. Quotes in AS, P 3 Hüttner, Johann/1, part 1 and 2, Interview J.

Hüttner, n. d. (20 世纪 70 年代初；感谢 Monika Liebscher 提供此文件）；
BStU, MfS HA IX/11 ZUV 45 Bd. 1, Bl. 362 – 64：Vernehmung O. Hebold,
October 23, 1964, Bl. 363。See also AdsD, KE, E. Büge, Bericht, n. d.
(1945 – 46), 141; Naujoks, *Leben*, 247 – 49; Ley and Morsch, *Medizin*, 317.

4. Hohmann and Wieland, *Konzentrationslager*, 27; Naujoks, *Leben*, 247 –
48; AdsD, KE, Büge, Bericht, n. d. (1945 – 46), 141.

5. Quote in BStU, MfS HA IX/11 ZUV 45 Bd. 1, Bl. 358 – 61：
Vernehmung O. Hebold, August 12, 1964, Bl. 360. See also Mennecke to his
wife, April 7, 1941, in Chroust, *Mennecke*, 195.

6. Naujoks, *Leben*, 248 – 49, quote on 249; Ley, "'Aktion,'" 235
(n. 16); Hohmann and Wieland, *Konzentrationslager*, 27. 感谢 Astrid Ley 提
供这些遣送的日期。

7. Mennecke to his wife, April 7, 1941, March 18, 1942, in Chroust,
Mennecke, 195, 335; BArchL, B 162/7995, Bl. 271 – 304：Aussage F.
Mennecke, January 16 – 17, 1947, Bl. 289 – 91.

8. Quote in Friedlander, *Origins*, 93. 详情参见 ibid. , passim; Burleigh,
Death; Schmuhl, "Bouhler"。

9. Witte et al. , *Dienstkalender*, 111 (n. 46); In 't Veld, *SS*, 323; Moors
and Pfeiffer, *Taschenkalender*, 244.

10. 格吕克斯的指令见 StANü, KL Buchenwald, Hauptabteilung I/5 to
Koch, October 28, 1940, ND：NO – 2102。秘密警察说达豪关押的是老囚犯
和部分能在种植园工作的囚犯；IfZ, RSHA, AE, 2. Teil, Bl. 204 – 205：
Heydrich to RSHA et al. , January 2, 1941。

11. ITS, KL Sachsenhausen GCC 10/84, Ordner 93; AdsD, KE, E.
Büge, Bericht, n. d. (1945 – 46), 112, 136; USHMM, RG – 06. 025 * 26,
File 1558, Bl. 157 – 75：Vernehmung G. Sorge, December 19, 1946, Bl. 173.

12. Stein, "Vernichtungstransporte," quotes on 35; ITS, KL Buchenwald
GCC 2/191, Ordner 164, Transport nach Dachau, October 24, 1940.

13. DaA, 9438, A. Hübsch, "Insel des Standrechts" (1961), quotes on
252 – 53.

14. DaA, ITS, Vorläufige Ermittlung der Lagerstärke (1971).

15. Záměčník, *Dachau*, 162 – 64, quote on 163（日记条目是 1941 年 2
月 4 日）。

16. Quotes in Stein, "Vernichtungstransporte," 35.

17. AdsD, KE, E. Büge, Bericht, n. d. (1945 – 46), 112.

18. 很大程度上是集中营内恶劣的条件所致。另外，达豪党卫队部分推翻了格吕克斯将一些残疾囚犯送去其他集中营的指令；Stein, "Vernichtungstransporte," 35 (n. 19)。

19. LG Frankfurt a. M., Urteil, May 27, 1970, *JNV*, vol. 34, 215.

20. Quote in DaA, 9438, A. Hübsch, "Insel des Standrechts" (1961), 253.

21. "累积式激进"一词，参见 Mommsen, "Radicalization"。

22. Goerdeler, "Zeit" (written in November 1940).

23. 希姆莱在 1941 年 1 月 13 日与布拉克谈论起"安乐死"（Witte et al., *Dienstkalender*, 107）。关于与鲍赫勒的讨论，参见 LG Frankfurt a. M., Urteil, May 27, 1970, *JNV*, vol. 34, 215。

24. Friedlander, *Origins*, 68, 142 – 43; Berger, *Experten*, 41, 300 – 301.

25. LG Frankfurt a. M., Urteil, May 27, 1970, *JNV*, vol. 34, 273; Witte et al., *Dienstkalender*, 141.

26. LG Frankfurt a. M., Urteil, May 27, 1970, *JNV*, vol. 34, 215.

27. Quotes in August, "Auschwitz," 72, citing notes by M. Grabner; StANü, WVHA to LK, March 26, 1942, ND：1151 – P – PS. See also ibid., EE by Dr. J. Muthig, April 16, 1947, ND：NO – 2799; LG Cologne, Urteil, October 30, 1967, *JNV*, vol. 26, 722; HLSL, EE by Dr. W. Hoven, October 1946, ND：NO – 429.

28. StANü, Aussage W. Neff, December 17, 1946, ND：NO – 2637; StAMü, StA Nr. 34868/18, Vernehmung H. Schwarz, July 11, 1960; ibid., Vernehmung W. Leitner, October 17, 1961; Zámečník, *Dachau*, 215. 关于名额，参见 StANü, SlF to Kommandantur Gross – Rosen, December 16, 1941, ND：1151 – G – PS。

29. 大多数的日期参见 Ley, "'Aktion,'" 235 – 40，修正与补充见 Chroust, *Mennecke*, 265 – 70, 318 – 21。集中营的名单并不完整。根据 1941 年 11 月 12 日 IKL 的文件（StANü, IKL to LK, December 10, 1941, ND：1151 – C – PS），年底之前已计划好了 T – 4 医生再访达豪、萨克森豪森、奥斯维辛、毛特豪森集中营的行程。至少毛特豪森之行看上去真的践行了；此外，T – 4 医生也计划在 1942 年初造访下哈根。

30. 除了尼切和海德，其他医生还有门内克、施泰因迈尔、维舍、洛瑙尔、雷诺、罗伯特·米勒、施马伦巴赫、拉特卡、戈加斯和黑博尔德。关于个人细节情况，参见 Klee, "*Euthanasie*," 227 – 29, 242 – 43。

31. 关于造访精神病院，参见 Klee, "*Euthanasie*," 242 – 48; Chroust, *Mennecke*, 6。

32. Mennecke to his wife, November 19, 1941, in Chroust, *Mennecke*, 203 – 204; BArchL, B 162/7995, Bl. 271 – 304; Aussage F. Mennecke, January 16 – 17, 1947, Bl. 296.

33. 例子参见Zámečník, "Aufzeichnungen," 185 – 86。

34. 例子参见 Mennecke to his wife, November 20, 1941, in Chroust, *Mennecke*, 205。

35. Quotes in HLSL, Meldebogen 1, ND: 1151 – A – PS. 1941 年夏天在布痕瓦尔德筛选时第一次用到了这种表格，BArchL, B 162/7996, Bl. 360 – 64; Vernehmung R. Gottschalk, November 14, 1960。

36. StAMü, StA Nr. 34868/18, Vernehmung K. Zimmermann, February 25, 1960; Mennecke to his wife, November 26, 1941, in Chroust, *Mennecke*, 243; Zámečník, "Aufzeichnungen," 185.

37. Quotes in Mennecke to his wife, September 3, 1941, and November 20, 1941, in Chroust, *Mennecke*, 199, 205. 估算来自 Mennecke to his wife, April 7, November 22, 1941, in ibid., 195, 222。因为集中营党卫队官员们在 T – 4 医生们到来前就完成了更详细的表格，筛选进一步加速；StANü, IKL to LK, December 10, 1941, ND: 1151 – C – PS。

38. 一些老囚犯被免于"安乐死"，参见 Friedlander, *Genocide*, 81。集中营内使用的 T – 4 表格会问及战伤（HLSL, Meldebogen 1, ND: 1151 – A – PS）；因此，一些 T – 4 医生会问囚犯是否受过伤；StAMü, StA Nr. 34868/18, Vernehmung H. Schwarz, July 11, 1960; StANü, Aussage W. Neff, December 17, 1946, ND: NO – 2637。

39. LG Frankfurt a. M., Urteil, May 27, 1970, *JNV*, vol. 34, 217. 标准的"安乐死"表格，参见 Klee, "*Euthanasie*," 176。

40. "安乐死"计划的流程也用于 14f13 行动（Friedlander, *Origins*, 83）；BArchL, B 162/7996, Bl. 360 – 64; Vernehmung R. Gottschalk, November 14, 1960。

41. StANü, testimony Dr. Mennecke, n. d., ND: NO – 2635, pp. 7, 14.

42. StANü, Pflegeanstalt Bernburg to KL Gross - Rosen, March 3, 1942, ND: 1151 - J - PS.

43. BArchL, B 162/1281, Bl. 18 - 23: Vernehmung Walter M., October 23, 1964.

44. NAL, HW 16/18, KL Flossenbürg to IKL, May 12, 1942.

45. LG Frankfurt a. M., Urteil, May 27, 1970, *JNV*, vol. 34, 219 - 21, 233, 245, 248 - 49, 261, 275; LG Cologne, Urteil, October 30, 1967, ibid., vol. 26, 718; Friedlander, *Genocide*, 95 - 97; Trunk, "Gase," 27 - 30.

46. 这个观点参见 Lifton, *Doctors*, 419; Todorov, *Facing*, 241。Lifton 根据门内克的文件得出结论,但显然忽视了一些证据。关于类似的评论, 参见 Burleigh, *Death*, 224。

47. 门内克的信(以及给妻子的回信)重印于 Chroust, *Mennecke*。他 的唠叨最终给了他致命一击:战后,这些信件被当作呈堂证供,坐实了他 的死刑。

48. Mennecke to his wife, November 28, 1941, in Chroust, *Mennecke*, 248.

49. BArchL, B 162/7996, Bl. 310 - 20: Vernehmung E. Mennecke, June 1 - 2, 1960.

50. Mennecke to his wife, November 21, 1940 (错误记作 1941 年), in Chroust, *Mennecke*, 177.

51. Mennecke to his wife, December 2, 1941, and November 29, 1941, in ibid., 269, 253.

52. 1941 年上半年,大约 2000 名囚犯死在了达豪集中营。DaA, ITS, Vorläufige Ermittlung der Lagerstärke (1971); Kimmel, "Dachau," 385.

53. Mennecke to his wife, September 3 and 4, 1941, in Chroust, *Mennecke*, 197 - 200; Ley, " ' Aktion, ' " 241 (n. 35); BArchL, B 162/491, Bl. 229 - 50: LG Limburg, Vernehmung W. Heyde, November 20, 1961, Bl. 244.

54. Quote in Záměčník, "Aufzeichnungen," 185. 关于其他集中营,参见 Kłodzinski, " ' Aktion, ' " 142, 138。

55. StAMü, StA Nr. 34868/18, Vernehmung K. Krämer, August 27, 1960.

56. LG Frankfurt a. M., Urteil, May 27, 1970, *JNV*, vol. 34, 217.

57. "安乐死"计划，参见 Friedlander, *Genocide*, 89 – 96。

58. Friedlander, *Genocide*, 106 – 107.

59. Mennecke to his wife, April 2 and 4, 1941, in Chroust, *Mennecke*, 183, 185; Bezirksgericht Cottbus, Urteil, July 12, 1965, in Rüter, *DDR – Justiz*, vol. 2, 730.

60. Stein, "Vernichtungstransporte," 38.

61. Kogon et al. , *Massentötungen*, 66; BArchL, B 162/7996, Bl. 360 – 64：Vernehmung R. Gottschalk, November 14, 1960.

62. Stein, *Juden*, 110.

63. 此段和前两段，参见 Mennecke to his wife, November 19 – 22, November 25, 1941, January 5, 1942, January 6, 1942, January 12, 1942, January 14, 1942, in Chroust, *Mennecke*, 202 – 10, 221 – 27, 236 – 41, 284 – 90, 312 – 16, 318 – 30, quotes on 207, 208 (partially underlined in original)。See also Ley, "'Aktion,'" 238 – 39; Strebel, *Ravensbrück*, 323 – 36.

64. 1941 年 11 月和 1942 年 1 月，拉文斯布吕克集中营党卫队明确将 334 名男囚（占男囚总数的 42%）和 810 名女囚（占女囚总数的 12%）交给了门内克；Chroust, *Mennecke*, 205, 208 – 209, 222; Ley, "'Aktion,'" 239（n. 26，计算有略微的不同）。

65. Quotes in Mennecke to his wife, November 25, 1941, in Chroust, *Mennecke*, 237; Itzkewitsch to his son, June 29, 1941, in Stein, *Juden*, 107. See also ibid. , 100 – 110; idem, "Vernichtungstransporte," 39 – 40, 43 – 45, 49 – 50; BArchL, B 162/7996, Bl. 360 – 64：Vernehmung R. Gottschalk, November 14, 1960; Kłodzinski, "'Aktion,'" 139 – 40.

66. Kłodzinski, "'Aktion,'" 143 – 44; StAMü, StA Nr. 34868/18, Vernehmung F. Eberlein, November 30, 1961.

67. Quotes in BArchL, B 162/7996, Bl. 360 – 64：Vernehmung R. Gottschalk, November 14, 1960; Stein, "Vernichtungstransporte," 50.

68. 例子参见 August, "Auschwitz," 81 – 83。

69. LG Frankfurt a. M. , Urteil, May 27, 1970, *JNV*, vol. 34, 217, 220; Kłodzinski, "'Aktion,'" 141 – 42. 一名达豪的审头从遣送中努力救出了一些 "残疾囚犯"，参见 StAMü, StA Nr. 34433, LG Munich, Urteil, December 30, 1948。

70. 1941 年 8 月在哈特海姆被毒气处决的 510 名古森囚犯中，475 人来自波兰或西班牙；ITS, ARCH/KL Mauthausen, Ordner 231。See also Maršálek, *Gusen*, 15.

71. Ley, "'Aktion,'" 238.

72. 在拉文斯布吕克，"反社会分子"占囚犯总数的 4%，但在 14f13 行动中却占到 14%（Strebel, *Ravensbrück*, 302, 332）。在萨克森豪森，1941 年 6 月被带到索嫩施泰因的 269 名男囚中有 115 人被定为职业罪犯，这个比例远高于在囚犯总人数中的比重（Külow, "Häftlinge,"194）。

73. HLSL, Meldebogen 1, ND: 1151 – A – PS；StANü, IKL to LK, December 10, 1941, ND: 1151 – C – PS；Zámečník, "Aufzeichnungen," 185 – 86."犯罪"和"反社会"因素在 T – 4 筛选中的影响力，参见 LG Frankfurt a. M., Urteil, May 27, 1970, *JNV*, vol. 34, 196。

74. Mennecke to his wife, April 7, 1941, in Chroust, *Mennecke*, 195.

75. 1940 年从其他集中营被送到达豪的众多残疾囚犯中，很多是犹太人。1940 年 9 月从萨克森豪森送出的囚犯中几乎包含了原来营中近一半的犹太囚犯（Külow, "Häftlinge," 198）。1940 年 10 月 24 日从布痕瓦尔德遣送来的 371 名囚犯中有 169 名犹太人（ITS, KL Buchenwald GCC 2/191, Ordner 164, Transport nach Dachau, October 24, 1940）。

76. Friedlander, *Genocide*, 263 – 83. 将可以劳动的犹太囚犯定为无业者，参见 BArchB, NS 4/Bu 143, Unbeschäftigte, October 14, 1940；ibid., Unbeschäftigte, January 6, 1941；ibid., Unbeschäftigte, January 4, 1941。

77. BwA, KL Buchenwald, Transportliste, July 14, 1941；ibid., Transport II, July 15, 1941；BArchB, NS 4/Bu 143, Schutzhaftlager – Rapport, July 6, 1941.

78. 参见注 77。1941 年 7 月中旬，在索嫩施泰因被毒气杀死的布痕瓦尔德犹太囚犯平均年龄超过 50 岁。

79. Testimony Dr. Mennecke, January 16 – 17, 1947, in Mitscherlich and Mielke, *Medizin*, 215 – 16, and BArchL, B 162/7995, Bl. 271 – 304. 门内克在 1941 年 11 月来到布痕瓦尔德时，预计要检查 1200 名犹太人（见注 82）——当时营里大概有 1400 名犹太人，几乎是全部（BArchB, NS 4/Bu 143, Schutzhaftlager – Rapport, November 30, 1941）。

80. Longerich, *Holocaust*, 219 – 304.

81. 1941 年 11 月，门内克出发前往布痕瓦尔德之前，他在拉文斯布吕克接到了一波令人迷惑的指令，这可能是 14f13 行动延期造成的；Strebel,

Ravensbrück, 324 – 25。

82. Mennecke to his wife, November 25, 1941, in Chroust, *Mennecke*, 243; BArchB, NS 4/ Bu 143, Schutzhaftlager – Rapport, November 30, 1941.

83. Quote in Mennecke to his wife, November 26, 1941, in Chroust, *Mennecke*, 243.

84. Stein, *Juden*, 117; Schulte, "London," 221.

85. HLSL, LK Gross – Rosen to Pflegeanstalt Bernburg, March 6, 1942, ND：1151 – K – PS; ITS, OuS Archiv, 1.1.5.1., Ordner 679, Lagerarzt Buchenwald to Pflegeanstalt Bernburg, February 2, 1942.

86. 这与集中营党卫队有些分歧。在格罗斯－罗森，党卫队撤回了 42 名被 T－4 医生指定送去毒气室的犹太人，因为他们还能劳动；HLSL, LK Gross – Rosen to WVHA, March 26, 1942, ND：1151 – N – PS。

87. Testimony Dr. Mennecke, January 16 – 17, 1947, in Mitscherlich and Mielke, *Medizin*, 215 – 16, and BArchL, B 162/7995, Bl. 271 – 304.

88. HLSL, ND：NO – 3060; Hördler, "Ordnung," 103. 关于门内克的野心，参见给他妻子的信，April 7, 1941, in Chroust, *Mennecke*, 195。

89. Quotes on photos in HLSL, ND：NO – 3060. See also Strebel, *Ravensbrück*, 325; Stein, *Juden*, 117.

90. Quote on photo in HLSL, ND：NO – 3060. See also ITS, docs. 6891552 – 6891562; BwA, Nachtrag zur Veränderungsmeldung vom 12. März 1942. 拉丁格是"二进营"。他第一次被捕是在 1938 年 6 月，关在达豪和布痕瓦尔德，1939 年 8 月被释放。但他在 1940 年 6 月再次被逮捕，1940 年 8 月回到了布痕瓦尔德。

91. Dates in Ley, "'Aktion 14f13,'" 240; Römmer, "'Sonderbehandlung.'"

92. 死于 14f13 行动的人数：萨克森豪森至少 269 人，奥斯维辛 575 人，布痕瓦尔德 571 人，诺因加默 295 人，拉文斯布吕克大约 1000 人（估算，门内克在 1941 年 11 月和 1942 年 1 月检查了约 1150 名囚犯）。关于这些数字，参见 Ley, "'Aktion,'" 235 – 36, 239 – 40。此外，格罗斯－罗森 127 人（HLSL, LK Gross – Rosen to WVHA, March 26, 1942, ND：1151 – N – PS），弗洛森比格 209 人（NAL, HW 16/18, KL Flossenbürg to IKL, May 12, 1942）。还有达豪 2013 人，分两批遣送到哈特海姆（第一批的 1452 人在 1942 年 1 月 15 日至 3 月 3 日被遣送，第二批在 1942 年 5 月 4 日至 6 月 11 日被遣送，有 561 人；ITS, KL Dachau GCC 3/92 II E, Ordner

152, Invaliden - Transporte KL Dachau, May 18, 1945）。有争议说，第二批从达豪的遣送其实不算 14f13 行动，因为包括达豪党卫队医生自己挑选的囚犯（Ley，"'Aktion,'" 238）。这种说法似乎不成立，因为遣送的时候恰好是 14f13 行动主要开展的时期，而且达豪的第二轮 T - 4 筛选也定在此时进行（StANü, IKL to LK, December 10, 1941, ND: 1151 - C - PS）。再则，14f13 行动还杀害了毛特豪森的约 1380 名囚犯，他们分三批被送到哈特海姆，分别为 1941 年 8 月、1941 年 12 月和 1942 年 1 ~ 2 月（Maršálek, *Mauthausen*, 222 - 23, 225, 227）。鉴于 14f13 的整体情况和 T - 4 工作组将在 1941 年底回到毛特豪森的事实（StANü, IKL to LK, December 10, 1941, ND: 1151 - C - PS），1941 年底或 1942 年初前往哈特海姆的遣送绝对是 14f13 行动的一部分，而不是当地集中营党卫队的单独行动（cf. Ley, "'Aktion 14f13,'" 237）。遇害者的真实数字依然会比记录的高，因为被杀的下哈根因犯人数不明（*OdT*, vol. 7, 23）。而且，1941 年底或 1942 年初在奥斯维辛和萨克森豪森可能执行过更多 T - 4 筛选（StANü, IKL to LK, December 10, 1941, ND: 1151 - C - PS）。

93. StANü, WVHA to LK, March 26, 1942, ND: 1151 - P - PS. 此时，IKL 正式被称为 WVHA 的 D 处（参见第 6 章和第 8 章）。然而，我在本章中依然用集中营督察组，避免弄混。

94. 书面上，该行动一直持续到 1943 年；直到 1943 年 4 月，格吕克斯依然提到 T - 4 医生的筛选（DaA, 3220, WVHA to LK, April 27, 1943）。但是，没有任何证据表明 T - 4 医生在 1942 年春天后再去过集中营（Ley, "'Aktion 14f13,'" 234, 240）。

95. See also Orth, *System*, 133 - 34.

96. 1942 年 10 月，萨克森豪森党卫队遣送了 232 名囚犯去贝恩堡（Ley and Morsch, *Medizin*, 320）。1942 年 8 ~ 12 月，达豪党卫队遣送了 500 多名囚犯到哈特海姆（ITS, KL Dachau GCC 3/92 II E, Ordner 152, Invaliden - Transporte KL Dachau, May 18, 1945, September 20, 1968）。索嫩施泰因和贝恩堡在 1942 年停止运营，哈特海姆在 1943 年关停（Ley, "'Aktion 14f13,'" 234）。

97. Stein, *Juden*, 110 - 12; Hackett, *Buchenwald*, 76 - 77.

98. LG Ansbach, Urteil, April 11, 1961, *JNV*, vol. 17, 174 - 78; LG Hagen, Urteil, October 29, ibid., vol. 30. 更多细节，参见 Orth, *System*, 134 - 37.

99. Quote in NAL, WO 235/307, Examination of Dr. Rosenthal, January 21, 1947, 25. See also Strebel, *Ravensbrück*, 243, 248 – 49; Klee, *Auschwitz*, 22 – 23; Hördler, "Ordnung," 139 – 40; Kaienburg, "Funktionswandel," 265; HLSL, Anklageschrift gegen Koch, 1944, ND：NO – 2366, p. 58.

100. 毛特豪森就是这样。See Maršálek, *Mauthausen*, 46, 94; YUL, MG 1832, Series II – Trials, 1945 – 2001, Box 10, folder 50, Bl. 1326 – 27：statement J. Niedermayer, February 11, 1946.

101. 党卫队有时依然用 "14f13 行动" 的代号称呼这些谋杀; NAL, HW 16/11, Maurer to LK Dachau, October 29, 1942。

102. Quotes in HLSL, Anklageschrift gegen Koch, 1944, ND：NO – 2366, pp. 47, 69. 战后，有几名集中营党卫队官员作证说，他们曾接到命令杀掉体弱和有传染病的囚犯; YVA, Tr – 10/1172, LG Düsseldorf, Urteil, June 30, 1981, 78; IfZ, EE by F. Entress, April 14, 1947, ND：NO – 2368。

103. Quote in BArchB, NS 3/425, Bl. 119：WVHA to LK, November 4, 1942. 1942 年 10 月 29 日下午，IKL 通知达豪指挥官，要将其他集中营最 "需要治疗的病人" 送到达豪，这项指令背后的杀意昭然若揭（NAL, HW 16/11, Maurer to LK Dachau, October 29, 1942）。第一批此类遣送事实上已经展开。当天早些时候，布痕瓦尔德集中营党卫队给达豪发电报，称 181 名 "操劳过度且残废的囚犯" 即将出发（NAL, HW 16/11, KL Buchenwald to KL Dachau, October 29, 1942）。向达豪输送 "残疾" 囚犯的老计划从没有完全停止，尽管其他地方大规模屠杀开始后，输送的数量有所减少（1942 年夏天的一次遣送，参见 NAL, HW 16/21, GPD Nr. 3, Pister to WVHA – D, August 24, 1942）。

104. 萨克森豪森前任指挥官凯因德尔作证说，1942 ~ 1944 年，超过 5000 名残疾囚犯被送到达豪灭绝; BStU, MfS HA IX/11, ZUV 4/23, Bl. 320 – 46：Vernehmungsprotokoll, September 16, 1946, Bl. 344。

105. 因为疲于应付从火车上跌落的尸体，达豪党卫队向 IKL 抱怨，由此适当禁止了遣送将死的囚犯。BArchB, NS 3/425, Bl. 119：WVHA to LK, November 4, 1942.

106. Záměčník, "Aufzeichnungen," 206 – 10, quote on 210; Kupfer – Koberwitz, *Tagebücher*, 31 – 32, 36, 41.

107. Záměčník, "Aufzeichnungen," 213 – 14; DaA, A 3675, testimony F. Blaha.

108. "遣送病弱囚犯"和建造达豪毒气室之间的直接联系，参见 Rascher to Himmler, August 9, 1942, in Comité, *Dachau* (1978), 161。对比之下，毒气室并不像是为大规模处决苏联战俘而建（cf. Zámeǒník, *Dachau*, 297 - 98），因为对他们的系统性处决其实在施工开始时就已经结束了。背景参见 Distel, "Gaskammer"。

109. 关于毛特豪森，参见 Maršálek, *Mauthausen*, 174; YUL, MG 1832, Series II - Trials, 1945 - 2001, Box 10, folder 50, Bl. 1326 - 27: statement J. Niedermayer, February 11, 1946。

110. Overy, *Russia's War*, 72 - 85; Kershaw, *Nemesis*, 388 - 93.

111. Halder diary, in Noakes and Pridham, *Nazism*, vol. 3, 483.

112. Gerlach, *Krieg*, 15 - 30; Aly and Heim, *Vordenker*, 365 - 76.

113. Jochmann, *Monologe*, 60; OKW, Kriegsgefangenenwesen, June 16, 1941, ND: PS - 888, in Jacobsen, "Kommissarbefehl," doc. 23, pp. 510 - 12.

114. Quote in Rosenberg to Keitel, February 28, 1942, in Michaelis and Schraepler, *Ursachen*, vol. 17, 350. 详情参见 Gerlach, *Krieg*, 30 - 56。

115. OKW, Richtlinien für Behandlung politischer Kommissare, June 6, 1941, in Jacobsen, "Kommissarbefehl," doc. 12, pp. 500 - 503. See also ibid. , 457 - 58; Neitzel and Welzer, *Soldaten*, 122, 199; Römer, *Kommissarbefehl*, passim.

116. Quotes in RSHA, Einsatzbefehl Nr. 8, July 17, 1941, in Jacobsen, "Kommissarbefehl," doc. 24, pp. 512 - 16.

117. Quote in Keller and Otto, "Kriegsgefangene," 22. See also Otto, *Wehrmacht*, 61 - 69, 111.

118. 数字参见 Gestapo Regensburg to RSHA, January 19, 1942, *IMT*, vol. 38, 452 - 54, ND: 178 - R。犹太人参见 Nolte, "Vernichtungskrieg"; Römer, *Kommissarbefehl*, 299。

119. Keller and Otto, "Kriegsgefangene," 20.

120. Otto, *Wehrmacht*, 110 - 11.

121. Gestapo Munich, Überprüfung der russischen Kriegsgefangenen, November 15, 1941, *IMT*, vol. 38, 424 - 28, ND: 178 - R.

122. RSHA, Einsatzbefehl Nr. 8, July 17, 1941, in Jacobsen, "Kommissarbefehl," doc. 24, pp. 512 - 16.

123. Quote in RSHA, Einsatzbefehl Nr. 9, July 21, 1941, in Jacobsen, "Kommissarbefehl," doc. 26, pp. 517 – 19. See also Otto, *Wehrmacht*, 33 – 38.

124. Otto, *Wehrmacht*, 9, 71; StANü, EE by P. Ohler, August 15, 1947, ND: NO – 4774; BArchL, B 162/16613, Bl. 15 – 32; Vernehmung Erwin S. , October 11, 1965. 一些战俘是由大巴车或卡车运送，不是火车。

125. AdsD, KE, E. Büge, Bericht, n. d. (1945 – 46), 171.

126. Müller to Gestapoleitstellen et al. , November 9, 1941, *IMT*, vol. 27, 42 – 44, ND: 1165 – PS.

127. Quote in Johe, "Volk," 339 – 40. 其他地方的反应参见 Steinbacher, *Dachau*, 184 – 85。

128. Quote in Müller to Gestapoleitstellen et al. , November 9, 1941, *IMT*, vol. 27, 42 – 44, ND: 1165 – PS.

129. Keller and Otto, "Kriegsgefangene," 33, 41; Ibel, "Kriegsgefangene," 120; Römer, *Kommissarbefehl*, 567. 关于 1942～1943 年对苏联 "人民委员" 的进一步处决，参见 LaB, B Rep. 057 – 01, Nr. 296, GStA Berlin, Abschlussvermerke, November 1, 1970, 142 – 44, 224 – 27。

130. 没有关于纳茨维勒处决的报告，诺因加默里的处决也极为罕见（Otto, *Wehrmacht*, 268）。尽管据说德国土地上的战俘营中没有女囚犯被选中（Strebel, "Feindbild," 164），却有报告称在达豪，有女囚跟男性 "人民委员" 一起被处决（Zámečník, "Aufzeichnungen," 186）。

131. 数字参见 *OdT*, vol. 3, 64。

132. Orth, *System*, 124 – 29; Riedel, *Ordnungshüter*, 257 – 58; AS, JD 21/66 T1, Vernehmung G. Sorge, August 5, 1946（感谢 Jörg Wassmer 提供此文件）。这次会议不会早于 8 月初（cf. Orth），因为艾克那时还在柏林一家医院休养；BArchB（ehem. BDC），SSO, Eicke, Theodor, 17. 10. 1892, Universitätsklinik to Himmler, August 4, 1941。

133. BArchB（ehem. BDC），SSO, Eicke, Theodor, 17. 10. 1892, Totenkopfdivision to Reichsführer SS, July 7, 1941. 详情参见 Sydnor, *Soldiers*, 152 – 66。

134. Quote in BArchB（ehem. BDC），SSO, Eicke, Theodor, 17. 10. 1892, Himmler to Frau Eicke, March 2, 1943. See also Witte et al. , *Dienstkalender*, 199 – 200; Hördler, "Ordnung," 111; IfZ, F 13/6, Bl. 369 –

82：R. Höss，"Theodor Eicke," November 1946，Bl. 380 – 81；Tuchel，*Inspektion*，50.

135. Quote in AS, J D2/43, Bl. 86 – 98：Vernehmung G. Sorge, April 26, 1957, Bl. 89. 艾克的伤情参见 BArchB（ehem. BDC），SSO，Eicke，Theodor，17. 10. 1892，Universitätsklinik to Himmler，August 4，1941。

136. Sorge testimony in Dicks, *Licensed*, 102.

137. LG Cologne, Urteil, May 28, 1965, *JNV*, vol. 21, 125 – 26；AS, J D2/43, Bl. 86 – 98：Vernehmung G. Sorge, April 26, 1957；ibid. , JD 21/66 T1, Vernehmung G. Sorge, August 5, 1946；BArchL, B 162/4627, OStA Cologne, Anklageschrift, November 18, 1963, 146；USHMM, RG – 06. 025 * 26, File 1558, Bl. 157 – 75：Vernehmung G. Sorge, December 19, Bl. 165.

138. BArchL, B 162/4627, OStA Cologne, Anklageschrift, November 18, 1963, 158；ibid. , B 162/16613, Bl. 95 – 104：Vernehmung G. Link, November 17, 1964, Bl. 101.

139. Naujoks, *Leben*, 266 – 67.

140. AdsD, KE, E. Büge, Bericht, n. d. （1945 – 46），165；Hohmann and Wieland, *Konzentrationslager*, 33；Witte et al. , *Dienstkalender*, 199；Hördler, "Ordnung," 111 – 12.

141. Otto, *Wehrmacht*, 71；AS, JD 21/66 T1, Vernehmung G. Sorge, August 5, 1946；USHMM, RG – 06. 025 * 26, File 1560, Bl. 243 – 58：Vernehmung M. Knittler, December 20, 1946, Bl. 248. 另见党卫队在 1941 年 9 月于萨克森豪森拍摄的战俘照片；Morsch, *Mord*, 172 – 73；Naujoks, *Leben*, 277。

142. Dwork and Van Pelt, *Auschwitz*, 260.

143. AdsD, KE, E. Büge, Bericht, n. d. （1945 – 46），165 – 66；Naujoks, *Leben*, 266；USHMM, RG – 06. 025 * 26, File 1560, Bl. 243 – 58：Vernehmung M. Knittler, December 20, 1946, Bl. 247 – 48.

144. 此段及前一段，参见 LG Cologne, Urteil, May 28, 1965, *JNV*, vol. 126 – 27, 134；LG Bonn, Urteil, February 6, 1959, in ibid. , vol. 15, 451 – 52；AdsD, KE, E. Büge, Bericht, n. d. （1945 – 46），165；BArchL, B 162/4627, OStA Cologne, Anklageschrift gegen M. , November 18, 1963, 151；BStU, MfS HA IX/11 ZUV 4, Bd. 24, Bl. 101 – 105：M. Saathoff, "Erklärungen zu meiner Zeichnung," September 6, 1946；ibid. , Bl. 115 – 25：

Gegenüberstellungsprotokoll, June 21, 1946; ibid., Bl. 207 – 30：Vernehmungsprotokoll P. Sakowski, August 3, 1946。1934 年清洗罗姆党派的行动中，达豪集中营党卫队也是通过放大音乐音量来盖住枪声的；Internationales Zentrum, *Nazi – Bastille*, 100 – 101。

145. BStU, RHE – West 329/1, Bl. 282 – 88：Vernehmungsprotokoll F. Ficker, August 22, 1946（感谢 Kim Wünschmann 帮忙检查这份文件）；LG Bonn, Urteil, February 6, 1959, *JNV*, vol. 15, 452。

146. BStU, MfS HA IX/11 ZUV 4, Bd. 24, Bl. 207 – 30：Vernehmungsprotokoll P. Sakowski, August 3, 1946, Bl. 224.

147. USHMM, RG – 06.025 * 26, File 1558, Bl. 157 – 75：Vernehmung G. Sorge, December 19, Bl. 167 – 68；AdsD, KE, E. Büge, Bericht, n. d. （1945 – 46）, 222.

148. 关于见面，参见 Orth, *System*, 128 – 29。

149. Quote in DöW, Nr. 5547, Vernehmungsprotokoll F. Ziereis, May 24, 1945, 6. See also LG Cologne, Urteil, May 28, 1965, *JNV*, vol. 21, 131；BArchL, B 162/16613, Bl. 15 – 32：Vernehmung Erwin S., October 11, 1965, Bl. 18, 20；AdsD, KE, E. Büge, Bericht, n. d. （1945 – 46）, 215；Friedlander, *Origins*, 66, 224.

150. Witte et al., *Dienstkalender*, 208.

151. 背景参见 Beer, "Gaswagen," 407；Browning, *Origins*, 353；Hilberg, *Vernichtung*, vol. 2, 937。

152. Quote in DöW, Nr. 5547, Vernehmungsprotokoll F. Ziereis, May 24, 1945, 6. McCauley, *Longman*, 221. 关于毛特豪森，参见 Speckner, "Kriegsgefangenenlager," 46。

153. LG Kassel, Urteil, October 20, 1953, *JNV*, vol. 11, 432 – 51；LG Waldshut, Urteil, June 13, 1953, in ibid., vol. 10, 746 – 72. 据说，布痕瓦尔德的刑房从 1941 年 8 月初开始建造，跟萨克森豪森的设施是同期的（*OdT*, vol. 3, 337 – 38）。这不太可能。据一名消息灵通的布痕瓦尔德前囚犯所说，射脖子的装置直到 1941 年 10 月中旬才装上（Polak, *Dziennik*, 89）。战后，一名党卫队前队员证实了布痕瓦尔德的死刑是"遵循了奥拉宁堡的系统"（JVL, DJAO, *United States v. Berger*, RaR, February 20, 1948, 10）。

154. DA, 37. 144, Vernehmung J. Thora, October 20, 1950；Hammermann,

"Kriegsgefangene," 96 – 97, 102 – 107; Zámečník, "Aufzeichnungen," 186.

155. Otto, *Wehrmacht*, 40 – 41, 111 – 12; Hammermann, "Kriegsgefangene," 110.

156. Zámečník, "Aufzeichnungen," 188.

157. Siegert, "Flossenbürg," 465 – 66; Otto, *Wehrmacht*, 93 – 94. 弗洛森比格处刑的开始，参见 Stapostelle Regensburg to Stapoleitstelle Munich, January 17, 1942, *IMT*, vol. 38, 449 – 51。

158. Otto, *Wehrmacht*, 93; Siegert, "Flossenbürg," 465 – 66.

159. Otto, *Wehrmacht*, 87 – 90. 日期存在一些不确定性。虽然几名前囚犯和历史学家认为是 1941 年 9 月 3 日（e. g., Czech, *Kalendarium*, 117），但 1941 年 9 月 5 日的可能性更大，因为两份接近同期的文件中有提及（Kłodziński, "Vergasung," 271; Piper, *Mass Murder*, 120）。

160. Kłodziński, "Vergasung"; Dwork and Van Pelt, *Auschwitz*, 174 – 75.

161. 奥斯维辛集中营里第一批被杀的苏联"人民委员"大概死于 1941 年 8 月底，党卫队在采石坑或 11 号营房外枪杀了这些人（Broszat, *Kommandant*, 188, 240）。认为数百名战俘早在 1941 年 7 月就抵达的说法（Brandhuber, "Kriegsgefangenen," 15 – 16; Smoleń, "Kriegsgefangene," 131）或许并不正确（Hałgas, "Arbeit," 167; Otto, *Wehrmacht*, 90, n. 17）。

162. 几名奥斯维辛官员曾在 1941 年 7 月底见过索嫩施泰因的毒气室; Czech, *Kalendarium*, 105 – 106。

163. Kalthoff and Werner, *Händler*, 152, 156, 173; Dwork and Van Pelt, *Auschwitz*, 292 – 93; Morsch, "Tötungen," 260 – 62.

164. Czech, *Kalendarium*, 115 – 17; Broszat, *Kommandant*, 188; IfZ, Interview with Dr. Kahr, September 19, 1945, p. 3, ND：NO – 1948. 弗里奇的集中营党卫队生涯始于 1934 年的达豪; *DAP*, p. 220。

165. Kłodziński, "Vergasung"; Kogon et al., *Massentötungen*, 282 – 85; Broszat, *Kommandant*, 188 – 89; Trunk, "Gase," 37, 40.

166. Broszat, *Kommandant*, 189 – 90, 241.

167. Kłodziński, "Vergasung," 272 – 74, quote on 274.

168. Dwork and Van Pelt, *Auschwitz*, 293; Piper, *Mass Murder*, 128.

169. 一些历史学家认定这次行动发生在 1941 年 9 月 16 日（Czech,

Kalendarium, 122），不过 1941 年 9 月 13 日的可能性更大（*DAP*, Aussage Lebedev, October 1, 1964, 19870）。

170. Quote in Broszat, *Kommandant*, 189. See also ibid. , 241；*DAP*, 12705 – 07.

171. Otto, *Wehrmacht*, 92；Czech, "Calendar," 139.

172. Quote in Broszat, *Kommandant*, 190.

173. Perz and Freund, "Tötungen," 248 – 55；Maršálek, *Mauthausen*, 198 – 200. 齐赖斯想要建毒气室可能是受附近哈特海姆杀戮中心的启发，而不是奥斯维辛的实验；Hördler, "Ordnung," 119。

174. Maršálek, *Vergasungsaktionen*, 16 – 17；*OdT*, vol. 4，323；Freund and Perz, "Tötungen," 257 – 58；BArchB, R 58/871, Bl. 7：Rauff letter, March 26, 1942.

175. Beer, "Entwicklung"；Morsch, "Tötungen," 262 – 64；Kalthoff and Werner, *Händler*, 188.

176. Morsch, "Tötungen," 264 – 74.

177. Möller, "'Zyklon B.'" 集中营党卫队也在马伊达内克（1942 年夏天）、纳茨维勒（1943 年 4 月）和施图特霍夫（1943 年 6 月）建造了毒气室；Kranz, "Massentötungen"；Orski, "Vernichtung"；Schmaltz, "Gaskammer"。

178. 另一个例外是马伊达内克（参见第 6 章）。马伊达内克也是到 1945 年才持续使用毒气室，不过规模小得多；Hördler, "Ordnung," 377。

179. Broszat, *Kommandant*, 189 – 90, 240 – 41.

180. 一名地位较高的前囚犯估计，在 1941 ~ 1942 年，有 5000 名甚至更多苏联战俘死在奥斯维辛的毒气室里（Piper, *Mass Murder*, 129, n. 405）。这个数字可能包括了最初被带到奥斯维辛从事强制劳动的苏联战俘（见下文）。经盖世太保筛选，苏联战俘里被处决的"人民委员"更可能是在 2000 人左右（Otto, *Wehrmacht*, 268）。

181. 仅在达豪集中营，据说每次大规模枪决就有 40 名党卫队队员参加；Affidavit J. Jarolin, n. d.（c. autumn 1945），in JVL, JAO, Review of Proceedings, *United States v. Weiss*, n. d.（1946），22 – 25。

182. Hördler, "Ordnung," 125.

183. 关于舒伯特，参见 LG Bonn, Urteil, February 6, 1959, *JNV*, vol. 15, 452。

184. Affidavit J. Jarolin, n. d. （c. autumn 1945）, in JVL, JAO, Review of Proceedings, *United States v. Weiss*, n. d. （1946）, 23; Musial, "Konterrevolutionäre," 200 – 209; BArchL, B 162/16613, Bl. 15 – 32; Vernehmung Erwin S. , October 11, 1965, Bl. 20; ibid. , Nr. 4627, OStA Cologne, Anklageschrift, November 18, 1963, 146; Neitzel and Welzer, *Soldaten*, 135 – 36. 关于对党卫队行刑者的赞扬, 参见 IfZ, Himmler, Durchführungsbestimmungen für Exekutionen, January 6, 1943, ND: NO – 4631。

185. 背景参见 G. Sorge testimony in Dicks, *Licensed*, 103。

186. Quote in Gruner, *Verurteilt*, 90. See also JVL, DJAO, *United States v. Berger*, RaR, February 20, 1948, 14; Zámečník, "Aufzeichnungen," 183; Neitzel and Welzer, *Soldaten*, 14 – 15, 101.

187. Quote in DA, 37 144, Vernehmung J. Thora, October 20, 1950.

188. LG Cologne, Urteil, May 28, 1965, *JNV*, vol. 21, 127 – 28; JVL, DJAO, *United States v. A. Berger*, RaR, February 20, 1948, 8 – 11; Riedle, *Angehörigen*, 241 （n. 355）. 战俘营里的传染病, 参见 Gerlach, *Krieg*, 34 – 35, 49。

189. Naujoks, *Leben*, 273 – 74; Major Meinel to Kommandeur der Kriegsgefangenen im Wehrkreis VII, January 12, 1942, *IMT*, vol. 38, 439 – 40, ND: 178 – R; Siegert, "Flossenbürg," 465; Zámečník, "Aufzeichnungen," 188; LG Cologne, Urteil, May 28, 1965, *JNV*, vol. 21, 143; LG Kassel, Urteil, October 20, 1953, *JNV*, vol. 11, 443 – 44; BArchL, B 162/4627, OStA Cologne, Anklageschrift, November 18, 1963, 160. 关于特别部队, 参见 Klee et al. , "*Schöne Zeiten*," 64 – 70。

190. Quotes in LG Bonn, Urteil, February 6, 1959, *JNV*, vol. 15, 453; BArchL, B 162/16613, Bl. 15 – 32: Vernehmung Erwin S. , October 11, 1965, Bl. 21. See also LG Kassel, Urteil, October 20, 1953, *JNV*, vol. 11, 443; Naujoks, *Leben*, 274; Kühne, *Kameradschaft*, 272 – 73.

191. 例子参见 Riedle, *Angehörigen*, 239 – 40。

192. 党卫队队员不参与执行死刑（虽然不一定是在 14f14 行动的背景下）, 参见 Langbein, *Menschen*, 326 – 27。

193. StAMü, StA Nr. 28791/3, Bl. 114: Vernehmung K. Minderlein, July 25, 1949; Hammermann, "Kriegsgefangene," 107 – 108.

194. IfZ, Himmler, Durchführungsbestimmungen für Exekutionen, January 6, 1943, ND: NO – 4631.

195. Quotes in BArchL, B 162/16613, Bl. 15 – 32: Vernehmung Erwin S. , October 11, 1965, Bl. 16; Vernehmung F. Ficker, August 22, 1946, in Orth, SS, 174. See also Hördler, "Ordnung," 125 – 26.

196. Quote in BStU, MfS HA IX/11 ZUV 4, Bd. 24, Bl. 207 – 30: Vernehmungsprotokoll P. Sakowski, August 3, 1946, Bl. 223. See also BArchL, B 162/4627, OStA Cologne, Anklageschrift, November 18, 1963, 152.

197. JVL, JAO, Review of Proceedings, *United States v. Weiss*, n. d. (1946), 28; BArchL, B 162/16613, Bl. 15 – 32: Vernehmung Erwin S. , October 11, 1965, Bl. 21.

198. AS, J D2/43, Bl. 146 – 54: Vernehmung G. Sorge, May 6, 1957, Bl. 153; BArchB, NS 4/Na 9, Bl. 78: KB Nr. 3/41, May 26, 1941.

199. 大屠杀期间的酒精和杀戮，参见 Browning, *Männer*, 103, 122。

200. Quote in Riedle, *Angehörigen*, 241.

201. Quote in BArchB, NS 4/Gr 3, Bl. 35: Liebehenschel to LK, November 14, 1941. See also Orth, SS, 175 – 76. 希姆莱在 1941 年 11 月 14 日跟至交卡尔·沃尔夫（Karl Wolff）讨论了军事勋章（Witte et al. , *Dienstkalender*, 260），同一天，利布兴切尔就给集中营指挥官们发了电报。

202. Riedel, *Ordnungshüter*, 273 – 75; Morsch, *Mord*, 179; Hammermann, "Kriegsgefangene," 109 – 10; AdsD, KE, E. Büge, Bericht, n. d. (1945 – 46), 222.

203. Riedle, *Angehörigen*, 241.

204. Záměčník, "Aufzeichnungen," 187; DaA, 6170, A. Carl to H. Schwarz, December 3, 1967.

205. Quote in Morsch, *Mord*, 175.

206. Hohmann and Wieland, *Konzentrationslager*, quote on 35; Naujoks, *Leben*, 274 – 75.

207. 对第三帝国最好的编史分析是 Kershaw 的 *Dictatorship*。

208. Jäckel, *Weltanschauung*, 29 – 54; Kershaw, *Nemesis*, 775 – 76.

209. Schulte, *Zwangsarbeit*, 260 – 61, quote on 261.

210. Quote in Picker, *Tischgespräche*, 93. See also ibid. , 94 – 95;

Jochmann, *Monologe*, 63, 90.

211. H. Johst, *Ruf des Reiches – Echo des Volkes* (Munich, 1940), translated in Van Pelt, "Site," 101 – 103. See also Longerich, *Himmler*, 33 – 65; Düsterberg, *Johst*.

212. Erlaß zur Festigung deutschen Volkstums, October 7, 1939, *IMT*, vol. 26, 255 – 57, ND: 686 – PS.

213. Aly, "*Endlösung*," 29 – 203; Aly and Heim, *Vordenker*, 125 – 256.

214. Schulte, *Zwangsarbeit*, 261.

215. Witte et al., *Dienstkalender*, 179.

216. 背景参见 Aly and Heim, *Vordenker*, 394 – 440; Roth, "'Generalplan Ost'"; Madajczyk, *Generalplan Ost*。

217. Schulte, *Zwangsarbeit*, 296 – 99, 311, 345; Allen, *Business*, 158, 176.

218. Quotes in BArchB, NS 19/2065, Bl. 8 – 9: Himmler to Pohl, January 31, 1942. See also ibid., Pohl to Himmler, (mid) December 1941; ibid., Bl. 20 – 32: Kammler, Aufstellung von SS Baubrigaden, February 10, 1942; ibid., Bl. 36 – 37: Himmler to Pohl, March 23, 1942.

219. BArchB, NS 19/2065, Bl. 8 – 9: Himmler to Pohl, January 31, 1942.

220. Maršálek, *Mauthausen*, 189.

221. BArchB, NS 4/Na 103, Bl. 147 – 49: Glücks to LK, September 29, 1941. 详情参见 Allen, *Business*, 117 – 22; Schulte, *Zwangsarbeit*, 381 – 84。集中营劳务长依然是微不足道的人物，即便他们如今向当地指挥官和 IKL 直接汇报。See BArchB, NS 4/Na 103, Bl. 140 – 42: Burböck to SlF E, November 28, 1941; Schulte, *Zwangsarbeit*, 385 – 86.

222. IfZ, Himmler to Pohl et al., December 5, 1941, ND: NO – 385. See also BArchB, NS 19/2065, Bl. 8 – 9: Himmler to Pohl, January 31, 1942.

223. IfZ, Dienstanweisung für SlF E, November 7, 1941, ND: 3685 – PS, underlined in the original. See also BArchB, NS 4/Na 103, Bl. 26: WVHA to LK, April 14, 1942.

224. 早在战前，希姆莱就设想过集中营党卫队有拘留战俘的权力；Himmler to Hess, July 23, 1938, in IfZ, *Akten*, vol. 3, 230。

225. Streit, *Kameraden*, 192 – 95; Herbert, *Fremdarbeiter*, 132 – 40;

Keller, *Kriegsgefangene*, 158 – 72; Gruchmann, *Krieg*, 120.

226. Keller and Otto, "Kriegsgefangene," 23

227. Witte et al. , *Dienstkalender*, 208 – 10. 希姆莱与波尔在 1941 年 9 月 15 日就"囚犯"的对话并没有记录在他的正式日记里，参见 BArchB, Film 3570。

228. Witte et al. , *Dienstkalender*, 215; IKL to LK Flossenbürg, September 15, 1941, in Tuchel, *Inspektion*, 73.

229. Streit, *Kameraden*, 220 – 21. 德军最高统帅部起初在 9 月 25 日下令，划拨多达 10 万战俘用于卢布林附近的一个项目。

230. Otto, *Wehrmacht*, 187 – 88, quote on 188; Hördler, "Ordnung," 113; Schulte, "Kriegsgefangenen – Arbeitslager," 82 – 83; USHMM, RG – 11. 001M. 03, reel 19, 502 – 1 – 13, Kammler, Bericht des Amtes II, December 1941, p. 4; IKL to LK Flossenbürg, September 15, 1941, in Tuchel, *Inspektion*, 73（其他集中营一定也接到了类似的信息）。

231. 起初，虽然马伊达内克隶属于 IKL 且属于集中营体系，但它被称作战俘营；1943 年 2 月 16 日，它被正式指定为集中营。See Kranz, "KL Lublin," 363 – 69; Kranz, "Konzentrationslager," 237 – 39; *OdT*, vol. 7, 33 – 36, 39; Schulte, *Zwangsarbeit*, 332 – 36; White, "Majdanek"; IfZ, Himmler Vermerk, n. d. , ND：NO – 3031. 关于卢布林的党卫队经济，参见 Kaienburg, *Wirtschaft*, 529 – 63。Frank quote in Präg and Jacobmeyer, *Diensttagebuch*, 219.

232. 规划的利益区是用于保护党卫队，给他们提供耕作和垂钓的地方。有关上文内容，参见 Steinbacher, "*Musterstadt*," 238 – 39; Schulte, *Zwangsarbeit*, 336 – 38; Strzelecka and Setkiewicz, "Construction," 70 – 74, 80 – 81; USHMM, RG – 11. 001M. 76, reel 421, folder 156, Erläuterungsbericht zum Vorentwurf, October 30, 1941, p. 6; ibid. , Vorgang für die Erstellung eines Kriegsgefangenenlagers, October 9, 1941, pp. 1 – 2。很多历史学家争论说希姆莱早在 1941 年 3 月 1 日便下令建造比克瑙集中营。但 Steinbacher 和 Schulte 拿出了令人信服的证据，表明是 1941 年 9 月才下的命令。

233. Michael Thad Allen 认为，新的奥斯维辛火葬场（1941 年 10 月开始施工，后来成为比克瑙 II 号火葬场）从最开始设计时就包括毒气室，他将这个决定与纳粹的最终解决方案联系在一起（Allen, "Devil"; idem, "Not Just a 'Dating Game,'" 186 – 87）。这和 Robert Jan van Pelt 的研究相冲突，后者争论说直到 1942 年，Ⅱ号火葬场才改造出毒气室（Dwork and Van Pelt, *Auschwitz*, 269 – 71, 321 – 24）。然而，即便 Allen 的论点被证实是正确的，这也不意味着党卫队（在 1941 年秋天）打算用毒气室处决欧洲犹太人（Schulte，"Auschwitz,"571）。

234. Schulte, *Zwangsarbeit*, 338 – 39, 362; Steinbacher, "*Musterstadt*"; Dwork and Van Pelt, *Auschwitz*; Wegner, *Soldaten*, 46, 62.

235. 格吕克斯在 1942 年 1 月 7 日把施图特霍夫称为集中营，但一个月后才正式生效。See Orski, "Organisation"; Kaienburg, *Wirtschaft*, 516 – 22; *OdT*, vol. 6, 477 – 80; Witte et al. , *Dienstkalender*, 271（n. 84）. 关于 1940 年的讨论，参见 IfZ, Fa 183, Bl. 53 – 55; IKL to Himmler, January 30, 1940; BArchB, NS 19/1919, Bl. 25 – 27: IKL to Himmler, February 21, 1940; ibid. , NS 19/3796, Bl. 2: IKL to Himmler, April 30, 1940。施图特霍夫首次被否决纳入集中营可能和在前波兰土地奥斯维辛上建立一座新营有关。

236. Kaienburg, *Wirtschaft*, 519 – 23; *OdT*, vol. 6, 479, 483 – 85; IfZ, Maurer, Besichtigung von Stutthof, December 11, 1941, ND: NO – 2147.

237. 1942 年 1 月 6 日，奥斯维辛有 9884 名囚犯，不算苏联战俘; Schulte, "London," 222。

238. Quotes in *DAP*, Vernehmung N. Wassiljew, October 23, 1964, 22443 – 44; 瓦西尔尤是以 Iwanow 这个名字登记的（ibid. , 22437 – 38）。See also ibid. , Vernehmung A. Pogoschew, October 23, 1964, 22641 – 47; ibid. , Vernehmung P. Stjenkin, October 29, 1964, 23066; Brandhuber, "Kriegsgefangenen," 19; Czech, *Kalendarium*, 126.

239. Quotes in *DAP*, Vernehmung N. Wassiljew, October 23, 1964, 22446, 22533. See also Brandhuber, "Kriegsgefangenen," 18 – 20; Halgas, "Arbeit," 167 – 69; Kielar, *Anus Mundi*, 101 – 103. 详情参见 Smoleń, "Kriegsgefangene"; Strzelecka, "Quarantine"。

240. Figures in Czech, *Kalendarium*, 126 – 34; Schulte, "London," table 7, p. 222.

241. Otto, *Wehrmacht*, 188 – 89; Keller and Otto, "Sowjetische Kriegsgefangene," 25 – 27; Kranz, "Erfassung," 242（n. 67）. 显然，没有囚犯被遣送至下哈根、纳茨维勒或拉文斯布吕克，这些也都没列入 IKL 的关键通信（e. g. , BArchB, NS 4/Gr 2, Bl. 6 – 7: IKL to LK, October 23,

1941）。

242. Quotes in NARA, RG 549, 000 - 50 - 9, Box 440A, statement B. Lebedev, April 22, 1945（列别杰夫记下了他抵达的日期, 1941 年 10 月 19 日）。See also AdsD, KE, E. Büge, Bericht, n. d.（1945 - 46）, 182; Otto, *Wehrmacht*, 189.

243. Sprenger, *Groβ - Rosen*, 190 - 92; Streim, *Behandlung*, 116. 是因为营房还没准备好，还是衣服没完成消毒，所以囚犯被关在室外，这一点尚未可知。

244. Mailänder Koslov, *Gewalt*, 230 - 31.

245. Quote in Świebocki, *Resistance*, 346. See also Halgas, "Arbeit," 170 - 71; Brandhuber, "Kriegsgefangenen," 23 - 25; Dwork and Van Pelt, *Auschwitz*, 272.

246. Ibel, "Kriegsgefangene," 132 - 33.

247. Sprenger, *Groβ - Rosen*, 190 - 94, quote on 194; Keller and Otto, "Kriegsgefangene," 25.

248. *DAP*, Vernehmung N. Wassiljew, October 23, 1964, 22412 - 14, quote on 22415; Halgas, "Arbeit," 168, 171.

249. Quote in Broszat, *Kommandant*, 159. See also USHMM, RG - 06. 025 * 26, File 1558, Bl. 157 - 75: Vernehmung G. Sorge, December 19, 1946, Bl. 167; Halgas, "Arbeit," 169; LG Cologne, Urteil, May 28, 1965, *JNV*, vol. 21, 126; Vernehmung A. Joseph, December 1, 1958, in Van Dam and Giordano, *KZ - Verbrechen*, 210.

250. 一个例子，参见 BArchB, NS 4/Fl 388, Bl. 54: Lagerarzt to Kommandantur, February 15, 1942。

251. Marszałek, *Majdanek*, 123.

252. 希姆莱的观点，参见 Süβ, "*Volkskörper*," 229（n. 72）。

253. *DAP*, Vernehmung N. Wassiljew, October 23, 1964, 22416, 22457 - 58, 22465 - 67, 22489 - 91, 22501.

254. *OdT*, vol. 4, 322; ibid. , vol. 7, 51; Mailänder Koslov, *Gewalt*, 298 - 99.

255. Brandhuber, "Kriegsgefangenen," 21 - 22, quote on 22; Smoleń, "Kriegsgefangene," 142 - 45; Otto, *Wehrmacht*, 193 - 95.

256. BArchB, NS 3/425, Bl. 45 - 46: IKL to LK, November 15, 1941;

Hammermann，"Kriegsgefangene，" 99.

257. 犹太人被杀，参见 Longerich，*Holocaust*，314 - 15，429。

258. 1942 年 1 月 16 日，马伊达内克关押了 112 名苏联战俘；Schulte，"London，" table 10，p. 224。

259. Quote in Broszat，*Kommandant*，157. 截至 1942 年 1 月 6 日，奥斯维辛关押了 2095 名苏联战俘（Schulte，"London，" table 7，p. 222），意味着 1941 年 10 月抵达的囚犯里至少有 7900 人死亡。其他数字，参见 Brandhuber，"Kriegsgefangenen，" 33，35。

260. AdsD，KE，E. Büge，Bericht，n. d.（1945 - 46），175.

261. Sprenger，*Groß - Rosen*，194.

262. Iwaszko，"Reasons，" 22 - 23；Brandhuber，"Kriegsgefangenen，" 20；Hałgas，"Arbeit，" 169. 德国囚犯（除了犹太人）一般不会被刺青；参见 Strzelecka，"Women，" 182，以及其他一些例外。1938 年 11 月种族清洗后的几周，达豪和布痕瓦尔德集中营里的犹太人在胳膊上被烙上了囚号；*NCC*，doc. 247；Stein，*Juden*，45。

263. Bischoff quote in Dwork and Van Pelt，*Auschwitz*，177. See also Piper，*Mass Murder*，128；Brandhuber，"Kriegsgefangenen，" 26；Hałgas，"Arbeit，" 172.

264. Quote in AdsD，KE，E. Büge，Bericht，n. d.（1945 - 46），181.

265. RSHA to KL，October 11，1941，cited in Otto，*Wehrmacht*，199，underlined in the original.

266. Himmler Rede bei der SS Gruppenführertagung in Posen，October 4，1943，*IMT*，vol. 29，121 - 22，ND：1919 - PS；Mailänder Koslov，*Gewalt*，230 - 31.

267. Quote in AdsD，KE，E. Büge，Bericht，n. d.（1945 - 46），95. 关于克尼特勒的罪行，参见 USHMM，RG - 06. 025 * 26，File 1560，Bl. 243 - 58：Vernehmung M. Knittler，December 20，1946，Bl. 252 - 53。

268. 集中营党卫队的这种认知，参见 Broszat，*Kommandant*，159。

269. BArchB，NS 4/Gr 2，Bl. 6 - 7；IKL to LK，October 23，1941；ibid.，NS 4/Fl 389，Bl. 11：IKL to SlF E，November 29，1941；ibid.，NS 4/Na 103，Bl. 126：IKL to SlF E，October 27，1941.

270. IKL to LK Flossenbürg，September 15，1941，in Tuchel，*Inspektion*，73.

271. Quote in Himmler Rede bei der SS Gruppenführertagung in Posen, October 4, 1943, IMT, vol. 29, 123. See also Dwork and Van Pelt, *Auschwitz*, 262 – 68; Streit, *Kameraden*, 197.

272. 显然，1941 年深秋便已经计划将更多的苏联战俘送去集中营；Keller and Otto, "Sowjetische Kriegsgefangene," 26 – 27。

273. Streit, *Kameraden*, 191 – 208; Keller, *Kriegsgefangene*, 215 – 17, 322 – 23; Gerlach, *Krieg*, 42 – 43, 52 – 53; Herbert, *Fremdarbeiter*, 137 – 43.

274. USHMM, RG – 11. 001M. 76, reel 421, folder 156, Kammler to Himmler, December 19, 1941.

275. BArchB（ehem. BDC），SSO, Koch, Karl, 2. 8. 1897, Koch to SS und Polizeigericht VI Krakow, August 2, 1942.

276. Kranz, "KL Lublin," 369; Kaienburg, *Wirtschaft*, 536 – 37.

277. Quote in "Bericht von Rudolf Vrba," 200. See also Brandhuber, "Kriegsgefangenen," 25 – 26; Strzelecka and Setkiewicz, "Construction," 86.

278. Figures in Schulte, "Kriegsgefangenen – Arbeitslager," 89; idem, "London," 220 – 24; Sprenger, *Groß – Rosen*, 194; *OdT*, vol. 3, 35; Kaienburg, "*Vernichtung*," 156. 现有数据显示，1942 年春天集中营内有 5000～6000 名苏联战俘。这些人并不全是 1941 年 10 月遭送批次中的幸存者，其中也有一些"人民委员"暂时幸免于难。

279. *DAP*, Vernehmung N. Wassiljew, October 23, 1964, 22564 – 66.

280. 1942 年初的其他 9 座主要集中营是布痕瓦尔德、达豪、弗洛森比格、格罗斯 – 罗森、毛特豪森、诺因加默、下哈根、拉文斯布吕克和萨克森豪森。

281. *OdT*, vol. 3, 29; Pingel, *Häftlinge*, 301（n. 174）.

第 6 章　大屠杀

1942 年 7 月 17 日下午，刚过 3 点，一架飞机载着党卫队全国领袖海因里希·希姆莱及其随员降落在卡托维兹机场。在机场列队等待的是一群党卫队高级官员，其中包括奥斯维辛集中营指挥官鲁道夫·霍斯，他这几天一直为迎接希姆莱的到访紧锣密鼓地做准备。霍斯陪同着党卫队全国领袖和其他要员一路向南，前往奥斯维辛，营内的官员食堂已经为迎接希姆莱准备好了热腾腾的咖啡。[1] 自 1941 年春天希姆莱初次到访后，这里已经发展成为一个巨大的营区。党卫队极大地扩展了他们在当地的利益区。主营区也有了很大变化，多了一个可以关押几千名女囚犯的临时区，这些女囚之后会被送到比克瑙的新营区。另一个变化则是附近的法本公司新建起了一座卫星营——莫诺维茨（Monowitz）。最重要的是，比克瑙刚刚成为一座系统性灭绝欧洲犹太人的集中营。

在为期两天的访问中，希姆莱综合考察了奥斯维辛营区。他重点视察了多种多样的企业，既有农业的也有工业的。希姆莱接受过专业的农学教育，此次他专门留出时间跟当地党卫队的农场负责人约阿希姆·凯撒（Joachim Cäsar）探讨有关农业的想法；他还去参观了农业项目，在牛棚前停下了脚步，让一名囚犯给他倒了一杯牛奶。[2] 希姆莱还视察了法本公司的施工现场。虽然他对现代化的建筑理念印象深刻，但他更关心何时才能启动合成燃料和橡胶的生产。他已经急不可耐，再一次敦促企业加快进度。[3] 在主营内，希姆莱巡视了过度拥挤的女子营区，并观看了一名女囚接受体罚被鞭打的场景。[4] 他站的地方离集中营火葬场不远，1941 年秋天这里发生过大规模毒气杀害苏联战俘的事情。不过到了希姆莱视察的时候，奥斯维辛的大规模杀戮中心已经从主营转移到了比克瑙的新营区。

在第一期即将竣工的比克瑙囚犯区外，几座矗立着的其貌不扬的农舍——在几百码开外，隐藏在树林中——新近被改造为毒气室。据鲁道夫·霍斯说，希姆莱在这里近距离观察了一批新来的犹太囚犯的死亡过程："在灭绝过程中他没有说一句话，只是静静地看着。"[5] 党卫队领导是冷静的观察者，就像一年前他在明斯克附近处决大批犹太男女时一样。[6]

但希姆莱并没有沉默太久。1942 年 7 月 17 日晚上，他和奥斯维辛党卫队的领导层一道参加了节日晚宴——所有人都身着制服，聊着彼此的工作和家庭。之后，希姆莱与霍斯夫妇以及其他几位官员一起在纳粹大区长官位于卡托维兹附近树林中的现代化别墅里小聚，那里不仅有高尔夫球场还有游泳池，因为是非正式场合，所以希姆莱很放松。那晚他超乎寻常地开心，甚至可以说兴致高昂。虽然他避免直接提及几个小时前发生的事情，不过他肯定还想着杀害欧洲犹太人一事，甚至允许自己喝几杯红葡萄酒、抽一支烟来庆贺。"我从没见过他这样！"鲁道夫·霍斯回忆说。[7] 第二天早晨，希姆莱回到奥斯维辛，在临走前特意拜访了霍斯一家。他在霍斯家别墅做客时展现了自己最和蔼可亲的一面，还与霍斯的孩子合影留念，孩子们亲热地称呼他为"海尼叔叔"（后来，霍斯自豪地把这些照片摆在家里）。[8] 或许他认为此种文质彬彬的姿态对于奥斯维辛这样的地方尤为重要，在那里他的部下每天都会参与攻击、掠夺和大规模屠戮。

党卫队全国领袖的奥斯维辛之旅恰逢第三帝国的重大发展。从 1942 年春季起，希姆莱一直敦促将集中营内的强制劳动力翻倍，反映出纳粹的新重点。随着对苏快攻的失败以及美国加入战局，德国政府面临着一场持久战，急需扩大军工生产。从希姆莱个人来说，他在 1942 年 3 月初便决定让整个集中营系统——之前只是松散地纳入了党卫队的组织框架——成为党卫队经济与管理部（WVHA）的一部分，同时集中营督察组成为党卫队经济与管理部的 D 处。党卫队经济与管理部是党卫队新成立的组织和经济中心，由一心一意抓经济的奥斯瓦尔德·波尔领导，他如今已经升入了党卫队的顶层梯队。[9]

但是当海因里希·希姆莱 1942 年 7 月到奥斯维辛视察时，他脑海中第一个想到的是纳粹的最终解决方案，而不是党卫队经济。欧洲犹太人的清除工作在 1942 年夏天进一步升级，身为集中营大师的希姆莱也负责监督此项工作。他在去奥斯维辛前曾与希特勒碰面，随后加速推动了种族屠杀的实施。视察结束后，他紧接着飞往卢布林，策划在总督府的三大新死亡营——贝乌热茨、索比堡和特雷布林卡集中营消灭波兰犹太人的方案。他在 7 月 19 日参观了索比堡，当晚从卢布林下发指令，要求"立刻重新安置总督府的所有犹太人口"；除了从几个犹太人聚居区和集中营挑选出来的劳动力之外，其余的本地犹太人到年底之前必须被清除。[10]

因此，希姆莱 1942 年 7 月的奥斯维辛之行正值重要的时刻。与之前相比，劳动力越来越重要，纳粹在整个欧洲驱逐和大规模屠杀犹太人的计划也开始进行。希姆莱的视察还涉及两个方面，奥斯维辛既是党卫队发展经济的重点，也是纳粹最终解决方案的实施中心。希姆莱在 1942 年 7 月 18 日离开了奥斯维辛，走之前他让霍斯继续加大对囚犯的经济剥削以及毒气处决，因为被驱逐出境的人数每个月都在增多。在会面结束时，希姆莱主动将霍斯提拔为党卫队一级突击大队长，以此显示出奥斯维辛对纳粹计划的重要性。[11] 但奥斯维辛集中营是怎样从最开始就成为这些计划的一部分的呢？它和集中营体系在大屠杀中又发挥了怎样的作用？

奥斯维辛和纳粹的最终解决方案

奥斯维辛集中营长期以来一直是大屠杀的象征。纳粹在这里屠戮了将近一百万犹太人，比其他任何地方都多。纳粹只在奥斯维辛有序地消灭欧洲大陆各地的犹太人，把来自匈牙利、波兰、法国、荷兰、希腊、捷克斯洛伐克、比利时、德国、奥地利、克罗地亚、意大利和挪威的犹太人推向死亡。从一定程度上来说，奥斯维辛如此致命是因为它比其他死亡营存在的时间更久。1944 年春末，当总督府的三个死亡营再次被长期关停时，奥斯维辛才刚刚开始冲击屠戮的高峰。1945 年 1 月，当苏联军队最终解放这里的时候，许多屠杀设备仍然在运行，而贝乌热茨、索比堡和特雷布林卡早就小心地隐藏了大屠杀的痕迹。这也是在所有死亡营中我们最了解奥斯维辛的一个原因。另一个原因是丰富的证词。数万名奥斯维辛的囚犯在战后幸存下来，许多人讲述了自己的亲身经历。相比之下，其他死亡营鲜有活口，因为它们本就是为了杀人而建的。只有三名幸存者提供了有关贝乌热茨的证言。[12]

世人对大屠杀的印象中奥斯维辛集中营的名字如此突出，但值得一提的是，这座集中营并不是为了消灭犹太人而建。这也并不是它存在的唯一原因。与总督府下属的目的单一的死亡营相比，奥斯维辛一直都是肩负多项任务的集中营。[13]而且，它参与种族屠杀的时间非常靠后。一些人认为奥斯维辛从一开始就是死亡的代名词，但其实早在 1941 年的时候，它还没有成为一个针对欧洲犹太人的死亡营。[14]直到 1942 年，它在这方面的作用才逐渐显现，从当年夏天起，它才开始发挥比较重要的作用。

波兰总督府的死亡营

大屠杀的开端历时漫长且复杂。历史学家曾认为希特勒在某时某刻突然做出的一个决定导致了大屠杀的发生，但这种说法早就被推翻了。后来，人们普遍认为大屠杀是持续杀戮的高潮，来自上层和下层越来越多的激进提议也起了推波助澜的作用。在第二次世界大战期间，纳粹的最终解决方案从越来越致命的犹太"居留地"计划转为立即清除，其间经历了几次关键的激进时期。德国于 1941 年 6 月入侵苏联就是其中之一，随着军队大规模射杀犹太人逐渐升级为更大范围的种族清洗，每天都有妇孺和老人倒在血泊之中。到了 1941 年底，在纳粹新占领的东部领土内大约有 60 万犹太人被杀。

彼时，纳粹政府已经开始清洗欧洲所有的犹太人。随着希特勒下令将所有犹太人迁出帝国，第一批从德国到东方的大规模流放于 1941 年秋季按计划展开。尽管大多数受害者并没有在抵达流放地时被立即处死，但显然也不会活太久。与此同时，对犹太人的屠杀从苏联扩展到了塞尔维亚和波兰部分地区。而且在德占波兰和苏联地区，针对东欧犹太人，特别是那些被判定为"无工作能力"者的数个地方性毒气工厂也已经规划完毕。在波兰西部、被德国吞并的瓦尔特高地区（Warthegau），

293

切姆诺（Chelmno）是第一个建立的灭绝营，1941 年 12 月 8 日投入使用。在 4 个月的时间里，5 万多人死在了毒气车里，其中大多数是来自罗兹（Lodz，距离该营大约 40 英里）犹太人聚居区的波兰犹太人。继续往东走，1941 年 11 月初在波兰总督府的贝乌热茨，第一座常设灭绝营开始动工，随后在索比堡（同样位于卢布林）的第二座灭绝营也于 1942 年 2 月竣工。

种族灭绝计划也就在这期间最终形成。自 1942 年 3 月末起，从西欧和中欧而来的遣送趋势逐渐蔓延，第一批被选中的捷克斯洛伐克和法国犹太人被送往德占波兰。党卫队管理层从 1942 年 7 月开始准备更全面的方案，以迎接整个欧洲的犹太人。纳粹在东欧的杀戮也愈演愈烈。在被德国占领的苏联地区，清理犹太人聚居区的行动和大屠杀越来越频繁，在德占波兰更是如此，越来越多的地区沦为人间地狱。行凶者以迅雷不及掩耳之势清空了一个又一个聚居区。据纳粹的数据显示，截至 1942 年底，曾居住在波兰总督府的 200 万犹太人中只有 30 万人活了下来。[15]

1942 年在波兰总督府殒命的犹太人大部分死在三个新死亡营中。贝乌热茨的大规模种族灭绝行动始于 3 月，索比堡则始于 5 月初；大概在同一时期，位于总督府北部华沙地区的第三座死亡营特雷布林卡开始动工，于 7 月下旬投入使用，它的主要目的是屠杀华沙犹太人聚居区的人口。[16]在历史文献中，针对波兰总督府犹太人的大规模种族清洗被称为"赖因哈德行动"（Operation Reinhard），而这三座死亡营则是"赖因哈德集中营"，这样的称呼是为了纪念赖因哈德·海德里希（1942 年夏天被暗杀）。[17]然而这是误导。纳粹官方并没有把赖因哈德行动的代号局限于贝乌热茨、索比堡和特雷布林卡死亡营，还用于奥斯维辛和马伊达内克（这两座集中营同时被作为死亡营投入使用）对犹太人的清洗和掠夺财产的行动。[18] 不过，尽管有着相同的历史背景，波兰总督府的三座新死亡营却独立于奥斯维辛以及马伊达内克（还有集中营体系的其他部分）。为了体现贝乌热茨、索比堡和特雷布林卡的特殊性，我们在这里以卢布林地区党卫队和警察统领奥迪路·格洛博奇尼克（Odilo Globocnik）的名字命名它们为"格洛博奇尼克死亡营"。

奥迪路·格洛博奇尼克是希姆莱最恭顺的追随者，也是凶残的刽子手，他年轻时就成了狂热的纳粹暴力分子，或许在参与奥地利非法纳粹运动时便已初试牛刀。德奥合并后，他曾短暂担任过维也纳大区长官，陷入了涉嫌贪污腐败的泥潭。但是跟许多"老战士"一样，希姆莱给了他第二次机会，格洛博奇尼克也十分积极。他在 1939 年末被调到卢布林后，很快就成了极端反犹政策的领军人物。从 1941 年秋季起，他开始在自己管辖的地区内大规模清洗犹太人，随后又将范围拓展到整个总督府。希姆莱结束了奥斯维辛的视察工作后，"格洛博斯"（Globus，意为全球）——这是希姆莱对他的戏称——在 1942 年 7 月欣然遵从主人的命令，负责监督即将在总督府展开的犹太人清洗行动。"党卫队领袖之前就在这里，给我们指派了许多新任务，"他滔滔不绝地说，"我对他充满感激，他尽可以放心，他想要实现的愿望很快就将成为现实。"据鲁道夫·霍斯回忆，格洛博奇尼克变得越来越贪得无厌，想要将更多的犹太人遣送到他的死亡营中："他永远都嫌不够。"[19]

1942 年下半年，在总督府一直以来严密的军事把控下，纳粹大屠杀拉开帷幕。一趟又一趟列车将数十万犹太人送进格洛博奇尼克的死亡营。很少有人能活过几个小时；一旦犹太人被塞进毒气室，强大的发动机就开始启动，将一氧化碳注入房间。遣送的协调工作由格洛博奇尼克的卢布林办公室负责。同时，死亡营配备的是参加过"安乐死"计划的经验丰富的杀手。1941 年秋天起，120 多名 T－4 老成员——大多数都在 30 岁上下——被调到总督府创建并运营新的死亡营。领头的是克里斯蒂安·维尔特（Christian Wirth），他曾是一名警官，在"安乐死"行动期间成了解决问题的骨干。现在他以本地 T－4 代表和格洛博奇尼克死亡营督察官的身份，充分发挥自己的残忍本领，因此人送绰号"狂野的克里斯蒂安"。从 1942 年夏天起，随着纳粹大屠杀进度加快，他负责监督贝乌热茨、索比堡和特雷布林卡的重大整改工作，包括扩建杀戮设备以确保种族屠杀顺利进行。[20]与此同时，西边的奥斯维辛也在追求同样的目标。当地的党卫队也努力改善和扩大处决机器。

"犹太人进集中营"

在第二次世界大战初期，集中营在纳粹反犹政策中的地位并不起眼；当时主要的执行处是犹太人聚居区和强制劳动营，然后又转为致命的居留地。相比之下，集中营则处于边缘位置。甚至在第三帝国开始有序地消灭欧洲犹太人后，也没有迹象表明集中营不久后会扮演更重要的角色。集中营的外围地位从囚犯数量上就可以体现出来：1942 年初，营内囚犯总人数有 8 万人，其中犹太囚犯还不到 5000 人。[21]

1942 年 1 月 20 日，一次至关重要的会议在柏林郊外的万湖（Wannsee）召开。午餐时，一群高层纳粹党员和国家官员聚在一起，探讨在帝国中央安全局的全面管理下整合纳粹最终解决方案的事宜。会议由赖因哈德·海德里希主持，他设定了大方向。有些方面仍然没有定论，但总体目标已经明确：欧洲犹太人将被集中到德国占领的东部地区处决，或是直接杀掉，或是用其他方法将他们逼死。"劳动灭绝"的想法算是比较重要的方案之一。按照海德里希在万湖的指示——据帝国中央安全局负责运输西欧和中欧犹太人的司务员阿道夫·艾希曼总结——大批劳动力将被送到东方卖苦力、修建公路，"这必然会自然地消耗掉大部分人"。[22]尽管具体细节仍然模糊不清，但在这些种族屠杀方案中显然没有集中营的位置，它既不是灭绝中心也不是致命劳动的中心。集中营并没有被提上万湖会议的日程，集中营系统也没有代表受邀参会。

　　然而，党卫队领导人在万湖会议期间改变了原本的基调。或许因为众人最终接受了这样的事实，即永远不可能实现在东方安置苏联战俘的宏伟计划；很少有战俘能活到被送进集中营的那一天，大多数早就已经死了。[23]党卫队如今正在寻找替代品，且很快就找到了：犹太人可以顶替苏联士兵，成为大规模安置的对象。1942 年 1 月 26 日，就在万湖会议闭幕后六天，希姆莱给格吕克斯发了一封电报，概述了未来发展方向的改变。由于近期内不会有更多的苏联战俘，希姆莱解释说，因此他决定将大批犹太人送进集中营："做好准备，在接下来的一个月内，集中营要接收 10 万犹太男人和 5 万犹太女人。"[24]

　　纳粹政府顶层领导人大力推动用犹太人替代苏联战俘的方案。1 月 25 日，就在希姆莱给格吕克斯发电报的前一天，他跟奥斯瓦尔德·波尔还探讨过犹太劳动力的用途。很快，希姆莱就将自己的方案提交给元首指挥部。在午餐时，希特勒激情澎湃地阐述了将犹太人清除出欧洲大陆的必要性："如果（犹太人）在过程中出了问题，我无能为力。我只看重一件事：如果他们不主动 296

离开的话，就要被彻底消灭。我为什么要对犹太人另眼相待呢，他们跟俄罗斯囚犯本就是一样的。"这次会餐后不久，希姆莱就将海德里希也拉下了水，在布拉格给他打了个电话。希姆莱的工作日志中对此次通话的记录是："犹太人进集中营。"[25]

希姆莱的新方案完全出乎党卫队集中营督察官格吕克斯和下属们的意料。在最近几周，集中营督察组已经制订了一套剥削部分犹太囚犯的方案，相对来说保守了许多。当马伊达内克的宏伟计划显然无法在苏联战俘身上实现后，集中营督察组于1942年1月19日向其他集中营下令，让其将"适合工作"的犹太囚犯送到马伊达内克集中营。然而就在一周后，希姆莱突然传来消息说大批犹太人正从其他地方被送往集中营，将之前的方案全盘推翻。位于奥拉宁堡的集中营督察组管理层迅速舍弃了从其他集中营向马伊达内克小规模输送犹太囚犯的打算，开始将全部精力放在集中营系统的筹备工作上，以便接纳从外界而来的大批犹太人。[26]

不过，希姆莱宣布将15万犹太囚犯立刻送入集中营的做法确实操之过急了。他的野心再次超出了党卫队的能力范围，两个月后第一批遣送才开始。这一次，党卫队做出了几个关键的决策，其中一个涉及遇害人群。最初，希姆莱锁定了德国犹太人，想把他们迅速关进集中营，但这个计划最终没有实施。[27]党卫队转而将注意力放在了另外两个国家——斯洛伐克和法国——"适合工作"的犹太人身上。[28]同时，集中营督察组确定了这些即将到来的大批遣送人口的最终目的地——马伊达内克和奥斯维辛集中营。[29]这个决定完全在意料之中。两座集中营都曾被指定关押大批苏联战俘；而犹太人将代替他们成为强制劳动力，按照这个逻辑，党卫队认为犹太人也应该被关到这两座集中营。在实际操作中，奥斯维辛成了被遣送的西欧和中欧犹太人的首要目的地，因为它的距离更近，交通更便捷，基础设施更完备。

奥斯维辛的新功能促使党卫队领导在 1942 年 2 月做出了两个重大的决定。第一，决定在比克瑙建造一个大焚尸炉，能够在 24 小时内处理 800 具尸体。新建大焚尸炉的方案早就存在。1941 年秋天，党卫队规划者们准备在奥斯维辛集中营区建立多个容纳苏联战俘的新营时，就决定在主营区建立一个大容量的焚尸炉，以应对预期中飙升的因犯死亡人数。1942 年 2 月 27 日，经过本地调研后，党卫队建设办主任汉斯·卡姆勒最终将焚尸炉的选址定在了比克瑙。[30] 很快，大批的犹太因犯将抵达比克瑙，所有人最后都会"被劳动灭绝"，难逃一死。卡姆勒肯定会想，为什么还要大费周章地将尸体运回主营区呢，直接在比克瑙烧掉不就好了？

第二，奥斯维辛准备接纳大批的女因，这也是希姆莱流放计划的一部分。在女子监禁方面，希姆莱向拉文斯布吕克集中营的专家请教。他于 1942 年 3 月 3 日参观了拉文斯布吕克集中营，第二天向波尔简单做了说明，随即开始一通折腾。[31] 1942 年 3 月 10 日，集中营督察组命令两名奥斯维辛集中营的官员前往拉文斯布吕克"学习管理女子集中营"。[32] 不久后，拉文斯布吕克集中营的高级监督员约翰娜·朗格费尔德前往奥斯维辛监督新女子营区的建造；后来又过来了十多名拉文斯布吕克的女看守。朗格费尔德到来时，奥斯维辛的党卫队已经着手准备女子营区了，最开始时是主营内 1 区到 10 区。根据霍斯的指示，一堵墙很快拔地而起，将女因区和男因区分隔开来。[33] 这一切都为在战争后半段容纳越来越多的女因做好了准备。

297

目的地奥斯维辛

向奥斯维辛集中营系统性地大规模遣送犹太人始于 1942 年 3 月末。第一辆帝国中央安全局的列车载着 999 名女人从斯洛伐克出发，3 月 26 日抵达奥斯维辛；两天后，另一趟从斯洛伐克来的列车载着 798 名女子到达奥斯维辛。随后在 3 月 30 日，从法国来的第一批犹太人，1100 多名男子被运到了集中营附近。[34]他们几天前就从法国启程，被塞到运货的车厢中，只有很少的食物和水。有几个人在到达目的地之前就死了。3 月 30 日清晨抵达的这批人中有斯坦尼斯瓦夫·扬科夫斯基（Stanisław Jankowski）。跟其他许多从法国来的犹太人一样，31 岁的木匠扬科夫斯基是波兰流亡者。他生长于奥特沃茨克（Otwock）一个贫困的家庭，在那里加入了共产主义运动。1937 年，他赴西班牙参加了内战。1939 年初，随着共和党军的失利，他随军撤到法国边境时被捕。他在法国境内被拘禁了两年多，生存环境十分恶劣。后来，他想方设法从位于滨海阿热莱斯（Argelès-sur-Mer）的营地逃脱，到了巴黎。然而，他很快再次被法国警察逮捕。起初他被关在德朗西（Drancy），这是一座位于巴黎郊外专门关押犹太人的新营，绝大多数被送去奥斯维辛的法国犹太人都是从这里启程的。随后，他又沦为德国军队的"人质"，被关在贡比涅。也是在这里，1942 年 3 月的一天，扬科夫斯基跟其他犹太囚犯一起被单独关押起来，他们被告知将远去东方从事繁重的劳动。

在奥斯维辛，扬科夫斯基和其他人在党卫队棍棒的驱赶下，五个人一排走进主营区。他们在集中营里遭到了更多的暴力虐待——他们第一次体会了党卫队所谓的"运动"——而

298

且每日的食物供给少得可怜。很快，他们又开始行进。他们还要在骑着高头大马的党卫队看守的环绕下，以双倍的速度徒步前往比克瑙，脚上趿拉着沉重木鞋走泥地。在新营区的大门处，党卫队看守和审头正手持大棒等着他们。据扬科夫斯基回忆，有几个囚犯直接被打死，"后面的人不得不跳过他们的尸体才能跑进集中营"。随后他们全体集合，完成了在比克瑙的第一次点名。所有人筋疲力尽，又累又怕还流着血，新囚服上沾满了泥巴。这些囚服有特别的含义，都是之前被杀的苏联战俘穿过的。几天前刚到的斯洛伐克女囚穿的就是这样的囚服，这批从法国来的犹太男囚也一样。集中营党卫队或许将此举视为解决囚服短缺问题的便捷之法。但这也象征了新来者的命运：他们到奥斯维辛是为了顶替苏联战俘，所以跟前人一样，他们很快也会死。犹太囚犯在了解了苏联战俘的命运后，对这个寓意也心知肚明；甚至有传言称，比克瑙集中营里犹太人所住的营房正下方就埋了数千名士兵。[35]

1942 年春，奥斯维辛距成为历史学家彼得·海斯（Peter Hayes）口中的"大屠杀首府"还有很长的一段历程。可以确定的是，这座集中营如今已经加入了逐步展开的泛欧洲灭绝计划。[36] 但是，犹太囚犯的数量仍然远远落后于希姆莱在 1 月末宣布的目标。到了 1942 年 6 月底，在帝国中央安全局的遣送行动进行了 3 个月后，法国和斯洛伐克先后向奥斯维辛遣送了 16 批、大约 1.6 万名犹太人。[37] 而且，这些犹太人并没有在刚抵达的时候就被处死。他们的耳朵上被做了记号，表明了苦力的身份，奥斯维辛党卫队也只给他们提供最少量的供给。集中营督察组管理层希望能够避免犹太人重蹈苏联战俘急速死亡的覆辙；就在几个月前，阿图尔·利布兴切尔还提醒奥斯维辛的指挥官们说，"要尽一切可能保存犹太人的劳动能力"。[38]

然而，现实截然相反。即便奥斯维辛还没有完全成为一座死亡营，对犹太人来说已经够致命了；1942 年春季和夏季新登记的犹太囚犯中，有三分之二甚至更多人在 8 周内就已死亡。[39]帝国中央安全局有几批遣送人员几乎全军覆没；4 月 19 日，464 名犹太男子从中转营日利纳（Žilina，斯洛伐克）抵达奥斯维辛，但三个月后只有 17 人还活着。自从斯洛伐克当局在遣送时开始以家庭为单位，死的人里就出现了未成年的男孩；年龄最小的遇害者是 7 岁的埃内斯特·施瓦茨（Ernest Schwarcz），他在集中营里活了不到一个月。[40]

犹太人在比克瑙忍受着恶劣的生存条件、致命的暴力虐待和榨干人精力的繁重劳动。当地党卫队认为这些有罪的犹太人应该死在比克瑙集中营里，并且在 1942 年春季见证了一大批死亡。营区仍在建设当中，只有寥寥几座简陋的营房完工了。所有的一切都厚厚地糊上了尘土和排泄物，连最基础的设施都没有，医疗资源和食物都严重匮乏。许多犹太人被迫去修建集中营，此外还要进行许多没有意义的劳动。从 1942 年 5 月初开始，随着清除病弱或者丧失劳动能力的囚犯的做法在比克瑙逐渐兴起，那些熬过了繁重劳动的囚犯最终还是会被枪杀、打死或者死于其他的折磨。[41]

相隔不到两英里的地方，同在奥斯维辛主营区的犹太女人们在 1942 年春天也面临着恐怖的命运。她们成了新女子营区中囚犯的主要组成部分，而且规模迅速扩大。这里临时由拉文斯布吕克集中营的人负责管理（只有到了 1942 年 7 月才并入奥斯维辛集中营统一管理），并很快就超过了拉文斯布吕克的规模。到了 1942 年 4 月底，奥斯维辛关押了 6700 多名女囚，而拉文斯布吕克则有大约 5800 名女囚；短短一个月的时间内，拉文斯布吕克就被奥斯维辛地区这座匆匆建造起来的营地赶超了——这是一个早期信号，显示了纳粹大屠杀对更广泛的党卫队集中营系统的影响。在接下来的几个月里，更多的女囚被送到奥斯维辛，使这里拥挤不堪；到了 1942 年 6 月末，党卫队在原有的石头营房之间又建起了更多的木制营房。

　　女子营的健康状况简直就是一场灾难。到处都是痢疾、肺炎和开放性伤口，斑疹伤寒也在增多，囚犯还要忍受着伤痛进行繁重的农业劳作和建筑施工。许多患病或者虚弱的女囚都被挑出来杀掉了；有的被送进了毒气室，其他人则被注射了苯酚。奥斯维辛女囚的大批死亡在集中营历史上前所未有。1942 年 8 月，当活下来的女囚被转移到比克瑙的新营 BIa 时，这些从 3 月底开始进入主营的 1.5 万到 1.7 万女囚中，大约三分之一的人已经死了。[42]

地区性杀戮中心

　　纳粹大屠杀开始改变奥斯维辛。集中营营区日益扩大，囚犯数量直线飙升，从 1942 年 1 月初的 1.2 万人达到了 5 月初的 2.14 万人，其中包括 3000 名女囚。[43]但奥斯维辛的变化并不是在一夜之间发生的；毕竟，大规模杀戮在此之前就成了奥斯维辛集中营的标志，特别是从 1941 年秋季开始，那时苏联战俘抵达此处，而比克瑙的扩建也正在规划之中。不过，在 1942 年春天时，奥斯维辛仍然处于大屠杀的外围。它还要历经三个重要的步骤，历时几个月才能成为大屠杀的主要参与者。第一步就是以上提到的，帝国中央安全局从 1942 年 3 月末开始向这里大规模遣送犹太人。紧接着在几周后，第二步行动就展开了。

300

1942 年 5 月，奥斯维辛成为系统性屠杀西里西亚犹太人的一个地区死亡营。[44]正如切姆诺集中营会杀掉丧失劳动能力的瓦尔特高犹太人，奥斯维辛也会处决不适合工作的西里西亚犹太人。[45]奥斯维辛党卫队将纳粹最终解决方案里的两种方式贯彻到底——即时消灭或者安排囚犯进行致命的强制劳动——具体用哪种方式取决于囚犯的来处："无劳动能力"的西里西亚犹太人刚一到达就会被处死，而其他犹太人则像普通囚犯一样进行登记，然后劳作到死。这种双管齐下的政策以前也出现过，那还是在 1941 年秋季奥斯维辛党卫队处理苏联战俘的时候采取的致命方案。[46]

奥斯维辛发展成为地区性杀戮中心的细节如今仍然笼罩在迷雾之中，不得而知。原始文件都已经遗失，像鲁道夫·霍斯和阿道夫·艾希曼等关键参与者在战后的证言也前后不一致，缺乏准确性。[47]已知的是艾希曼曾多次到访奥斯维辛，协调所谓的最终解决方案事宜。他和"亲爱的同志以及朋友"霍斯建立了紧密的关系，艾希曼欣赏霍斯的"严谨、谦逊以及模范的家庭生活"。而沉默寡言的霍斯也视艾希曼为同道中人，用非正式的"你"而不是"您"来称呼他，而且在经历了一天的工作后，比如视察集中营或者驾车到其中一个新营地，这两个负责大规模杀戮的狂热分子会结伴消遣，一起抽烟喝酒，然后第二天早上共进早餐。[48]艾希曼第一次到访奥斯维辛似乎是在 1942 年的春天，3 月或者 4 月。在他的策划下，帝国中央安全局从法国和斯洛伐克遣送犹太人的行动已经开始进行，他还亲自到奥斯维辛跟指挥官霍斯商讨有关遣送的事宜以及下一步的行动。艾希曼可能告诉了霍斯，那些被挑选出来即时消灭的犹太人很快就会从上西里西亚被送过来。[49]当然，这只是他们众多会面中的一次。在接下来的时间里，在大批量遣送开始之前，艾希曼经常跟霍斯以及集中营党卫队高层官员见面，确定奥斯维辛的"承载能力"；"毕竟"，艾希曼在多年之后解释道，奥斯维辛党卫队需要知道"我准备送多少人类原料过来"。[50]

奥斯维辛在纳粹最终解决方案里的地位越来越重要，这一点必定在党卫队经济与管理部一把手奥斯瓦尔德·波尔的议事日程之上，当时大概是 1942 年 4 月初，他正在奥斯维辛访问，这是自他接管集中营系统以来对奥斯维辛的第一次官方视察。[51]在这个时期，波尔跟希姆莱保持着紧密的联系——4 月中旬时两人频繁会面——波尔必定知道纳粹领导层的总体规划，而领导者们正在最终确定泛欧洲犹太人灭绝政策的大致轮廓。[52]

波尔从奥斯维辛离开后不久，针对西里西亚犹太人的死亡流放就开始了。1942 年 5 月，大约有 6500 名不适合参加劳动的犹太人从上西里西亚的几个城镇中被挑选出来，送抵奥斯维辛。许多人都来自小镇本津（Będzin），距离奥斯维辛不过 25 英里。5 月 12 日，德国警察和犹太人聚居区对小镇上拥挤不堪的犹太人区展开了大规模"行动"，这里曾是当地犹太人文化和经济生活的中心，如今却分外凄凉。第一批受害者就是在这里遭到了围捕。在接下来的一个月，还有约 1.6 万名犹太人从西里西亚被送到奥斯维辛，令多个片区的纳粹官员自豪地宣称"摆脱了犹太人"。[53]

小红房子

菲利普·米勒（Filip Müller）见证了大批西里西亚犹太人被杀的过程，这名年仅 20 岁的斯洛伐克犹太人于 1942 年 4 月 13 日被送进奥斯维辛，很快就被分到了一个特殊的囚犯小分队，在主营区的火葬场工作。自 1941 年秋天建立了毒气室以来，这个小分队的人数翻了一番。战后，米勒为 1942 年 5 月和 6 月抵达奥斯维辛的几批波兰犹太人作证，其中包括许多老人和妇女，还有许多带着小孩和婴儿的母亲。党卫队将囚犯们带到火葬场外的院子里，让他们脱掉衣服准备洗澡。然后，党卫队将这些犹太人关进了火葬场里没有窗户、灯光微弱的毒气室。恐慌很快在被困的囚犯中蔓延开来。党卫队看守还冲他们喊话说："别在浴室烧坏了自己。"引擎的巨大轰鸣声本应盖过人们垂死挣扎的声音，但菲利普·米勒等紧邻火葬场的人却听到了全过程："我们听到里面突然开始剧烈地咳嗽。然后人们开始惨叫。你还能听到孩子们的哀号，所有人都在惨叫。"过了一会儿，惨叫声逐渐减弱，最后彻底消失了。[54]

在主营区毒气室（后来被称为 I 号火葬场）里上演的批量残杀继续在比克瑙的新杀人设施里展开。[55]在桦树林旁边一个隐蔽的地点，党卫队把一间空农舍改造为毒气室。这座简单改造过的小房子被称为 1 号地堡，或者是"小红房子"；窗户都被砖石砌上，门被加固且做了隔音隔温，墙上还钻了小孔（上面都罩了层薄片作为遮掩）以便投放齐克隆 B 弹丸。两个房间可以塞进数百名囚犯，房间里还有木刨花来吸收血迹和排泄物。[56] 1 号地堡大约在 1942 年 5 月中旬或者下旬开始投入使用，几个月后，主营区火葬场里的毒气室就销声匿迹了。[57]

党卫队杀手们认为，将大批量毒气谋杀搬到比克瑙是解决大屠杀实际问题的一个方法。在破破烂烂、过度使用的老旧火葬场展开大规模屠杀以及处理尸体越来越成问题，也给主营区引来了太多的关注；将毒气室搬到偏僻的比克瑙农舍不仅可以提高效率，还更加隐蔽。[58]更重要的是，比克瑙成了一座关押必

302

死囚犯的大集中营——其中许多人正在前来的路上——在登记的囚犯中，大规模的筛选越来越普遍。从党卫队的角度来看，在比克瑙杀掉这些被挑选出来的囚犯，比将他们送回主营区的毒气室要容易得多。因此，比克瑙被指定为奥斯维辛集中营区内大规模清除犹太人的新中心。

"死亡工厂"

1942 年 6 月 11 日，以阿道夫·艾希曼为首的几名负责大屠杀的党卫队管理者齐聚帝国中央安全局犹太人事务部位于柏林的办公室，商讨纳粹在欧洲范围内驱赶犹太人计划的细节。他们的情绪都十分低落。就在两天前，希姆莱最亲密的伙伴赖因哈德·海德里希按国葬级别风光大葬，他被两名在英国受训的捷克斯洛伐克特工暗杀了。纳粹领导人已经对捷克人展开了残忍报复，并认为犹太人也参与其中，同样需要付出血的代价。在 6 月 9 日为海德里希致悼词时，希姆莱告诉党卫队将军们，对犹太人展开"彻底扫荡"的时刻到了："我们必须在一年内圆满完成对犹太人的大规模迁移，毫无疑问；之后，再没有犹太人会迁移了。"奥斯维辛在希姆莱的构想里占了重要地位。正如艾希曼两天后在帝国中央安全局会议上所说的那样，希姆莱下令将大批的犹太男女送进奥斯维辛进行强制劳动。党卫队管理层随后敲定了细节：从 1942 年 7 月中旬开始，大约 12.5 万名犹太男女将乘列车从法国、比利时和荷兰来到集中营。希姆莱还把其中大部分囚犯设想成奴隶；他下令，大批运送到奥斯维辛的犹太人应该是能够劳动的青壮年（16 岁到 40 岁之间）。但是他也设定了例外：运送中可以包括一小部分无劳动能力的犹太人——十分之一左右。在艾希曼和其他党卫队领导们眼中，

303

这些人的命运已经注定，抵达奥斯维辛之日就是他们丧命之时。[59]

为种族灭绝做准备

在希姆莱眼中，奥斯维辛已经准备好在纳粹大屠杀中发挥重要作用了。1942 年初，这里曾被指定为关押犹太人的大型劳动营，如今希姆莱也将它指定为大型的死亡营。它足够偏僻，适合进行隐蔽的大屠杀；它四通八达的铁路又令它方便接收从西欧和中欧来的遣送队。[60]更重要的是，自从大批量毒气处决所谓的苏联人民委员和西里西亚的犹太人后，它已具备了大屠杀所需的基本设施。奥斯维辛证明了自己可以成为地区性的灭绝营之后，它被提升为纳粹的一级死亡营。第二年，指挥官霍斯自豪地说，奥斯维辛党卫队被赋予了一项重要的新任务："解决犹太人问题。"[61]

1942 年 6 月，奥斯维辛的新计划引发了集中营党卫队的一阵忙碌。与此同时，经销齐克隆 B 的公司领导也被召去柏林，这并非巧合；不久，奥斯维辛的毒气订单就显著增多。[62]在党卫队经济与管理部内，奥斯瓦尔德·波尔参与了重要的讨论，他1942 年 6 月 18 日和 20 日均在希姆莱身侧。[63]就在几天前，他的集中营管理者里夏德·格吕克斯（如今已经是党卫队经济与管理部 D 处的主任）曾到访奥斯维辛，跟当地的处决者当面交流。鲁道夫·霍斯在战后抱怨说格吕克斯并不喜欢听到所谓的最终解决方案。[64]从后来看这或许是真的，因为格吕克斯越来越被边缘化，不过最初他还是亲身参与的，跟阿道夫·艾希曼保持着密切联系，并且定期跟帝国中央安全局的同侪——盖世太保首长海因里希·米勒会面。[65]而且，他还向自己的新上司波尔积极表现，经常找波尔商讨大屠杀事宜。[66]

格吕克斯在 1942 年 6 月 16 日将近傍晚的时候抵达奥斯维辛，或许待到了第二天。他肯定谈到了纳粹的种族灭绝政策，因为自打他离开后，正式登记在册的犹太囚犯的死亡率就开始急速上升。[67]格吕克斯还巡视了整座集中营。他参观的地点包括主营区的老火葬场（如今正在维修）和储存被杀囚犯衣服的库房。[68]格吕克斯特别想去比克瑙看看新的灭绝设施。1 号地堡已经投入使用。同时在几百码以外，党卫队正把第二座更大一些的农舍——"小白房子"——改造成毒气室，几乎可以肯定这是最近将奥斯维辛作为欧洲死亡营的决定导致的结果。2 号地堡可能是在 1942 年 6 月末到 7 月初开始运转的。[69]

格吕克斯的奥斯维辛之行结束后一周，鲁道夫·霍斯就到访党卫队经济与管理部位于柏林－里希特菲尔德（Berlin-Lichterfelde）的总部，波尔于周四晚上，也就是 1942 年 6 月 25 日在这里举办集中营指挥官全体会议。无疑，霍斯在动身前往德国首都时就已经想到奥斯维辛即将迎来大批量的遣送。在他 6 月 24 日离开集中营搭乘火车连夜赶往柏林之前，他的下属就给格吕克斯发了一封密电，请求在第二天上午或者下午与格吕克斯私下会谈，以便霍斯可以"与旅队长您探讨紧急重要的事情"。格吕克斯的下属很快就安排了会面，地点定在党卫队工程师汉斯·卡姆勒的办公室，后者密切参与了奥斯维辛所有重要的建筑项目。[70]我们不知道这三名集中营党卫队官员在此次会面时谋划了什么。但他们肯定谈到了奥斯维辛为迎接大批犹太人所做的准备工作，这些被遣送过来的囚犯注定要死在集中营里。

大规模遣送

按照计划，载满犹太人的列车于 1942 年 7 月开始从欧洲各地抵达奥斯维辛。在之前的几个月，只有零星几次大规模输送犹太人的情况。但如今，特别是从 1942 年 7 月中旬开始就变得更常规。每次输送在 1000 人左右，基本一天就可以抵达奥斯维辛；偶尔也有两趟列车同一天抵达的情况。总之，1942 年 7 月和 8 月，超过 6 万名犹太人从法国、波兰、荷兰、比利时、斯洛伐克和克罗地亚被送进奥斯维辛。[71]帝国中央安全局下决心尽快消灭尽可能多的犹太人，因此进一步扩大遣送规模。1942 年 8 月 28 日在柏林的一次会议上，阿道夫·艾希曼告诉下属，要在接下来的几个月增加欧洲犹太人的遣送数量。指挥官鲁道夫·霍斯也从奥斯维辛被召集来参加此次会议，艾希曼的指示对他来说算是新闻（第二天，霍斯就将此事简要报告给了格吕克斯）。自 1942 年秋天起，从第三帝国及其占领地区的定期遣送拉开帷幕，最初从泰雷津（Terezín）和柏林开始。随后在 1943 年春，来自萨洛尼卡（Salonika）的遣送队伍也抵达奥斯维辛：3 月份的第一批 4 支遣送队伍给奥斯维辛集中营送来了 1 万名希腊犹太人。在 1943 年 10 月，意大利背叛盟国后，德国军队拥入意大利，第一趟帝国中央安全局的列车押送着 1031 名犹太囚犯离开罗马前往奥斯维辛。尽管从地理上看遣送的犹太人来自欧洲各地，但是在 1942～1943 年被遣送到奥斯维辛集中营的 46.8 万名犹太人中，波兰犹太人所占的比例依然是最大的。[72]

　　虽然帝国中央安全局的触角稳步延伸，但死亡列车的数量波动很大，随大屠杀的总体节奏而增减。例如在 1943 年 7 月，帝国中央安全局送进奥斯维辛的犹太人不超过 7200 人。而一个月后，随着上西里西亚东部犹太人聚居区被肃清，5 万名犹太人拥入集中营。[73]大多数列车都是从犹太人聚居地、中转营或者拘禁营而来。像扬科夫斯基那样，囚犯们通常从一个营地被分流到另一个，而集中营则是漫长旅程中的最后一站。欧洲有许多犹太营，有的如荷兰的韦斯特博克（Westerbork），至今仍广为人知，而有的如斯洛伐克的日利纳，则长期被人遗忘。[74]这些地方并不全由德国当局管理。比如德朗西就是由法国警察看守，直到 1943 年夏天才由党卫队接管。[75]这些营地的条件也千差万别；虽然一般来说这里的条件都比较差，但通常并不致命。重要的是，跟党卫队集中营不同，临时营都不是由党卫队经济与管理部来运营，除了荷兰的海泽根布什集中营（Herzogenbusch，菲赫特）。

　　海泽根布什位于北布拉班特省（Noord – Brabant），最初并不是一座党卫队集中营。1942 年夏天，荷兰的党卫队以及警察高层领导汉斯·阿尔宾·劳特尔（Hanns Albin Rauter）决定建立一座专门关押犹太人的大营："荷兰大清洗"期间，犹太人在"前往东方"之前应该被关在这里面。但在 1942 年 12 月，这处营地被归在了党卫队经济与管理部之下，成了一座正式的集中营（不过劳特尔依然参与其中，结果导致跟党卫队经济与管理部反复发生冲突）。这座所谓的犹太人中转营在 1943 年 1月 16 日开张，"许多建筑只建起了一半"，律师阿图尔·莱曼（Arthur Lehmann）回忆说，他是一名刚过五旬的德国犹太人。这座新营很快就被填满了，截至 1943 年 5 月初，8600 多名犹太男女和儿童被关在这里。许多人都享受官方豁免，可以不被立刻遣送，这导致他们产生了错误的希望，以为海泽根布什会成为一处正常的聚居点，不过是变了个名字而已。[76]

　　此时的海泽根布什只是在表面上与奥斯维辛等党卫队集中营相似。的确，这里也有为特定目的建造的营房、点名广场，以及党卫队看守和劳动。但是也仅此而已。为了不让犹太囚犯们洞悉他们最终的命运，海泽根布什党卫队表现得极为克制。起初，囚犯们还可以保留自己的衣服和财物；阿图尔·莱曼还戴着眼镜，头发略微有些凌乱，看起来更像是一位教授而不是囚犯。劳动——后来包括给飞利浦电子公司工作——时的条件基本上还是可以忍受的。尽管囚犯按性别分开管理，孩子随母亲在一起，但男女仍可以定期会面。最重要的是，营内的许多机构掌握在被囚禁的犹太人手中，就像在纳粹管辖下的犹太人聚居区一样。像莱曼这样的犹太人领袖成了内部行政机构的一把手，掌管着用于从食堂购置食物的资金，负责食物的分配，与外界的律师和亲属保持联系。这里还有犹太营警，负责在营内和仓库巡逻，还有到火车站接新来的囚犯。囚犯们如果被指控盗窃或者有其他违法行为，会由当过法官的人领导的囚犯法庭审理，而不是接受党卫队的惩罚。总之，营内很少有虐待行为，集中营党卫队也保持低调。所有这一切都可以通过相当低的死亡率反映出来，大约有 100 人死亡——几乎都是婴儿或者老人，1.2 万人活了下来。

抵达海泽根布什中转营的犹太人发现这里的条件比自己预期的更好，不由得松了一口气。当来自蒂尔堡（Tilburg）的 18 岁少女海尔格·迪恩（Helga Deen）于 1943 年 6 月 1 日来到海泽根布什集中营时，她在秘密日记中写道："目前还不算太糟，这里没有什么好怕的。"但党卫队的邪恶企图只不过暂时被掩盖了起来；恐怖潜伏在暗处，很快就将显露狰容。1943 年 7 月，仅仅在这里待了一个月后，海尔格·迪恩和她的家人就被送到东边处决了。这属于党卫队在 1943 年夏天开展的大规模行动的一部分，其间绝大部分海泽根布什的犹太囚犯——超过 1 万人——被送到索比堡处死。对他们来说，在集中营里的存活时间只剩下去往死亡营路上的这段短暂的时光了。剩下没被送走的小部分囚犯都是在飞利浦工厂做工的技术人才以及少数犹太人领袖，比如阿图尔·莱曼，他们享受的特权也被取消了。他们逐渐摸清了纳粹的真实意图，可他们在集中营里的特殊地位没能使自己免于遣送，1944 年 6 月初，党卫队将最后一群犹太人清出了海泽根布什。"我非常抑郁。"其中一个人在去往奥斯维辛的列车上草草记了几个字。莱曼自己已经在 1944 年 3 月被送走，最终被送进了奥斯维辛的劳拉赫特卫星营（Laurahütte）。他后来写道，跟奥斯维辛这样的党卫队集中营相比，海泽根布什的条件"格外好"。[77]

虽然从 1942 年夏天开始，奥斯维辛在大屠杀中发挥的作用越来越重要，但它在初期仍然是个小角色，远不如其他机构可怕。犹太人强制劳动的主要地点另有所在。1942 年底，奥斯维辛登记在册的犹太囚犯只有 12650 人。相比之下，根据党卫队的统计，仍有将近 30 万犹太人生活在总督府，大多数都在大型聚居区做苦工，比如华沙聚居区（5 万人）。欧洲其他地方的聚居区，比如罗兹（8.7 万）和泰雷津（5 万）的犹太人也比奥斯维辛多。即便在西里西亚本地，奥斯维辛也不敌党卫队区队长阿尔布雷希特·施梅尔特（Albrecht Schmelt）管理下的地区性犹太人劳动营。[78]作为死亡营，奥斯维辛更是在格洛博奇尼克死亡营的映衬下黯然失色。1942 年，大概有 19 万犹太人死在奥斯维辛，绝大多数死于比克瑙的毒气室。[79]而同年，3 座格洛博奇尼克死亡营号称清除了约 150 万人；仅在特雷布林卡死亡营就有超过 80 万人遇害，其中包括少数吉卜赛人。[80]只有到了 1943 年——当贝乌热茨、索比堡和特雷布林卡完成了它们屠杀总督府大部分犹太人的使命后归于沉寂，大多数保留下来的聚居区和劳动营也被关闭——奥斯维辛才成了大屠杀的中心。[81]

到达奥斯维辛

1942 年底一个寒冷的清晨，大批波兰犹太人从位于齐青劳区（Zichenau）的莫瓦（Mława）犹太人聚居区大门外的广场出发，踏着乡村道路上的烂泥和积雪艰难跋涉，前往镇上的火车站。男女老幼都又冷又累，他们前一夜是在聚居区附近一座阴暗破败的大磨坊里度过的。而凶狠的德国看守还要求他们快速行进，他们不得不挎着背包，携着行李箱，背着自己仅剩的财物跌跌撞撞地前行。这里面有个叫勒吉布·郎弗斯（Lejb Langfus）的人，30 岁出头，是一位宗教学者。他的妻子德博拉（Deborah）和 8 岁的儿子塞缪尔（Samuel）也跟他在一起。跟其他同行的人一样，他们也是最近才从一个小聚居区马佐夫舍地区马库夫（Maków Mazowiecki）被送进莫瓦的，因为在 1942 年 11 月下旬那里被纳粹清空了。郎弗斯和其他人终于到了火车站，汗流浃背。警察和党卫队队员让他们在火车旁边排成一队，然后将他们往车厢里推。有的家庭在混乱中被冲散了，但郎弗斯显然牢牢抓住了妻子和儿子，最终一家人挤进了同一个车厢。大概中午时分，所有车门都关闭了，列车缓缓开动。这趟列车的目的地是奥斯维辛。[82]

大部分从东欧前往死亡营的列车都一样，车厢内的条件极为恶劣，令人难以忍受。自从 1942 年夏天开始大规模遣送犹太人以来，位于东部的德国当局就青睐于没有窗户的封闭式货运车，很快，车厢里就散发出恶臭，地上洒满了屎尿。由于过度拥挤，勒吉布·郎弗斯和其他人只能直挺挺地站着，无法坐下、屈膝或者躺下，甚至连随身带着的包裹都无法打开。很快，所有人都开始感到窒息和极度的干渴。"渴的感觉主宰了一切。"郎弗斯后来在奥斯维辛集中营里偷偷写道。可怕的寂静笼罩着他所在的车厢。大多数人已经陷入半昏迷的状态，渴得连话都说不出了。孩子们也失去了精神，他们的"嘴唇已经干裂，喉咙也彻底干了"。中间只有一小段喘息的时间：中途短暂停车的时候，两名波兰警察出现在车门处，用水来换取囚犯的婚戒。[83]

　　除了饿和渴，还有令人崩溃的恐怖。在这趟和其他遣送列车上，大部分男女和儿童并不知道自己将要被送到奥斯维辛集中营，也不知道自己死期将至。但许多波兰犹太人听说过这座集中营。比如郎弗斯就知道奥斯维辛是一座臭名昭著的惩罚营，是遣送犹太人的目的地。还有关于集中营内大规模屠杀的传言。居住在奥斯维辛附近的犹太人甚至听说囚犯会被扔进"炉子"或者"毒气室"，一名来自本津的女孩于 1943 年初在日记里写道。尽管有这些传言，车上一些波兰犹太人仍然保持乐观。"往好处想。我们是去劳动的。"1942 年末，另一趟从波兰犹太人聚居区开往奥斯维辛的列车上丢弃的一封信中这样写道。但是，没有任何办法掩盖人们的焦虑。那些从中欧和西欧被输送来的犹太人和居住在离大屠杀中心较远的犹太人普遍更乐观，认为等待自己的不过就是繁重的体力劳动（出发前德国官员就是这样承诺的，来自亲友的明信片也似乎肯定了这种说法，只不过那些明信片是在党卫队强迫下写的），可波兰犹太人已经在聚居区遭受了数月的痛苦和暴力折磨。郎弗斯一家熬过了物资短缺和传染病，亲眼看见了暴力殴打、奴役劳动、公开处决和谋杀。跟波兰其他被占领的地区一样，有关纳粹在犹太人聚居区和集中营展开大屠杀的传言在 1942 年开始流传开来，所以当居住在马佐夫舍地区马库夫的犹太人得知自己很快也将被遣送时就陷入了深深的恐慌和焦虑。小塞缪尔·郎弗斯哭得不能自已，一遍又一遍地叫着："我想活着！"心烦意乱的父亲心中也极度恐惧。就在他即将登上开往奥斯维辛的列车前，郎弗斯在莫瓦度过了一个不眠之夜，跟其他人一样为自己的命运揪心："我们一直在想，旅途的尽头等待我们的是什么：生还是死？"[84]

奥斯维辛党卫队知道答案。当地警方或者帝国中央安全局（或者二者同时）负责把即将抵达的遣送批次的信息通知集中营，以便集中营提前做好准备。[85]一旦有列车抵达——这随时都可能发生——运转顺畅的党卫队机器就发动了。当值的官员吹响哨子通知指挥参谋部，并且大喊："遣送队伍已到站！"党卫队官员、医生、司机、分区主管和其他人迅速到位。医护人员有时会直接前往比克瑙的毒气室。同时，数十名党卫队看守爬上卡车和摩托车前往"犹太站台"（Judenrampe），那是位于奥斯维辛和比克瑙之间的新货运站的一部分（从 1944 年 5 月开始，遣送人员抵达的是位于比克瑙内部的另一个犹太站台）。随着列车停靠进长长的木制站台，党卫队看守"围绕列车站成一圈"，党卫队官员弗朗茨·霍斯勒（Franz Hössler）在 1945 年供述称；然后党卫队得到指令，打开车门。[86]

对车上的犹太人来说，列车到站对他们产生了巨大的冲击。1942 年 12 月 6 日，勒吉布、德博拉和塞缪尔一家以及其他从莫瓦而来的犹太人坐了一天的车，现在突然停车令他们感到迷茫。然后，所有的事情似乎发生在一瞬间。车门被拉开，党卫队看守和一些身着条纹制服的囚犯冲上去催促犹太人下车。为了提高效率，他们对那么踟蹰不前的犹太人大喊大叫、上手推搡。看守们会对囚犯拳打脚踢，不过仅止于此。看守们的克制可以更好地确保指令的执行，让囚犯顺从，这有助于隐瞒他们的命运。从莫瓦来的约 2500 名犹太人以极快的速度拥入站台，他们拉着彼此，紧抓着自己的物品；被留在车厢里的是旅途中被挤死的老人和孩子的尸体。

从黑黢黢的列车里乍然来到刺眼的光线下，头晕目眩的囚犯们不停眨眼，"大脑陷入了一片混乱"，勒吉布·郎弗斯几个月后偷偷写道。路灯点亮了他们所在的一大片区域，还有大量佩着武器和警犬的党卫队看守。在混乱和恐惧中，茫然的犹太人被迫下车，并且把自己的包裹、行李箱留下，这些行李堆由所谓的"加拿大"突击队的囚犯看管。失去财产令新来者们感到不自在，但他们还没来得及思考就被党卫队分成了两组，男人在一组，女人和大部分孩子在另一组。这个命令让许多囚犯惊呆了。他们来的时候是一大家人，但看守很快把他们拆开了，一时间兄弟姐妹、配偶、儿子和女儿疯狂地想要跟家人再拥抱一次。"哭喊声悲痛欲绝。"勒吉布·郎弗斯写道，他不得不跟自己的妻子和儿子分开。随着人群被分成两拨，相隔几码之遥，许多囚犯此生再也没能见到自己的挚爱。每拨人都被排成五人一行，走向一小批党卫队队员，郎弗斯知道，这些人将决定他们的命运——"筛选开始了"。[87]

奥斯维辛党卫队对刚抵达的犹太人的常规筛选始于 1942 年夏天，那时希姆莱决定，不能劳动的犹太人应该登上帝国中央安全局的遣送列车。[88] 由于所有上车的犹太人命已注定，希姆莱显然赞成通过筛选来决定这些犹太人何时要被处死以及用何种方式。有的人可以登记入营，面临致死的强制劳动；而其他人则直接被送进毒气室。等到勒吉布·郎弗斯和其他从莫瓦来的犹太人于 1942 年 12 月抵达奥斯维辛时——当月还有十几趟这

310

样的遣送——这种筛选早已成为惯例。[89]根据奥斯维辛政治办公室的党卫队四级小队长佩里·布罗德（Pery Broad）在战后的供述，党卫队队员在筛选时匆匆忙忙，行事"相当草率"。筛选通常一个小时就可以完成。每个犹太人跌跌撞撞地走到犹太站台站长，即主管的党卫队官员面前——通常是当值的集中营医生，受到其他高层官员，比如分区主管和劳动行动的领导人的支持——他们飞快地瞥一眼，简单地问一问囚犯们的年龄和职业，然后点头或者挥手，随意地指向左边或者右边。此时，很少有囚犯知道，这个简单的动作意味着即刻死亡或者短暂地苟活。[90]

奥斯维辛党卫队官员同意在筛选犹太人时定一个更宽泛的标准，超越早期制定的对苏联"人民委员"的筛选标准。[91]医生弗里茨·克莱因（Fritz Klein）是奥斯维辛的一名医师，他简明扼要地总结说："挑出那些不适合或不能劳动的人是医生的职责。这包括孩子、老人和病人。"[92]在纳粹针对犹太人的战争中，无论在哪里，孩子都是最脆弱的。1942 年到 1945 年间，大约有 21 万儿童被送到奥斯维辛。年龄在 14 岁以下的孩子基本上在刚到的时候就被送进了毒气室；大部分年龄稍大的孩子也没能逃脱厄运。初选后活下来的犹太儿童总共不到 2500 人。[93]许多犹太女人的处境也极度危险，即便她们健康状况良好，党卫队还是习惯将大多数母亲跟幼童一起送进毒气室，而不是在犹太站台上将她们拆散。[94]同时，有的母亲甚至好心办坏事。奥尔加·伦杰尔（Olga Lengyel）到达奥斯维辛后决心保护自己的儿子阿尔瓦德（Arvad），不让他参加恐怖的强制劳动。所以当克莱因医生问她孩子的年龄时，她坚称孩子不满 13 岁，尽管他看上去更大。于是克莱因医生按例将阿尔瓦德送进了毒气室。"我怎么会想到是这样。"伦杰尔在战后绝望地写道。[95]

一些新抵达的犹太人及时了解到了真相。就在他们爬下列车，在站台上等待的时候，"加拿大"突击队的囚犯违背了党卫队的命令，偷偷告诉了他们三条基本的筛选窍门：尽可能表现得健康强壮，称自己的年龄在 16 岁到 40 岁之间，把自己的孩子交给年长的亲戚。[96]这些建议挽救了一部分犹太人，至少是暂时的。[97]但也给许多人造成了两难的抉择。特别是年轻的母亲们不得不在瞬间做出决定，是听从陌生人泛泛的建议抛弃自己的孩子，还是跟孩子一起站到满是老弱病残、感觉不妙的队伍中？如果按照正常的道德准则来看，根本没有正确的选择。这就是学者劳伦斯·兰格（Lawrence Langer）所谓的在奥斯维辛集中营里一个"没有选择的选择"。[98]

在站台完成筛选后几小时内，大部分犹太人就被杀害了。总的来说，指挥官霍斯一直想要更多的劳动力；但党卫队区队长施梅尔特在中途拦截前往奥斯维辛的遣送车，拽出年轻的犹太人充入自己的劳动营，霍斯和艾希曼都反对这样的预选，因为会让奥斯维辛丧失最好的劳动力。[99]然而，到奥斯维辛站台筛选的时候，霍斯又强势规定"只有最健康强壮的犹太人"才能获得赦免。不然的话，集中营就会充满了需要照顾的囚犯，让每个人的生活条件更恶劣。[100]尽管内部对霍斯的强硬方法有些意见，但奥斯维辛党卫队的许多成员都支持他。据党卫队四级小队长佩里·布罗德的证言，尽管对强制劳动力有需求，但这些党卫队队员把"最大限度消灭'国家敌人'视为自己的首要任务"。[101]一些党卫队高层官员也对此表示认同，其中就包括在奥斯维辛负责监督大规模屠杀的帝国医生恩斯特·格拉维茨，他支持把毒气作为消灭集中营病人的根本武器。[102]相比之下，奥斯

311

瓦尔德·波尔和党卫队经济与管理部高层管理者经常指责霍斯，认为奥斯维辛的党卫队应该在筛选时尽可能多地留活口进行劳动，哪怕是体弱的人，哪怕只能劳动一小段时间，也应该留下。[103]党卫队最高领袖海因里希·希姆莱则在争论双方间来回摇摆。[104]

最终，在奥斯维辛集中营站台上的党卫队官员的默认选择还是毒气室；平均只有大约 20% 的犹太人被选中参加强制劳动，登记成为奥斯维辛的囚犯（不过，在不同的遣送批次和时间下，这一比例的波动也非常大）。[105]1942 年 12 月 6 日夜里，党卫队处理来自莫瓦的这批犹太人时采用的也是相似的手段。只有 406 名年轻力壮的犹太男人通过了筛选，暂时活了下来（跟以往不同的是，这次党卫队没有留任何的犹太女人）。通过筛选的少数人里就有勒吉布·郎弗斯。他的妻子德博拉和儿子塞缪尔消失在另一群人中，那其中起码有 2000 多名身体强壮的人。郎弗斯紧盯着妇女和儿童安静地爬上党卫队的大卡车，消失在明亮的灯光中。许多囚犯都被党卫队礼貌地帮助体弱者爬上卡车的举动蒙骗了，误认为这是善良的信号。其他党卫队队员则向剩余的犹太男人再次保证，他们很快就能再次见到自己的爱人。郎弗斯被告知以后他每周都可以在一个特殊的营房与家人会面。然后，这些卡车陆续发动，驶向了毒气室。[106]

火与气

被选中进入毒气室的人追随之前的卡车，从车站出发行进了 1.5 英里，经过比克瑙集中营，穿过一片草场，前往改造后的农舍。"这是一条单行道，"夏洛特·德尔博（Charlotte Delbo，1943 年初从法国而来）后来写道，"但是没有人知道。"

行进时，党卫队队员带着看门狗，始终让囚犯保持队列整齐。但他们继续欺骗囚犯，偶尔还会问问犹太人的职业和背景，并告诉他们这是要去洗澡，为了消毒杀菌。一些囚犯注意到后面还有救护车跟着，还觉得松了一口气。救护车缓慢地跟在人群后面，偶尔上面会载着无法走路的犹太人。但救护车并不是为了救护。它真实的目的是搭载负责监督大屠杀的党卫队医生，还有成罐的齐克隆 B。"没有人在意亵渎了红十字的标志，"指挥官霍斯回忆说，"他们还毫无压力地开着带有红十字标志的车前往灭绝设施。"[107]

当最终目的地映入眼帘时，第一印象令囚犯们再次感到安心：一间小小的农舍以及两座木头房子（更衣用的），周围还有郁郁葱葱的果树环绕。在场的党卫队队员更多，还有一个囚犯组成的特别工作队（Sonderkommando），他们都是来协助大规模屠杀的。当这些囚犯到达后，之前坐卡车来的人已经在农舍里面了。不久之后，两队人马会合。那些行动太慢的人会遭到党卫队的殴打和看门狗的袭击。他们蹒跚入内，最后看到的东西是敞开的大门上一块写着"通往浴室"的指示牌。等到屋子里挤满了男女孩童后，沉重的大门被锁上，党卫队医生命令卫生员往屋里投放齐克隆 B 晶体。党卫队医生约翰·保罗·克雷默（Johann Paul Kremer）曾在 1942 年秋天监督了大量毒气屠杀，他后来供述说，等到"囚犯们的惨叫和声音"消失后他就开车走了。[108]毒气室在一段时间内成了禁区，通常需要隔夜，因为 1 号和 2 号地堡没有机械通风设备来抽出毒气。[109]

当毒气室的门再次开启时，特别工作队的囚犯便开始工作。勒吉布·郎弗斯就在其中。自从 1942 年 12 月 6 日党卫队把他跟妻儿分开后，他就跟其余被选中做奴隶劳动的犹太人一起徒

313　步走到了比克瑙营区。第二天早上，他们从自己的营房被带到
了所谓的比克瑙桑拿间去完成例行的程序。洗完澡后，他们被
剃光了头发，拿到了条纹囚服；然后被文上了刺青。两天后，
1942 年 12 月 9 日晚上，以一级小队长奥托·莫尔（Otto Moll）
为首的党卫队官员突然出现在囚犯营房，宣布要挑选一批囚犯
到橡胶厂执行特别任务。囚犯们一个个走出队列供莫尔挑选。
这 300 多名犹太囚犯并不知道他们被选入了特别工作队。他们
也不知道，就在此时，他们的前辈——第一批比克瑙特别工作
队的尸体正在老火葬场的焚尸炉里。

　　第二天，12 月 10 日，新特别工作队的大多数队员在看守
的押送下走出比克瑙营区，但并不是去什么橡胶厂，而是前往
满负荷运行的毒气室（当天将近有 4500 名从荷兰、德国和波兰
来的犹太人被送进去）。在党卫队看守和警犬的簇拥下，莫尔对
新特别工作队的囚犯们发表讲话。囚犯们此时还不知道，这个
脸庞圆润、看起来相当有亲和力的小个子金发男人是整个集中
营都害怕的煞神。不仅因为他超乎寻常地野蛮，还因为他是集
中营党卫队里少数精于大屠杀和焚尸的专家之一。他向囚犯们
揭示了他们的真实任务后威胁说，拒绝服从的人会遭到毒打并
丢去喂野狗。[110]

　　一共有两支特别工作队——两座被改造的农舍各有一支——
现在每支队伍的囚犯被分为两组。其中十几人负责在 1942 年 12
月 10 日把尸体拖出毒气室，什洛莫·德拉贡（Shlomo Dragon）
就在这一组，他是个体格结实、宽肩膀的 20 岁青年。他生长于
一个波兰小镇，在华沙犹太人聚居区生活了一年多，他的父亲
和姐姐死在了那里，随后他跟哥哥亚伯拉罕（Abraham）逃了
出去。在没有证件、躲躲藏藏了数月后，筋疲力尽的兄弟俩最

终上了一辆遣送列车，以为是去强制劳动营。1942 年 12 月 6
日，他们跟身材魁梧的勒吉布·郎弗斯乘同一趟车，抵达了奥
斯维辛；跟郎弗斯一样，德拉贡兄弟被选入了特别工作队。[111]

　　1942 年 12 月 10 日，毒气室的门重新开启，什洛莫·德拉
贡戴着面具跟其他队员一起走了进去；"里面特别热，"几年后
他作证说，"还有毒气残留的味道。"随后，他们要把交缠在一
起的尸体拖出去。莫尔嫌特别工作队的因犯们动作太细致，亲
自给他们示范。"他卷起袖子，"德拉贡回忆说，"把尸体直接
从门内扔到外面的院子里。"而在院子里，另一组队员负责把尸
体上所有党卫队认为值钱的东西扒下来。有的因犯不得不把死
者的头发割下来，还有所谓的牙医要把死人带血沫的嘴撬开，
拔下嘴里的金牙（一些"牙医"隔一段时间就要去吐一下）。
等毒气室被清空后，特别工作队的因犯还要刷洗地面，撒新的
木刨花，重新清洗白色的墙面，等待下一批犹太人被送进毒气
室。[112]从现在开始，这就是什洛莫和亚伯拉罕兄弟、勒吉布·郎
弗斯和特别工作队其他成员的全部生活。

　　跟此前大规模屠杀一样，奥斯维辛党卫队很快发现处理尸
体比杀人麻烦得多。在他们匆匆建立起大型死亡营时，规划者
们根本没想到尸体的问题。当 1942 年夏天清除大批遣送队时，
这里根本没有可用的火葬场：比克瑙里的老火葬场已经损坏，
新的还没建起来。随着比克瑙毒气处决的犹太人的尸体越堆越
高，党卫队重新启用了几个月前临时采取过的老方法以解燃眉
之急，跟此前处理大批苏联战俘的尸身一样，将死去的犹太人
埋在比克瑙树林里（其中也包括数千名正式登记过的因犯）。
但这个方法很快就不可行了。等希姆莱 1942 年 7 月中旬视察的
时候，整个集中营都陷入尸臭之中。在夏季的高温之下，腐烂

314

的肢体溢出了万人坑，人们开始担心地下水源也会被污染，危及整个地区。更多需要灭绝的犹太遣送队正在前往奥斯维辛的路上，于是集中营党卫队赶紧加速在比克瑙建立新火葬场。[113]

党卫队经济与管理部的建筑专家们以汉斯·卡姆勒为中心，早就展望未来，认为以奥斯维辛在大屠杀中发挥的作用来看，只建一个火葬场是远远不够的。到了1942年8月，他们决定在比克瑙再建三座火葬场；这四座火葬场每个月一共可以焚烧12万具尸体。很快，党卫队规划者们又给比克瑙的新火葬场添加了一个额外的设施——毒气室。把农舍里的毒气设施搬到新的火葬场里便于党卫队在同一个地方屠杀和处理尸体（就像主营里的老火葬场一样）。屠杀的效率更高了。Ⅱ号和Ⅲ号火葬场基本上一样，如今都被重新设计便于进行集体屠杀，地下室里的停尸房被改造成更衣室和毒气室；添加了机械通风设施用来抽出毒气，还有一座升降机，用来把尸体从地下运到地上的焚尸炉里。相比之下，规模更小的Ⅳ号和Ⅴ号火葬场就简单多了，最初设计的时候它们就配有毒气设备；这两座火葬场都是长条形地上砖石建筑，有更衣室、毒气室（自然通风）和焚尸炉，都在同一层。[114]

党卫队决定，在比克瑙的新火葬场投入使用之前，要用燃烧坑来处理尸体。希姆莱在1942年7月中旬视察完奥斯维辛后不久就发布了一道指令，要求把比克瑙所有腐烂的尸体从地里挖出来焚毁。党卫队分队长保罗·布洛贝尔（Paul Blobel）是露天焚烧的专家，被指派来培训奥斯维辛的看守。他曾经是德占苏联地区杀手部队的指挥官，最近刚刚被希姆莱调来领导一个党卫队秘密部队，专门研究销毁大屠杀遇害者尸体的最有效方法。他用切姆诺死亡营里大批的尸体练手，迅速实践出一套有效的方法：先把尸体扔进地洞里焚烧，然后挫骨扬灰。1942
年 9 月 16 日，布洛贝尔离开奥斯维辛后不久，指挥官霍斯亲自
前往切姆诺观看集体焚尸的过程。这给他留下了极深的印象，
他迅速下令购置必要的设备，包括一个重型碎骨机。几天之内
新流程准备就绪，基本模仿了切姆诺模式。

　　1942 年秋天，党卫队连续几周强迫特别工作队的囚犯们
夜以继日地徒手将埋在比克瑙的所有尸骨都挖出来。最终，囚
犯们挖出了超过 10 万具尸体（据鲁道夫·霍斯估计）。特别
工作队中有一名囚犯叫叶尔科·黑杰布勒姆（Erko Hejblum），
他后来这样描述自己的工作："我们行走在烂泥和腐烂的尸体
间。我们本来需要防毒面具的，但是没有。尸体看起来已浮出
了地面——就好像大地将他们退了回来。"特别工作队的许多
囚犯都无法承受这样的噩梦。一周后，黑杰布勒姆"感到自己
要疯了"并决定自杀；他被一个朋友救了，那个朋友想办法把
他调去了另一个不同的劳动小队。几名拒绝工作的囚犯直接就
被枪毙了。其他人不得不继续将腐烂的尸体堆到一起以便焚烧，
起初是摞到火葬用的大柴堆上，后来改成了长方形的地沟。与
此同时，被运到奥斯维辛集体处决的新遇难者尸体在 1 号和 2
号地堡附近的燃烧坑里被销毁。焚烧后的骨灰和残骸被倒进河
里或者沼泽里。这些东西在冬天被撒在路上防滑，还能成为附
近农田里的肥料，那里正进行着希姆莱相当重视的农业实验。
如此看来，德国未来的殖民地扎根于这些被屠戮的遇害者的
遗骸。[115]

比克瑙杀人营区　　　　　　　　　　　　　　316

　　比克瑙的新设施——四座巨大的内置毒气室的火葬场——

确保了最先进的种族屠杀方案。但是新杀人设施的建造却比预期拖延了不少。集中营党卫队一直在加班加点地赶工，将所有问题都推到焚尸炉的私人承包商托普夫父子公司身上。经过几个月的延期和互相指责，四座火葬场终于在 1943 年 3 月到 6 月间陆续投入使用。[116]1943 年 6 月底，奥斯维辛党卫队建设办公室主任、二级突击大队长卡尔·比朔夫向柏林的上司汇报说，这四座火葬场 24 小时内可以将 4416 具尸体变为灰烬。[117]比朔夫如此得意，甚至将火葬场的照片挂在奥斯维辛的主楼里给所有来访者观看。[118]党卫队高层官员也自豪地带来访者参观新设施。1943 年 3 月，党卫队经济与管理部的官员观看了 II 号火葬场里第一次火化。一旦整个设施准备就绪后，党卫队就开始将新设施也纳入参观内容。当奥斯瓦尔德·波尔在 1943 年 8 月来到奥斯维辛例行视察时，他对新的火葬场区进行了彻底的巡视。希姆莱也派党卫队的干部和成员来参观学习。"他们被深深地震撼了。"鲁道夫·霍斯回忆道。[119]自从奥斯维辛被匆忙定为死亡营，党卫队如今终于发明了更持久和更系统的流程。用普里莫·莱维的话来说，集中营变成了一家转化工厂："每天列车满载着活人而来，然后产出的是他们的骨灰、头发和金牙。"[120]

奥斯维辛的死亡工厂形象唤起了它的现代本质，因为它是依赖官僚体系、铁路和技术发展起来的。[121]机械化甚至延伸到了死者登记上。每次对刚抵达的犹太人进行筛选后，奥斯维辛政治办公室的党卫队队员——他们负责监督火葬场的灭绝过程——需要确定有多少犹太人被送进了毒气室。然后他骑着摩托车回办公室准备一份统计报告，注明遣送队伍抵达的日期、来源地、到站的犹太人总数、被选中进行强制劳动或者"特别安置""特殊处理"的男女人数（党卫队一直在文件中使用掩饰性的暗语，很少会说漏嘴）。随后，奥斯维辛政治办公室将这些详细信息通过电报发给帝国中央安全局和党卫队经济与管理部，大多都是在屠杀的当天进行；有时官员们还会添加一些额外的简短说明，比如 1943 年 2 月这封电报："这批人全被特别安置了，因为男人们太虚弱，女人大多都带着孩子。"[122] 如此一来，柏林的党卫队管理层，比如阿道夫·艾希曼和里夏德·格吕克斯就能迅速掌握奥斯维辛内大屠杀的开展情况——几乎是实时跟进。

317

　　但是，流水线式屠杀并不像部分历史学家所想的那样顺畅、自动化、卫生。[123] 比克瑙杀人营区的运作效率比党卫队预期的低。[124] 不论过程设计得多么程序化，屠杀从来都不是纯粹的机械操作，其中必定有实施机构和情绪波动。每个遇难者背后都有行凶人。[125] 囚犯们临死前的几个小时——在抵达和死亡之间——充满了疲惫、恐惧和折磨。在站台上经历了痛彻心扉的分离，被转移到比克瑙后，这些将死之人在毒气室外还要面临羞辱和暴力虐待。那些拒绝脱衣服的女子会遭到侵犯，衣服被强行扒下来。拒绝进入毒气室的人会被当场枪毙或者拖进屋殴打。[126] 当隐约的怀疑变为恐怖的事实——囚犯们挤在黑暗的毒气室里，毒气晶体还没投放进来就已经几乎无法呼吸——接下来的事情无法用语言形容。站在门外的特别工作队囚犯能够听到人们在最后几分钟垂死挣扎。有的人开始撞门，有时会打碎玻璃的窥视孔以及起保护作用的格栅，还会踩踏挤压那些已经倒在地上的人。[127] 偶尔，毒气室实在装不下了，党卫队就会让囚犯们在旁边等着。他们听到里面的痛苦哀号，要等上几个小时才轮到自己去死，这简直是"世界上最可怕的痛苦"，勒吉布·郎弗斯在秘密日记中这样写道。"如果你没有经历过，你根本就想象不出来，一点儿都不能。"[128]

另一个不解之谜——也跟奥斯维辛的死亡工厂形象贴合——就是遇害者完全消极的态度。[129] 在这里，将死的因犯就像呆滞的物体，完全不想打乱现代化屠杀的步骤，而是直接迈向死亡。这种观点被心理学家布鲁诺·贝特尔海姆推向极致，他本人就是一名战前集中营的幸存者（他在 1938 年 6 月到 1939 年 5 月间曾先后被关在达豪和布痕瓦尔德集中营）。几十年之后仍然恐惧不安的贝特尔海姆在 1960 年一篇简短的论文中猛烈攻击遇难者：欧洲的犹太人放弃了求生的欲望，然后"像旅鼠一样"，自觉地"走进毒气室"。[130]

贝特尔海姆大错特错。首先，只有一小部分犹太人在到达奥斯维辛毒气室的时候知道自己必死无疑。燃烧的地沟和火葬场冒着浓烟的烟囱都是不祥的信号，但即使是那些对最坏的情况深感恐惧的人也仍然怀有一线希望。党卫队也一直维系着这种希望。尽管偶尔有暴力行为，集中营党卫队还是努力欺骗受害者直到最后一刻，以防他们出现任何反抗的举动。屠杀开始前，党卫队官员一般都会在毒气室外简单地宣布类似如下的内容："保持冷静，你们是来洗澡的——所以要脱衣服并把衣服叠好后再走进浴室。然后你们就能收到咖啡和食物。"

为了进一步安抚这些必死的犹太人，特别工作队的因犯一般都要重复相同的故事，他们非常明白，任何多余的话都可能令自己丧命（1943 年夏天，一名特别工作队的因犯告诉一名年轻的犹太女人，她将被送进毒气室，结果前者当着队友的面被活活烧死）。看到这些人凄惶无助，特别工作队的因犯认为真相只能令他们更痛苦。[131] "我们说的全是谎话，"其中一名特别工作队成员在战后接受采访时说道，"我总是尽量避免直视他们的眼睛，这样他们就不会发现我的异样。"[132] 奥斯维辛营区内其他

318

地方的一些囚犯也十分能理解特别工作队所处的尴尬境地。[133]

即便囚犯们知道了自己即将要被处死的实情，想要组织一场暴动起义也是不可能的。他们已经处于茫然失措的状态——劳累、饥饿、被看守不停驱赶——根本没有时间去思考或者商量。据一名特别工作队的队员所说，来自塔尔努夫聚居区的犹太人从毒气室外的特别工作队那里得知自己即将被杀后，他们"变得严肃且安静"。然后，"他们开始用颤抖的声音吟诵悔过祷"（这是犹太人在临死前忏悔自己所犯过错的祷文）。然而，不是所有人都相信自己会死；一个年轻人站到长凳上让大家冷静，告诉他们不会死，因为世界上任何地方都不会发生大规模屠杀无辜之人的野蛮之举。[134]这一切痛苦和煎熬——有时也会转化为无意识的反抗和蔑视——都跟贝特尔海姆口中"自愿走进帝国火葬场"的行为相去甚远。[135]

种族屠杀和集中营体系

1942～1943 年，种族屠杀整体上改变了集中营体系。它从地理上一分为二。自从党卫队开始努力让战前德国境内的集中营彻底"摆脱犹太人"，西集中营系统中的犹太人很快就绝迹了。而在东集中营体系中，那些被挑选出来劳动到死的犹太人（不会立即被处决）如今成了正式囚犯的主体。到了 1943 年秋天，东边关押了成千上万的犹太人（数十万人已经被杀），不光是奥斯维辛，还有马伊达内克和几座专门为犹太囚犯而建的新集中营。

马伊达内克死亡营

波兰总督府的马伊达内克集中营是党卫队集中营系统中除

319

奥斯维辛以外唯一一座以种族屠杀为目的的死亡营。它的转变也遵循了相似的轨迹。就像在奥斯维辛一样，1942 年春天开始有大批犹太人被遣送过来，起初是为了顶替苏联的奴隶劳工，实现党卫队规划的殖民地方案。1942 年 3 月末至 4 月初，约有 4500 名年轻的斯洛伐克犹太人被送到马伊达内克。他们的首要任务之一就是填平万人坑，里面埋的是此前几个月死亡的苏联战俘——不祥地预示着犹太人即将到来的命运。[136]在接下来的几个月里，更多的数以千计的犹太人从斯洛伐克、波兰总督府、德占捷克和德国被运送过来。[137]马伊达内克如今急速发展。1942 年 3 月 25 日那天，这座集中营还几乎完全空置，只有差不多 100 名囚犯，其中没有一个是犹太人。仅仅过了 3 个月，到 1942 年 6 月 24 日，营里关押了 10660 名囚犯，几乎全是犹太人。很快，这里也开始接收女囚犯。希姆莱在 1942 年 7 月下令，以奥斯维辛为榜样在卢布林建立一座关押女囚的集中营；于是，党卫队经济与管理部将它定为了马伊达内克的附属营。第一批犯人于 1942 年 10 月抵达，到年底时营里已经有 2803 名女囚，绝大多数都是犹太人。[138]随着马伊达内克被拉入纳粹大屠杀的队伍，它变成了一座专门关押犹太人的集中营。

马伊达内克仍然是一个大建筑工地，环境肮脏，全是泥地。这里没有电，没有污水管道系统，没有干净的供水，大多数囚犯都挤在简陋、拥挤、没有窗户的木制营房里，冬天冻得要命，夏天又跟蒸笼一样热（只有到了 1943 年条件才有所改善）。有一名囚犯叫迪奥尼斯·莱纳德（Dionys Lenard），他是斯洛伐克犹太人，于 1942 年 4 月被送进马伊达内克。没过多久他就逃跑了，并在同年晚些时候记下了自己的经历。莱纳德生动地记述了囚犯们如何被逼着修建集中营、建起更多的营房、平整土地、进行其他折磨人的劳动，总是在党卫队的逼迫和骚扰下。这种疯狂的劳动节奏是指挥官卡尔·奥托·科赫设定的，他于 1942年初来到这里；跟他一起上任的还有从布痕瓦尔德指挥参谋部来的深受信赖的党卫队老成员。他们刚刚参与了对苏联"人民委员"的集体处决。莱纳德还写了许多有关马伊达内克集中营里奴隶劳动的内容，囚犯们甚至自愿加入"屎队"以逃避施工任务；在马伊达内克，拎粪桶也好过在党卫队的驱赶下背着沉重的砖头或者木头满院子跑。

迪奥尼斯·莱纳德这样的囚犯永远被饥饿和干渴折磨。马伊达内克集中营里的食物既贫乏又恶心，几乎全是寡淡的野菜汤。这里也没有水可以喝，因为刚开始囚犯们不得使用唯一的一口水井，那口井正好紧挨着满得要溢出来的公共厕所，据说已经被污染了。水资源的极度匮乏也意味着囚犯们每周只能梳洗一次。莱纳德梳洗得更频繁，因为他用的是每天早晨发给囚犯们的温暖的液体（所谓的咖啡）："反正也不能入口。"虱子和跳蚤到处都是，据莱纳德观察，一半囚犯都患有痢疾。然后就是这里的泥土。只要一下雨，哪怕很小的雨，整个营地就会半陷入烂泥之中。"没见过卢布林集中营里面的烂泥就不知道真正的烂泥是什么样。"莱纳德写道。他穿着木鞋根本没有办法顺利走过浸水的泥地。摔倒甚至可能致命。有一次，一个斯洛伐克犹太老人跌倒了，弄脏了路过的一名党卫队队员的裤腿，后者当即"拔枪打死了他"。[139]

莱纳德是少数 1942 年登记在册并且活下来的马伊达内克犹太囚犯。大部分人屈服于冷落和虐待；那一年，14000 多名登记在册的犹太囚犯死在了营里，还有大约 2000 名其他的犯人。一名党卫队经济与管理部的官员在 1943 年 1 月视察后记录道，

320

马伊达内克的两个焚尸炉几乎"无法跟上"死人的速度。[140]许多囚犯经过党卫队在医务室和主营区的筛选后被杀害。例如1942年夏天，当斑疹伤寒在营区内扩散，数千名囚犯（基本都是斯洛伐克犹太人）被党卫队隔离枪毙。1942年7月14日，在集体筛选了1500名囚犯后，一名波兰囚犯秘密记录了遇害者被卡车拉到附近的树林里杀掉和掩埋。"这就是马伊达内克对抗斑疹的方法。"他补充道。[141]

哪怕在1942年中期死亡现象如此寻常，党卫队仍没把马伊达内克作为死亡营（因此没有对新来者进行筛选）。当总督府要执行所谓的最终解决方案时，党卫队将目光投向了格洛博奇尼克死亡营，哪怕这意味着遣送距离更远。党卫队在1942年春天清空了卢布林犹太人聚居区，将3.6万居民中的3万人遣送，然而并没有选择几步之遥的马伊达内克集中营作为目的地，而是将他们塞进了驶向贝乌热茨的列车。在接下来的几个月，马伊达内克（以拘禁和致命劳动为目的）和格洛博奇尼克死亡营（即时灭绝）之间的功能性差别依然存在。实际上，通往贝乌热茨和索比堡死亡营的列车偶尔会在卢布林停下休息。在这里，适合劳动的犹太男人会被拉出来送去马伊达内克集中营参与施工建设；其他人则留在车上，被送进死亡营。[142]

马伊达内克的地位从1942年下半年才开始改变。自入夏以来，当地的集中营党卫队就计划着建造毒气室，新设施大约在10月竣工。尽管党卫队做得很隐秘，把这个在集中营入口旁的小石头房子标记为"浴室"，但很快所有人都知道了里面的乾坤。不同寻常的是，这里的毒气室既可以用齐克隆B（跟奥斯维辛一样），也可以用一氧化碳（跟格洛博奇尼克死亡营一样）。刚开始的几个月，在这里被杀的人大部分是马伊达内克集中营里登记过的、患有斑疹伤寒的囚犯。但是，集中营党卫队也开始对新来者进行筛选，从那些来自卢布林劳动营和当地迈丹塔塔尔斯基聚居区（它代替了卢布林老聚居区）的犹太人里挑出身体虚弱或者患病的人送去毒气室。[143]

　　1942 年底，马伊达内克彻底转变成了一座死亡营。显然，这跟 1942 年 12 月中旬突然暂停向贝乌热茨集中营大批输送犹太人密切相关。[144]在接下来的两周里，直到 12 月 31 日，数千名波兰犹太人被送进马伊达内克的毒气室。[145]自 1943 年春天起，随着党卫队加大对剩余犹太人聚居区的清除，更多的灭绝遣送队抵达这里，营中也首次出现了孩子的踪影。一个个完整的家庭从华沙和其他地方被送到马伊达内克，而党卫队如今会对新来者进行常规筛选。跟奥斯维辛一样，首先被送进毒气室的是孩子、妇女和老人。列夫卡·阿沃隆斯卡（Rywka Awronska）于 1943 年春天从华沙被遣送过来，同车的还有数百名妇女和儿童。在浴室里，他们必须脱光。党卫队会挑出那些"看起来足够健康，可以劳动"的人，给他们登记，并将他们押送到集中营。而其他人，据阿沃隆斯卡回忆，"很快就被带走了，我认为他们都被送进了毒气室"。1943 年 1 月到 10 月，总共有至少1.6 万犹太人死在了马伊达内克，大多都丧命于新建的毒气室。他们的尸体被拉到离集中营有一定距离的树林里焚烧。为了学习露天火化的技术，马伊达内克火葬场负责人、党卫队二级小队长埃里希·穆斯班德（Erich Muhsfeldt）还在 1943 年 2 月去奥斯维辛向同行们取经，寻求灵感。[146]

　　但是，马伊达内克从来都不是奥斯维辛的对手。身为一座奴隶劳动营，它一直都无足轻重。党卫队将资源和囚犯着重投入奥斯维辛集中营，在被征服的东部地区，它就是党卫队集中

营的杰出示范。对比之下，马伊达内克被督察官格吕克斯形容
为"差劲的集中营"——破旧、偏僻、肮脏。囚犯们也被两座
322 集中营的差别惊呆了。当鲁道夫·弗尔巴（Rudolf Vrba）回想
起两年前，也就是 1944 年 4 月他从马伊达内克被送到奥斯维辛
的情景时，他说"体验过卢布林肮脏简陋的营房后，这里的砖
石建筑（在奥斯维辛主营区里）给我留下了很好的印象。我们
以为自己选对了"。当奥斯维辛推动光鲜的经济项目时，在小小
的马伊达内克集中营里，大多数囚犯还在进行营地建设和维修；
尽管死亡率很高，但这里的劳动力总是供过于求。[147]同样身为大
屠杀死亡营，马伊达内克却只能居于二线。党卫队经济与管理
部和帝国中央安全局的领导都认为，从交通的角度考虑，奥斯
维辛更便于接收来自西欧和中欧的遣送队，而在波兰总督府捕
获的犹太人大多被送进了格洛博奇尼克死亡营。[148]

剖析参与赖因哈德行动的集中营

历史学家试图在格洛博奇尼克死亡营（贝乌热茨、索比堡
和特雷布林卡）和两座最密切参与种族屠杀的党卫队集中营
（奥斯维辛和马伊达内克）之间划出一条明确的界限。的确，
这两类集中营在结构和组织上有根本性的区别。首先，它们分
属不同的上级部门——格洛博奇尼克办公室（位于卢布林）和
党卫队经济与管理部（位于柏林）。格洛博奇尼克死亡营里的
职员由元首总理府安排，主要人员都来自"安乐死"项目，这
些人总聚在一起，即便他们 1943 年秋天在东边完成杀戮任务之
后依旧如此。与此同时，身为纳粹恐怖统治的奇袭部队，集中
营党卫队的官员自成一派，看不起格洛博奇尼克杂七杂八的杀
手帮派，按鲁道夫·霍斯的话来说，那些人是"彻头彻尾的失

败者，被挑选出来聚在了一起"。[149]

两类集中营的行凶者不同，受害者也不同。在贝乌热茨、索比堡和特雷布林卡，丧命的绝大部分犹太人都来自波兰总督府，而在奥斯维辛被杀的人大多来自西欧和南欧地区。[150]而且，两类集中营的运营也有巨大的差别。格洛博奇尼克死亡营只有一个目的：快速消灭遭送过来的犹太人。相比之下，奥斯维辛和马伊达内克即使成了大屠杀死亡营，也一直都储备着奴隶劳工；这两种性质并存，通过对遭送来的犹太人进行大规模筛选就可以体现出来。这跟格洛博奇尼克死亡营完全不同；筛选在遭送队伍出发以前已经完成——在犹太人聚居区和其他地方——那些上了车的人注定都是要死的。贝乌热茨、索比堡和特雷布林卡的党卫队官员只需要非常少的囚犯来维持集中营的运行；据估计，每 100 个囚犯中只有 1 个能多活几个小时。即使在 1942 年秋天大规模屠杀到达顶峰的时候，这三座死亡营里也总共只有不到 2500 名所谓的"犹太工人"负责维持营内的正常运转，协助开展大屠杀，给死者的财物分类。正因如此，这三座死亡营都不大。比如索比堡最初测量时大概只有 600 码长，400 码宽；它的核心工作人员包括 20～30 名德国官员、约 200 名外国帮手（所谓的特拉维尼基人），还有 200 或 300 名犹太囚犯，这些犹太人因为被选出来工作所以暂时免于一死。但是，所谓的奥斯维辛利益区大概有 25 平方英里之大（不包括几个更遥远的卫星营）；到 1943 年 1 月末，在整个奥斯维辛集中营区有 40031 名囚犯（包括 14070 名犹太人），由数千名党卫队看守管理。[151]格洛博奇尼克死亡营的恐怖远甚于奥斯维辛，已经成了它最本质的特性。

但是，这两类死亡营间的联系比外界设想的更紧密。首先，

323

大规模屠杀的程序基本相同。跟党卫队经济与管理部下属的死亡营（和切姆诺）一样，格洛博奇尼克死亡营也依靠欺骗、速度、威胁和暴力相结合的手段。伊莱亚斯·罗森贝格（Eliasz Rosenberg）是特雷布林卡的少数幸存者之一，当他 1942 年 8 月从华沙被遣送到这里时，他看到一个大标语告诉犹太人"此路通往浴室。领取干净的衣服，然后转往其他集中营"。那里有干净整洁的花坛和安抚人心的讲话，党卫队告诉受害者洗完澡就会被转移到工作营，而且衣服都是消过毒的（有些骗人的把戏后来不用了，因为大屠杀的事已经在波兰犹太人中传开了）。遇难者们根据性别被分开，在特殊的营房里脱掉衣服，然后以飞快的速度被驱赶进毒气室，其间经常伴有党卫队队员的拳打脚踢。每次屠杀后，跟营里其他人隔开关押的一群犹太囚犯就要开始行动了。他们跟奥斯维辛里的特别工作队一样负责处理尸体，剥下死人身上的黄金制品，为下一场屠杀做好准备。伊莱亚斯·罗森贝格就是这些囚犯中的一员。他和其他同伴必须跑着将尸体搬运到巨大的万人坑（后来改用铁路电车运送尸体）。1943 年 2 月底，在党卫队的监督下，腐烂的尸体被重新挖出来扔进浅沟里进行焚烧。[152]格洛博奇尼克死亡营跟奥斯维辛和马伊达内克集中营的相似之处一目了然，主要归因于保罗·布洛贝尔等党卫队火化专家的影响，以及在"安乐死"项目中试行过的大屠杀技术。[153]

其次，在贝乌热茨、索比堡和特雷布林卡的小型劳动营区内，许多基本构造直接效仿党卫队集中营系统，可能是以前通过 T-4 行动来到这里的一些前集中营党卫队队员带过来的，如今这些人都在格洛博奇尼克死亡营里占据高位。比如，营内也有点名场，有严格的囚犯等级，包括营区长、监工和营头。对因犯的惩罚措施也跟党卫队集中营如出一辙。一名索比堡的士官在战后作证说，为了"维持营内的纪律"，"犹太工人"经常会遭到鞭打，在集合的囚犯面前被打上 10～25 鞭。[154]

党卫队经济与管理部管辖下的集中营和格洛博奇尼克死亡营的联系不只是结构相似这么简单。它们之间在机构运营上也有联系，因为双方都参与大屠杀。1942 年夏天，希姆莱让党卫队经济与管理部负责处理赖因哈德行动期间积累的所有贵重物品，包括格洛博奇尼克死亡营里劫掠的财物；党卫队经济与管理部高级官员视察了死亡营，以确保中央的命令得到落实。[155]除了发死人财以外，双方还合作剥削犹太劳动力。[156]双方在马伊达内克集中营上的合作最为紧密。纳粹地方头目通常会参与附近集中营的事务。[157]但格洛博奇尼克不断插手马伊达内克集中营的事务实属罕见。他密切参与了营内的施工项目，甚至把搜刮犹太人得到的一部分资金用于资助马伊达内克的扩张。[158]尽管这座集中营隶属于党卫队经济与管理部，他却可以不经正式通报就进入营区。他经常会到访此地，有时甚至在夜里；他最大的兴趣似乎在新建的毒气室上，那也是他提议的。[159]很多次，格洛博奇尼克将马伊达内克当作他自己的集中营，直接给集中营党卫队下命令，甚至提议给指挥官赫尔曼·弗洛施戴特（Hermann Florstedt）升职。[160]

但这并不意味着参与赖因哈德行动的各个单位是一个无缝衔接的整体。正如我们所见，党卫队经济与管理部下属的大屠杀集中营和格洛博奇尼克的死亡营在定位和组织结构上相互独立。双方的官员也对彼此心存敌意，在杀人和掠夺财物时互相竞争。格洛博奇尼克的主要对手是奥斯维辛集中营指挥官鲁道夫·霍斯，后者在战后回忆说自己的对手"一门心思要凭

'他'的大屠杀战绩拔得头筹"。但霍斯认为自己才是种族屠杀的大师，格洛博奇尼克不过是一个只会高谈阔论的外行，通过歪曲事实、夸大其词和谎言来掩盖"卢布林地区在执行赖因哈德行动时的混乱"。[161]

霍斯和格洛博奇尼克之间的紧张关系在参观彼此的死亡营时进一步加剧。霍斯参观特雷布林卡——格洛博奇尼克最致命的死亡营——时不以为意。他认为一氧化碳"效率不高"，因为马达经常不能将足够的气体送进毒气室，达不到立即杀死犹太人的效果。"我们另一处比特雷布林卡强的地方，"霍斯写道，"就是我们的毒气室可以一次性容纳 2000 人。"即使在联合囚禁方面，霍斯对自己的残忍发明也充满了职业自豪感。[162]对他而言，奥迪路·格洛博奇尼克和手下显然顶着压力不去将毒气从一氧化碳改为齐克隆 B，因为奥斯维辛在这方面是先驱。[163]格洛博奇尼克还利用参观比克瑙的新火葬场和毒气设施的机会贬低当地的运作，令霍斯十分恼火。格洛博奇尼克不仅没有像其他参观者一样对最新的屠杀设备赞叹不已，还声称自己的属下动作更快，而且向霍斯宣讲自己营里更高的屠杀能力。他"在所有场合都极度夸张"，霍斯在战后写道，格洛博奇尼克试图超过他，把自己奉为第三帝国最优秀的屠杀大师的事依然让他愤愤不平。[164]霍斯和格洛博奇尼克之间的杀戮竞争再一次显示了两类集中营的纠缠。鉴于这些和其他方面的联系，再不能说格洛博奇尼克死亡营和党卫队集中营系统之间没有制度和组织上的关联了。[165]东欧不同类型的纳粹死亡营里展开的大屠杀是党卫队的集体努力。

犹太人的新营

大屠杀持续得越久，集中营的参与就越密切。1943 年，集中营系统在纳粹大屠杀中的作用越来越显著，因为大屠杀的重心从东欧的战场和格洛博奇尼克死亡营转移到了比克瑙的新杀人营区，在较小的程度上甚至也移到了马伊达内克。与此同时，党卫队集中营系统也成为一个更大的犹太奴隶中心。1942 年 10月，希姆莱告知奥斯瓦尔德·波尔和其他党卫队领导，波兰总督府剩余的犹太苦力应该被塞进集中营，直到这些犹太人也"顺应元首的意愿，在某一天消失"。第二年，希姆莱又持续在德占波兰和德占苏联地区削减劳动营和犹太人聚居区的数量。　326为了确保重要项目能够继续进行，党卫队在原先的犹太人聚居区和劳动营建立了几座新集中营，扩大了对剩余犹太劳动力的控制。[166] 奥斯瓦尔德·波尔在党卫队经济与管理部刚接手集中营系统时就开始设想建立新的集中营。[167] 从 1943 年春天起，扩张成了现实，并且速度很快。短短几个月内，党卫队经济与管理部就在东欧的华沙、里加（Riga）、瓦伊瓦拉（Vaivara）和科夫诺（Kovno）建起了 4 座主要的集中营，还有几十个卫星营。跟其他党卫队集中营不同，这些新营专门为剥削犹太奴工而建。

　　其中一座位于东欧的新集中营于 1943 年 7 月在华沙开始运　327营，它建在一个大型犹太人聚居区的废墟之中。1943 年 1 月，德国试图围捕此地的犹太人并遣送到集中营，但遭到了武装抵抗，希姆莱大怒，下令摧毁整个聚居区。德军在 1943 年 4 月 19日发起攻击，遭遇了犹太人绝望的抵抗。经过 4 周的屠戮，起义被粉碎，数千名犹太男女和儿童丧生。希姆莱随后命令经济与管理部夷平聚居区的废墟。这个计划包括建立一座新集中营（此类方案从 1942 年秋天就被摆到了桌面上），关押的囚犯可以用来拆除遗留的建筑。尽管有几批大规模的遣送，但华沙集中营仍比预期的要小；跟 1 万人的目标比起来，截至 1944 年 2

示意图4　1944年夏，党卫队集中营（主要集中营）

月，只有 2040 人协助进行拆除工作。集中营本身建立在一个曾经的军用监狱之上，使用被摧毁的聚居区的材料进行扩建。废墟中的工作——拆墙、搜集废金属、码砖——既辛苦又危险，而且这样一座被纳粹血洗的鬼镇对囚犯们的心理也有巨大影响。"聚居区的街道对我们来说是十分恐怖的场所。"波兰犹太人奥斯卡·帕斯曼（Oskar Paserman）回忆说，他是 1943 年 11 月底从奥斯维辛被送来这里的。起义过后已经数月，帕斯曼依旧会被腐烂的尸体绊倒。"地下室里或者废墟下的尸体发出阵阵恶臭。街上到处都是家具的碎片和被烧毁的衣服。"[168]

　　华沙犹太人起义之后，党卫队领导人立刻加紧清除东部占领区剩余的劳动营和聚居区。他们的大部分注意力都集中在帝国东方总督辖区（Reich Commissariat of the Eastern Land），也就是在德国民政管理局统治下的区域，包括部分白俄罗斯地区，以及拉脱维亚、立陶宛和爱沙尼亚这三个在《苏德互不侵犯条约》中被苏联吞并的波罗的海国家。1943 年 6 月 21 日，海因里希·希姆莱命令关闭东部地区的所有犹太人聚居区。幸存的犹太人被强行关进集中营劳动，而那些无法进行努力劳动的人则会被消灭。尽管德国军队和民政管理局中有一些官员表示反对，担心失去"他们的"犹太劳动力，影响军工生产，但这个命令在接下来的几个月依然得到了落实。[169]

　　波罗的海地区第一座新集中营设施出现在拉脱维亚。自1941 年夏天德国入侵此地后，当地的党卫队官员就开始游说，想在里加附近建一座专门关押犹太人的集中营。一份当年秋天党卫队内部的备忘录显示，这样一座地区性集中营跟犹太人聚居区相比有诸多优势：可以更彻底地剥削劳动力，而且男女分开管理还可以"避免进一步繁育犹太人"。[170]但是，直到党卫队的势力扩展到波罗的海地区后才终于建起了这样一座犹太人集中营。1943 年 3 月，大约在希姆莱到里加视察期间，从萨克森豪森运来 500 名囚犯，他们在凯萨瓦德（Kaiserwald）——两次世界大战期间以独特的海水浴场闻名——的近郊地区开始修建集中营。新集中营的规模比标准的党卫队集中营小，男囚和女囚的营房各四座，中间用电网隔开，营区周围也有电网将其与外界隔离。从 1943 年 7 月开始，这里就装满了犹太囚犯，包括大批从 1941 年到 1942 年被遣送到波罗的海地区的德国和捷克犹太人。起初，大队人马携带着自己剩余的物品，从附近的里加聚居区来到这里，聚居区在 1943 年 11 月被清空；随后，大批的遣送队伍从波罗的海地区其他较远的聚居区以及匈牙利（经过奥斯维辛）来到这里。但是大部分囚犯并没有在这里停留太长时间。党卫队很快意识到，把当地所有犹太人强制劳动的地点搬进这样小的里加集中营并不现实，于是很快在工厂附近建了卫星营。总共至少建起了 16 座这样的营地，大多数位于里加。凯萨瓦德主营如今更多地发挥了中转站的作用；登记之后，新囚犯很快就被分流到各个卫星营。到了 1944 年 3 月，里加大大小小的卫星营一共关押了大约 9000 名囚犯，主营里大概只有 2000 人。[171]

这种失衡在另一座波罗的海的新集中营——位于爱沙尼亚东北部的瓦伊瓦拉更明显。里夏德·格吕克斯承认，一小支党卫队分遣队必须在那里即兴发挥，"彻底从零开始"开辟一片天地。经过仓促的准备，这座集中营于 1943 年 9 月 19 日正式开始运营，在短短几周内蓬勃发展，至少拥有了 11 座卫星营；其中 7 座——比如西边 150 英里外的科隆卡卫星营——在规模上可以媲美甚至超越了瓦伊瓦拉主营。囚犯中很多都是一家人，年幼和年老者最先被党卫队的暴力统治和繁重的劳动压垮，这里的劳动内容包括基建工程、生产炸药，以及从沼泽地带开采油页岩。仅在 1943 年 11 月，9207 名关押在瓦伊瓦拉集中营区的囚犯中就有 296 人死亡。在随后的寒冬里又有数百人丧生。[172]

帝国东方总督辖区第三座主要的集中营位于立陶宛的城市科夫诺。跟里加一样，当地的党卫队早在 1941 年夏天就申请建造一座犹太人集中营，但直到 1943 年秋天才建起来。在党卫队最后一次大力清除聚居区时，科夫诺聚居区变成了集中营的主营，到年底时关押了约 8000 名犹太囚犯。该地区其他聚居区和劳动营变成了科夫诺的卫星营，其中包括立陶宛最大的犹太人聚居区维尔纳（Wilna）。党卫队怀疑维尔纳是犹太人暴动的温床，于是在 1943 年夏秋时节摧毁了它。大概 1.4 万犹太人被遣送，大部分被送进了集中营当奴工，在爱沙尼亚开采页岩，这是希姆莱的重点工程。一名被遣送的囚犯从瓦伊瓦拉寄回维尔纳的信中说："我们还活着，在劳动……这边总下大雨，而且特别冷。条件很差……你能留在维尔纳真好。"事实上，那些留下来的人面临着党卫队的残暴统治，因为这里已经从以前的聚居区变成了集中营。截至 1943 年底，在维尔纳的 4 座卫星营里总共只有 2600 名犹太人还活着。[173]

东欧的这些新集中营有一些独特之处。第一眼看去，这些营区就跟集中营体系在 20 世纪 30 年代创立的标准模式有很大差别。许多囚犯依然穿着平民服装，有时一家人还住在一起。在像科夫诺这样的前聚居区里，囚犯们甚至仍住在以前的房子里（犹太人委员会起初也保留了下来）。跟老一些的集中营相比，波罗的海地区集中营的另一个特点就是蓬勃兴起的卫星营，它们关押的囚犯数量开始超过主营区。至于新集中营的行政管理方面，机构设置并没有严格按照党卫队指挥参谋部的五大办公室模式，这在 20 世纪 30 年代中期以来已经成了党卫队集中营的标准架构。相反，党卫队的内部组织被极大地精简。[174] 而且，当地集中营党卫队员工的管理也采用了新方式；虽然最高权力依旧在党卫队经济与管理部总部手中，但波罗的海地区的指挥官不仅需要向柏林方面汇报工作，还要向位于里加的地区经济与管理办公室汇报，这个办公室由所谓的党卫队经济官员（党卫队的管家）领导，负责该地区的集中营以及其他经济和行政事务。[175]

但是在德国占领的东欧地区，这些新集中营并没有脱离党卫队集中营体系。首先，这些集中营仍隶属于党卫队经济与管理部，大多数规矩和人员都来自常规的集中营党卫队。其次，整个集中营体系从 1943 年秋天开始转变，变得更加多样化和去中心化，重心从主营区向众多卫星营转移就是具体表现。从这点来看，东欧的新集中营代表了即兴出现的一种集中营类型，330 体现了纳粹执政末期集中营系统的特性——彼时中央集权被削弱，为了支持日益衰落的第三帝国做最后一搏，许多惯例都被废除了。

"丰收节"行动

集中营党卫队在波罗的海地区落地生根的同时也在德占波兰地区继续扩张。在被吞并的波兰地区，集中营系统迎来了许多新成员。从 1943 年 9 月开始，党卫队经济与管理部开始从党卫队区队长阿尔布雷希特·施梅尔特手中接管西里西亚地区剩余的大型强制劳动营；大约有 20 座集中营成了格罗斯 – 罗森集中营的卫星营；还有几座成了奥斯维辛的卫星营。其中最大的卫星营是布拉霍夫尼亚（Blachownia）：它在 1944 年 4 月被划给奥斯维辛时有 3000 多名囚犯在合成燃料工厂做苦工。[176]在东边更远一些的地方，在波兰总督府，以前的犹太人劳动营也到了党卫队经济与管理部手中。移交的具体细节是在 1943 年 9 月 7 日波尔、格吕克斯和格洛博奇尼克在高层会晤时敲定的，格洛博奇尼克还同意把自己在卢布林地区的劳动营（大概有 10 座）变成马伊达内克集中营的卫星营。此外，波兰总督府其他的大型劳动营也成了党卫队集中营，正如波尔所说，这一切"都是为了整体清剿"；过了几周，在下属去当地视察之后，波尔批准了一个新集中营的选址清单，里面包括拉多姆（Radom）和克拉科夫－普拉绍夫（Krakow－Plaszow）。[177]

党卫队经济与管理部的扩张计划在 1943 年 11 月初被波兰总督府突如其来的血雨腥风打断了。仅在卢布林一地，党卫队和警察就屠戮了集中营里约 4.2 万犹太人。显然，希姆莱下这道指令是因为格洛博奇尼克手下唯一仍在运营的索比堡死亡营最近发生了囚犯起义。1943 年，索比堡里大规模屠杀的频率已经比前一年低了许多，一旦希姆莱放弃将索比堡变为党卫队集中营的计划（由于波尔和格洛博奇尼克的介入），这座死亡营和剩余的囚犯被清除就只是早晚的问题。然而党卫队还没来得及实施清除方案，囚犯们就起义了。1943 年 10 月 14 日，囚犯们袭击并杀死了 12 名党卫队队员和 2 名乌克兰帮手，350 多名囚犯试图逃跑，许多人都成功了。此时的党卫队领导已经处在风口浪尖，两个月前刚在特雷布林卡发生了类似的暴乱，春天在华沙也发生了犹太人起义，而且党卫队越来越惧怕剩下的犹太人聚居区和劳动营存在的危险，因此希姆莱下令在波兰总督府东部对犹太劳工实施大规模屠杀。[178]

马伊达内克集中营成了大屠杀的中心。1943 年 11 月 3 日，在"丰收节"这个充满田园风情的代号下，1.8 万余名犹太人在这里被杀。当天早晨，营内 8000 名犹太囚犯被隔离，那些试图躲藏的人被看守和警犬拖了出来。在集中营党卫队的驱赶下，囚犯们沿着营内的主干道前行，1 万名从附近卢布林劳动营来的囚犯陆续加入行进的队伍。他们走到新火葬场（从 1943 年 9 月开始建设）的建筑工地后面停了下来，这里是营里较远的一处角落。在这里，男人、女人、儿童被逼着脱光衣服趴在大土

331

沟里，然后从脑后被一枪打死，或者被机关枪扫射；那些没有被打死的人被压在后来死去的尸体底下，惨遭活埋。大多数杀手是军官和警察，专门被派到马伊达内克的。战后，其中一名杀手约翰·B.（Johann B.）操着一口轻快的巴伐利亚口音向一个影片摄制组随口提到了这些受害者："他们的确会做些挣扎。他们会拉拉扯扯，有的人还举着拳头冲到我们面前。他们还会大喊'纳粹猪'。不过你没办法责怪他们，如果我们遭到这样的惩罚也会这么做的。"

为了掩盖枪声，马伊达内克的党卫队特地立起扬声器在营区内播放轻音乐——维也纳华尔兹、探戈和进行曲。最终在夜里，最后一名囚犯被处决之后，枪声和音乐声都停了下来。集中营党卫队里几名参与枪决的志愿者返回住处后还开起了狂野的派对，捧着特别奖励的伏特加大喝特喝；一些人甚至没有擦去靴子上的血就开始喝酒。[179] 他们为了党卫队集中营里规模最大的一次屠杀进行庆贺。在 1943 年 11 月 3 日被杀的人比任何时候、任何党卫队集中营，包括奥斯维辛在内杀的都多。这次屠杀也标志着马伊达内克作为大屠杀集中营的日子正式结束。早在 1943 年 9 月，这里的毒气室就关闭了，现在所有剩余的犹太奴工都死了；在 11 月底，主营区里再没有一个犹太囚犯。[180]

1943 年 11 月初的这波大屠杀广泛影响了整个集中营体系。几个注定要被党卫队经济与管理部接管的犹太人劳动营被彻底扫清了，其中就有格洛博奇尼克位于卢布林老机场的大营，那里是犹太死者的衣服收集站。[181] 还有几个劳动营在 1944 年初被照常纳入了集中营系统，虽然这个过程比党卫队预期的更漫长：一些营区在 1944 年春天才建起来，但几个月后随着苏军的逼近便被遗弃了。在新营中有三个比较大的前劳动营，分别在布利任（Bliżyn）、布尊（Budzyń）和拉多姆，它们后来成了马伊达内克的卫星营以及在卢布林利珀瓦街（Lipowa Street）的一个小营。到了 1944 年 3 月中旬，这四座新卫星营关押了约 8900 名囚犯（大多数是犹太人），几乎跟马伊达内克主营一样多。[182]

　　1944 年初被党卫队经济与管理部吸收的犹太人劳动营里只有一座成了集中营主营——普拉绍夫，这是波兰总督府第三座主要的党卫队集中营，也是东欧地区的最后一座。1942 年秋天，德国政府开始在克拉科夫郊外的普拉绍夫地区建造一座强制劳动营，主要关押将被消灭的当地聚居区的犹太人。直到 1944 年 1 月，这个营区才从地方党卫队和警察领导的手中转给党卫队经济与管理部。到了 1944 年 3 月，普拉绍夫的规模已经超过马伊达内克，关押了大约 11600 名犹太男女和儿童（在另一个独立的区域还关了 1393 名波兰人）。数千名囚犯被关在六个附属的卫星营里；然而跟里加和瓦伊瓦拉不一样的是，劳工主要在主营的作坊、工地和采石场里。

　　普拉绍夫向党卫队集中营的转变也给它的行政管理带来了各种改变，包括迎来了党卫队经济与管理部的统治。有些囚犯如今已经穿上了典型的条纹囚服，他们刚开始还对新的统治者抱有极大的希望，前囚犯亚历山大·比贝尔施泰因（Aleksandar Biberstein）在战后写道。但这些希望很快就破灭了。在集中营党卫队的支持下，这里的条件不仅没有改善，反而变得更加恐怖。"对犹太人的随机谋杀和枪击逐渐减少"，比贝尔施泰因回忆说，取而代之的是"对剩余的犹太居民的系统性灭绝"，筛选越来越频繁，有些人还被送去了奥斯维辛。[183]在这里，受害者们很可能会碰到在战前第三帝国境内的老集中营里最后幸存下来的一些犹太囚犯，他们在 1942 年秋天被一起遣送到了奥斯维辛。

党卫队的期望：德国境内的犹太囚犯

1942 年 9 月 29 日，海因里希·希姆莱在督察官里夏德·格吕克斯和指挥官安东·凯因德尔（Anton Kaindl）的陪同下视察了萨克森豪森集中营。安东·凯因德尔希望能用集中营各种各样的企业来打动希姆莱。虽然奥斯维辛已经成了最大的集中营，但希姆莱仍然保持着对自己老营的兴趣。他也许已经得知，几个月前萨克森豪森党卫队自 1938 年屠杀之后再次在德国腹地实施反犹大屠杀。为了给赖因哈德·海德里希"报仇"，党卫队于 1942 年 5 月 28～29 日，在此前为苏联战俘修建的射脖子刑房里处决了约 250 名犹太人。大部分受害者是从柏林抓过来的，其他人则是在萨克森豪森集中营里随意选择的，这些囚犯被拽走时还在不断求情。一些党卫队高官和帝国中央安全局的官员监督了这次屠杀。其他党卫队领袖则在远方为他们鼓掌。柏林大区长官约瑟夫·戈培尔在日记中写道："这些肮脏的渣滓消灭得越多，德意志帝国就越安全。"[184]

当希姆莱于 1942 年 9 月 29 日来到萨克森豪森时，营内仅剩下几百名犹太囚犯。谋杀与致命的环境不断蚕食着德国战前边境内集中营里已经很少的犹太囚犯。这些集中营中总计只剩下不到 2000 名犹太囚犯，大部分是德国或波兰犹太人。[185] 即使仅存的犹太人已经这样少，对希姆莱来说却仍然太多了。当时希特勒正在推动将所有犹太人都赶出德意志帝国的计划，希姆莱乐意效劳。当他访问萨克森豪森集中营时，便下令遣送所有德国集中营内的犹太人。[186] 书面指令在几天后正式下达。除了一些关键职位上的犹太人（这些人暂时得到了豁免），其余所有人都要被送往奥斯维辛或马伊达内克集中营。这样，德国境内的集中营终于能真正实现"无犹化"，党卫队经济与管理部如是通知所有的指挥官。[187]同时，它还要求奥斯维辛党卫队送来一批波兰囚犯作为替代。[188]

　　开往东方的遣送列车不久便开动了。格罗斯－罗森集中营是第一批响应希姆莱号召的集中营中的一个，于 1942 年 10 月 16 日将营内最后一批犹太囚犯送走。[189]而在萨克森豪森，遣送却引发了一场前所未有的骚乱。1942 年 10 月 22 日傍晚，集中营党卫队队员将犹太囚犯集合起来，命令他们交出自己的财物。恐慌很快在囚犯们之中蔓延，他们担心再次发生像 5 月大屠杀那样的事情。一群犹太年轻人跑到点名广场上推搡党卫队看守，大喊道："开枪啊，你们这些狗娘养的！"不过骚乱并没有造成什么影响，集中营党卫队很快便恢复了秩序。他们决定按原计划进行遣送，暂时忍住没有惩罚闹事的犯人。同一天晚上，载有 454 名犹太人的列车出发开往奥斯维辛，其中就有我们之前提过的拳击手塞勒姆·肖特。10 月 25 日列车抵达奥斯维辛，囚犯们被带进主营中进行登记。但他们并没有活太久。五天之后，党卫队对新近从西边集中营来的囚犯进行了一次大范围的筛选。塞勒姆·肖特在内的约 800 人被派往法本公司在德沃里附近的建筑工地，准备让他们通过劳动被灭绝。还有百余人直接被送进了比克瑙的毒气室。[190]

　　没过多久，几乎所有德国中心地区集中营里的犹太人都被遣送完毕。到了 1942 年底，帝国内所有集中营里关押的犹太人仅有不到 400 人（除奥斯维辛之外）。[191]剩下的这些人中大多数被关在布痕瓦尔德集中营。虽然当地的指挥官很恼火，但盖世

334

太保还是将新逮捕的犹太人送进了布痕瓦尔德。[192] 1942 年底，布痕瓦尔德集中营里还有 227 名犹太人。他们中的大多数被训练成了砖匠，因为紧急的建筑工程才留下了。技术工的身份使他们免于遣送和党卫队的虐待。从这时起，这些犹太人比集中营系统内其他犹太人都安全。比如 28 岁的奥地利犹太人恩斯特·费德恩（Ernst Federn）就在集中营外的一个党卫队示范工地上工作。费德恩回忆说，这里每日的供给是普通布痕瓦尔德囚犯的双倍，党卫队看守的举止"很人道也很得体"，毕竟在周围民众的眼皮底下，要有所收敛。[193]

在萨克森豪森也是如此，少数技术工人得以免于遣送。1942 年夏天，党卫队经济与管理部开始将一小群犹太绘图员和平面设计师聚集到 19 号营房，目的是完成一项国家级的重大任务，虽然没有人知道究竟是什么工作。然后到了 1942 年 12 月，帝国中央安全局外事办公室的一名党卫队高官伯恩哈德·克吕格尔（Bernhard Krüger）来到营内召集这批技术人员，参与了一项由希特勒支持、希姆莱下令的绝密任务，代号为"伯恩哈德行动"（Operation Bernhard，无耻的克吕格尔用自己的名字命名），要囚犯们伪造外国的钞票和邮票。

萨克森豪森的犹太人造假行动队最终从 29 人发展为 140 多人，大多数是从奥斯维辛来的。其中一位名叫阿道夫·布格尔（Adolf Burger）的囚犯回忆说，自己"好像从地狱来到了天堂"。囚犯们不再挨打，有充足的食物，在有暖气的房间里工作，有时间阅读、打牌、听收音机，还能睡在正常的床上。他们的主要任务是伪造英国货币（尝试复制的美元从没能通过测试阶段）。这些囚犯后来估计，他们总共生产了币值超过 1.34 亿英镑的假钞。帝国中央安全局认为其中只有一小部分可以以假乱真，用来购买黄金和外国商品，雇用间谍；其余的纸币都被投入英国，扰乱它的货币市场。为了让这个古怪的计划取得成功，整个伯恩哈德行动都要保密。这就是这些造假者几乎完全隔绝于萨克森豪森集中营里的其他人的原因（但他们的秘密还是被泄露了）。这也是帝国中央安全局只选择犹太人的原因，因为他们可以随时被灭口。最终，经过一系列的侥幸，这些囚犯从集中营幸存下来。他们劳动的产物最终拯救了他们的性命，也留存了下来，因为许多假钞在接下来的许多年依然在流通。[194]

　　萨克森豪森集中营造假行动队的经历算是特例。但这些特例有着重要的意义，不仅因为它们拯救了像阿道夫·布格尔这样的犹太人，也因为它们证明了纳粹政府在必要时也会变得实际——在这种情况下，希姆莱于1942年秋天发布的将所有犹太囚犯逐出帝国的命令被部分搁置。从中也体现出大屠杀更广泛的一条真理：在追求批量灭绝欧洲的犹太人时，党卫队领袖也经常愿意考虑"战术性撤退"。[195]或许，1943年党卫队下令在帝国境内建立新的犹太人集中营时，这种意愿体现得最为淋漓尽致。

　　1942年下半年，随着对欧洲犹太人的种族屠杀达到了疯狂的高潮，第三帝国的领导人决定赦免少数犹太人，把他们作为"有价值的人质"来剥削，海因里希·希姆莱如此称呼他们。纳粹领导人沉迷于国际阴谋论，一直谋算着把犹太人当作"人质"，以对抗那些由犹太政治家和资本家领导的敌对国家。现在，党卫队和德国外交部同意用一些犹太人和他们的家人——比如与巴勒斯坦或者美国有关系的人——来交换被关押在国外的德国人或者外汇和商品。在希特勒的同意下，1943年春天希姆莱下令建立一个集中营，专门收押这些能被用来交换人质的犹太人。他明确要求营内的条件需要达到让犹太囚犯"健康活着"的标准。[196]

新营建在德国北部汉诺威市和汉堡市之间的贝尔根－贝尔森，占用了现有的一座战俘营半边空置的场地。[197]尽管从其官方名称"居民营"（Aufenthaltslager）中就能看出它的功能与众不同，但希姆莱仍然将它指定为党卫队集中营，由党卫队经济与管理部运营。起初这里的员工都从维威尔斯堡里的下哈根集中营而来，那里刚刚被关闭。第一批囚犯大军于 1943 年 4 月 30 日从布痕瓦尔德集中营而来，为了给所谓的"交换囚犯"准备好一切，后者在 1943 年 7 月抵达；到了 1944 年 12 月，总共有大约 1.5 万犹太人被送进贝尔根－贝尔森，他们根据自身背景被关在不同的营区里。越来越多的营区让集中营的布局越来越混乱，最终成了一片挤满营房和帐篷的棚户区。党卫队后来又围起了一个区域来关押保护性拘禁的囚犯，虽然刚开始人数比较少，但也让本就混乱的情况变得更加复杂。1943 年到 1944 年，贝尔根－贝尔森成了一座以犹太囚犯为主的集中营。[198]

贝尔根－贝尔森的犹太囚犯梦想着踏上交换的列车。1944 年 2 月，范妮·海尔布特（Fanny Heilbut）同丈夫和两个儿子（三儿子死在了毛特豪森集中营）从韦斯特博克集中营被送到这里，她回忆说对自由的憧憬"支撑着我们走下去"。但只有一小部分犹太囚犯美梦成真。到 1944 年底，只有大约 2300 名囚犯获准离开第三帝国。范妮·海尔布特和家人并不在此列。其中一个幸运的人是西蒙·海因里希·赫尔曼（Simon Heinrich Herrmann），1944 年 6 月 30 日他跟其他 221 名囚犯被送往巴勒斯坦（用来交换一群住在新教圣殿区的德国移民，他们被巴勒斯坦国内的英国军队捕获，后来被送回了德国）。西蒙·赫尔曼后来写道，随着列车开动，这些曾经的囚犯将贝尔根 – 贝尔森抛在身后，就好像"一只无形的手解除了我们肉体和灵魂上的镣铐，打开了我们心灵的门窗"。赫尔曼和其他人于 1944 年 7 月 10 日平安抵达海法（Haifa）。但是，1943～1944 年从贝尔根 – 贝尔森集中营离开的许多列车并没有驶向自由。实际上有 2000 多名波兰犹太人从这里被送往奥斯维辛。德国当局认为他们不是交换的合适候选人，不愿意承认他们即将能拿到的拉丁美洲居民证明（Promesas）。到此时为止，最大的一批输送队，大约 1800 人，在 1943 年 10 月 21 日出发，所有人两天后在奥斯维辛集中营被杀。[199]

　　大多数犹太人滞留在贝尔根 – 贝尔森，日日被逐渐减退的希望折磨着。不同营区的条件也不一样。1943 年，星营（star camp）的条件最差，这里是交换营里最大的区域，以犹太人衣服上的黄色大卫星标志命名。这里的食物永远不够（官方的配给跟其他集中营一样），除了老人以外，所有成年人都要辛苦地工作，通常是维修营内的设施。但即便是这种营区也享有其他党卫队集中营从没听说过的特权，除了关押"特权"犹太人的海泽根布什集中营。星营里的囚犯可以穿着平民的服装，保留部分私人物品。一家人在吃饭的时候和晚上都可以见面（这里还有几百名儿童）。跟在聚居区里一样，这里的一些内务由犹太人委员会负责，还有营区警察。此外，像海泽根布什一般也有犹太囚犯法庭。党卫队看守们按规定要称呼囚犯的姓名而不是代号。这里也有虐待，但跟其他集中营不可相提并论。总之，这里的条件虽然差劲但可以忍受，直到 1944 年春夏，情况才开始恶化；在随后的几个月里，范妮·海尔布特的丈夫和一个儿子，还有数千名犹太人纷纷离世。[200]

337

贝尔根－贝尔森在第二次世界大战中期是党卫队集中营系统中的异数。此时，它是德国战前领土内唯一一座关押了如此多犹太囚犯的集中营，也是唯一不以除掉犹太人为目的的集中营。几乎所有其他犹太人集中营里的囚犯会发现自己最终到了东欧，这基本意味着死期不远了。这在最大的灭绝营奥斯维辛绝对是真的。正如我们之前提到的，从1942年夏天开始，大部分被送进来的犹太人在抵达后的几个小时内就被杀了。奥斯维辛里那些被挑出来当奴工的犹太人以及东欧其他集中营里的犹太人的命运也是如此，我们接下来就会对此展开分析。

注 释

1. 希姆莱的路线（下文同）参见 Witte et al., *Dienstkalender*, 491 - 93。

2. Langbein, *Menschen*, 327; Strzelecka and Setkiewicz, "Construction," 106 - 107; Longerich, *Himmler*, 34 - 66; Kaienburg, *Wirtschaft*, 841 - 42.

3. Wagner, *IG Auschwitz*, 80 - 81; BArchB, Film 44564, Interrogation O. Pohl, January 25, 1947, p. 17.

4. Strebel, *Ravensbrück*, 352.

5. Broszat, *Kommandant*, 243, quote on 275; Czech, *Kalendarium*, 250 - 51; Strzelecka and Setkiewicz, "Construction," 86 - 88. 希姆莱在奥斯维辛的一次大规模处决时亲临现场，参见 Langbein, *Menschen*, 327 - 28; Adler et al., *Auschwitz*, 204。

6. Longerich, *Himmler*, 552.

7. Broszat, *Kommandant*, 276 - 78, quote on 278; Laqueur and Breitman, *Mann*, 9 - 11; Mulka to Führer des Standortes Auschwitz, July 17, 1942, in Frei et al., *Kommandanturbefehle*, 154 - 55.

8. Broszat, *Kommandant*, 278 - 79; testimony S. Dubiel, August 7, 1946,

in Bezwińska and Czech, *KL Auschwitz*, 287 – 92.

9. Himmler order, March 3, 1942, cited in WVHA Befehl, March 13, 1942, in Tuchel, *Inspektion*, 88；Witte et al., *Dienstkalender*, 369 – 71；Schulte, *Zwangsarbeit*, 201. 1942 年 3 月 16 日，IKL 正式从名义上的党卫队总办公室管理归为 WVHA 管理；Pohl to Glücks, March 11, 1942, in Tuchel, *Inspektion*, 89。

10. Longerich, *Himmler*, 590 – 92；Arad, *Belzec*, 46 – 47；Witte et al., *Dienstkalender*, 491 – 93；Berger, *Experten*, 91；Browning, "Final Hitler Decision." 7 月 18 日晚些时候，希姆莱还会见了波尔，后者没能陪他去奥斯维辛。

11. Broszat, *Kommandant*, 279；BArchB（ehem. BDC），SSO, Höss, Rudolf, 25.11.1900, Bl. 258：WVHA to SS - Personalhauptamt, July 27, 1942. 希姆莱到访后，奥斯维辛其他几名参与种族屠杀的党卫队队员也得到了表彰或提拔；Hördler, "Ordnung," 152。

12. Hilberg, "Auschwitz"；Piper, *Zahl*, table D；Arad, *Belzec*, 370 – 76；*OdT*, vol. 8, 359 – 60。

13. 在一篇开创性的论文中，Robert Jan van Pelt 将奥斯维辛定义为"寻找使命之所"；Van Pelt, "Site"。虽然这个短语抓住了奥斯维辛集中营不断变化的性质，但仍然过度目的论，暗示说种族屠杀是奥斯维辛的真正使命。然而对党卫队来说，奥斯维辛的早期使命——残酷镇压波兰反对势力或关押苏联战俘——同样重要。

14. *OdT*, vol. 5, 140.

15. 此段和前一段有关种族大屠杀的起始，参见 Longerich, *Holocaust*；Browning, *Origins*；Pohl, *Holocaust*；Friedländer, *Jahre*。关于死亡营，参见 Berger, *Experten*；Montague, *Chelmno*；Krakowski, *Todeslager*；*OdT*, vol. 8, 301 – 28。

16. 关于华沙犹太人聚居区，参见 Arad, *Belzec*；Berger, *Experten*, 71。

17. Arad, *Belzec*.

18. 关于马伊达内克，参见 Witte and Tyas, "Document"。关于奥斯维辛，参见 Perz and Sandkühler, "Auschwitz"。后两位作者指出，集中营和"赖因哈德行动"的联系已经被波尔于 1942 年 9 月的奥斯维辛之行证实。在这里，被用来分类和储存遇难犹太人财产的营房（"加拿大"营）被称作"灭绝及效果室/赖因哈德行动"，而 2 号地堡的毒气室被称作"赖因哈德行动 2 号站"；USHMM, RG - 11.001M.03, reel 19, folder 19, Besichtigung durch SS Obergruppenführer Pohl am 23.9.1942。其他例子参见 NAL, HW 16/21, GPD Nr. 3, October 22, 1942。

19. Quotes in Browning, "Final Hitler Decision," 7; IfZ, F 13/6, Bl. 359 - 68：R. Höss, "Globocnik," January 1947. 详情参见 Pohl, "Judenpolitik"; Longerich, Himmler, especially pages 361 - 64。

20. 此段及前一段参见 Berger, Experten, quote on 41; Arad, Belzec; Kogon et al., Massentötungen, 146 - 86; Rieβ, "Wirth"。帝国总理府的 T - 4 机构也参与管理死亡营。

21. 英国情报机构拦截的党卫队数据显示，1942 年 1 月时有 2024 名囚犯被归为犹太人。然而，这些统计只覆盖了 75% ~80% 的集中营囚犯；Schulte, "London," 210, 227。而且，统计不包括苏联战俘营里的犹太人。

22. 万湖会议纪要，参见 Noakes and Pridham, Nazism, vol. 3, 535 - 41, quote on 538。See also Longerich, Politik, 466 - 72; Friedländer, Jahre, 367 - 71; Haus der Wannsee - Konferenz, Wannsee - Konferenz; Berger, Experten, 79. "劳动灭绝"的说法（并没有出现在官方会议纪要中），参见 Wachsmann, "'Annihilation'"。

23. IKL 对集中营里苏联战俘糟糕的健康状况和高死亡率的认识，参见 BArchB, NS 4/Gr 9, Bl. 63：Glücks to LK, January 23, 1942; KL Gross - Rosen to IKL, January 27, 1942, referenced in Sprenger, Groβ - Rosen, 194。

24. IfZ, Fa 183, Bl. 61：Himmler to Glücks, January 26, 1942. See also Van Pelt, "Site," 148 - 49; Allen, "Anfänge," 568 - 69; Schulte, Zwangsarbeit, 356 - 62.

25. Quotes in Jochmann, Monologe, 229; Witte et al., Dienstkalender, 326 - 27.

26. ITS, KL Buchenwald GCC 2/313, Ordner 519, IKL to LK, January 19, 1942; ibid., IKL to all [LK], January 26, 1942. 被排除在 IKL 初始指令外的集中营有规模较小的纳茨维勒和施图特霍夫。撤销指令时，只有极少的犹太囚犯被选中送去马伊达内克；1942 年 2 月 3 日，马伊达内克并没有登记在册的犹太囚犯；Schulte, "London," 224。

27. IfZ, Fa 183, Bl. 61：Himmler to Glücks, January 26, 1942. 从德意志帝国遣送犹太人的行动在 1942 年 3 月中旬重新启动，但接下来几周没

有一趟遣送是去集中营的；Longerich, *Politik*, 483 - 86。

28. Longerich, *Politik*, 491 - 95.

29. 最开始可能有计划把一些有技能的犹太囚犯送到奥斯维辛和马伊达内克，然后将他们转移到其他生产军备的集中营；StANü, K. - O. Saur, Niederschrift über Besprechung, March 17, 1942, ND：NO - 569。

30. Pressac, *Krematorien*, 31 - 34, 45 - 48; Pressac and Van Pelt, "Machinery," 199, 210 - 12.

31. Witte et al., *Dienstkalender*, 367 - 69; Strebel, *Ravensbrück*, 342 - 43.

32. NAL, HW 16/17, GPD Nr. 3, March 10, 1942.

33. NARA, RG 549, 000 - 50 - 11 Ravensbrück CC（Box 522），testimony J. Langefeld, December 26 and 31, 1945; Strebel, *Ravensbrück*, 344; Strzelecka, "Women," 172; USHMM, RG - 11.001M.03, reel 19, 502 - 1 - 6, WVHA to Bauinspektion Posen, March 18, 1942.

34. Czech, *Kalendariüm*, 189 - 93.

35. 此段和前一段，参见扬科夫斯基（另称 Alter Feinsilber）的证词，April 16, 1945, in SMAB, *Inmitten*, 25 - 57, quote on 32。See also YIVO, RG 294.1, MK 488, series 20, folder 542, Bl. 7 - 17；testimony V. Walder, n. d.（1945 - 49）.

36. Longerich, *Politik*, 584; Hayes, "Auschwitz."

37. Piper, *Zahl*, 187, 195. 5 月时还有 1000 名斯洛伐克犹太人经马伊达内克抵达奥斯维辛；Czech, *Kalendarium*, 215。

38. Quote in ITS, KL Buchenwald GCC 2/313, Ordner 519, IKL to LK, January 19, 1942. 这一命令针对的是准备遣送到马伊达内克的犹太囚犯。See also IfZ, Verwaltung Auschwitz to WVHA, March 25, 1942, ND：NO - 2146.

39. 党卫队的统计数据总结在 APMO, Proces Höss, Hd 6, Bl. 114 - 20：O. Wolken, Kommentar, n. d.（c. spring 1945）。

40. Grotum, *Archiv*, 255 - 56; Longerich, *Politik*, 492.

41. Strzelecka and Setkiewicz, "Construction," 86 - 87; testimony of S. Jankowski, April 16, 1945, in SMAB, *Inmitten*, 32 - 33; Schulte, "Kriegsgefangenen - Arbeitslager," 87; Czech, *Kalendarium*, 206.

42. 此段和前一段，参见 Strzelecka and Setkiewicz, "Construction," 78 - 79; Strzelecka, "Women," 172; Strebel, *Ravensbrück*, 349 - 51; WL,

P. III. h. No. 1174a, Vernehmung R. Kagan, December 8 – 10, 1959；APMO, Oswiadczenia, vol. 124, Bl. 152 – 66；testimony of M. Schvalbova, June 8, 1988；Broszat, *Kommandant*, 172 – 73；IfZ, RSHA, AE, 2. Teil, Runderlaβ RSHA, July 10, 1942。

43. Figures in Schulte, "London," 222；Strebel, *Ravensbrück*, 349.

44. 几位历史学家曾争论说，可能在更早的时候，党卫队便对不劳动的西里西亚犹太人展开了零星谋杀，1941 年底有几小批囚犯被送到奥斯维辛处决。Sybille Steinbacher 在她对奥斯维辛的出色研究中提供了最详尽的记述。她认为，从 1941 年底开始，在党卫队区队长施梅尔特管理的强制劳动营里，已经开始筛选犹太人（主要是在上西里西亚）；那些被选中"不适合劳动"的囚犯被送去奥斯维辛，在Ⅰ号火葬场被处死（Steinbacher, "*Musterstadt*," 276 – 77；关于施梅尔特的集中营，参见 ibid., 138 – 53）。不过她的资料来源不足以支撑她的结论：一个来源是 1940 年底抵达奥斯维辛的一趟遣送，另一个来源是从 1941 年中期开始的小规模遣送（BArchL, B 162/20513, Bl. 83；Vermerk, October 11, 1967；ibid., Bl. 47 – 54：Vernehmungsniederschrift Hirsch B., September 21, 1961）。至于 1942 年 2 月 15 日在火葬场谋杀比托姆（上西里西亚）犹太人的假设，是基于奥斯维辛编年史的错误数据（Czech, *Kalendarium*, 174 – 75）；当时并不存在这趟遣送（Gottwaldt and Schulle, "*Judendeportationen*," 393）。Christopher Browning 也认为第一批"不适合劳动"的犹太人是在 1941 年秋天被送进Ⅰ号火葬场毒气室的（Browning, *Origins*, 357）。Browning 的依据除了 Steinbacher 的著作之外，还有一个：党卫队队员汉斯·施塔克（Hans Stark）在战后的叙述。Browning 表示，施塔克在向德国司法官员作证时明确说道，1941 年 10 月有小批次的犹太人被卡车送到奥斯维辛，然后被毒气杀害（Browning, *Origins*, 527, n. 211）。施塔克是第一批法兰克福 - 奥斯维辛审判中遭到指控的被告，被判处十年有期徒刑。在审判前的第一次审讯中，施塔克的确说过他参与毒杀了小群犹太囚犯，这些人是在 1941 年秋天被送到奥斯维辛，要即刻在Ⅰ号火葬场处决的（*DAP*, Vernehmung H. Stark, April 23, 1959, 4537 – 50）。但是，在随后的审讯中，施塔克做了修正，说他之前给出的日期是错误的。他改口称不知道 1941 年秋天发生过任何毒气处决，还说自己曾提到的杀害犹太男女老幼的情况只有在他 1942 年春天休完进修假返回奥斯维辛之后才有可能发生（法兰克福法庭经查证，确认施塔克在 1942 年 3 月 15 日前一直在休假；*DAP*, 36765）。

修改日期对施塔克而言没有任何好处，他也依然承认自己参与了毒气处决。因此，他很可能改正了他认为真有错误的地方（*DAP*, Vernehmung H. Stark, July 24, 1959, 4578 – 79）。在 1964 年审判取证时，施塔克重申了第一批死于 I 号火葬场的"不适合劳动"的犹太人是 1942 年 4~5 月被遣送来的。他也承认 1941 年 10 月参与毒气处决了 150~200 名波兰和犹太男女。但是，这些受害者并不是纳粹最终解决方案里被选中"不适合劳动"的人。相反，施塔克作证说，他们是被军事法庭判处死刑的人（*DAP*, Aussage H. Stark, January 16, 1964, 4813 – 26）。这种说法看似可信，因为 1941 年底奥斯维辛的大规模处决受命于临时法庭。

45. Browning, *Origins*, 421, 日期不同（见上文）。

46. Schulte, "Vernichtungslager," 65.

47. Orth, "Höβ"; Gerlach, "Eichmann"; Wojak, *Memoiren*.

48. Quotes by Eichmann in his postwar talks with W. Sassen, in BArchK, All. Proz. 6/97, Bl. 24 – 25. See also ibid., Bl. 22 – 27; ibid., 6/106, Bl. 23; State of Israel, *Trial*, vol. 7, 371 – 72; Broszat, *Kommandant*, 199.

49. Broszat, *Kommandant*, 191, 238. 奥斯维辛集中营前任营区负责人奥迈尔作证说，艾希曼（他错称为希尔德布兰德）在第一批 RSHA 遣送抵达时出现了奥斯维辛；NAL, WO 208/4661, statement of Aumeier, July 25, 1945, p. 2。

50. Quote by Eichmann in his postwar talks with W. Sassen, in BArchK, All. Proz. 6/99, Bl. 31.

51. 波尔到访的日期，参见 USHMM, RG – 11.001M.03, reel 19, folder 19, R. Höss, Bericht über Schlussbesprechung des Hauptamtchefs am 23.9.1942; NARA, RG 549, 000 – 50 – 11 Ravensbrück CC（Box 522），testimony of J. Langefeld, December 26 and 31, 1945。

52. Witte et al., *Dienstkalender*, 397 – 98; Longerich, *Himmler*, 582 – 83.

53. Piper, *Zahl*, 183; Steinbacher, "*Musterstadt*," 286 – 87, 290; Gottwaldt and Schulle, "*Judendeportationen*," 393 – 94; Fulbrook, *Small Town*, 2, 31, 222 – 24.

54. Broad, "Erinnerungen," 170 – 73, quote on 172; *DAP*, Aussage F. Müller, January 5, 1964, 20489 – 20507, quote on 20494. See also Müller, *Eyewitness*, 30 – 39; Van Pelt, *Case*, 224 – 25; Piper, *Mass Murder*, 128 – 33; *DAP*, Vernehmung H. Stark, April 23, 1959, 4517 – 62; NAL, WO 208/4661,

statement of H. Aumeier, July 25, 1945, p. 6.

55. 党卫队的视角，参见 Broad, "Erinnerungen," 173; NAL, WO 208/ 4661, statement of H. Aumeier, July 25, 1945, pp. 6 – 7（日期是错误的）。

56. Pressac and Van Pelt, "Machinery," 212; Pressac, *Krematorien*, 49; Piper, *Mass Murder*, 134.

57. 5 月的日期，参见 Pressac, *Krematorien*, 49。鉴于大量的历史材料作证，这似乎是最可信的日期。相反，许多历史学家倾向于更早的日期，认为是 1942 年 3 月 20 日首次使用 1 号地堡，他们依据的是 Danuta Czech 的研究。然而，Czech 所用的两个来源（*Kalendarium*, 186 – 87）都不能支撑她的结论，这也是 Schulte 提出的问题（"Vernichtungslager," 64, n. 121）。Czech 的第一个资料来源是所谓的鲁道夫·霍斯回忆录，有名的记载日期不准确。第二个来源，即佩里·布罗德的叙述，其实跟 Czech 的时间推理相冲突，因为佩里·布罗德在 1942 年 4 月才来到奥斯维辛，起初在看守团任职，不可能近距离观察到比克瑙毒气室的谋杀。只有在他大约 1942 年 6 月调到政治部（跟毒气处决密切相关）后，他才得以近距离观看处决流程（*DAP*, Vernehmung P. Broad, April 30, 1959, 3424 – 25）。I 号火葬场的毒气室明显在 1942 年秋天就停用了（Piper, *Mass Murder*, 133）。

58. Piper, *Mass Murder*, 131 – 32; Friedler et al., *Zeugen*, 64; Broad, "Erinnerungen," 173; Müller, *Eyewitness*, 16 – 17; NAL, WO 208/4661, statement of H. Aumeier, July 25, 1945, p. 5. 结构性故障最终迫使党卫队在 1942 年 6 月拆除了旧烟囱，重新建了一个；Pressac, *Krematorien*, 49 – 50。

59. Himmler quote in Friedländer, *Jahre*, 378. See also Dannecker, Vermerk, June 15, 1942, in Klarsfeld, *Vichy*, 379 – 80; Longerich, *Himmler*, 586 – 91; idem, *Politik*, 495 – 96; Cesarani, *Eichmann*, 139 – 40. 对强制劳动的持续关注，参见 NAL, HW 16/19, GPD Nr. 3, WVHA – D to Auschwitz, June 17, 1942。

60. Broszat, *Kommandant*, 237; interrogation R. Höss, April 1, 1946, in Mendelsohn, *Holocaust*, vol. 12, 81.

61. Höss quote in USHMM, RG – 11.001M.03, reel 20, folder 26, Vermerk, Besprechung mit Kammler, May 22, 1943.

62. Kalthoff and Werner, *Händler*, 148 – 51. See also UN War Crimes

Commission, *Law Reports*, 95. 关于 Degesch 监督生产齐克隆 B 以及后续分销，参见 Hayes, *Cooperation*, 272 – 300。

63. Witte et al. , *Dienstkalender*, 461 – 62.

64. IfZ, F 13/7, Bl. 383 – 88：R. Höss, "Richard Glücks," November 1946.

65. State of Israel, *Trial*, vol. 7, 392；BArchK, All. Proz. 6/99, Bl. 31；ibid. , 6/101, Bl. 36；YVA, M – 5/162, D. Wisliceny, Betrifft：Adolf Eichmann, October 27, 1946.

66. O. Pohl testimony, June 4, 1946, extract in *NCA*, supplement B, 1590.

67. APMO, D – AUI – 1/3a, Bl. 58：Führer vom Dienst, June 16 – 17, 1942；ibid. , Proces Höss, Hd 6, Bl. 114 – 20：O. Wolken, Kommentar, n. d. （c. spring 1945）.

68. 菲利普·米勒证实，1942 年 6 月 17 日或 18 日，曾有党卫队高层官员视察火葬场（Kraus and Kulka, *Todesfabrik*, 131 – 32）。跟 Wolken 一样（参见上一个注），米勒相信这名党卫队高官是海因里希·希姆莱。但希姆莱 7 月中旬造访奥斯维辛时，米勒已经离开了主营的火化突击队（*DAP*, Aussage F. Müller, October 5, 1964, 20507）。

69. 2 号地堡，参见 Piper, *Mass Murder*, 134 – 36；Van Pelt, *Case*, 267；Pressac and Van Pelt, "Machinery," 213 – 14；Broszat, *Kommandant*, 242。

70. Quote in NAL, HW 16/19, GPD Nr. 3, KL Auschwitz to Glücks, June 24, 1942. See also ibid. , WVHA – D to KL Auschwitz, June 24, 1942；ibid. , Liebehenschel to KL, June 18, 1942.

71. Piper, *Zahl*, 183 – 97；Longerich, *Politik*, 521. 除此之外，1942 年 7 月，可能还有大约 1700 名犹太人从德国被遣送到奥斯维辛；Gottwaldt and Schulle, "*Judendeportationen*," 395 – 96。

72. Piper, *Zahl*, 191, 198, and table D；Gottwaldt and Schulle, "*Judendeportationen*," 397 – 98；Longerich, *Himmler*, 710 – 12；Ahnert, Vermerk, September 1, 1942, in Klarsfeld, *Vichy*, 447 – 48；NAL, HW 16/21, GPD Nr. 3, WVHA to Auschwitz, August 22 and 24, 1942.

73. Piper, *Zahl*, table D and 15；Steinbacher, "*Musterstadt*," 295 – 302.

74. 关于韦斯特博克，参见 Boas, *Boulevard*；Hillesum, *Letters*。从党卫队的视角看斯洛伐克集中营，参见 YVA, M – 5/162, Verhör D. Wisliceny,

May 7, 1946。

75. 关于德朗西，参见 Wellers, *L'Étoile*。

76. Quotes in Stuldreher, "Konzentrationslager," 328；WL, P. III. h. No. 573, A. Lehmann, "Das Lager Vught," n. d., 5. See also *OdT*, vol. 7, 133 – 50；Van Pelt, "Introduction."

77. 此段和前一段，参见 WL, P. III. h. No. 573, A. Lehmann, "Das Lager Vught," n. d., quote on 15；Deen, "*Wenn*," quote on 21；Koker, *Edge*, 20, 104, 198, 256, 340, 369, quote on 341；Stuldreher, "Herzogenbusch"；*OdT*, vol. 7, 133 – 50。

78. 犹太人聚居区的数字参见 BArchB, NS 19/1570, Bl. 12 – 28：Inspekteur für Statistik, Endlösung der Judenfrage。这些数字并不都准确，引用时需谨慎。施梅尔特在西里西亚和苏台德部分地区掌管的集中营，参见 Rudorff, "Arbeit"；Steinbacher, "*Musterstadt*," 138 – 53。

79. 1942 年，大约有 20 万犹太人被送到奥斯维辛；Piper, *Zahl*, table D。1943 年 1 月初，奥斯维辛里有 11112 名犹太男人和 1540 名犹太女人幸存；Schulte, "London," 223。

80. Berger, *Experten*, 177, 254 – 55.

81. Pohl, "Holocaust," 152 – 54.

82. SMAB, *Inmitten*, 62, 70 – 71；Langfus, "Aussiedlung," 80, 87（n. 9），104 – 105, 114, 117 – 120；Friedler et al., *Zeugen*, 204 – 207, 374, 380；Greif, *Wir weinten*, 56.

83. Langfus, "Aussiedlung," quotes on 121. See also Steinke, *Züge*, 58；Gigliotti, *Train*, 101 – 10；Greif, *Wir weinten*, 57. 大屠杀期间，对于波兰地区牟取暴利的综述，参见 Gross, *Golden Harvest*。

84. Quotes in Langfus, "Aussiedlung," 81, 114；Fulbrook, *Small Town*, 288；Bacharach, *Dies*, 99. See also Friedländer, *Jahre*, 549 – 50；Dörner, *Die Deutschen*, 324 – 25；Koker, *Edge*, 256 – 57；Hájková, "Prisoner Society," 283 – 84.

85. RSHA, Richtlinien zur Durchführung der Evakuierung von Juden, February 20, 1943, in Gottwaldt and Schulle, "*Judendeportationen*," 373 – 79；NAL, HW 16/21, Höss to Eichmann, October 7, 1942.

86. Quotes in Broad, "Erinnerungen," 174；Van Pelt, *Case*, 240. See also *DAP*, VernehmungStark, April 23, 1959, 4540 – 41；Iwaszko,

"Reasons," 17；Citroen and Starzyńska, *Auschwitz*, 57 – 90

87. 此段和前一段，参见 Langfus, "Aussiedlung," 121 – 22, quotes on 122；Greif, *Wir weinten*, 57 – 58；Czech, *Kalendarium*, 352。针对遣送列车抵达情况的概述，参见 Adler et al., *Auschwitz*, 59 – 62；Gradowski, "Tagebuch," 156 – 57；Friedler et al., *Zeugen*, 145；Gigliotti, *Train*, 179, 185 – 90。如果党卫队设想犹太人会抵抗，他们行事就更凶残；Fulbrook, *Small Town*, 303 – 304。

88. Czech（*Kalendarium*, 241）认定第一次筛选的日期是 1942 年 7 月 4 日。即便后来站台筛选成为例行公事，仍有一些遣送列车是开到比克瑙中转营并在那里完成筛选的；Piper, *Mass Murder*, 109。

89. Piper, *Zahl*, 183, 190, 193, 198；Czech, *Kalendarium*, 347 – 70；Broszat, *Kommandant*, 208.

90. Quote in Broad, "Erinnerungen," 188. 头几个月，筛选的责任明显落在集中营领导身上。大概从 1943 年春天开始，就由党卫队医生来主管；Dirks, "*Verbrechen*," 101 – 104；Wagner, *IG Auschwitz*, 174；DAP, Vernehmung H. Stark, April 23, 1959, 4540 – 41。然而，一些囚犯作证说，医生早在 1943 年春天之前就开始参与其中（e.g., Greif, *Wir weinten*, 58）。关于劳动行动的领导人，参见 BArchB, Film 44840, Interrogation G. Maurer, March 13, 1947, p. 9。

91. 1941 年筛选苏联"人民委员"时，党卫队并没有碰到儿童、妇女和老人。

92. Quote in Van Pelt, *Case*, 238.

93. Kubica, "Children," 205, 217, 289；Buser, *Überleben*, 116 – 21；Pohl, *Holocaust*, 106 – 107；数字不包括从泰雷津而来的遣送（参见第 7 章和第 9 章）。对年龄不满 18 岁的，我统称为"儿童"。

94. Strzelecka, "Women," 171；IfZ, EE by F. Entress, April 14, 1947, ND：NO – 2368；APMO, Proces Höss, Hd 6, Bl. 46 – 50, O. Wolken, "Frauen u. Kinderschicksale," February 18, 1945.

95. Lengyel, *Chimneys*, 27（首次出版于 1947 年）。

96. Gerlach and Aly, *Kapitel*, 290；男子可以自称年龄略微超过 40 岁。

97. 例子参见 Wiesel, *Nacht*, 50 – 53（首次出版于 1958 年）。

98. Langer, "Dilemma," quote on 224. See also Shik, "Erfahrung," 108.

99. NAL, HW 16/21, Höss to Eichmann, October 7, 1942; Steinbacher, "*Musterstadt*," 278.

100. Broszat, *Kommandant*, 205 – 206, quote on 205.

101. Broad, "Erinnerungen," quote on 188; Dirks, "*Verbrechen*," 102.

102. Broszat, *Kommandant*, 246; IfZ, F 13/8, Bl. 480 – 85: R. Höss, "Dr. Grawitz," January 1947.

103. IfZ, F 13/6, Bl. 355 – 58: R. Höss, "Gerhard Maurer," November 1946; Broszat, *Kommandant*, 246; testimony of R. Höss, April 2, 1946, in Mendelsohn, *Holocaust*, vol. 12, 109.

104. Broszat, *Kommandant*, 208, 246.

105. Piper, *Mass Murder*, 143.

106. Langfus, "Aussiedlung," 123; Czech, *Kalendarium*, 352; Greif, *Wir weinten*, 58; APMO, Proces Höss, Hd 5, Bl. 24 – 38: testimony of Dr. B. Epstein, April 7, 1945; Lewental, "Gedenkbuch," 204; BoA, testimony of H. Frydman, August 7, 1946.

107. Quotes in Delbo, *Auschwitz*, 7; IfZ, F 13/8, Bl. 480 – 85: R. Höss, "Dr. Grawitz," January 1947, Bl. 485. See also Friedler et al., *Zeugen*, 71; Piper, *Mass Murder*, 136 – 37.

108. Quotes in IfZ, G 20/2, testimony of J. P. Kremer, July 18, 1947; LSW, Bl. 44 – 66: Vernehmung S. Dragon, May 10, 11, and 17, 1946. See also Friedler et al., *Zeugen*, 73; Broad, "Erinnerungen," 173. 两座木制营房是 1942 年 8 月中旬后建成的。

109. Pressac and Van Pelt, "Machinery," 213 – 14; NAL, WO 208/4661, statement of H. Aumeier, July 25, 1945, p. 9.

110. 此段和前一段，参见 LSW, Bl. 44 – 66: Vernehmung S. Dragon, May 10, 11, and 17, 1946, Bl. 45 – 46; Friedler et al., *Zeugen*, 92 – 98, 206; Greif, *Wir weinten*, 60 – 63; Hördler, "Ordnung," 142; Schmid, "Moll," 125 – 28; Czech, *Kalendarium*, 356。经历了一连串越狱事件后，1942 年 12 月 9 日，党卫队杀掉了上一批特别工作队的所有囚犯。

111. Greif, *Wir weinten*, 49 – 58; Czech, *Kalendarium*, 352; Piper, *Zahl*, 204.

112. Quotes in LSW, Bl. 44 – 66: Vernehmung S. Dragon, May 10, 11, and 17, 1946, Bl. 47, 51. 关于"牙医"，参见 Friedler et al., *Zeugen*, 176。

113. Pressac and Van Pelt, "Machinery," 215 – 16; Van Pelt, *Case*, 255; Friedler et al. , *Zeugen*, 88; "Bericht Tabeau," 154.

114. Van Pelt, *Case*, 80, 214, 352, 465 – 66; Pressac and Van Pelt, "Machinery," 216 – 19, 223 – 24; Piper, *Mass Murder*, 164 – 73; Fröbe, "Kammler," 310 – 11. 党卫队规划者认为新火葬场更高效的另一个原因跟齐克隆 B 的化学反应有关。在漫长的冬季, 不能加热的 1 号和 2 号地堡里, 氰化物要花更长的时间才能蒸发。相比之下, 新的Ⅳ号和Ⅴ号火葬场可以用炉子预热, 位于Ⅱ号和Ⅲ号火葬场毒气室地上的焚尸炉也有相似的效果 (感谢 Robert Jan van Pelt 的清楚解释)。

115. 此段和前一段, 参见 Friedler et al. , *Zeugen*, 88 – 92, quote on 91; Broszat, *Kommandant*, 243 – 44; Arad, *Belzec*, 170 – 71; NAL, WO 208/4661, statement of H. Aumeier, July 25, 1945, pp. 3 – 4; USHMM, RG – 11. 001M. 03, reel 43, folder 336, W. Dejaco, Dienstfahrt nach Litzmannstadt, September 17, 1942; Strzelecki, " Utilization," 412 – 13; Broad, "Erinnerungen," 166; Montague, *Chelmno*, 114 – 19. 1942 年 9 月到 1943 年 3 ~ 4 月, 仍有小批次的犹太人被送去切姆诺, 就在该营关停前。营地后来在 1944 年 6 ~ 7 月曾短暂重开了一段时间; *OdT*, vol. 8, 310 – 17。

116. Pressac and Van Pelt, " Machinery," 223, 232 – 36; Van Pelt, *Case*, 450 – 51. 关于托普夫父子公司, 参见 Knigge, *Techniker*; Schüle, *Industrie*。

117. Bischoff to WVHA, June 28, 1943, in Kogon et al. , *Massentötungen*, 219; Van Pelt, *Case*, 342 – 50. 另外, Ⅰ号火葬场仍可以焚化 340 具尸体。

118. Broad, "Erinnerungen," 181.

119. Broszat, *Kommandant*, quote on 199; USHMM, RG – 11. 001M. 03, reel 20, folder 26, Besuch des Hauptamtschefs in Auschwitz, August 17, 1943; deposition H. Tauber, May 1945, in Piper, *Mass Murder*, appendix 3, 255.

120. P. Levi, "A Past We Thought Would Never Return," *Corriere della Sera*, May 8, 1974, in Belpoliti, *Levi*, 31 – 34, p. 33.

121. Bauman, *Modernity*, 7 – 9.

122. Quotes in KL Auschwitz to WVHA, February 20, 1943, in Kogon et al. , *Massentötungen*, 222; *DAP*, Vernehmung H. Stark, July 24, 1959, 4581 – 82; IfZ, G 20/1, Das Oberste Volkstribunal, Urteil, December 22, 1947, p. 108. See also Van Pelt, *Case*, 296; Kagan, "Standesamt," 153; BArchL, B

162/7999, Bl. 768 – 937；StA Koblenz, EV, July 25, 1974, Bl. 895；ibid.，B 162/7998, Bl. 623 – 44；Vernehmung J. Otto, April 1, 1970, Bl. 641；testimony of defendant Sommer, TWC, vol. 5, 677 – 78. 比克瑙党卫队显然另有一份焚烧尸体的记录；deposition of H. Tauber, May 24, 1945, in Piper, *Mass Murder*, appendix 3, 262。

123. 一个例子，参见 Kotek and Rigoulot, *Jahrhundert*, 416。

124. Pressac and Van Pelt, "Machinery," 233 – 39. 错误和故障导致Ⅳ号火葬场很快就关停了。

125. 针对纳粹种族屠杀背后机械性能的一些想法，参见 Bauman, *Modernity*, 83 – 116。

126. *DAP*, Aussage R. Böck, August 3, 1964, 14149 – 50；Kogon et al.，*Massentötungen*, 228；Kremer, "Tagebuch," 222.

127. Deposition of H. Tauber, May 24, 1945, in Piper, *Mass Murder*, appendix 3, 251 – 57；Friedler et al.，*Zeugen*, 164 – 65.

128. Quote in Langfus, "Aussiedlung," 126.

129. 编史参见 Marrus, "Jewish Resistance"。

130. Quotes in Bettelheim, "Foreword," 7, 12. See also Wünschmann, "'Scientification,'" 112（n. 5）.

131. 此段和前一段，参见 Friedler et al., *Zeugen*, 150, 158, quote on 147；Greif, *Wir weinten*, xxxi-ii；Müller, *Eyewitness*, 75 – 80。

132. Quote in Greif, *Wir weinten*, 32.

133. Borowski, "This Way," 89（首次出版于 1946 年）。

134. Quotes in Unbekannter Autor, "Einzelheiten"（1943 – 44），180, 183.

135. Bettelheim, "Foreword," 12.

136. YVA, 03/2874, protocol I. Gönczi, January 11, 1966；Longerich, *Politik*, 492 – 93.

137. Marszałek, *Majdanek*, 74 – 75；Schwindt, *Majdanek*, 103 – 11.

138. *OdT*, vol. 7, 42, 47；Schulte, "London," 224；Glücks to Pohl, July 15, 1942, in Marszałek, *Majdanek*, 155.

139. 此段和前一段，参见 Lenard, "Flucht," quotes on 149, 150, 161。莱纳德的踪迹在 1944 年夏天后消失了。See also *OdT*, vol. 7, 56 – 59, 62；Mailänder Koslov, *Gewalt*, 86 – 90；Marszałek, *Majdanek*, 97 – 99；

Hördler, "Ordnung," 128, 133; HLSL, Anklageschrift gegen Koch, 1944, p. 2, ND: NO – 2366; YVA, 03/2874, protocol I. Gönczi, January 11, 1966; Ambach and Köhler, *Lublin – Majdanek*, quote on 187.

140. Quote in USHMM, RG – 11.001M.76, reel 421, folder 157, WVHA – C/III, Dienstreise zur Zentralbauleitung Lublin, January 20, 1943. 死亡率参见 Kranz, "Erfassung," 234, 241。

141. Marszałek, *Majdanek*, quote on 136 – 37; Mailänder Koslov, *Gewalt*, 288 – 93; *OdT*, vol. 7, 51; YVA, Tr – 10/1172, LG Düsseldorf, Urteil, June 30, 1981, 78.

142. Arad, *Belzec*, 56 – 58; White, "Majdanek"; Marszałek, *Majdanek*, 14 – 15; Berger, *Experten*, 82. 有的情况下，甚至会在索比堡和特雷布林卡筛选犹太人，送去马伊达内克当作奴隶劳工；ibid., 391。

143. Schwindt, *Majdanek*, 158 – 67, 289; Kranz, "Massentötungen," 220 – 22; Mailänder Koslov, *Gewalt*, 310 – 12. 在杀人营区完工前几周，第一次毒气处决可能就已经发生了。

144. *OdT*, vol. 8, 354 – 55; Arad, *Belzec*, 370 – 71. 贝乌热茨集中营在 1943 年时零星处决过犹太人；Berger, *Experten*, 190。

145. Witte and Tyas, "Document," 471 – 72; Kranz, "Erfassung," 234.

146. Quotes in testimony of R. Awronska, in Ambach and Köhler, *Lublin – Majdanek*, 101. See also Schwindt, *Majdanek*, 290; *OdT*, vol. 7, 54; Marszałek, *Majdanek*, 150; Longerich, *Politik*, 539; Mailänder Koslov, *Gewalt*, 322 – 23; Kranz, "Massentötungen," 219; idem, "Erfassung," 243.

147. Quotes in BArchB (ehem. BDC), SSO, Florstedt, Hermann, 18. 2. 1895, Glücks to SS – Personalhauptamt, March 5, 1943; "Bericht Vrba" (1944), 282. See also Conway, "Augenzeugenberichte," 269; *OdT*, vol. 7, 61 – 65. 大多数时间，马伊达内克关押的因犯大概在 1 万人以下；ibid., 50。

148. Arad 估计，在格洛博奇尼克死亡营殒命的 170 万犹太人中，大概有 13.5 万人来自波兰和苏联以外；Arad, *Belzec*, 149, 379。See also Hayes, "Auschwitz," 339; BArchK, All. Proz. 6/106, Bl. 24.

149. Quote in IfZ, F 13/6, Bl. 359 – 68: R. Höss, "Globocnik," January 1947. See also Black, "Globocnik," 112; Berger, *Experten*, 85.

150. Berger, *Experten*, 252 – 53; Piper, *Zahl*, tables D and 15.

151. Arad, *Belzec*, 30, 69, 84, 153; Pohl, "Holocaust," 153; Berger, *Experten*, 224 – 25; YVA, TR – 10/1069, vol. 8, Bl. 78 – 88: Vernehmung Erich B. , December 10, 1962; Strzelecka and Setkiewicz, "Construction," 73; BArchB (ehem. BDC), SSO Pohl, Oswald, 30. 6. 1892, Pohl to Himmler, April 5, 1944; Schulte, "London," 223.

152. Quote in YVA, O. 3/4039, Bl. 1921 – 29: Vernehmung E. Rosenberg, February 11, 1961, Bl. 1921 – 22. See also Arad, *Belzec*, 23 – 88; Berger, *Experten*, 52, 78, 96, 110 – 11, 129, 144 – 46, 207, 210 – 13; Krakowski, *Todeslager*, passim.

153. Friedlander, *Genocide*, 279 – 302; Berger, *Experten*, 190.

154. YVA, TR – 10/1069, vol. 6, Bl. 74 – 76: Vernehmung Karl F. , April 10, 1962, quotes on 74; Arad, *Belzec*, 105 – 13; Berger, *Experten*, 300 – 301.

155. Perz and Sandkühler, "Auschwitz," 291 – 93; Berger, *Experten*, 180 – 81.

156. 为了充分剥削营里的劳动力，格洛博奇尼克和 WVHA 合资建立了东方工业股份有限公司（Ostindustrie GmbH）; Kaienburg, *Wirtschaft*, 550 – 51。

157. 例如上奥地利州大区长官奥古斯特·埃格鲁伯（August Eigruber）参与毛特豪森的事务; YUL, MG 1832, Series II—Trials, 1945 – 2001, Box 10, folder 50, Affidavit A. Eigruber, February 19, 1946。

158. YVA, Globocnik to Himmler, January 5, 1944, p. 12, ND: 4024 – PS.

159. Schwindt, *Majdanek*, 75 – 76; Kranz, "Konzentrationslager Majdanek," 239 – 41; idem, "Massentötungen," 220.

160. BArchB (ehem. BDC), SSO, Florstedt, Hermann, 18. 2. 1895, SS Personalhauptamt to SS Oberabschnitt Fulda – Werra, September 14, 1943; IfZ, F 13/6, Bl. 359 – 68: R. Höss, "Globocnik," January 1947.

161. IfZ, F 13/6, Bl. 359 – 68: R. Höss, "Globocnik," January 1947, quotes on 364, 367.

162. Affidavit of R. Höss, April 5, 1946, *IMT*, vol. 33, 275 – 79, ND: 3868 – PS, quotes on 277; Broszat, *Kommandant*, 256 – 57.

163. Hilberg, *Vernichtung*, vol. 2, 955; Arad, *Belzec*, 100 – 104; Berger, *Experten*, 98.

164. Quote in IfZ, F 13/6, Bl. 359 – 68; R. Höss, "Globocnik," January 1947, Bl. 366.

165. 这种观点参见 Orth, *System*, 199。

166. Quote in Himmler to Pohl et al. , October 2, 1942, in Heiber, *Reichsführer!*, 189 – 90 (另一份出版物将信的日期写为 1942 年 10 月 9 日; *TWC*, vol. 5, 616 – 17)。 See also Longerich, *Himmler*, 684 – 88; Pohl, "Holocaust," 156 – 57, 下文同。

167. Kárný, "Waffen – SS," 246.

168. Paserman, "Bericht," quotes on 151 – 52. See also *OdT*, vol. 8, 91 – 109; Finder, "Jewish Prisoner Labour"; Longerich, *Himmler*, 684 – 85; Snyder, *Bloodlands*, 286 – 92; Friedländer, *Jahre*, 550 – 53. 希姆莱起初在 1942 年 10 月下令在华沙建立一座集中营，将聚居区工坊置于党卫队的管控之下。不过，这项命令从未得到执行，一旦希姆莱决定摧毁聚居区，原定集中营的功能就改变了。

169. IfZ, Himmler to Pohl et al. , June 21, 1943, ND: NO – 2403. 详情参见 Snyder, *Bloodlands*, 189 – 94, 228; Dieckmann, *Besatzungspolitik*, vol. 1, 451; ibid. , vol. 2, 1248 – 49。

170. Quote in USHMM, RG – 11.001M.05, reel 75, 504 – 2 – 8, Einsatzgruppe A, Vermerk, October 1, 1941. See also ibid. , Stahlecker to RSHA, August 21, 1941 and October 6, 1941; Angrick and Klein, "*Endlösung*," 207 – 11.

171. *OdT*, vol. 8, 17 – 87; Angrick and Klein, "*Endlösung*," 391 – 405, 420; IfZ, F 37/2, Himmler diary, entries for March 13, 14, and 16, 1943.

172. Quote in BArchB (ehem. BDC), SSO, Aumeier, Hans, 20. 8. 1906, Glücks, Personal – Antrag, August 22, 1944. See also *OdT*, vol. 8, 131 – 83.

173. Quote in unknown correspondent to M. Lubocka, August 27, 1943, in Harshav, *Last Days*, 660. See also Dieckmann, *Besatzungspolitik*, vol. 2, especially pages 1268 – 1321; idem, "Ghetto"; IfZ, Himmler to Pohl et al. , June 21, 1943, ND: NO – 2403; *OdT*, vol. 8, 185 – 208. Jürgen Matthäus 认为科夫诺不隶属于 WVHA (*OdT*, vol. 8, 200)。这个结论是基于对地区性党卫队经济办公室的错误理解（见下文）。WVHA 当然将科夫诺视为自己管辖内的集中营（e. g. , BArchB, NS 4/Na 9, Bl. 9 – 11)。

174. *OdT*, vol. 1, 223; ibid. , vol. 8, 18, 106, 133, 200; Dieckmann,

"Ghetto," 454; idem, *Besatzungspolitik*, vol. 2, 1282, 1287 – 96; Megargee, *Encyclopedia*, I/B, 1230.

175. 党卫队经济官员归更高层的党卫队和警方领导管理，他们向上级汇报地方集中营指挥官提交的报告；Schulte, *Zwangsarbeit*, 313 – 20; Allen, *Business*, 180 – 81; *OdT*, vol. 8, 132。

176. Steinbacher, "*Musterstadt*," 305; Rudorff, "Arbeit," 35 – 36; *OdT*, vol. 5, 186 – 91; *OdT*, vol. 6, 204.

177. Quote in BArchB（ehem. BDC）, SSO Pohl, Oswald, 30. 6. 1892, Aktenvermerk, September 7, 1943. See also YVA, Globocnik to Himmler, January 5, 1944, ND：4024 – PS（此处参考波尔在 1943 年 10 月 22 日发布的命令）。

178. Schelvis, *Sobibor*, 145 – 72; Pohl, "Zwangsarbeiterlager," 427 – 28; Berger, *Experten*, 254; Friedländer, *Jahre*, 588; Longerich, *Himmler*, 687.

179. 此段和前一段，参见 Mailänder Koslov, *Gewalt*, 205, 302 – 308, 324 – 26, quote on 305; *OdT*, vol. 7, 52 – 53; Ambach and Köhler, *Lublin – Majdanek*, 85, 98, 183。

180. *OdT*, vol. 7, 48 – 49; Kranz, "Massentötungen," 226.

181. Kaienburg, *Wirtschaft*, 540 – 48, 551 – 52; Berger, *Experten*, 261 – 64; Goldhagen, *Executioners*, 300 – 311; YVA, Globocnik to Himmler, January 5, 1944, ND：4024 – PS.

182. Kaienburg, *Wirtschaft*, 559 – 61; Longerich, *Himmler*, 686; Pohl, "Zwangsarbeiterlager," 429 – 31; Friedländer, *Jahre*, 614 – 15. 希姆莱被瓦尔特高的大区长官格赖泽尔（Greiser）深深挫败，没能将罗兹聚居区改造为集中营。

183. 此段和前一段，参见 BArchL, B 162/1124, Bl. 2351 – 2418：Dr. A. Biberstein, "Das Lager Plaszow," n. d., quotes on 2396, 2398; *OdT*, vol. 8, 239 – 87; Megargee, *Encyclopedia*, vol. 1/B, 862 – 66。

184. Fröhlich, *Tagebücher*, II/4, June 2, 1942, 432. See also Witte et al., *Dienstkalender*, 572 – 73; APMO, Proces Maurer, 6, Bl. 52 – 56：EE by A. Kaindl, June 15, 1946, ND：NI – 280; AdsD, KE, E. Büge, Bericht, n. d. （1945 – 46）, 157 – 58; BStU, MfS HA IX/11 ZUV 4, Bd. 24, Bl. 190 – 96：Vernehmungsprotokoll H. Hempel, August 23, 1946; Wein, "Krankenrevier," 51（n. 27）.

185. 数字参见前文和 Schulte，"London"。犹太囚犯的国籍，参见 BArchB，NS 4/Bu 143，Rapport，October 17，1942。

186. BArchL，B 162/7999，Bl. 768 – 937：StA Koblenz，EV，July 25，1974，Bl. 894；Witte et al.，*Dienstkalender*，573（n. 155）；Longerich，*Himmler*，644.

187. Quote in HLSL，WVHA to LK，October 5，1942，ND：3677 – PS. See also ITS，DE ITS 1. 0. 6，RSHA to Stapo（leit）stellen，November 5，1942，ND：NO – 2522. 如文件所示，一些党卫队和警方领导错误地认为奥斯维辛不属于德意志帝国境内。

188. Buggeln，*System*，47 – 48.

189. Sprenger，*Groß – Rosen*，130.

190. Külow，"Häftlinge，" 197 – 98，quote on 197. See also Piper，*Mass Murder*，105；Czech，*Kalendarium*，325，328 – 29；Kwiet，"Leben，" 238.

191. BArchB，NS 19/1570，Bl. 12 – 28：Inspekteur für Statistik，Endlösung der Judenfrage，Bl. 24. 当然，德国当局没能辨识出集中营里所有的犹太人（Kogon，*Theory*，2006，192），哪怕用了囚犯举报的手段（NAL，HW 16/11，Buchenwald to Auschwitz，October 19，1942）。

192. NAL，HW 16/21，GPD Nr. 3，Pister to WVHA，October 29，1942.

193. WL，P. III. h. No. 228，Bericht E. Federn，n. d. 费德恩于 1945 年 4 月从布痕瓦尔德集中营被解放。

194. 此段和前一段，参见 de Rudder，"Zwangsarbeit，" 206 – 19，quote on 212（n. 36）；Burger，*Werkstatt*，89 – 198（the source for the film *The Counterfeiters*，2007）；Witte et al.，*Dienstkalender*，475；Hohmann and Wieland，*Konzentrationslager*，38 – 39。

195. Quote in Bauer，*Jews*，252.

196. *OdT*，vol. 7，quotes on 188. See also Wenck，*Menschenhandel*，33 – 93.

197. 关于战俘营，参见 Stiftung，*Bergen – Belsen*，41 – 141。

198. *OdT*，vol. 1，220 – 21；*OdT*，vol. 7，188 – 93；WVHA to LK，June 29，1943，in Kolb，*Bergen – Belsen*，208 – 209. See also Wenck，*Menschenhandel*，passim.

199. Quotes in WL，P. III. h. No. 555，F. Heilbut，"Bergen – Belsen，" n. d.（1945 – 49），p. 3；S. H. Herrmann，"Austauschlager Bergen –

Belsen,” 1944, in Niedersächsische Landeszentrale, *Bergen – Belsen*, 53. See also Wenck, *Menschenhandel*, 58 – 70, 147 – 55, 180 – 81, 220 – 28; *OdT*, vol. 7, 190 – 97.

200. Wenck, *Menschenhandel*, 248 – 60; Niedersächsische Landeszentrale, *Bergen – Belsen*, 36 – 37; *OdT*, vol. 7, 191 – 96; Buser, *Überleben*, 267.